Céline Thérien

3e édition

ANTHOLOGIE DE LA
LITTÉRATURE
D'EXPRESSION FRANÇAISE

Tome 2

du réalisme à la période contemporaine

LES ÉDITIONS
CEC

9001, boul. Louis-H.-La Fontaine, Anjou (Québec) Canada H1J 2C5
Téléphone : 514-351-6010 • Télécopieur : 514-351-3534

Direction de l'édition
Janik Trépanier

Direction de la production
Danielle Latendresse

Direction de la coordination
Rodolphe Courcy

Charge de projet
Monique Pratte

Révision linguistique
Monique Pratte

Correction d'épreuves
Michèle Levert

Conception et réalisation graphique
Dessine-moi un mouton

Remerciements de l'Éditeur
L'éditeur souhaite remercier les personnes suivantes, qui ont participé à titre de consultants pédagogiques, pour leurs judicieuses suggestions :
Cindy Baril, enseignante, Collège de Rosemont
Alain Dubois, enseignant, Cégep de Victoriaville
Virginie Dufour, enseignante, Cégep de Sainte-Foy
Catherine Garand, enseignante, Cégep de l'Outaouais
Lyne Hains, enseignante, Collège Édouard-Montpetit
Sandrine LeTellier, enseignante, Cégep Saint-Laurent
Jean-Paul Roger, enseignant, Cégep André-Laurendeau
Karine Vigneau, enseignante, Collège Ahuntsic

Merci également à tous les enseignants qui nous ont donné des commentaires au fil des ans.

Un merci tout particulier aux consultantes pédagogiques dont les noms suivent, qui ont proposé des extraits d'œuvres pour le chapitre 6 :
Élyse Dupras, enseignante, Cégep de Saint-Jérôme (*Incendies*)
Nathalie Larose, enseignante, Cégep de Saint-Jérôme (*Lorsque j'étais une œuvre d'art*)
Brigitte Roy, enseignante, Cégep de Saint-Jérôme (*Le grand cahier*)

Les Éditions CEC inc. remercient le gouvernement du Québec de l'aide financière accordée à l'édition de cet ouvrage par l'entremise du Programme de crédit d'impôt pour l'édition de livres, administré par la SODEC.

Anthologie de la littérature d'expression française,
du réalisme à la période contemporaine, Tome 2, 3ᵉ édition
© 2013, Les Éditions CEC inc.
9001, boul. Louis-H.-La Fontaine
Anjou (Québec) H1J 2C5

Dépôt légal : 2013
Bibliothèque et Archives nationales du Québec
Bibliothèque et Archives Canada

ISBN 978-2-7617-6199-4
Imprimé au Canada
3 4 5 6 7   23 22 21 20 19

Avant-propos

Tout peut être poème. Tout peut être roman. Tout peut être représenté sur scène. La rose au jardin des amours tout autant que la charogne putréfiée cuisant son hideuse carcasse au soleil. Du sang sur le seuil de la porte : c'est, au tournant d'une page, l'indice d'un crime abominable commis dans le mystère de la nuit. Sous les bombes, dans une rue ravagée par la guerre, la littérature pleut en milliers de poèmes lancés sur la ville ; un poète a cru au pouvoir libérateur du langage. En Amérique, un père visite le World Trade Center avec ses deux enfants. Sur les collines d'Alger, un jour de fiançailles, on pleure la mort d'un soldat. Sous un arbre, dans un lieu inconnu, deux vagabonds laissent s'écouler le temps dans l'attente d'un visiteur qui jamais ne viendra au rendez-vous.

Cette anthologie est une invitation au voyage, dans le temps comme dans l'espace, à la rencontre de grands romanciers qui recomposent le monde sous nos yeux, qui nous font pénétrer les drames, les secrets, les mystères des sociétés d'hier et d'aujourd'hui. À la rencontre de dramaturges qui ouvrent l'imaginaire en faisant de nous les metteurs en scène de leur cosmogonie. À la rencontre de poètes qui sèment des mots pour la récolte de demain ou laissent tomber des cailloux sur la route pour nous orienter vers nous-mêmes. À la rencontre de grands penseurs, qui réfléchissent sur la condition humaine, mais aussi sur l'art et sa fonction dans la grande cité moderne. Au fil des pages, des reproductions de toiles, de sculptures, présentent autant de témoignages de l'étonnante nécessité de créer et de créer encore.

Cette anthologie est aussi une main tendue vers l'étudiant pour l'aider à comprendre et l'aider à apprendre, puisque la littérature recèle des connaissances qui souvent pénètrent le lecteur à son insu. Ce manuel a été conçu avec le souci scrupuleux de répondre précisément aux attentes du cégépien d'aujourd'hui. Toute une équipe s'est mise au travail pour lui fournir les outils nécessaires à sa réussite, pour faire en sorte qu'au terme de son parcours, il ait acquis le sentiment de sa compétence et la fierté de ses connaissances.

Il ne me reste que ces quelques mots à ajouter : merci à tous ceux qui m'ont accompagnée tout au long de ce travail, à mon éditrice, Janik Trépanier, à mes réviseures, à Élyse Dupras, Nathalie Larose et Brigitte Roy, qui ont proposé des extraits pour le chapitre 6, et à mon conjoint, Samuel Alberola, pour sa patience infinie.

Céline Thérien

Voici les principales caractéristiques de cette troisième édition :

- **Les introductions théoriques, plus élaborées,** adoptent un plan logique qui facilite la compréhension de la matière. Elles sont écrites dans une langue accessible et présentent la définition de plusieurs concepts-clés utiles à l'étudiant.

- **Une conception qui vise l'homogénéité.** Le lecteur retrouve les mêmes rubriques d'un chapitre à l'autre. Par exemple, chaque chapitre s'ouvre sur une introduction qui présente l'époque à l'étude, décrit le rôle et l'importance de l'écrivain dans la société de cette époque et donne les caractéristiques du courant à l'étude.

- **Les tableaux synthèses** favorisent la compréhension et l'analyse. En outre, ils permettent à l'étudiant de comparer les courants entre eux.

- **Des pages synthèses** permettent de suivre l'évolution des quatre grands genres : la poésie, le récit, le théâtre et l'essai dans l'histoire littéraire. Ces sections, qui précèdent les extraits, proposent des tableaux qui font la synthèse des caractéristiques des formes, par exemple le nouveau roman ou l'antithéâtre, à mesure qu'elles apparaissent dans l'histoire littéraire.

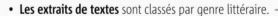

- **Les extraits de textes** sont classés par genre littéraire.

- **La notice en marge** situe l'auteur dans son époque, explique son originalité et l'importance de sa contribution littéraire. Elle se termine par une mise en contexte de l'extrait.

- **Des ateliers d'analyse ou de comparaison** accompagnent les extraits. Les questions poussent l'étudiant à établir des liens avec la théorie. Elles lui font découvrir la signification du texte en l'amenant à dégager les procédés stylistiques qui le caractérisent. Elles intègrent de plus des étapes pour le faire progresser dans l'écriture de la dissertation.

- **Une iconographie variée et significative** qui insère la littérature dans un ensemble plus large, en informant le lecteur sur l'art, les goûts et les préoccupations de l'époque.

- **Une section méthodologique** remaniée afin de bien soutenir l'étudiant dans l'apprentissage de la littérature et dans sa démarche d'autocorrection. Cette section propose des stratégies pour arriver à analyser un texte littéraire, planifier une dissertation, composer un paragraphe et effectuer une révision finale.

Table des matières

ATELIER DE COMPARAISON

CHAPITRE 6   LA LITTÉRATURE ACTUELLE
Voix singulières et postmodernité

CHAPITRE 7   MÉTHODOLOGIE

Gustave Caillebotte, *Le pont de l'Europe*, 1876.

	Événements politiques	Arts, littérature et sciences
1829		Balzac, *La comédie humaine* (1829-1847)
1830	Prise d'Alger par la France	Stendhal, *Le rouge et le noir*
1831	Indépendance de la Belgique	
1833		Balzac, *Eugénie Grandet*
1835		Balzac, *Le père Goriot*
1837		Invention du télégraphe par Samuel Morse
1838		Daguerre, premier daguerréotype (procédé photographique)
1848		Début du réalisme en peinture avec Courbet et Daumier
1851	Coup d'État de Louis-Napoléon Bonaparte (Napoléon III)	Melville, *Moby Dick* Beecher Stowe, *La case de l'oncle Tom*
1852	Début du Second Empire avec Napoléon III, neveu de Napoléon Bonaparte ; période de prospérité économique et de grands développements (ferroviaires, bancaires, industriels)	Dumas, fils, *La dame aux camélias* Décollage du premier dirigeable par un Français
1856		Hugo, *Les contemplations*
1857		Flaubert, *Madame Bovary* Baudelaire, *Les fleurs du mal*
1859		Darwin, *De l'origine des espèces*
1861	Début de la guerre de Sécession aux États-Unis (1861-1871)	
1862		Hugo, *Les misérables*
1863		Premier chemin de fer souterrain à Londres Première automobile à pétrole par Lenoir
1865		Lois de l'hérédité de Mendel Tolstoï, *Guerre et paix* Verne, *De la Terre à la Lune*
1866		La dynamite inventée par Alfred Nobel Dostoïevski, *Crime et châtiment*
1867	Fédération canadienne	Exposition universelle à Paris
1870	Troisième République (1870-1940) Guerre franco-prussienne (1870-1871)	
1871	La Commune, insurrection populaire à Paris, réprimée au cours d'une semaine sanglante	Zola, *Les Rougon-Macquart* (1871-1893)
1874		Première exposition impressionniste à Paris
1875	Constitution républicaine	
1876		Mise au point du téléphone par Alexander Graham Bell
1877		Zola, *L'assommoir*
1878		Invention de l'ampoule électrique par Thomas Edison
1880		Zola, *Nana* Maupassant, *Boule de suif*
1882		Mise en service de la première centrale électrique construite par Thomas Edison
1883		Mise au point du moteur à explosion par les ingénieurs Daimler et Benz
1884	Série de lois sociales en France concernant le statut des ouvriers et la syndicalisation (1884-1890)	
1885		Zola, *Germinal* Invention du cinéma par les frères Lumière Mise au point du vaccin contre la rage par Louis Pasteur
1886		Manifeste et première exposition symboliste à Paris
1887		Maupassant, *Le Horla* Invention du disque et du gramophone aux États-Unis
1888		Maupassant, *Pierre et Jean*
1889		Construction de la tour Eiffel à Paris Exposition universelle de Paris
1893		Construction de la première voiture par Henry Ford
1898	Affaire Dreyfus ; Émile Zola publie une lettre ouverte au président de la République : « J'accuse ».	Découverte du radium par Pierre et Marie Curie

PRÉSENTATION DE L'ÉPOQUE

LE RÉALISME : En quoi consiste-t-il?

Le réalisme couvre la période qui correspond à l'âge d'or du capitalisme industriel en France, soit environ de 1830 jusqu'à la fin du siècle. Le courant réaliste valorise l'observation de la dynamique sociale avec une relative neutralité et place l'argent au centre de sa thématique. Il s'oppose au romantisme, qui idéalisait la réalité et privilégiait le rêve et l'imagination. Deux générations d'écrivains font évoluer ce courant, qui concerne presque exclusivement le roman. Le théâtre réaliste n'a pas survécu à l'épreuve du temps, tandis que la poésie est antiréaliste par sa nature même. Un premier groupe d'écrivains réalistes, dont font partie Honoré de Balzac, Stendhal (tous deux décédés avant 1850) et Gustave Flaubert (né avant 1825), subit encore l'influence du romantisme mais innove sur le plan de la composition du roman, genre littéraire qui gagne la faveur populaire au XIXᵉ siècle. Émile Zola et Guy de Maupassant, dont les œuvres paraissent dans la deuxième moitié du siècle, sont les meilleurs représentants de la deuxième vague du réalisme, mieux connue sous l'appellation « naturalisme ». Zola, qui en est le théoricien, radicalise les idées mises de l'avant par ses prédécesseurs.

Par ailleurs, il faut préciser d'entrée de jeu que l'utilisation même du terme « réaliste » entraîne une certaine équivoque. En effet, tout récit implique une part de réalisme puisque, par définition, les mots font surgir des images du monde réel. Il importe donc de bien cerner les caractéristiques qui distinguent ce courant, la plus importante étant qu'il met l'accent sur les rapports de pouvoir dans la société. Une autre source de confusion provient de l'idée qu'un roman réaliste doit absolument dépeindre le monde avec objectivité. En fait, toute œuvre véhicule inévitablement une vision du monde partielle, puisqu'on relate un moment dans l'histoire de l'humanité, et partiale, puisque tout regard sur le monde implique une subjectivité. Ainsi, malgré leur volonté de neutralité, les romanciers réalistes restent tributaires de l'état du savoir au XIXᵉ siècle ainsi que des valeurs qui prévalent dans leur société.

En définitive, ce qu'il faut saluer, c'est la grande contribution des écrivains réalistes à la promotion du genre romanesque. On admet aujourd'hui qu'un roman puisse être un outil de connaissance extrêmement performant pour pénétrer les aspirations secrètes de l'être humain. Par surcroît, le roman permet de mieux comprendre un état de société de même que le mode de répartition de sa population en classes sociales. Force est donc de constater que le réalisme a modifié de façon indélébile l'art de raconter tout en exerçant une influence incontournable sur d'autres médias, en particulier le cinéma.

Edgar Degas, *Dans un café, dit aussi L'absinthe*, 1873.
Ce tableau illustre le développement des cafés parisiens dans la deuxième moitié du XIXᵉ siècle. On peut aussi voir dans cette œuvre, montrant un homme et une femme au regard vide et triste, l'air accablé, une dénonciation de l'alcoolisme, ce fléau qui ravage les classes populaires.

LA POLITIQUE : Dans quel contexte surgit le réalisme? Quels changements politiques favorisent son évolution vers le naturalisme?

La première moitié du XIXᵉ siècle

Dans la première moitié du siècle, les régimes politiques qui se succèdent semblent tenus de réconcilier les valeurs issues de la Révolution avec l'héritage monarchiste. Porté par ses nombreux exploits militaires, Napoléon se présente comme le sauveur tant attendu. Alors même qu'il gouverne la France d'une main de fer, il favorise les réformes qui reconnaissent l'égalité de droit des citoyens sur les plans de l'éducation (réforme de l'enseignement), de la fiscalité et de la justice (Code civil). Par contre, la constitution d'une noblesse impériale trahit l'idéal révolutionnaire. Ce sont finalement les lourds sacrifices imposés à la population par les guerres de conquête qui mènent l'empereur à sa perte. En 1815, il est exilé sur une île perdue au milieu de l'océan. Tout au long du siècle et même plus tard, Napoléon fait l'objet d'un véritable culte, en particulier dans les classes populaires, qui affichent volontiers leur bonapartisme.

Eugène Hagnauer, *Incendie du château d'eau du Palais-Royal à Paris le 24 février 1848*, 1848.

Après la défaite de Waterloo, le peuple français se résigne au retour sur le trône des Bourbons, une branche de la dynastie capétienne. Frère du roi guillotiné, Louis XVIII accepte que le pays se dote d'une Charte constitutionnelle qui garantit les libertés individuelles et l'égalité des citoyens devant la loi. Sa marge de manœuvre est très mince car plusieurs de ses partisans n'exigent rien de moins que le rétablissement de l'Ancien Régime. Son frère, Charles X, qui prend la relève en 1824, n'accepte aucune concession car il appartient à la faction des « ultras, » nom donné aux ultraroyalistes (aussi appelés « légitimistes »). Son refus obstiné de tout compromis et sa prodigalité en faveur des nobles exilés attisent la rancœur du peuple à l'égard du régime monarchiste.

L'insurrection populaire de juillet 1830 fait fuir le roi. À Paris, le peuple réclame un gouvernement républicain. La classe politique défend toutefois les intérêts des propriétaires, qui sont les seuls à exercer le droit de vote. Par calcul stratégique, elle choisit de favoriser l'accession au trône de Louis-Philippe Iᵉʳ, un descendant des Orléans, une autre branche de la dynastie capétienne. Le roi s'entoure d'une équipe de ministres qui accélère l'industrialisation et la modernisation de la France pour tenter de rattraper son retard par rapport à sa rivale, la Grande-Bretagne. Partisan d'une économie libérale qui profite aux investisseurs, le monarque soutient le développement du réseau ferroviaire, qui permet de déplacer à la fois marchandises et travailleurs. Il s'assure en outre de maintenir l'ordre social en réprimant sévèrement les mouvements de révolte ouvrière. Bientôt frappé par le chômage et la misère, le peuple manifeste sa colère ; il monte encore une fois aux barricades en 1848 et réclame la République, qui ne dure que le temps d'une trêve. Napoléon III fomente un coup d'État en 1852 qui lui permet de rétablir le régime impérial, inspiré du modèle de son oncle.

C'est donc durant cette période agitée que le réalisme prend son envol, alors même que plusieurs des chantres du romantisme sont encore productifs comme l'illustre, par exemple, la publication en 1862 des *Misérables*, la grande fresque sociale de Victor Hugo. C'est d'ailleurs ce dernier qui fera l'éloge funèbre de Balzac, décédé en 1850, pour témoigner de sa grande admiration envers le concepteur de *La comédie humaine*. Vantant les qualités de l'entreprise balzacienne, il met bien en relief la nature du défi balzacien, qui est de faire vivre toute une époque par le seul pouvoir du langage :

> *Tous ses livres ne forment qu'un livre, livre vivant, lumineux, profond, où l'on voit aller et venir, et marcher et se mouvoir, avec je ne sais quoi d'effaré et de terrible mêlé au réel, toute notre civilisation contemporaine, livre merveilleux que notre poète a intitulé* Comédie *mais qu'il aurait pu intituler* Histoire*... Livre qui est l'observation et qui est l'imagination. [...] Balzac va droit au but. Il saisit corps à corps la société moderne.*

La deuxième moitié du XIXᵉ siècle

Issus de la bourgeoisie, les dirigeants de la Révolution de 1789 voulaient abattre les privilèges de la **noblesse**. Quelques décennies plus tard, les bourgeois troquent les

Noblesse : classe privilégiée par la faveur du roi ; les titres – duc, comte, etc. – sont légués de père en fils.

Frédéric Bazille, *Réunion de famille,* 1867.

idéaux de la Révolution contenus dans la formule «Liberté, Égalité, Fraternité » pour une nouvelle devise, «enrichissez-vous », récemment lancée par Guizot, le ministre des finances de Louis-Philippe. Le nouvel empereur, Napoléon III, souscrit à cette injonction : il se voit avant tout comme le gardien des intérêts des classes possédantes. Ses politiques visent d'abord à soutenir le commerce : il consolide le réseau ferroviaire et mène une politique coloniale expansionniste couronnée de succès en Afrique et en Asie, mais qui vire à la catastrophe au Mexique. C'est avec la même témérité qu'il se lance en guerre contre la Prusse. L'empereur essuie la pire des défaites : les troupes ennemies envahissent Paris, lui-même est fait prisonnier et est bientôt forcé à démissionner.

La Troisième République est déclarée en 1870. Peu de gens croient à ses chances de survie. Pourtant, il s'agit bien d'un tournant irrévocable vers la **démocratie**. Les tensions vont se déplacer sur un nouvel axe. À la droite de l'échiquier politique vont désormais figurer les défenseurs de la nation, ses institutions, son armée, tous ceux qui favorisent avant tout la loi et l'ordre, garants à leurs yeux de la prospérité. À la gauche de l'échiquier vont se trouver ceux qui militent en faveur d'une distribution des richesses plus équitable et qui priorisent la dignité humaine.

À la fin du siècle, l'affaire Dreyfus (1894-1906) exacerbe l'antagonisme entre les deux camps. Dreyfus, un militaire d'origine juive, a été condamné pour espionnage. Après le procès, on découvre qu'un officier a falsifié les documents ayant servi de preuve. L'état-major veut étouffer l'affaire, cherchant avant tout à protéger la réputation de l'armée.

Les tenants de la gauche allèguent que Dreyfus est victime d'antisémitisme. C'est alors qu'Émile Zola, au sommet de sa gloire, s'engage dans la cause et publie un virulent pamphlet sous le titre « J'accuse ». Dreyfus sera par la suite gracié, puis réhabilité. La crise aura cependant eu pour effet d'accentuer la division entre les partis politiques. On soupçonne même que Zola, mort dans des circonstances étranges, aurait en fait été assassiné par vengeance.

LE CONTEXTE SOCIOÉCONOMIQUE :
Comment se joue le rapport de force entre les différentes classes sociales ?

L'hégémonie de la classe bourgeoise

La France se convertit progressivement au **capitalisme** fondé sur la libre concurrence et sur l'idée de profit. Ce système instaure un nouveau rapport de force entre les classes sociales. Parce qu'elle possède l'argent, la **bourgeoisie** devient le moteur du progrès économique, soumettant la conduite de l'État à ses propres intérêts. Elle considère que toute décision qui lui est bénéfique ne peut que profiter au bien-être général. Par conséquent, elle finit par imposer ses valeurs à l'ensemble de la société française, soit la réussite individuelle,

Démocratie : gouvernement par le peuple et pour le peuple.

Capitalisme : régime fondé sur la libre concurrence et la propriété privée.

Bourgeoisie : classe composée de négociants et de chefs d'entreprise.

Jean-Pierre-Alexandre Antigna, *L'incendie*, 1850-1851.
Surnommé le « peintre des humbles », Antigna avait comme principale préoccupation de mettre en scène les drames des moins nantis. Ses œuvres les plus célèbres témoignent de la souffrance de la classe ouvrière au quotidien.

l'esprit de compétition et le respect de la propriété privée au détriment de la solidarité, du bien-être communautaire et de la répartition équitable des richesses.

La famille bourgeoise, avec son mode de vie tourné vers l'accumulation de biens matériels, devient en quelque sorte le modèle de référence. Puisque l'enrichissement permet de se distinguer socialement, l'argent est perçu comme une source de prestige, beaucoup plus que ne pourrait l'être, par exemple, la sagesse. Dans la famille, l'autorité revient au père étant donné qu'il est l'unique pourvoyeur. Sa responsabilité est de veiller à l'ascension sociale de sa lignée ; pour faire fructifier sa fortune, il fonde ses alliances économiques sur les unions matrimoniales de ses enfants. L'amour se négocie comme un contrat et perd l'aura mystérieuse qui le magnifiait à l'époque romantique. La prostitution, qui repose sur une transaction mettant en relief l'inégalité entre les sexes, apparaît comme un élément stabilisateur à l'intérieur de ce système. Il n'est pas rare de voir des jeunes hommes sacrifier l'amour à leur ambition en se servant de femmes riches comme tremplins pour atteindre la réussite sociale. Une fois mariés, ils entretiendront une maîtresse en marge de leur union légale, maîtresse qui leur permettra de compenser leurs frustrations sentimentales. À quelques détails près, c'est une telle situation que les romanciers transposent dans leurs romans pour qu'elle serve de nœud à l'intrigue.

Les conditions de vie de la classe ouvrière

Les héros des romans balzaciens qui rêvent de se tailler une place dans la société, souvent au prix de lourdes

Prolétariat : classe ouvrière.

compromissions, sont à l'image de ces nombreux arrivistes qui, dans la réalité, sont prêts à tout marchander et n'hésitent pas à faire taire la voix de leur conscience pour accéder à des postes politiques ou à la direction d'entreprises. Une fois devenus patrons, ils administrent leurs affaires dans un perpétuel souci d'augmenter les marges de profit tout en diminuant les coûts de production. Cherchant à exploiter au maximum la force de travail de leurs employés, ils se refusent évidemment à les traiter comme d'essentiels partenaires. Prisonnière d'une logique de concurrence, cette classe bourgeoise toujours portée par l'ambition fait peu de cas des conditions inhumaines dans lesquelles peinent les travailleurs. Le **prolétariat** doit se résigner à des salaires qui sont nettement insuffisants pour assurer un niveau de vie décent ; les journées de travail sont en outre interminables, sans pause, sans répit et sans vacances. Les enfants, qui entrent très jeunes sur le marché du travail et qui sont soumis à de longues heures, abîment leur santé dans des fabriques insalubres. Les quartiers miteux et mal famés, la promiscuité dans des logements exigus favorisent la contagion des maladies alors que n'existe aucune forme de protection sociale. Dans ce contexte, la tentation est forte de chercher refuge dans toutes sortes d'expédients ; l'alcoolisme devient alors l'une des grandes plaies sociales de l'époque. Ignorant volontairement le sort des classes inférieures, les dirigeants du pays sont plutôt à l'écoute des riches élites. Que le peuple fasse les frais du récent progrès économique, ils s'en soucient peu, s'en remettant aux institutions charitables pour soulager la misère des pauvres.

Les revendications ouvrières

Pour corriger les injustices dont ils sont victimes et pour donner du poids à leurs revendications, les travailleurs n'ont d'autre choix que de s'unir à l'intérieur de syndicats, qui reçoivent comme mandat de négocier avec les patrons de meilleurs salaires et conditions de vie. Tout au long du siècle, ils multiplient les manifestations, les grèves et les mouvements de rébellion qui, à trois reprises, en 1830, en 1848 et en 1871, iront jusqu'à l'insurrection populaire. Chaque fois la répression, brutale, envenime la rancœur ; elle poussera certains d'entre eux à durcir leur lutte et à adhérer au Parti communiste fondé par Karl Marx (1818-1883). En effet, le philosophe d'origine allemande va plus loin que les penseurs socialistes ; il propose de mettre fin à l'exploitation ouvrière en instaurant une dictature du prolétariat (la concentration de tous les pouvoirs entre les mains des ouvriers) et de favoriser la propriété collective des biens.

C'est dans ce contexte que le roman trouve une vocation à sa mesure, soit celle de se faire le reflet de cette société en ébullition. À la suite de Balzac, les romanciers réalistes de la première génération vont surtout témoigner de l'individualisme forcené de jeunes prédateurs avides de pouvoir. Sous l'égide de Zola, les écrivains de la deuxième génération seront plus sensibles à la quête des vaincus de la terre. Le courant qui les regroupe prendra le nom de « naturalisme » et disparaîtra en quelque sorte avec son instigateur, qui meurt au début du XXe siècle.

L'ÉGLISE CATHOLIQUE : Quel rôle assume-t-elle dans ce contexte ?

Tout au long du siècle, le haut clergé catholique se fait l'allié indéfectible des classes possédantes. Pour faire accepter leurs actions répressives et leur façon de gouverner à courte vue, les politiciens invoquent en effet la religion et prônent la soumission à la volonté de Dieu, comme si l'ordre social était déterminé d'en haut. Les associations ouvrières en viennent à dénoncer la collusion de l'Église et de l'État. Pas à pas, les gouvernements républicains vont se ranger à cet avis et pousser les institutions vers la laïcisation. Ainsi, Jules Ferry (1832-1893), ancien maire de Paris devenu ministre de l'Instruction publique, déclare l'école primaire obligatoire et laïque, et lui donne pour mission de promouvoir les valeurs républicaines. Il est désormais interdit aux congrégations religieuses d'enseigner. Le processus est bouclé avec la loi de 1905, qui déclare la séparation de l'Église et de l'État.

La France souligne finalement son ralliement à un régime républicain, démocratique et laïc, par l'adoption de trois symboles marquants de son histoire : la bannière tricolore associée à la Révolution plutôt que le drapeau blanc de l'Ancien Régime, l'hymne national *La Marseillaise*, initialement un chant de guerre patriotique composé par Rouget de l'Isle en 1792, et la devise « Liberté, Égalité, Fraternité », qui a depuis 1789 mobilisé le peuple en faveur de ces idéaux.

LA SCIENCE : Comment contribue-t-elle à l'évolution des mentalités ?

La science secoue l'emprise qu'a toujours eue la religion sur les consciences. Dans un premier temps, Balzac se laisse influencer par des thèses, aujourd'hui dépassées, qui avalisent sa perception de l'être humain soumis à un double déterminisme biologique et social. Lavater (1741-1801) pose comme hypothèse qu'on peut en quelque sorte « lire » le caractère d'une personne sur son visage (ce qu'il nomme la « physiognomonie »). Franz Joseph Gall (1758-1828) croit de son côté pouvoir mesurer l'intelligence d'un individu par la forme de son crâne. Transposées en littérature, ces idées génèrent des personnages syncrétiques, dont le physique est décrit de telle sorte qu'il annonce à la fois la personnalité et le statut social. De son côté, Émile Zola sera ébranlé par les recherches scientifiques sur l'hérédité et sur l'évolution des espèces. Les thèses de Darwin discréditent les explications qui attribuaient, par exemple, les tares familiales à une punition divine. Ces nouvelles théories, largement

médiatisées, alimentent le pessimisme des écrivains naturalistes quant à l'avenir de l'humanité : la race humaine serait-elle irrémédiablement condamnée au déclin ?

L'apport durable de la science, c'est pourtant au positivisme d'Auguste Comte qu'on le doit. Convaincu du fait que la raison a le pouvoir de trouver des solutions aux problèmes de l'humanité, ce dernier applique aux sciences humaines la méthode expérimentale des sciences pures qui oblige le chercheur à vérifier les résultats de ses hypothèses. Le travail intellectuel s'en trouve profondément modifié. Grâce à l'expansion de la presse imprimée, les enquêtes et articles désormais bien documentés sont diffusés plus rapidement parmi les lecteurs, qui sont plus nombreux et plus scolarisés. Les journaux font pénétrer les grands débats sociaux dans l'intimité des domiciles. C'est le cas, entre autres, de l'affaire Dreyfus, qui enflamme l'opinion publique à la fin du siècle. Alfred Dreyfus est ce haut gradé d'origine juive qu'on accuse, sur des preuves falsifiées, d'avoir livré des renseignements militaires aux Allemands. Le procès de l'officier d'origine juive mettra en évidence la mauvaise foi de ceux qui vont se porter à la défense de l'armée au détriment d'une justice transparente.

Le siècle montre ainsi le déclassement de la religion comme source de connaissance sur le monde. L'Église demeure néanmoins, aux yeux de nombreux croyants, la référence principale pour encadrer la morale privée. La science, fondée sur l'observation, pousse l'ensemble des intellectuels à plus de rigueur. Le journal, dont l'usage se répand dans la population, devient l'indispensable véhicule de l'information, mais aussi de l'opinion personnelle dans ses pages éditoriales. Il pousse au doute et à l'esprit critique. Le domaine des lettres, quant à lui, témoigne de la tension entre ces tendances : les romanciers prétendent reproduire la réalité avec neutralité, mais ils ne peuvent échapper à leur impulsion d'artiste, qui les incite à voir le monde de façon subjective.

LE RÉALISME EN ART : Comment ce matérialisme partout présent influence-t-il les productions artistiques ?

Le matérialisme implique un refus d'expliquer le monde autrement que par l'action de la matière et exclut toute intervention surnaturelle. Les philosophes d'allégeance marxiste greffent un second sens à cette définition : ils attribuent avant tout à des facteurs d'ordre économique les oppositions entre classes sociales. Enfin, le terme « matérialiste » qualifie aussi des individus ou des collectivités qui croient que le bonheur s'obtient par l'accumulation de biens matériels.

Dans leur style respectif, les artistes de cette période arrivent à traduire cette complexité conceptuelle dans leur approche de la réalité. Gustave Courbet (1819-1877), le chef de file du mouvement réaliste, représente sur ses toiles

Gustave Courbet, *L'atelier du peintre* (détail), 1855.

la rugosité des paysages de son terroir natal et refuse d'idéaliser ses habitants qui, dans ses tableaux, joignent des mains aux ongles sales et courbent l'échine comme s'ils supportaient mal la grisaille accablante de leur condition. Jean-François Millet (1814-1875) peint le dur labeur des paysans dans une atmosphère empreinte de solennité. Honoré Daumier (1808-1879) conserve dans toutes ses productions un regard de caricaturiste toujours à l'affût des ridicules bourgeois. Deux artistes annoncent bientôt la transition vers l'impressionnisme, courant pictural dominant de la deuxième moitié du siècle. Jean-Baptiste Corot (1796-1876), par sa façon subtile de faire rayonner la lumière sur ses tableaux, et Édouard Manet (1832-1883), par son audace et la fluidité de sa touche.

Toutefois, c'est probablement la transformation de Paris qui témoigne le mieux de l'aspiration au bien-être et à la prospérité de la classe dominante. Le baron Haussmann, qui reçoit le mandat d'assainir et d'embellir la capitale, s'entoure d'une équipe d'ingénieurs qui proposent d'ouvrir de larges avenues afin de faciliter la circulation de l'air et, plus tard, celle des voitures. Des espaces verts sont aménagés en parcs, lieux de randonnée ou de divertissement qui permettent d'échapper à l'achalandage ou à la stupeur citadine.

LE RÉALISME AU QUÉBEC ET DANS LA FRANCOPHONIE : Comment le réalisme rend-il compte, ailleurs qu'en France, d'autres problématiques ?

Au Québec

Ce n'est qu'au XXᵉ siècle que se développe le réalisme au Canada français. Au siècle précédent, les romanciers, peu nombreux, s'attardent encore à idéaliser le mode de vie agricole et versent même dans le mythe du peuple élu, qui a pour mission de sauvegarder la culture française et la foi catholique en terre d'Amérique. Rompant avec ce romantisme éculé, Louis Hémon, un Français de passage au Québec, publie en 1916 un « récit du Canada français ». Intitulé *Maria Chapdelaine*, celui-ci brosse un portrait nuancé de la culture traditionnelle d'ici. Le romancier y dépeint avec des accents réalistes le quotidien des paysans, isolés dans une région au sol et au climat ingrats.

La leçon de Louis Hémon porte fruit. Ses successeurs observent désormais les mœurs des paysans d'un point de vue plus neutre, rendant compte des mutations qui transforment leur milieu, souvent à leur insu. C'est cette problématique qu'explore Ringuet dans son roman *Trente arpents* (1938). L'œuvre constate l'échec du mythe agriculturiste et met ainsi fin à ce qu'il est convenu d'appeler le cycle des romans de la terre. Le réalisme trouve quant à lui un deuxième souffle dans la peinture des mœurs urbaines.

C'est comme journaliste que Gabrielle Roy, originaire du Manitoba, découvre le quartier ouvrier de Saint-Henri. C'est à cet endroit qu'elle situe l'action de son premier roman, *Bonheur d'occasion* (1945), dont le titre évoque les joies de « seconde main » des pauvres tout en traduisant leur vulnérabilité économique et culturelle. Le roman illustre les principales caractéristiques du réalisme en les adaptant à la situation du pays. La dynamique des rapports de classes est tributaire des effets du colonialisme. Le thème de la guerre met au jour la profonde ambivalence des Canadiens français à l'égard des politiciens qui les gouvernent. À leurs yeux, les lois favorisent toujours les intérêts des anglophones, peuple dominant. Enfin, le style sobre et sensible de ce roman, de tonalité probablement plus américaine qu'européenne, convient parfaitement à l'objectif que poursuit l'auteure, soit de dépeindre de manière vraisemblable le milieu prolétaire montréalais.

Dans la francophonie

Dans le reste de la francophonie, on retiendra deux écrivains belges. Tout d'abord Camille Lemonnier, bien ancré dans son temps et subissant de manière incontestable l'influence de Zola et de Flaubert ; il est considéré comme le chef de file de l'école naturaliste en Belgique. Qu'elle dépeigne des scènes du terroir ou le milieu ouvrier des mines et des usines, l'œuvre de Lemonnier est largement dominée par la volonté d'exprimer les besoins vitaux de l'être humain dans la lutte, l'effort et la violence.

Au XXe siècle, Georges Simenon, un écrivain qui se tient à l'écart des doctrines littéraires, compose d'instinct des romans policier qui proposent une description minutieuse des rapports humains. Simenon a bâti un univers romanesque d'une grande authenticité, en prise directe avec la condition humaine.

LES ÉCRIVAINS RÉALISTES ET NATURALISTES :
Quels traits ont en commun les représentants de ces deux écoles littéraires ?

Les grands romanciers du siècle cherchent tous à rendre compte, à leur manière, de la dynamique sociale. Victor Hugo lui-même ne pouvait rejeter totalement l'influence que les conceptions de Balzac exerçaient sur son travail de créateur. Et à l'inverse, Balzac, Stendhal et Flaubert, les écrivains de la première génération réaliste, ne sont pas complètement imperméables à l'attraction qu'exerce sur eux le romantisme. Les chapelles artistiques ne fonctionnent pas en vase clos ; les artistes se fréquentent, et les idées circulent librement.

Balzac, Stendhal, Flaubert, Maupassant et Zola ont plusieurs traits en commun. Tous les cinq sont d'origine bourgeoise, tous les cinq sont issus de milieux familiaux et scolaires qui leur ont transmis des valeurs d'ambition, d'ordre et de réussite individuelle. Par ailleurs, aucune femme ne fait partie de la première ni de la seconde génération réaliste. Les personnages féminins, tout comme les ouvriers, sont par conséquent dépeints par des romanciers qui n'ont pas fait l'expérience de leurs conditions de vie. Le lecteur pourra alors se demander si ces derniers ont su rendre justice à des existences qui, jusqu'à un certain point, leur échappaient.

Les cinq romanciers partagent une autre caractéristique, celle d'avoir pratiqué le métier de journaliste parallèlement à leur activité littéraire. Ils endossent ainsi l'opinion de leur siècle qui veut que l'écrit serve à transmettre l'information, surtout en cette période de forte alphabétisation. Croyant à la valeur didactique de leur entreprise littéraire, ils consacrent plusieurs pages de leurs récits à décrire les activités professionnelles, les détails de la vie quotidienne et les rituels sociaux.

Ces artistes, qui cherchent à se tenir au courant des grands sujets de l'actualité, sont influencés par la science, alors omniprésente. Ils s'inspirent de la démarche scientifique pour attribuer une fonction à chaque composante du récit. Désormais, les dialogues doivent faire avancer l'action, les événements doivent contribuer à la logique de l'intrigue. Dans cette perspective utilitaire, rien n'est gratuit ou superflu dans le texte : chaque détail se veut un indice, chaque événement est relié à une cause, chaque personnage est porteur de signification. Les naturalistes vont d'ailleurs jusqu'à utiliser l'expression « roman expérimental » pour nommer leurs récits, qui résultent d'un processus programmé de composition. Avant la rédaction, le romancier doit en effet se documenter et faire enquête dans le milieu que le roman décrira ; il peut ensuite passer à la seconde étape, qui consiste à organiser l'information et à planifier l'intrigue.

Dans les faits, les écrivains réalistes s'écartent souvent des objectifs théoriques qu'ils professent. L'imagination combat la méthode. Aucun d'eux n'écrit dans le style neutre du rapport de recherche ; chacun cultive sa manière, développe ses propres réseaux d'images et utilise à sa guise les procédés narratifs. On pourrait d'ailleurs schématiser la contribution des cinq grands du réalisme de la façon suivante : Balzac serait la chair du courant, en expansion tout comme son œuvre, *La comédie humaine*, où chaque roman contribue à la signification de l'ensemble par le retour de personnages emblématiques ; Stendhal en serait le cœur, encore porté vers le sentimentalisme comme en témoigne un de ses romans, *Le rouge et le noir*, dédié aux couleurs de la passion ; Flaubert, qui, inlassablement, travaille son style, en représenterait le cerveau ; Maupassant, sportif dans la vie comme en littérature, aimant la prouesse finale qui fait la nouvelle, serait le muscle du réalisme, alors que Zola en serait le nerf, celui du combat et de la contestation.

HONORÉ DE BALZAC : Pourquoi peut-on le considérer comme l'instigateur du réalisme ? Quelle est sa contribution à l'évolution du roman ?

Balzac, quoique fortement romantique par la thématique qu'il adopte, apparaît comme l'initiateur du réalisme car il fait évoluer la forme narrative dans une perspective fonctionnelle. Le récit doit se construire comme un ensemble structuré, une sorte de « roman-système », dans lequel chaque élément trouve sa raison d'être par ses relations avec les autres. Ainsi, l'intrigue présente une vision significative du monde de façon à instruire le lecteur de la dynamique sociale. Les personnages sont dotés d'un physique qui révèle à la fois leur caractère et leur origine sociale. On les dirait codifiés de telle sorte que le lecteur puisse reconnaître en eux le type même du parvenu, de l'arriviste ou du fraudeur. Cet esprit de cohérence atteint même les décors, décrits de façon très détaillée, afin de fournir des indices sur l'origine sociale ou la psychologie des résidents, comme c'est le cas de la pension Vauquer dans *Le père Goriot*.

Poussant très loin cette logique, Balzac a l'idée géniale de relier ses romans entre eux, en y faisant réapparaître des personnages, ce qui se produit au moins une fois pour 513 des 2500 créatures nées de son imagination. Ce procédé offre l'avantage de fournir une profondeur biographique à ces êtres fictifs, avec pour résultat d'augmenter l'illusion de la réalité. L'œuvre acquiert en outre un caractère organique par les liens qui se tissent d'un ouvrage à l'autre. Le lecteur a l'impression de rencontrer des figures connues, par exemple celle de Vautrin, dit aussi Trompe-la-Mort, le type même du brigand engendré par le capitalisme sauvage, et celle de Rastignac, jeune loup ambitieux, qui rêve de conquérir Paris.

Chacun de ses romans, qui présente un milieu social avec sa mentalité propre, s'insère dans *La comédie humaine*, titre donné à sa grande fresque sociale. Balzac cultive ainsi chez le lecteur l'impression qu'en parcourant son œuvre au complet, il connaîtra tout de la société française du début du xixe siècle.

L'influence de Balzac est déterminante sur Stendhal et Flaubert, qui apportent toutefois au réalisme leur contribution particulière. Ils travaillent à se départir de l'influence romantique en se distançant volontairement, par l'ironie, des personnages à caractère sentimental. Ils refusent tout procédé d'idéalisation lorsqu'ils composent des scènes de séduction ou de conquête militaire. Ils dévaluent les mythes romantiques, mettant au jour la quête de pouvoir effrénée qui anime les hommes, les petits autant que les grands, dans une société assoiffée d'argent.

Chacun de ces écrivains condense ses intentions en des formules-chocs qui permettent en outre de mieux définir le roman réaliste :

- « un roman, c'est un miroir que l'on promène le long d'un chemin » (Stendhal) ;
- le romancier doit se faire « l'archéologue du mobilier social » (Balzac) ;
- et cette formule de Flaubert, qui présente son aspiration au roman unifié dans toutes ses composantes : « Si la couleur n'est pas une, si les détails détonnent, si les mœurs ne dérivent pas de la religion et les faits des passions, si les caractères ne sont pas suivis, si les costumes ne sont pas appropriés aux usages et les architectures aux climats, s'il n'y a pas, en un mot, harmonie, je suis dans le faux. Sinon, non. Tout se tient. » (Flaubert)

ÉMILE ZOLA : Comment s'inscrit-il dans le sillage de Balzac ? Dans quelle direction fait-il évoluer le roman ?

Faisant sobrement son autoportrait, Zola met l'accent sur le labeur qui marque sa vie : « Mais en réalité, tous les véritables travailleurs à notre époque doivent être par nécessité des gens paisibles, éloignés de toute pose et qui vivent en famille, comme n'importe quel notaire de petite ville. [...] J'ai beaucoup travaillé et j'ai devant moi beaucoup de travail. » C'est effectivement en se pliant à une discipline bien réglée qu'il arrive à produire chaque jour une page de son immense œuvre, *Les Rougon-Macquart*, qui raconte

Louis Boulanger, *Honoré de Balzac,* 1840.

l'histoire de quatre générations d'une même lignée dans laquelle se croisent des représentants de tous les milieux, des bourgeois provinciaux aux petits commerçants de Paris, des paysans et mineurs aux artistes bohèmes et aux soldats défroqués. Les vaincus de la terre, parmi lesquels fourmillent aussi les lâches et les délateurs, se mélangent aux exploiteurs et aux jouisseurs des hautes classes, parmi lesquels se détachent des êtres d'exception.

En explorant ainsi l'arbre généalogique d'une famille sous le Second Empire (celui de Napoléon III), il illustre du même coup les bouleversements de la société française dans cette deuxième moitié du siècle : le développement des grandes villes industrielles et les maux que celles-ci engendrent chez les déracinés tout autant que la menace des foules emportées par leur rébellion incontrôlée.

Longtemps journaliste, Zola saura tirer profit des médias pour répandre ses idées et, par la même occasion, faire mousser sa carrière littéraire. Il se fera le théoricien du naturalisme, son plus ardent défenseur et son principal adepte. L'énergie qu'il déploie, les nombreux articles qu'il rédige et l'œuvre considérable et très populaire qu'il crée lui assurent une large audience. Le courant naturaliste s'éteint avec la mort de Zola, en 1902.

Édouard Manet, *Émile Zola*, 1868.

La chronique sociale

La thèse de Zola se trouve principalement exposée dans un essai au titre révélateur, *Le roman expérimental*, qui se veut un témoin de la domination de la science sur les intellectuels de sa génération. Le romancier y est décrit comme un observateur et un expérimentateur « qui démontent et remontent pièce à pièce la machine humaine, pour la faire fonctionner sous l'influence des milieux »; c'est un analyste du « mécanisme de la pensée et des passions ».

Zola tente en outre de programmer le processus de création. La première étape, celle de la documentation, consisterait à observer les faits afin d'établir un « terrain solide sur lequel vont marcher les personnages et se développer les phénomènes ». La deuxième étape, correspondant au moment de l'expérience (terme emprunté à la science), consisterait à étudier comment les lois de la nature et les conditions du milieu déterminent le personnage. C'est à ce moment que se planifie l'intrigue.

Maupassant nuancera dans sa préface au roman *Pierre et Jean* la doctrine de son maître. Il reconnaît la part qui revient au travail dans la création, mais il affirme que la méthode n'est rien si elle n'est pas supportée par une façon originale de voir le monde. L'écrivain réaliste ne saurait se réduire à n'être qu'un transcripteur servile de la réalité. Chaque grand artiste est un « illusionniste » qui joue de son art pour créer une impression de réalité.

Porté par son goût de la chronique sociale, Zola est naturellement enclin à élaborer des fresques à grand déploiement. Aussi mène-t-il à son aboutissement l'idée du roman-système qui lui vient de son prédécesseur Balzac. Dès le départ, Zola planifie l'organisation de la série romanesque des *Rougon-Macquart*, qui atteindra 20 volumes après des remaniements qui auront amplifié le projet initial. Le lecteur suit le parcours de deux familles, l'une qui grimpe l'échelle sociale alors que l'autre en dégringole. Les deux clans ont un point commun : ils sont affectés d'une tare familiale qui compromet l'équilibre et la santé de chacun des membres. Zola illustre ainsi une hypothèse scientifique remise en cause aujourd'hui, celle du déterminisme héréditaire selon laquelle l'individu vient au monde avec des traits de caractère innés.

L'œuvre est portée par l'immense talent de conteur de Zola. Son sens très aigu du suspense l'amène à plonger le lecteur en pleine action dès l'ouverture du roman plutôt qu'à s'étendre comme Balzac sur les descriptions. Il suscite un sentiment d'attente chez son lecteur par d'habiles suspensions de l'intrigue. Il est en outre doté d'un œil cinématographique : il varie son angle de vue comme s'il jouait avec l'objectif d'une caméra. Il peut, dans un même paragraphe, cadrer les mouvements d'une foule dans un large plan panoramique pour ensuite saisir l'émotion sur un visage en particulier.

D'autres écrivains gravitent dans le cercle naturaliste, dont Alphonse Daudet, Jules Renard, les frères Goncourt et Guy de Maupassant. Il faut aussi noter qu'au XXe siècle, deux récipiendaires du prix Nobel de littérature exploiteront à nouveau l'idée du cycle romanesque, soit Romain Rolland et Martin du Gard dans leurs œuvres respectives, *Jean-Christophe* et *Les Thibault*.

M
p. 275

Quelles caractéristiques peut-on lui attribuer qui puissent aider à l'analyse des œuvres ?

Le passage d'une économie agricole à une économie industrielle et capitaliste bouleverse les rapports sociaux en France et installe un terreau propice au roman. Par son amplitude, le roman peut en effet organiser une fiction complexe qui renvoie à la réalité touffue d'une société qui s'urbanise. Les écrivains participent par ailleurs à un mouvement d'ensemble qui pousse à informer et à instruire : des journaux émergent qui développent la conscience politique ; les arts abandonnent les références à la mythologie antique pour représenter plutôt le monde actuel ; la science, qui multiplie les découvertes et impose sa méthode, semble étendre son influence jusqu'au domaine de la création.

Les traits distinctifs

1 Sur le plan de l'histoire, le récit vise un effet de réel (la vraisemblance)

De Balzac à Zola, les romanciers du XIXe siècle cherchent à reproduire la réalité d'une époque marquée par la montée du capitalisme industriel. La dynamique entre les personnages traduit, par la force des choses, les antagonismes entre les différentes classes sociales. Pour mieux instruire le lecteur des conflits en cours, les romanciers situent de préférence leurs intrigues dans l'actualité. L'action se déroule souvent dans un cadre urbain, puisque la ville est le lieu où se brassent les affaires, où se nouent les alliances, où se trament les manœuvres du capitalisme. Les personnages représentent les types sociaux susceptibles d'entrer en rivalité. Chez les hommes, du côté des puissants, on reconnaît le rentier, le parvenu, l'usurier, le jeune loup ambitieux, le fraudeur, qui traficotent et magouillent ; du côté de ceux qui les servent, on trouve l'ouvrier, le paysan ou le domestique, qui redressent l'échine pour exiger le respect. Chez les femmes, on reconnaît l'aristocrate raffinée ou la grande bourgeoise, souvent obligée de quêter auprès du mari l'argent nécessaire au maintien d'un train de vie luxueux ou encore à l'entretien d'un jeune amant peu scrupuleux. Quant à la petite prostituée, qui exerce souvent les métiers de danseuse ou de comédienne, elle compte ses jours de chance avant sa dégradation précoce. Enfin, quelques candides héroïnes, qui sont les reliquats de la période romantique, viennent éclairer les récits le temps de perdre leurs illusions. Pour augmenter l'impression de véracité, il arrive que les auteurs intègrent des personnages historiques ou jalonnent le texte de repères chronologiques réels.

Le but de cette littérature est donc bien de copier la réalité, de rendre la fiction crédible aux yeux du lecteur. Deux termes synonymes s'appliquent alors pour nommer ce type d'écriture, qui est dite « mimétique » ou « vraisemblable ».

2 Sur le plan de l'organisation narrative, le récit vise un effet de logique (la cohérence)

Les romanciers réalistes cherchent la cohérence dans l'organisation de leur récit : les événements se suivent souvent dans un ordre linéaire (chronologique) et rationnel (de cause à conséquence). C'est l'information utile qui est retenue de préférence au détail qui traduirait le gratuit ou l'arbitraire du quotidien. Pour mieux comprendre cette conception, on peut dire que les réalistes voient le monde comme un énorme mécanisme qui aurait été mis au point par un mégalomane à l'esprit scientifique. Et l'homme en constitue un rouage essentiel, tout en étant assujetti au fonctionnement du système.

Pour l'observation de l'intrigue, les réalistes donnent presque toujours la parole à un narrateur non représenté, extérieur à l'histoire, adoptant généralement un point de vue omniscient (focalisation zéro). Ce choix donne l'illusion que l'histoire se déroule d'elle-même, comme dans un film où l'on ne voit sur l'écran ni le réalisateur ni le caméraman.

De leur côté, les personnages adoptent une ligne de conduite conforme à leur caractère et même à leur physique, qui est décrit avec minutie dès qu'ils entrent en scène. Pour les réalistes, l'être humain n'est ni changeant ni polyvalent, mais plutôt stable et unidimensionnel.

Ainsi, chaque élément narratif trouve sa place dans le tableau global que compose le roman.

3 La thématique est orientée vers le social (littérature instructive)

Le romancier veut rendre intelligible le fonctionnement de la société : quelle classe sociale, quels individus exercent le pouvoir ? Quelle réaction faut-il attendre de la part des dominés ? Quels sont les principaux enjeux du système socioéconomique ? Le roman explore ces problématiques en opposant des personnages aux intérêts divergents : la thématique oscille entre pouvoir et exploitation, entre détermination et aliénation, entre connaissance et ignorance.

L'accent étant mis sur les luttes à caractère social plutôt que sur les conflits intérieurs, les thèmes qui relèvent de la vie affective sont-ils pour autant délaissés ? Bien au contraire, car l'écrivain prend plaisir à étudier les stratégies complexes de la passion et à montrer comment le mercantilisme ambiant dénature les relations amoureuses.

Enfin, les recherches scientifiques qui ont été mises à la portée du public, entre autres celles sur l'hérédité, sur l'influence du milieu et sur l'évolution des espèces, incitent l'artiste à développer une vision fataliste. Tare familiale, alcoolisme, déchéance, criminalité et culpabilité donnent aux récits une tonalité morbide qui se manifeste de façon plus spécifique chez les naturalistes.

4 Le style vise un effet de transparence

Pour reproduire la réalité, l'écriture documentaire est idéale, mais est-ce souhaitable en littérature ? C'est surtout sur ce point qu'achoppent les théories réalistes; aucun artiste ne peut se résoudre à utiliser le langage sans y mettre sa marque personnelle. Toutefois, la tendance demeure à la transparence, c'est-à-dire au refus de cultiver la prouesse stylistique pour elle-même. Le texte doit demeurer lisible pour que son sens soit accessible au lecteur. Les réseaux métaphoriques servent donc à mieux faire comprendre la thématique. Par exemple, l'écrivain a recours à des images associées à la nourriture pour illustrer l'esprit de compétition : lequel des protagonistes mangera l'autre ? Même chose pour les images liées au monde animal : où se cache le loup parmi les moutons ?

La fascination pour les machines se traduit par leur personnification alors qu'à l'opposé, l'homme devient une bête, lui qui maîtrise mal les pulsions d'une sexualité souvent présentée comme dévoyée (dans *La bête humaine* de Zola, par exemple). De l'image au mythe, il n'y a qu'un pas facilement franchi par les auteurs réalistes, surtout Balzac et Zola, qui ont naturellement le souffle épique.

Gustave Caillebotte, *Raboteurs de parquet*, 1875.
Ce tableau illustre bien l'aspect documentaire de l'œuvre de Caillebotte ainsi que l'originalité de sa technique, qui est proche de l'art photographique. Ici, nul discours moralisateur ou politique, mais plutôt un intérêt pour le travail manuel (outils et méthodes). Ce tableau, mal accueilli par la critique qui y voyait un « sujet vulgaire », constitue l'une des premières représentations de l'ouvrier urbain.

Les caractéristiques des récits réalistes et naturalistes

Histoire Effet de réel	**Personnages** • Personnages-types faisant la synthèse de traits observés dans une catégorie sociale : stéréotypes de l'ouvrier, du bourgeois arriviste, du noble hautain. • Personnages féminins souvent traités dans une optique matérialiste : Combien cette femme vaut-elle ? Quels avantages présente-t-elle ? Peut-elle aider à la réussite sociale ? • Représentation fréquente de la prostituée, surtout dans le naturalisme. **Intrigue** • Récits se présentant comme des chroniques de la vie à la campagne ou à la ville. • Intégration d'événements de l'actualité. • Temps : contemporain à l'auteur.
Narration Effet de logique	**Qui raconte l'histoire ?** • Narrateur généralement non représenté (extérieur à l'histoire). **De quel point de vue la scène est-elle observée ?** • Point de vue omniscient (focalisation zéro). • Organisation chronologique et logique des événements selon un lien de cause à effet. • Descriptions détaillées. • Tendance au « roman-système » : corrélations entre les éléments dont chacun renvoie à la signification globale.
Thématique L'orientation sociale	• Progression ou déchéance sociale des personnages. • Conflits d'intérêts et luttes de classes. • Thèmes du pouvoir, de l'argent, de la guerre. • Amour, désir et religion : refus d'idéalisation. • Hérédité, culpabilité, violence. • Le romancier (surtout naturaliste) suit un protocole de création : observation du milieu, organisation du matériel fictif pouvant même aller jusqu'à l'illustration d'une hypothèse scientifique.
Style et procédés d'écriture Effet de transparence	• Réseaux métaphoriques qui concrétisent le fonctionnement social. • Idéal de transparence afin de rendre le texte accessible au lecteur. • Rejet de la virtuosité stylistique. • Refus manifeste d'idéaliser la réalité ; mise à distance du sentimentalisme ; ironie.

Charles Grandet, le cousin parisien

Monsieur Charles Grandet, beau jeune homme de vingt-deux ans, produisait en ce moment un singulier contraste avec les bons provinciaux que déjà ses manières aristocratiques révoltaient passablement, et que tous étudiaient pour se moquer de lui. Ceci veut une explication. À vingt-deux ans, les jeunes gens sont encore assez
5 voisins de l'enfance pour se laisser aller à des enfantillages. Aussi, peut-être, sur cent d'entre eux, s'en rencontrerait-il bien quatre-vingt-dix-neuf qui se seraient conduits comme se conduisait Charles Grandet. Quelques jours avant cette soirée, son père lui avait dit d'aller pour quelques mois chez son frère de Saumur. Peut-être monsieur Grandet de Paris pensait-il à Eugénie. Charles, qui tombait en province
10 pour la première fois, eut la pensée d'y paraître avec la supériorité d'un jeune homme à la mode, de désespérer l'arrondissement par son luxe, d'y faire époque, et d'y importer les inventions de la vie parisienne. Enfin, pour tout expliquer d'un mot, il voulait passer à Saumur plus de temps qu'à Paris à se brosser les ongles, et y affecter l'excessive recherche de mise que parfois un jeune homme élégant abandonne
15 pour une négligence qui ne manque pas de grâce. Charles emporta donc le plus joli costume de chasse, le plus joli fusil, le plus joli couteau, la plus jolie gaine de Paris. Il emporta sa collection de gilets les plus ingénieux ; il y en avait de gris, de blancs, de noirs, de couleur scarabée, à reflets d'or, de pailletés, de chinés, de doubles, à châle ou droits de col, à col renversé, de boutonnés jusqu'en haut, à boutons d'or.
20 Il emporta toutes les variétés de cols et de cravates en faveur à cette époque. Il emporta deux habits de Buisson, et son linge le plus fin. Il emporta sa jolie toilette d'or, présent de sa mère. Il emporta ses colifichets de dandy, sans oublier une ravissante petite écritoire donnée par la plus aimable des femmes, pour lui du moins, par une grande dame qu'il nommait Annette, et qui voyageait maritalement, ennuyeuse-
25 ment, en Écosse, victime de quelques soupçons auxquels besoin était de sacrifier momentanément son bonheur ; puis force joli papier pour lui écrire une lettre par quinzaine. Ce fut enfin une cargaison de futilités parisiennes aussi complète qu'il était possible de la faire, et où, depuis la cravache qui sert à commencer un duel, jusqu'aux beaux pistolets ciselés qui le terminent, se trouvaient tous les instru-
30 ments aratoires dont se sert un jeune homme oisif pour labourer la vie. Son père lui ayant dit de voyager seul et modestement, il était venu dans le coupé de la diligence retenu pour lui seul, assez content de ne pas gâter une délicieuse voiture de voyage commandée pour aller au-devant de son Annette, la grand dame que... etc., et qu'il devait rejoindre en juin prochain aux Eaux de Baden. Charles comptait ren-
35 contrer cent personnes chez son oncle, chasser à courre dans les forêts de son oncle, y vivre enfin la vie de château ; il ne savait pas le trouver à Saumur, où il ne s'était informé de lui que pour demander le chemin de Froidfond ; mais, en le sachant en ville, il crut l'y voir dans un grand hôtel. Afin de débuter convenablement chez son oncle, soit à Saumur, soit à Froidfond, il avait fait la toilette de voyage la
40 plus coquette, la plus simplement recherchée, la plus adorable, pour employer le mot qui dans ce temps résumait les perfections spéciales d'une chose ou d'un homme. À Tours, un coiffeur venait de lui refriser ses beaux cheveux châtains ; il y avait changé de linge, et mis une cravate de satin noir combinée avec un col rond, de manière à encadrer agréablement sa blanche et rieuse figure. Une redingote de voyage
45 à demi boutonnée lui pinçait la taille, et laissait voir un gilet de cachemire à châle sous lequel était un second gilet blanc. Sa montre, négligemment abandonnée au hasard dans une poche, se rattachait par une courte chaîne d'or à l'une des bouton- nières. Son pantalon gris se boutonnait sur les côtés, où des dessins brodés en soie noire enjolivaient les coutures. Il maniait agréablement une canne dont la pomme
50 d'or sculpté n'altérait point la fraîcheur de ses gants gris. Enfin, sa casquette était d'un goût excellent. Un Parisien, un Parisien de la sphère la plus élevée pouvait seul

Honoré de Balzac (1799-1850)

Le personnage : portrait détaillé

Né en 1799 dans une famille bour- geoise qui migre bientôt à Paris, Balzac est rapidement dévoré par le désir de devenir prospère. Il s'exerce au métier d'écrivain en composant des romans populaires, puis se lance dans l'imprimerie où il accumule les déboires finan- ciers. Cet ambitieux, doté en outre d'une énergie prodigieuse, décide non seulement de vivre de sa plume mais aussi de parvenir, par ce moyen, à la richesse et à la renommée.

Balzac, ce boulimique de travail, commence son œuvre en pleine période de provocation roman- tique, et sa vision du monde est partiellement influencée par ce courant. Ainsi, plusieurs de ses per- sonnages sont habités par une passion qui les élève au-dessus de la médiocrité de leur milieu. Pour se payer un train de vie fas- tueux, Balzac aura vécu en forçat de l'écriture. Son activisme fébrile sape son énergie avant même qu'il mène à terme son projet grandiose, voire démesuré, celui de dresser le portrait de la socié- té française du XIXᵉ siècle.

L'extrait retenu, tiré du roman *Eugénie Grandet*, illustre parfaite- ment sa conception du person- nage : il le décrit avec profusion de détails, en soulignant le contraste entre un citadin et les provinciaux qu'il rencontre.

L'héroïne est une jeune femme douce et timide qui tombe amoureuse d'un cousin parisien de passage chez elle, qui l'oubliera dès son retour dans la capitale. En montrant comment s'opposent les valeurs de la jeune noblesse de Paris et celles des «bons bourgeois provinciaux», ce portrait contribue à rendre intelligibles pour le lecteur les raisons de cet abandon.

et s'agencer ainsi sans paraître ridicule, et donner une harmonie de fatuité à toutes ces niaiseries, que soutenait d'ailleurs un air brave, l'air d'un jeune homme qui a de beaux pistolets, le coup sûr et Annette. Maintenant, si vous voulez bien com-
55 prendre la surprise respective des Saumurois et du jeune Parisien, voir parfaitement le vif éclat que l'élégance du voyageur jetait au milieu des ombres grises de la salle et des figures qui composaient le tableau de famille, essayez de vous représenter les Cruchot. Tous les trois prenaient du tabac, et ne songeaient plus depuis longtemps à éviter ni les roupies, ni les petites galettes noires qui parsemaient le jabot de leurs
60 chemises rousses, à cols recroquevillés et à plis jaunâtres. Leurs cravates molles se roulaient en corde aussitôt qu'ils se les étaient attachées au cou. L'énorme quantité de linge qui leur permettait de ne faire la lessive que tous les six mois, et de le garder au fond de leurs armoires, laissait le temps y imprimer ses teintes grises et vieilles. Il y avait en eux une parfaite entente de mauvaise grâce et de sénilité. Leurs
65 figures, aussi flétries que l'étaient leurs habits râpés, aussi plissées que leurs pantalons, semblaient usées, racornies, et grimaçaient. La négligence générale des autres costumes, tous incomplets, sans fraîcheur, comme le sont les toilettes de province, où

Atelier d'analyse

Exploration

1. Associez chacun des mots suivants à leur définition ou à leur synonyme.

   a. aristocrate
   b. dandy
   c. futilité
   d. aratoire
   e. oisif
   f. redingote
   g. fatuité
   h. roupie
   i. jabot
   j. lorgnon

   a. agricole
   b. vêtement masculin
   c. ornement de chemise en dentelle
   d. grand coquet
   e. inactif
   f. bagatelle
   g. monocle
   h. noble
   i. morve
   j. vanité

2. En tenant compte de la division du récit en deux parties, l'une ayant Charles Grandet comme sujet et l'autre, les Cruchot, répondez aux questions suivantes.
   a. Quels détails Balzac fournit-il sur Charles Grandet pour le situer dès le début (âge, origine sociale, etc.)?
   b. Choisissez trois attributs qui résumeraient le portrait de Grandet dans la première partie et justifiez votre choix.
   c. Déterminez quelle phrase marque le début de la deuxième partie.
   d. Expliquez en quoi les noms Grandet et Cruchot sont particulièrement suggestifs.

3. Expliquez ce que signifient les expressions suivantes et déterminez quelle figure de style est employée.
   a. «Tomber en province»
   b. «Une négligence qui ne manque pas de grâce»
   c. «Cargaison de futilités parisiennes»
   d. «Parfaite entente de mauvaise grâce et de sénilité»

4. Pourquoi faut-il voir la première phrase de l'extrait comme une introduction qui ne prendra son sens qu'avec le développement? Répondez en tenant compte des questions suivantes.
   a. Comment la lecture du texte nous éclaire-t-elle sur le contraste entre Grandet et les Saumurois? Peut-on considérer les descriptions comme antithétiques?
   b. En quoi la description de Grandet est-elle susceptible de mieux nous faire comprendre l'attitude des Saumurois, entre moquerie et révolte?
   c. Donnez un exemple d'action de Grandet qui illustre sa prétention aristocratique.

l'on arrive insensiblement à ne plus s'habiller les uns pour les autres, et à prendre garde au prix d'une paire
70 de gants, s'accordait avec l'insouciance des Cruchot. L'horreur de la mode était le seul point sur lequel les Grassinistes et les Cruchotins s'entendissent parfaitement. Le Parisien prenait-il son lorgnon pour examiner les singuliers accessoires de la salle, les solives du plan-
75 cher, le ton des boiseries ou les points que les mouches y avaient imprimés et dont le nombre aurait suffi pour ponctuer l'*Encyclopédie méthodique* et le *Moniteur*, aussitôt les joueurs de loto levaient le nez et le considéraient avec autant de curiosité qu'ils en eussent manifesté pour
80 une girafe.

Honoré de Balzac, *Eugénie Grandet*, 1833.

Giovanni Boldini, *Le comte Robert de Montesquiou,* **1897.**
Ce jeune homme élégant illustre bien le dandysme, courant de pensée qui a pris naissance en Angleterre à la fin du XVIIIᵉ siècle.

5. Que cherche à insinuer Balzac par la phrase « Peut-être monsieur Grandet de Paris [le père de Charles] pensait-il à Eugénie. » ?

6. Énumérez quelques exemples qui témoignent de l'excessive coquetterie de Grandet.

7. Pourquoi les répétitions du qualificatif « joli » et du verbe « emporter » sont-elles ici particulièrement significatives ?

8. Expliquez comment les procédés d'écriture traduisent l'idée de profusion.

9. Relevez 10 termes péjoratifs dans la description des Saumurois et expliquez en quoi ils créent un effet de superlatif qui fait contrepoids à la longueur de la description de Grandet. Le décor est-il au diapason de ses résidants ?

10. Quels traits de mentalité la mise négligée des provinciaux traduit-elle ?

Rédaction

11. **Sujet :** Montrez que, chez Balzac, l'apparence des personnages traduit leur caractère et leur culture de classe.
    Consigne : Complétez l'introduction suivante en ajoutant le sujet amené et le sujet posé.

    Introduction partiellement rédigée, sujet divisé : *L'analyse portera sur le cousin Grandet : d'abord sur sa façon de révéler son caractère par son habillement, puis sur le fait que cela traduit tout aussi bien son origine sociale. Quant aux Cruchot, Balzac les conçoit de telle sorte qu'ils soient représentatifs du mode de vie paysan.*

12. **Sujet :** Les écrivains réalistes veulent rendre le fonctionnement de la société intelligible au lecteur. Démontrez-le en vous appuyant sur cet extrait.
    Consigne : Composez le premier paragraphe à partir de l'idée principale suivante : Charles Grandet illustre une façon d'être typique de la noblesse.

    Dégagez les idées principales des deux autres paragraphes.

Honoré de Balzac
(1799-1850)

Un thème essentiel du réalisme : l'ambition

Le père Goriot apparaît comme un roman charnière de *La comédie humaine* puisque Balzac y inaugure le procédé du retour des personnages d'un roman à l'autre. En donnant une profondeur biographique à ses créatures fictives, il parvient à augmenter l'illusion de réel. L'œuvre acquiert en outre un caractère organique par les liens qui se tissent d'un ouvrage à l'autre. Le lecteur a l'impression de rencontrer des figures connues, par exemple Rastignac, jeune loup ambitieux, qui rêve de conquérir Paris et Vautrin, dit aussi Trompe-la-Mort, le type même du brigand engendré par le capitalisme sauvage. Tous deux côtoient, dans la pension Vauquer, le père Goriot, vieil homme empreint de mystère. Rastignac découvre son secret : le vieil homme a dilapidé sa fortune pour bien nantir ses filles et leur assurer un mariage avantageux.

Dans l'extrait ci-contre, Vautrin expose à Rastignac le code moral qui régit sa conduite. Son cynisme est celui d'un individu qui refuse de faire partie des victimes. En s'engageant dans une course frénétique pour atteindre la fortune, il accepte de laisser de côté toute compassion.

Parvenir !

Vaut encore mieux guerroyer avec les hommes que de lutter avec sa femme. Voilà le carrefour de la vie, jeune homme, choisissez. Vous avez déjà choisi : vous êtes allé chez notre cousine de Beauséant, et vous y avez flairé le luxe. Vous êtes allé chez madame de Restaud, la fille du père Goriot, et vous y avez flairé la Parisienne. Ce jour-
5 là vous êtes revenu avec un mot écrit sur votre front, et que j'ai bien su lire : *Parvenir !* parvenir à tout prix. Bravo ! ai-je dit, voilà un gaillard qui me va. Il vous a fallu de l'argent. Où en prendre ? Vous avez saigné vos sœurs. Tous les frères *flouent* plus ou moins leurs sœurs. Vos quinze cents francs arrachés, Dieu sait comme ! dans un pays où l'on trouve plus de châtaignes que de pièces de cent sous, vont filer comme des
10 soldats à la maraude. Après, que ferez-vous ? vous travaillerez ? Le travail, compris comme vous le comprenez en ce moment, donne, dans les vieux jours, un appartement chez maman Vauquer, à des gars de la force de Poiret. Une rapide fortune est le problème que se proposent de résoudre en ce moment cinquante mille jeunes gens qui se trouvent tous dans votre position. Vous êtes une unité de ce nombre-là. Jugez
15 des efforts que vous avez à faire et de l'acharnement du combat. Il faut vous manger les uns les autres comme des araignées dans un pot, attendu qu'il n'y a pas cinquante mille bonnes places. Savez-vous comment on fait son chemin ici ? par l'éclat du génie ou par l'adresse de la corruption. Il faut entrer dans cette masse d'hommes comme un boulet de canon, ou s'y glisser comme une peste. L'honnêteté ne sert à rien. L'on plie
20 sous le pouvoir du génie, on le hait, on tâche de le calomnier, parce qu'il prend sans partager ; mais on plie s'il persiste ; en un mot, on l'adore à genoux quand on n'a pas pu l'enterrer sous la boue. La corruption est en force, le talent est rare. Ainsi, la corruption est l'arme de la médiocrité qui abonde, et vous en sentirez partout la pointe.
[...]
25 Si donc vous voulez promptement la fortune, il faut être déjà riche ou le paraître. Pour s'enrichir, il s'agit ici de jouer de grands coups ; autrement on carotte, et votre serviteur. Si dans les cent professions que vous pouvez embrasser, il se rencontre dix hommes qui réussissent vite, le public les appelle des voleurs. Tirez vos conclusions. Voilà la vie telle qu'elle est. Ça n'est pas plus beau que la cuisine, ça pue tout autant,
30 et il faut se salir les mains si l'on veut fricoter ; sachez seulement vous bien débarbouiller : là est toute la morale de notre époque. Si je vous parle ainsi du monde, il m'en a donné le droit, je le connais. Croyez-vous que je le blâme ? du tout. Il a toujours été ainsi. Les moralistes ne le changeront jamais. L'homme est imparfait. Il est parfois plus ou moins hypocrite, et les niais disent alors qu'il a ou n'a pas de mœurs. Je n'ac-
35 cuse pas les riches en faveur du peuple ; l'homme est le même en haut, en bas, au milieu. Il se rencontre par chaque million de ce haut bétail dix lurons qui se mettent au-dessus de tout, même des lois ; j'en suis. Vous, si vous êtes un homme supérieur, allez en droite ligne et la tête haute. Mais il faudra lutter contre l'envie, la calomnie, la médiocrité, contre tout le monde. Napoléon a rencontré un ministre de la guerre
40 qui s'appelait Aubry, et qui a failli l'envoyer aux colonies. Tâtez-vous ! Voyez si vous pourrez vous lever tous les matins avec plus de volonté que nous n'en aviez la veille. Dans ces conjonctures, je vais vous faire une proposition que personne ne refuserait. Écoutez bien. Moi, voyez-vous, j'ai une idée. Mon idée est d'aller vivre de la vie patriarcale au milieu d'un grand domaine, cent mille arpents, par exemple, aux États-
45 Unis, dans le sud. Je veux m'y faire planteur, avoir des esclaves, gagner quelques bons petits millions à vendre mes bœufs, mon tabac, mes bois, en vivant comme un souverain, en faisant mes volontés, en menant une vie qu'on ne conçoit pas ici, où l'on se tapit dans un terrier de plâtre. Je suis un grand poète. Mes poésies, je ne les écris pas : elles consistent en actions et en sentiments.

Honoré de Balzac, *Le père Goriot*, 1834-1835.

Atelier d'analyse

Exploration

1. Clarifiez le contexte d'énonciation du texte en précisant qui se trouve derrière les pronoms en rouge dans la phrase suivante : « Ce jour-là **vous** êtes revenu avec un mot écrit sur votre front, et que **j'**ai bien su lire [...] »

2. Un important réseau métaphorique de la guerre soutenu par un autre réseau de moindre importance lié à la nourriture appuie la démonstration faite par Vautrin. Dressez les champs lexicaux associés à ces deux termes. Jugez de leur efficacité en relation avec l'argumentation de Vautrin.

3. Dans le premier paragraphe, relevez trois comparaisons et jugez de leur pertinence par rapport à l'argumentation de Vautrin.

4. Relevez les occurrences du mot « corruption » et expliquez en quoi elles contribuent à la signification globale du texte.

5. La fascination pour l'argent s'illustre par le recours obsessif aux chiffres ou à des termes substituts ou connexes du mot « richesse ». Faites-en la démonstration.

6. Montrez que Balzac cherche à restituer le ton de la conversation orale en observant le temps des verbes, l'influence de la langue orale sur la syntaxe, la ponctuation.

7. Vautrin se définit comme un poète. Que pensez-vous de cette affirmation ?

8. Dégagez les principales valeurs du code « moral » prôné par Vautrin.

Rédaction

9. **Sujet :** Est-il juste d'affirmer qu'argent, guerre et corruption sont les trois mots-clés de cet extrait ?

Consigne : Intégrez à ce paragraphe des citations ou des exemples pour illustrer les idées secondaires. S'il le faut, modifiez le paragraphe en conséquence.

La référence à l'argent est essentielle dans l'argumentation de Vautrin, qui fait miroiter la richesse aux yeux de Rastignac pour mieux le soudoyer. Dès le début de son argumentation, il fait comprendre au jeune ambitieux tout juste sorti de sa province natale que pour pénétrer le cercle étroit de l'élite aristocratique, il faut savoir donner l'impression de la fortune. Pour séduire une mondaine, il faut éviter d'avoir l'air misérable. Mais comment s'y prendre quand on provient d'une famille presque ruinée ? Vautrin propose deux avenues : celle du talent, qui implique de se surpasser – ce qui n'est pas accessible à tous –, et celle de l'escroquerie et du crime. Il propose de servir l'appétit de réussite de Rastignac en prenant en charge les exactions. Vautrin serait l'acolyte travaillant dans l'ombre au succès de Rastignac ; par des moyens différents, tous les deux atteindraient leur but, celui de « parvenir ».

10. Montrez que ce texte traduit une morale empreinte de cynisme.

Honoré Daumier, *Vautrin*, 1855.

Une soirée à la campagne

**Stendhal
(1783-1842)**

Le refus d'idéaliser l'amour

Stendhal (pseudonyme de Henri Beyle) naît à la veille de la Révolution française. Devenu diplomate, il voyage dans de nombreux pays, mais c'est l'Italie qui exerce sur lui la fascination la plus durable. Il décède à Paris.

Stendhal incarne la transition entre les courants romantique et réaliste : d'un côté, il est individualiste et porté à l'introspection ; de l'autre, il se montre naturellement sceptique à l'égard des dogmes et de ceux qui s'en font les porte-drapeaux. Ses personnages, à la psychologie égotiste et au physique de séducteur, échouent dans leur projet d'ascension sociale, comme c'est le cas de Julien Sorel, le héros de son roman *Le rouge et le noir*. En observant les moindres gestes de leur vie quotidienne, Stendhal adopte un recul ironique qui lui permet, en outre, de révéler la médiocrité des milieux sociaux dans lesquels ils évoluent.

La scène choisie présente Julien Sorel alors qu'il projette de séduire Mme de Rênal, qui l'emploie comme percepteur pour ses enfants. Les multiples remarques qui jalonnent le texte trahissent l'ironie du narrateur et maintiennent une distance critique par rapport à ce qui est raconté.

Ses regards, le lendemain, quand il revit Mme de Rênal, étaient singuliers ; il l'observait comme un ennemi avec lequel il va falloir se battre. Ces regards, si différents de ceux de la veille, firent perdre la tête à Mme de Rênal : elle avait été bonne pour lui et il paraissait fâché. Elle ne pouvait détacher ses regards des siens.

5 La présence de Mme Derville permettait à Julien de moins parler et de s'occuper davantage de ce qu'il avait dans la tête. Son unique affaire, toute cette journée, fut de se fortifier par la lecture du livre inspiré qui retrempait son âme.

Il abrégea beaucoup les leçons des enfants, et ensuite, quand la présence de Mme de Rênal vint le rappeler tout à fait aux soins de sa gloire, il décida qu'il fallait absolu-
10 ment qu'elle permît ce soir-là que sa main restât dans la sienne.

Le soleil en baissant, et rapprochant le moment décisif, fit battre le cœur de Julien d'une façon singulière. La nuit vint. Il observa, avec une joie qui lui ôta un poids immense de dessus la poitrine, qu'elle serait fort obscure. Le ciel chargé de gros nuages, promenés par un vent très chaud, semblait annoncer une tempête. Les deux amies se
15 promenèrent fort tard. Tout ce qu'elles faisaient ce soir-là semblait singulier à Julien. Elles jouissaient de ce temps, qui, pour certaines âmes délicates, semble augmenter le plaisir d'aimer.

On s'assit enfin, Mme de Rênal à côté de Julien, et Mme Derville près de son amie. Préoccupé de ce qu'il allait tenter, Julien ne trouvait rien à dire. La conversation
20 languissait.

Serai-je aussi tremblant, et malheureux au premier duel qui me viendra ? se dit Julien, car il avait trop de méfiance et de lui et des autres pour ne pas voir l'état de son âme.

Dans sa mortelle angoisse,
25 tous les dangers lui eussent semblé préférables. Que de fois ne désira-t-il pas voir survenir à Mme de Rênal quelque affaire qui l'obligeât de rentrer à la
30 maison et de quitter le jardin ! La violence que Julien était obligé de se faire était trop forte pour que sa voix ne fût pas profondément altérée ; bientôt la
35 voix de Mme de Rênal devint tremblante aussi, mais Julien ne s'en aperçut point. L'affreux combat que le devoir livrait à la timidité était trop pénible
40 pour qu'il fût en état de rien observer hors lui-même. Neuf heures trois quarts venaient de sonner à l'horloge du château, sans qu'il eût encore rien osé.
45 Julien, indigné de sa lâcheté, se dit : Au moment précis où dix heures sonneront, j'exécuterai ce que, pendant toute la journée, je me suis promis de faire ce
50 soir, ou je monterai chez moi me brûler la cervelle.

Gérard Philipe et Antonella Lualdi dans *Le rouge et le noir*, un film de Claude Autant-Lara, 1954.

Après un dernier moment d'attente et d'anxiété, pendant lequel l'excès de l'émotion mettait Julien comme hors de lui, dix heures sonnèrent à l'horloge qui était au-dessus de sa tête. Chaque coup de cloche fatal retentissait dans sa poitrine, et y causait
55 comme un mouvement physique.

Enfin, comme le dernier coup de dix heures retentissait encore, il étendit la main et prit celle de Mme de Rênal, qui la retira aussitôt. Julien, sans trop savoir ce qu'il faisait, la saisit de nouveau. Quoique bien ému lui-même, il fut frappé de la froideur glaciale de la main qu'il prenait ; il la serrait avec une force convulsive ; on fit un
60 dernier effort pour la lui ôter, mais enfin cette main lui resta.

Son âme fut inondée de bonheur, non qu'il aimât Mme de Rênal, mais un affreux supplice venait de cesser. Pour que Mme Derville ne s'aperçût de rien, il se crut obligé de parler ; sa voix alors était éclatante et forte. Celle de Mme de Rênal, au contraire, trahissait tant d'émotion, que son amie la crut malade et lui proposa de rentrer. Julien
65 sentit le danger : Si Mme de Rênal rentre au salon, je vais retomber dans la position affreuse où j'ai passé la journée. J'ai tenu cette main trop peu de temps pour que cela compte comme un avantage qui m'est acquis.

Au moment où Mme Derville renouvelait la proposition de rentrer au salon, Julien serra fortement la main qu'on lui abandonnait.

70 Mme de Rênal, qui se levait déjà, se rassit, en disant d'une voix mourante :
— Je me sens, à la vérité, un peu malade, mais le grand air me fait du bien.

Stendhal, *Le rouge et le noir*, 1830.

Atelier d'analyse

Exploration

1. Cette scène met en relation trois personnages. Quel est leur rôle dans l'action ? Qu'apprend-on sur eux ?

2. La conquête de Mme de Rênal est menée par Julien Sorel comme une campagne militaire. Pour le démontrer :
   a. dégagez, sur le plan du style, tous les termes associés à l'idée de bataille.
   b. relevez toutes les expressions trahissant l'engagement du corps dans le processus de séduction.
   c. indiquez quelle phrase trahit le cynisme de Julien, plus occupé à vaincre qu'à aimer.
   d. repérez le moyen utilisé par Stendhal pour signifier la victoire de Julien Sorel.
   e. ciblez les deux gestes qui indiquent que Mme de Rênal cède et se soumet.

3. Quels sens vous paraissent les plus sollicités par cette conquête amoureuse : l'ouïe, l'odorat, la vue ou le toucher ? Appuyez votre réponse sur des preuves.

4. Montrez que cet extrait illustre le pouvoir, un des thèmes dominants du courant réaliste, en tenant compte du fait que Julien est le subalterne de Mme de Rênal.

Rédaction

5. **Sujet :** Montrez que dans cette scène, Stendhal refuse d'idéaliser l'amour.
   Consigne : Complétez le plan suivant, qui propose les idées principales des trois paragraphes de développement (et modifiez-les si nécessaire). Ajoutez deux ou trois idées secondaires par paragraphe.

   Plan suggéré :
   a. La séduction est assimilée à une conquête militaire.
   b. Le jeune héros, Julien Sorel, accorde plus d'importance à son amour propre qu'à l'amour qu'il éprouve pour Mme de Rênal.
   c. l'amour semble réduit à un jeu de pouvoir superficiel.

Gustave Flaubert
(1821-1880)

La précision descriptive du style

Célibataire et solitaire, Flaubert poursuit toute sa vie avec acharnement ses recherches formelles pour arriver à une œuvre qui s'impose « par la force interne de son style ». Tous ses textes sont retravaillés, corrigés et réécrits avant de subir le test du « gueuloir », c'est-à-dire la relecture à haute voix pour vérifier la qualité du style, sa fluidité sonore.

Deux tendances cohabitent en lui : l'une le pousse au lyrisme alors que l'autre l'entraîne à la rigueur. Dans son œuvre, des personnages comme Emma Bovary illustrent son attrait pour le sentimentalisme et sa rigueur méthodique, illustrée par la documentation qu'il compulse avant de rédiger. Son but est de découvrir tout détail susceptible d'améliorer la précision descriptive de son style.

La publication de *Madame Bovary* vaut à Flaubert un procès pour atteinte aux bonnes mœurs. À cause du portrait impitoyable qu'il fait du mariage bourgeois, on l'accuse de promouvoir l'adultère et le suicide. Dans cet extrait, Emma Bovary livre sa désillusion à la suite de son mariage avec Charles Bovary, un médecin de province ennuyeux comme la pluie.

La déception conjugale

Elle songeait quelquefois que c'étaient là pourtant les plus beaux jours de sa vie, la lune de miel, comme on disait. Pour en goûter la douceur, il eût fallu, sans doute, s'en aller vers ces pays à noms sonores où les lendemains de mariage ont de plus suaves paresses ! Dans des chaises de poste, sous des stores de soie bleue, on monte au pas des
5 routes escarpées, écoutant la chanson du postillon, qui se répète dans la montagne avec les clochettes des chèvres et le bruit sourd de la cascade. Quand le soleil se couche on respire au bord des golfes le parfum des citronniers ; puis, le soir, sur la terrasse des villas, seuls et les doigts confondus, on regarde les étoiles en faisant des projets. Il lui semblait que certains lieux sur la terre devaient produire du bonheur, comme une
10 plante particulière au sol et qui pousse mal tout autre part. Que ne pouvait-elle s'accouder sur le balcon des chalets suisses ou enfermer sa tristesse dans un cottage écossais, avec un mari vêtu d'un habit de velours noir à longues basques, et qui porte des bottes molles, un chapeau pointu et des manchettes !

Peut-être aurait-elle souhaité faire à quelqu'un la confidence de toutes ces choses.
15 Mais comment dire un insaisissable malaise, qui change d'aspect comme les nuées, qui tourbillonne comme le vent ? Les mots lui manquaient donc, l'occasion, la hardiesse.

Si Charles l'avait voulu, cependant, s'il s'en fût douté, si son regard, une seule fois, fût venu à la rencontre de sa pensée, il lui semblait qu'une abondance subite se serait
20 détachée de son cœur, comme tombe la récolte d'un espalier, quand on y porte la main. Mais, à mesure que se serrait davantage l'intimité de leur vie, un détachement intérieur se faisait qui la déliait de lui.

La conversation de Charles était plate comme un trottoir de rue et les idées de tout le monde y défilaient, dans leur costume ordinaire, sans exciter d'émotion, de rire ou
25 de rêverie. Il n'avait jamais été curieux, disait-il, pendant qu'il habitait Rouen, d'aller voir au théâtre les acteurs de Paris. Il ne savait ni nager, ni faire des armes, ni tirer le pistolet, et il ne put, un jour, lui expliquer un terme d'équitation qu'elle avait rencontré dans un roman.

Un homme, au contraire, ne devait-il pas tout connaître, exceller en des activités
30 multiples, vous initier aux énergies de la passion, aux raffinements de la vie, à tous les mystères ? Mais il n'enseignait rien, celui-là, ne savait rien, ne souhaitait rien. Il la croyait heureuse et elle lui en voulait de ce calme si bien assis, de cette pesanteur sereine, du bonheur même qu'il lui donnait.

[...]
35 Mme Bovary mère semblait prévenue contre sa bru. [...] L'amour de Charles pour Emma lui semblait une désertion de sa tendresse, un envahissement sur ce qui lui appartenait ; et elle observait le bonheur de son fils avec un silence triste, comme quelqu'un de ruiné qui regarde à travers les carreaux des gens attablés dans son ancienne maison. Elle lui rappelait, en matière de souvenirs, ses peines et ses sacrifices,
40 et, les comparant aux négligences d'Emma, concluait qu'il n'était point raisonnable de l'adorer de façon si exclusive.

Charles ne savait que répondre ; il respectait sa mère, et il aimait infiniment sa femme ; il considérait le jugement de l'une comme infaillible, et cependant il trouvait l'autre irréprochable. Quand Mme Bovary était partie il essayait de hasarder timi-
45 dement, et dans les mêmes termes, une ou deux des plus anodines observations qu'il avait entendu faire à sa maman ; Emma, lui prouvant d'un mot qu'il se trompait, le renvoyait à ses malades.

Cependant, d'après des théories qu'elle croyait bonnes, elle voulut se donner de l'amour. Au clair de lune, dans le jardin, elle récitait tout ce qu'elle savait par cœur
50 de rimes passionnées et lui chantait en soupirant des adagios mélancoliques ; mais

elle se trouvait ensuite aussi calme qu'auparavant, et Charles n'en paraissait ni plus amoureux, ni plus remué.

55 Quand elle eut ainsi un peu battu le briquet sur son cœur sans en faire jaillir une étincelle, incapable, du reste, de comprendre ce qu'elle n'éprouvait pas, comme de croire à tout ce qui ne se manifestait point par des formes convenues, elle se persuada sans
60 peine que la passion de Charles n'avait plus rien d'exorbitant. Ses expansions étaient devenues régulières ; il l'embrassait à de certaines heures. C'était une habitude parmi les autres, et comme un dessert prévu
65 d'avance, après la monotonie du dîner.

Gustave Flaubert, *Madame Bovary,* 1857.

Édouard Manet, *Dans la serre,* 1879.
Scène d'intimité : Dr Jules Guillement et sa femme, amis de l'artiste.

Atelier d'analyse

Exploration

1. Analysez le premier paragraphe en tenant compte des questions suivantes.
   a. Quel est le verbe qui enclenche ce moment de rêverie ? Pourquoi est-il à l'imparfait ?
   b. Quels adverbes servent de modalisateurs pour suggérer la déception sentimentale d'Emma ?
   c. Comment l'association à des sensations d'ordres variés (saveurs, odeurs, sonorités, images visuelles) concrétise-t-elle le rêve d'amour d'Emma ?

2. Dans le deuxième paragraphe, comment le narrateur s'y prend-il pour traduire l'« insaisissable malaise » d'Emma ?

3. Dans le troisième paragraphe, quels mots traduisent l'éloignement qu'Emma ressent par rapport à son mari ?

4. Relevez les phrases où dominent la rancune d'Emma et le ton de reproche. Expliquez vos choix.

5. Comment se traduit le sentiment de dépossession dans le paragraphe qui est consacré à la mère de Charles ?

6. Explorez la richesse stylistique des paragraphes consacrés à la description de Charles en relevant les figures suivantes :
   a. deux comparaisons ;
   b. une personnification ;
   c. deux énumérations ;
   d. une répétition.

7. Montrez comment, dans les deux derniers paragraphes, le narrateur prend une distance ironique par rapport à son héroïne en ayant recours à des notations prosaïques.

8. En guise de bilan, répartissez dans un tableau en deux colonnes les traits de Charles et d'Emma. Illustrez les plus significatifs de citations appropriées (deux pour chaque personnage).

Rédaction

9. En trois paragraphes bien structurés (avec intégration de citations), dressez le portrait des trois personnages en mettant aussi en relief la dynamique de leur relation.

10. Montrez que Flaubert dresse un portrait plutôt cynique du mariage bourgeois.

Émile Zola
(1840-1902)

La thématique de la rébellion

Son nom, comme le constate avec finesse Maupassant, le prédestine à devenir un écrivain à la plume foudroyante : Zola sonne en effet comme « deux notes de clairon ». Ce nom de famille, il le tient de son père, d'origine italienne, mort sept ans après sa naissance. À la suite de procès onéreux, la famille, installée en Provence, se trouve dans une situation financière précaire et doit déménager à Paris. Zola obtient un emploi à la librairie Hachette qui lui permet de rencontrer le gratin des écrivains et des journalistes de l'époque. Devenu chroniqueur littéraire, il épouse Gabrielle Alexandrine Melay, mais ne connaît les joies de la paternité que plus tard, avec sa maîtresse Jeanne Rozerot, qui lui donne deux enfants. En 1898, joignant le courage politique à l'audace littéraire, il se porte à la défense de Dreyfus, ce militaire d'origine juive injustement accusé de trahison. Au moment de la crise, il fait paraître un manifeste au titre provocateur, « J'accuse », où il s'en prend à l'État-major militaire mais aussi à tous ces bien-pensants prêts à sacrifier un innocent pour sauvegarder l'honneur de la nation. Pour éviter la prison, il doit fuir en Angleterre.

Du pain ! du pain ! du pain !

Les femmes avaient paru, près d'un millier de femmes, aux cheveux épars, dépeignés par la course, aux guenilles montrant la peau nue, des nudités de femelles lasses d'enfanter des meurt-de-faim. Quelques-unes tenaient leur petit entre les bras, le soulevaient, l'agitaient, ainsi qu'un drapeau de deuil et de vengeance. D'autres, plus
5 jeunes, avec des gorges gonflées de guerrières, brandissaient des bâtons ; tandis que les vieilles, affreuses, hurlaient si fort, que les cordes de leurs cous décharnés semblaient se rompre. Et les hommes déboulèrent ensuite, deux mille furieux, des galibots, des haveurs, des raccommodeurs, une masse compacte qui roulait d'un seul bloc, serrée, confondue, au point qu'on ne distinguait ni les culottes déteintes, ni les
10 tricots de laine en loques, effacés dans la même uniformité terreuse.
   [...]
   – Quels visages atroces ! balbutia Mme Hennebeau.
   Négrel dit entre ses dents :
   – Le diable m'emporte si j'en reconnais un seul ! D'où sortent-ils donc, ces bandits-là ?
15 Et, en effet, la colère, la faim, ces deux mois de souffrance et cette débandade enragée au travers des fosses, avaient allongé en mâchoires de bêtes fauves les faces placides des houilleurs de Montsou. À ce moment, le soleil se couchait, les derniers rayons, d'un pourpre sombre, ensanglantaient la plaine. Alors, la route sembla charrier du sang, les femmes, les hommes continuaient à galoper, saignants comme des
20 bouchers en pleine tuerie.
   – Oh ! superbe ! dirent à demi-voix Lucie et Jeanne, remuées dans leur goût d'artistes par cette belle horreur.
   Elles s'effrayaient pourtant, elles reculèrent près de Mme Hennebeau, qui s'était appuyée sur une auge. L'idée qu'il suffisait d'un regard, entre les planches de cette
25 porte disjointe, pour qu'on les massacrât, la glaçait. Négrel se sentait blêmir, lui aussi, très brave d'ordinaire, saisi là d'une épouvante supérieure à sa volonté, une de ces épouvantes qui soufflent de l'inconnu. Dans le foin, Cécile ne bougeait plus. Et les autres, malgré leur désir de détourner les yeux, ne le pouvaient pas, regardaient quand même.
30 C'était la vision rouge de la révolution qui les emportait tous, fatalement, par une soirée sanglante de cette fin de siècle. Oui, un soir, le peuple lâché, débridé, galoperait ainsi sur les chemins ; et il ruissellerait du sang des bourgeois, il promènerait des têtes, il sèmerait l'or des coffres éventrés. Les femmes hurleraient, les hommes auraient ces mâchoires de loups, ouvertes pour mordre. Oui, ce seraient les mêmes guenilles,
35 le même tonnerre de gros sabots, la même cohue effroyable, de peau sale, d'haleine empestée, balayant le vieux monde, sous leur poussée débordante de barbares. Des incendies flamberaient, on ne laisserait pas debout une pierre des villes, on retournerait à la vie sauvage dans les bois, après le grand rut, la grande ripaille, où les pauvres, en une nuit, efflanqueraient les femmes et videraient les caves des riches. Il n'y aurait
40 plus rien, plus un sou des fortunes, plus un titre des situations acquises, jusqu'au jour où une nouvelle terre repousserait peut-être. Oui, c'étaient ces choses qui passaient sur la route, comme une force de la nature, et ils en recevaient le vent terrible au visage.

Un grand cri s'éleva, domina *La Marseillaise* :
45 — De pain ! du pain ! du pain !

Lucie et Jeanne se serrèrent contre Mme Hennebeau, défaillante ; tandis que Négrel se mettait devant elles, comme pour les protéger de son corps. Était-ce donc ce soir même que l'antique société craquait ? Et ce qu'ils virent, alors, acheva de les hébéter. La bande s'écoulait, il n'y avait plus que la queue des traînards, lorsque la Mouquette
50 déboucha. Elle s'attardait, elle guettait les bourgeois, sur les portes de leurs jardins, aux fenêtres de leurs maisons ; et quand elle en découvrait, en pouvant leur cracher au nez, elle leur montrait ce qui était pour elle le comble de son mépris. Sans doute elle en aperçut un, car brusquement elle releva ses jupes, tendit les fesses, montra son derrière énorme, nu dans un dernier flamboiement du soleil. Il n'avait rien d'obscène,
55 ce derrière, et ne faisait pas rire, farouche.

Émile Zola, *Germinal,* 1885.

Eugène Laermans, *Un soir de grève* ou *Le drapeau rouge*, 1894.
« C'était la vision rouge de la révolution qui les emportait tous, fatalement, par une soirée sanglante de cette fin de siècle. » (Zola, *Germinal*, 1885)

Il meurt en 1902 à son retour d'exil, dans des circonstances obscures qui font croire à un assassinat.

Émile Zola a de nombreux points communs avec Balzac, dont il s'inspire pour élaborer sa théorie narrative. Comme lui, il pratique le journalisme et cherche à rendre ses romans significatifs en les situant dans l'actualité. Comme lui, il donne un fondement scientifique à sa doctrine littéraire. Ses récits sont le fruit d'une recherche méthodique et illustrent les thèses qui lui sont chères, par exemple celle concernant l'hérédité. Zola est probablement conscient du caractère illusoire de certains de ses objectifs, mais sa nature de polémiste le porte à combattre sur tous les fronts. Ainsi s'oppose-t-il aux bien-pensants, qui souhaitent une littérature moralisatrice, et à l'arrière-garde romantique, toujours en quête d'idéalisme.

Alors que Balzac s'intéresse à la montée de la bourgeoisie vers le pouvoir, Zola, lui, exprime l'aspiration des démunis à la dignité. Ces démunis sont essentiellement représentés par des mineurs dans le roman *Germinal*. Il donne d'ailleurs à ce roman consacré à leurs luttes un titre à la fois rempli d'espoir et lourd de souvenirs : les révolutionnaires de 1789 nommaient « germinal » le premier mois du printemps, celui de la germination.

Dans l'extrait ci-contre, les mineurs, révoltés contre leurs conditions de travail, crachent leur soif de vengeance à la face horrifiée des bourgeois, ici représentés par les Hennebeau, leur neveu Négrel et quelques jeunes femmes. Dans la foule anonyme se détache le personnage de la Mouquette, une fille de mineur qui rejette par un geste d'ultime provocation tout le mépris dont elle a été victime.

Atelier d'analyse

Exploration

1. Associez chacun des mots suivants à leur définition ou à leur synonyme.
   - a. galibot
   - b. haveur
   - c. loque
   - d. placide
   - e. houilleur
   - f. auge
   - g. cohue
   - h. rut
   - i. ripaille
   - j. efflanqué

   - a. lié à l'activité sexuelle
   - b. décharné
   - c. imperturbable
   - d. foule tumultueuse
   - e. gueuleton
   - f. bassin qui sert à donner à boire
   - g. mineur qui extrait le charbon
   - h. mineur qui fait des entailles dans la pierre
   - i. haillon
   - j. jeune mineur engagé comme manœuvre

2. Dégagez le plan de l'extrait.

3. Dressez la liste des termes qui traduisent la peur ressentie par le groupe des bourgeois.

4. Quelles sont les couleurs dominantes sur la toile que peint Zola ? Que suggère l'emploi de ces couleurs ? Répondez en vous appuyant sur des citations.

5. Relevez toutes les expressions associées au réseau métaphorique de l'animalité et expliquez en quoi elles contribuent à la signification du texte.

6. Analysez comment Zola traduit l'idée de la fin d'une époque en tenant compte des aspects suivants.
   - a. Relevez les évocations de la Révolution.
   - b. Relevez les passages qui suggèrent le retour à la sauvagerie.
   - c. Relevez une phrase énumérative en lien avec l'argent.
   - d. Expliquez en vos mots quel monde semble disparaître et lequel semble faire son apparition.

7. Chez les naturalistes, le corps impose sa présence. Montrez que cet aspect se vérifie dans cet extrait.

8. Expliquez comment Zola arrive à donner l'illusion de jouer ici avec l'objectif d'une caméra.

9. À la fin de l'extrait, Zola écrit : « Il n'avait rien d'obscène, ce derrière, et ne faisait pas rire, farouche. » Comment faut-il interpréter cette phrase ?

10. Expliquez comment cet extrait contrevient aux principes du naturalisme qu'énonce Zola dans l'extrait intitulé *L'école de la science* (offert sur *MaZoneCEC*).

Rédaction

11. **Sujet :** Une fin de siècle s'accompagne souvent d'une sorte de fin du monde.

    Consigne : Expliquez comment le roman *Germinal* de Zola, publié en 1885, illustre en quelque sorte cette idée. Parmi les idées suivantes, choisissez trois idées principales qui orienteront le développement de ce sujet.
    - Pour affronter leurs patrons, les mineurs font confiance à la force collective.
    - Les mineurs font appel à la violence pour s'attaquer à leurs employeurs.
    - Les mineurs prennent les moyens qui sont à leur disposition pour exprimer leur mécontentement.
    - Les bourgeois comprennent que la rancœur des mineurs les menace.
    - Les bourgeois comprennent qu'ils assistent à un moment historique.
    - Les bourgeois comprennent que seule la force policière peut ramener l'ordre social.
    - La grève s'inscrit dans un large mouvement de revendications qui remonte à la Révolution.
    - Le curé intervient et rappelle l'importance de s'aimer les uns les autres.

12. La thématique du pouvoir est au cœur du réalisme. Commentez cette affirmation en vous appuyant sur cet extrait.

La mangeuse d'hommes

Émile Zola
(1840-1902)

Nana, cependant, en voyant rire la salle, s'était mise à rire. La gaieté redoubla. Elle était drôle tout de même, cette belle fille. Son rire lui creusait un amour de petit trou dans le menton. Elle attendait, pas gênée, familière, entrant tout de suite de plain-pied avec le public, ayant l'air de dire elle-même d'un clignement d'yeux qu'elle
5 n'avait pas de talent pour deux liards, mais que ça ne faisait rien, qu'elle avait autre chose. [...] C'était toujours la même voix vinaigrée, mais à présent elle grattait si bien le public au bon endroit, qu'elle lui tirait par moments un léger frisson. Nana avait gardé son rire, qui éclairait sa petite bouche rouge et luisait dans ses grands yeux, d'un bleu très clair. À certains vers un peu vifs, une friandise retroussait son nez dont
10 les ailes roses battaient, pendant qu'une flamme passait sur ses joues. Elle continuait à se balancer, ne sachant faire que ça. Et on ne trouvait plus ça vilain du tout, au contraire : les hommes braquaient leurs jumelles.

Comme elle terminait le couplet, la voix lui manqua complètement, elle comprit qu'elle n'irait jamais au bout. Alors, sans s'inquiéter, elle donna un coup de hanche

L'observateur

Devenu à la fin de sa carrière un « self-made man » qui vit dans l'aisance matérielle grâce aux forts tirages de ses œuvres, Zola demeure profondément déchiré : il a certes intégré les valeurs bourgeoises mais il est aussi sensible aux conditions de vie effroyables des classes inférieures. Conscient de vivre dans une société en mutation du point de vue moral, il dessine sans complaisance des portraits de femmes souvent provocants. Ainsi, dans *Nana,* l'héroïne éponyme semble à première vue incarner la libération des mœurs alors qu'elle est en fait réduite à l'état de marchandise, soumise aux regards des hommes qui évaluent sa chair toute prête à la consommation. Zola situe la scène suivante dans un théâtre parisien qui présente probablement une pièce de vaudeville. Dès sa première apparition sur les planches, Nana fait scandale. Zola cherche habilement à reproduire le climat entourant ce spectacle osé en ayant recours à la langue populaire pour transcrire les dialogues.

Cette femme délurée, qui attise le désir des hommes, se trouve fort éloignée des héroïnes balzaciennes généralement idéalisées par le regard masculin. Si Balzac est en effet réaliste dans sa façon de décrire les conflits d'intérêts entre ses ambitieux personnages masculins, il demeure toutefois très marqué par l'influence romantique dans sa conception de chastes personnages féminins. Ainsi, Madame de Mortsauf apparaît comme une figure tutélaire qui prend sous son aile Félix de Vadenesse, afin de l'aider à réussir son apprentissage de la vie.

Édouard Manet, *Nana*, 1877.

15 qui dessina une rondeur sous la mince tunique, tandis que, la taille pliée, la gorge
renversée, elle tendait les bras. Des applaudissements éclatèrent. Tout de suite, elle
s'était tournée, remontant, faisant voir sa nuque où des cheveux roux mettaient
comme une toison de bête ; et les applaudissements devinrent furieux.

La fin de l'acte fut plus froide. [...]

20 Les spectateurs des petites places descendaient avec un bruit continu de gros
souliers, le flot des habits noirs passait, tandis qu'une ouvreuse faisait tous ses efforts pour protéger contre les poussées une chaise, sur laquelle elle avait empilé
des vêtements.

– Mais je la connais ! cria Steiner, dès qu'il aperçut Faucery. Pour sûr, je l'ai vue
25 quelque part... Au Casino, je crois qu'elle s'y est fait ramasser, tant elle était soûle.

– Moi, je ne sais plus au juste, dit le journaliste ; je suis comme vous, je l'ai certainement rencontrée...

Il baissa la voix et ajouta en riant :

– Chez la Tricon peut-être.

30 – Parbleu ! Dans un sale endroit, déclara Mignon, qui semblait exaspéré. C'est dé-
goûtant que le public accueille comme ça la première salope venue. Il n'y aura bientôt plus d'honnêtes femmes au théâtre... Oui, je finirai par défendre Rose d'y jouer.

Fauchery ne put s'empêcher de sourire. Cependant la dégringolade des gros souliers sur les marches ne cessait pas, un petit homme en casquette disait d'une voix
35 traînante :

– Oh ! là, là, elle est bien boulotte ! Y a de quoi manger.

[...]

On frappait les trois coups, des ouvreuses s'entêtaient à rendre les vêtements,
chargées de pelisses et de paletots, au milieu du monde qui rentrait. La claque ap-
40 plaudit le décor, une grotte du mont Etna, creusée dans une mine d'argent, et dont les
flancs avaient l'éclat des écus neufs ; au fond, la forge de Vulcain mettait un coucher
d'astre. Diane, dès la seconde scène, s'entendait avec le dieu, qui devait feindre un
voyage pour laisser la place libre à Vénus et à Mars. Puis, à peine Diane se trouvait-
elle seule, que Vénus arrivait. Un frisson remua la salle. Nana était nue. Elle était nue
45 avec une tranquille audace, certaine de la toute-puissance de sa chair. Une simple
gaze l'enveloppait ; ses épaules rondes, sa gorge d'amazone dont les pointes roses se
tenaient levées et rigides comme des lances, ses larges hanches qui roulaient dans un
balancement voluptueux, ses cuisses de blonde grasse, tout son corps se devinait, se
voyait sous le tissu léger, d'une blancheur d'écume. C'était Vénus naissant des flots,
50 n'ayant pour voile que ses cheveux. Et, lorsque Nana levait les bras, on apercevait,
aux feux de la rampe, les poils d'or de ses aisselles. Il n'y eut pas d'applaudissements.
Personne ne riait plus, les faces des hommes, sérieuses, se tendaient, avec le nez aminci,
la bouche irritée et sans salive. Un vent semblait avoir passé, très doux, chargé d'une
sourde menace. Tout d'un coup, dans la bonne enfant, la femme se dressait, inquié-
55 tante, apportant le coup de folie de son sexe, ouvrant l'inconnu du désir. Nana sou-
riait toujours, mais d'un sourire aigu de mangeuse d'hommes.

Émile Zola, *Nana*, 1880.

Le lys dans la vallée

Une âme nouvelle, une âme aux ailes diaprées avait brisé sa larve. Tombée des steppes bleues où je l'admirais, ma chère étoile s'était donc faite femme en conservant sa clarté, ses scintillements et sa fraîcheur. J'aimai soudain sans rien savoir de l'amour. N'est-ce pas une étrange chose que cette première irruption du sentiment le
5   plus vif de l'homme ? J'avais rencontré dans le salon de ma tante quelques jolies femmes, aucune ne m'avait causé la moindre impression. Existe-t-il donc une heure, une conjonction d'astres, une réunion de circonstances expresses, une certaine femme entre toutes, pour déterminer une passion exclusive, au temps où la passion embrasse le sexe entier ? [...]

10 D'abord j'essayai de me mettre à mon aise dans mon fauteuil ; puis je reconnus les avantages de ma position en me laissant aller au charme d'entendre la voix de la comtesse. Le souffle de son âme se déployait dans les replis des syllabes, comme le son se divise sous les clefs d'une flûte ; il expirait onduleusement à l'oreille d'où il précipitait l'action du sang. Sa façon de dire les terminaisons en « i » faisait croire à quel-
15 que chant d'oiseau ; le « ch » prononcé par elle était comme une caresse, et la manière dont elle attaquait les « t » accusait le despotisme du cœur. Elle étendait ainsi, sans le savoir, le sens des mots, et vous entraînait l'âme dans un monde surhumain. Combien de fois n'ai-je pas laissé continuer une discussion que je pouvais finir, combien de fois ne me suis-je pas fait injustement gronder pour écouter ces concerts de voix

Gustave Courbet, *Dame sur la terrasse (la dame de Francfort)*, 1858.

humaine, pour aspirer l'air qui sortait de sa lèvre chargé de son âme, pour étreindre
20 cette lumière parlée avec l'ardeur que j'aurais mise à serrer la comtesse sur mon sein !
Quel chant d'hirondelle joyeuse, quand elle pouvait rire ! Mais quelle voix de cygne
appelant ses compagnes, quand elle parlait de ses chagrins ! L'inattention de la comtesse me permit de l'examiner. Mon regard se régalait en glissant sur la belle parleuse,
il pressait sa taille, baisait ses pieds, et se jouait dans les boucles de sa chevelure. Ce-
25 pendant j'étais en proie à une terreur que comprendront ceux qui, dans leur vie, ont
éprouvé les joies illimitées d'une passion vraie. J'avais peur qu'elle ne me surprit les
yeux attachés à la place de ses épaules que j'avais si ardemment embrassée. Cette
crainte avivait la tentation, et j'y succombais, je les regardais ! Mon œil déchirait
l'étoffe, je revoyais la lentille qui marquait la naissance de la jolie raie par laquelle
30 son dos était partagé, mouche perdue dans du lait, et qui depuis le bal flamboyait
toujours le soir dans ces ténèbres où semble ruisseler le sommeil des jeunes gens
dont l'imagination est ardente, dont la vie est chaste.

Je puis vous crayonner les traits principaux qui partout eussent signalé la comtesse aux regards ; mais le dessin le plus correct, la couleur la plus chaude n'en expri-
35 meraient rien encore. Sa figure est une de celles dont la ressemblance exige
l'introuvable artiste de qui la main sait peindre le reflet des feux intérieurs, et sait
rendre cette vapeur lumineuse que nie la science, que la parole ne traduit pas, mais
que voit un amant. Ses cheveux fins et cendrés [...], son front arrondi, proéminent
comme celui de la Joconde, paraissait plein d'idées inexprimées, de sentiments conte-
40 nus, de fleurs noyés dans des eaux amères.

[...]

Un nez grec, comme dessiné par Phidias et réuni par un double arc à des lèvres
élégamment sinueuses, spiritualisait son visage de forme ovale, et dont le teint, com-
parable au tissu des camélias blancs, se rougissait aux joues par de jolis tons roses.
45 Son embonpoint ne détruisait ni la grâce de sa taille, ni la rondeur voulue pour que
ses formes demeurassent belles quoique développées. [...] elle avait le pied d'une femme
comme il faut, ce pied qui marche peu, se fatigue promptement et réjouit la vue
quand il dépasse la robe. Quoiqu'elle fût mère de deux enfants, je n'ai jamais rencontré dans son sexe personne de plus jeune fille qu'elle. Son air exprimait une simplesse,
50 jointe à je ne sais quoi d'interdit et de songeur qui ramenait à elle comme le peintre
nous ramène à la figure où son génie a traduit un monde de sentiments. Ses qualités
visibles ne peuvent d'ailleurs s'exprimer que par des comparaisons. Rappelez-vous le
parfum chaste et sauvage de cette bruyère que nous avons cueillie en revenant de la
villa Diodati, cette fleur dont vous avez tant loué le noir et le rose, vous devinerez
55 comment cette femme pouvait être élégante loin du monde, naturelle dans ses expressions, recherchée dans les choses qui devenaient siennes, à la fois rose et noire.
Son corps avait la verdeur que nous admirons dans les feuilles nouvellement dé-
pliées, son esprit avait la profonde concision du sauvage ; elle était enfant par le sentiment, grave par la souffrance, châtelaine et bachelette.

60 Honoré de Balzac, *Le lys dans la vallée,* 1835.

Atelier de comparaison

Exploration

Nana

1. Nana n'a pas de talent pour deux sous. Donnez des preuves de cette absence de talent.

2. Nana avait toutefois « autre chose ». Quel est cet autre chose qui séduit le public ? Formulez la réponse en vos mots avec citations à l'appui.

3. Le dialogue entre personnages fournit d'autres renseignements sur Nana. Dans vos mots, quels sont-ils ? En quoi ces informations contribuent-elles à confirmer le caractère provocant de Nana ?

4. La beauté des femmes de l'époque ne semble pas s'évaluer avec les mêmes critères d'appréciation que ceux d'aujourd'hui. Démontrez cette affirmation en vous appuyant sur le portrait de Nana.

5. Est-il vrai qu'à mesure que progresse le récit, Nana, de bonne fille qu'elle était au début, se transforme en personnage plus inquiétant ? Expliquez ce phénomène et donnez des preuves à l'appui de votre réponse, qui doit être formulée en vos mots.

6. Les écrivains naturalistes sont adeptes de métaphores associées à l'idée de chair et à l'action de manger. Montrez que Zola se conforme à cette rhétorique.

Le lys dans la vallée

7. Étudiez le portrait de Madame de Mortsauf en répondant aux questions suivantes.
   a. En quoi le portrait de Madame de Mortsauf traduit-il surtout l'admiration du narrateur ?
   b. Relevez les références à l'art qui contribuent à magnifier cette femme.
   c. Montrez qu'une panoplie de couleurs et de touches lumineuses transforment cette femme en paysage.
   d. Relevez deux notations qui l'associent à la musique et au chant.

8. Cette description s'attache à l'âme et spiritualise la femme sans toutefois négliger les charmes corporels. Partagez-vous ce point de vue ? Illustrez votre réponse par des citations.

9. Dans ce portrait, peut-on dire que le narrateur se révèle lui-même tout en faisant le portrait de sa bien-aimée ?

Comparaison

10. Dressez un bilan de votre exploration des deux textes. À l'aide d'un tableau sur deux colonnes, faites d'abord ressortir les ressemblances et les différences entre les deux femmes, puis comparez la façon dont les hommes les regardent, les considèrent.

Rédaction

11. En vous appuyant sur ces deux extraits de Balzac et de Zola, expliquez comment la conception du personnage féminin semble avoir évolué, en passant du réalisme au naturalisme. (Note : il serait possible d'étendre cette comparaison à d'autres portraits de femmes.)

Guy de Maupassant (1850-1893)

La demande en mariage : les points de vue réaliste et romantique

Élève de Flaubert, Maupassant fait son entrée en littérature grâce à une nouvelle, *Boule de suif,* qui dresse un bilan cynique des rapports entre les classes sociales dans la France de 1870, année de la conquête du pays par les Prussiens.

On trouve dans la nouvelle *Boule de suif* plusieurs caractéristiques de l'œuvre entière de cet écrivain considéré comme le plus grand nouvelliste français. En fait, on trouve dans ce bref récit tous les ingrédients qui composent la manière de ce nouvelliste : pessimisme dans la peinture sociale ; personnages de petits bourgeois mesquins, de nobliaux de province complaisants et de prostituées ; thèmes de la duperie et de la médiocrité.

Chez Maupassant, l'amour est objet de marchandage au même titre que les biens matériels. La scène ci-contre, tirée du roman *Pierre et Jean,* permet d'apprécier le style allusif caractéristique de l'auteur. Aucune réplique ne fait plus de deux lignes, et pourtant, en quelques traits, tout l'esprit mercantile de l'époque s'y trouve mis en lumière par

La demande en mariage

Pierre et Jean

Ils étaient debout maintenant dans la mare salée qui les mouillait jusqu'aux mollets, et les mains ruisselantes appuyées sur leurs filets, ils se regardaient au fond des yeux.

Elle reprit d'un ton plaisant et contrarié :

– Que vous êtes malavisé de me parler de ça en ce moment ! Ne pouviez-vous
5 attendre un autre jour et ne pas me gâter ma pêche ?

Il murmura :

– Pardon, mais je ne pouvais plus me taire. Je vous aime depuis longtemps. Aujourd'hui vous m'avez grisé à me faire perdre la raison.

Alors, tout à coup, elle sembla en prendre son parti, se résigner à parler d'affaires
10 et à renoncer aux plaisirs.

– Asseyons-nous sur ce rocher, dit-elle, nous pourrons causer tranquillement.

Ils grimpèrent sur le roc un peu haut, et lorsqu'ils y furent installés côte à côte, les pieds pendants, en plein soleil, elle reprit :

– Mon cher ami, vous n'êtes plus un enfant et je ne suis pas une jeune fille. Nous
15 savons fort bien l'un et l'autre de quoi il s'agit, et nous pouvons peser toutes les conséquences de nos actes. Si vous vous décidez aujourd'hui à me déclarer votre amour, je suppose naturellement que vous désirez m'épouser.

Il ne s'attendait guère à cet exposé net de la situation, et il répondit niaisement :

– Mais oui.
20 – En avez-vous parlé à votre père et à votre mère ?

– Non, je voulais savoir si vous m'accepteriez.

Elle lui tendit sa main encore mouillée,
25 et comme il y mettait la sienne avec élan :

– Moi, je veux bien, dit-elle. Je vous crois bon et loyal. Mais n'oubliez point que je ne voudrais déplaire à vos parents.

– Oh ! pensez-vous que ma mère n'a rien
30 prévu et qu'elle vous aimerait comme elle vous aime si elle ne désirait pas un mariage entre nous ?

– C'est vrai, je suis un peu troublée.

Ils se turent. Et il s'étonnait, lui, au
35 contraire, qu'elle fût si peu troublée, si raisonnable. Il s'attendait à des gentillesses galantes, à des refus qui disent oui, à toute une coquette comédie d'amour mêlée à la pêche, dans le clapotement de l'eau ! Et c'était fini,
40 il se sentait lié, marié, en vingt paroles. Ils n'avaient plus rien à se dire puisqu'ils étaient d'accord et ils demeuraient maintenant un peu embarrassés tous deux de ce qui s'était passé, si vite, entre eux, un peu
45 confus, même, n'osant plus parler, n'osant plus pêcher, ne sachant que faire.

Guy de Maupassant, *Pierre et Jean,* 1888.

Auguste Renoir, *Danse à la campagne,* **1883.**

La mare au diable

– Petite Marie, lui dit-il en s'asseyant auprès d'elle, je viens te faire de la peine et t'ennuyer, je le sais bien : mais l'homme et la femme de chez nous (désignant ainsi, selon l'usage, les chefs de famille) veulent que je te parle et que je te demande de m'épouser. Tu ne le veux pas, toi, je m'y attends.

5 – Germain, répondit la petite Marie, c'est donc décidé que vous m'aimez ?

– Ça te fâche, je le sais, mais ce n'est pas ma faute : si tu pouvais changer d'avis, je serais trop content, et sans doute je ne mérite pas que cela soit. Voyons, regarde-moi, Marie, je suis donc bien affreux ?

– Non, Germain, répondit-elle en souriant, vous êtes plus beau que moi.

10 – Ne te moque pas ; regarde-moi avec indulgence ; il ne me manque encore ni un cheveu ni une dent. Mes yeux te disent que je t'aime. Regarde-moi donc dans les yeux, ça y est écrit, et toute fille sait lire dans cette écriture-là.

Marie regarda dans les yeux de Germain avec son assurance enjouée ; puis, tout à coup, elle détourna la tête et se mit à trembler.

15 – Ah ! mon Dieu ! je te fais peur, dit Germain, tu me regardes comme si j'étais le fermier des Ormeaux. Ne me crains pas, je t'en prie, cela me fait trop de mal. Je ne te dirai pas de mauvaises paroles, moi ; je ne t'embrasserai pas malgré toi, et quand tu voudras que je m'en aille, tu n'auras qu'à me montrer la porte. Voyons, faut-il que je sorte pour que tu finisses de trembler.

20 Marie tendit la main au laboureur, mais sans détourner sa tête penchée vers le foyer, et sans dire un mot.

– Je comprends, dit Germain ; tu me plains, car tu es bonne ; tu es fâchée de me rendre malheureux : mais tu ne peux pourtant pas m'aimer ?

– Pourquoi me dites-vous de ces choses-là, Germain ? répondit enfin la petite 25 Marie, vous voulez donc me faire pleurer ?

– Pauvre petite fille, tu as bon cœur, je le sais ; mais tu ne m'aimes pas, et tu me caches ta figure parce que tu crains de me laisser voir ton déplaisir et ta répugnance. Et moi ! je n'ose pas seulement te serrer la main ! Dans le bois, quand mon fils dormait, et que tu dormais aussi, j'ai failli t'embrasser tout doucement. Mais je serais mort de honte 30 plutôt que de te le demander et j'ai autant souffert dans cette nuit-là qu'un homme qui brûlerait à petit feu. Depuis ce temps-là j'ai rêvé à toi toutes les nuits. Ah ! comme je t'embrassais, Marie ! Mais toi, pendant ce temps-là, tu dormais sans rêver. Et, à présent, sais-tu ce que je pense ? c'est que si tu te retournais pour me regarder avec les yeux que j'ai pour toi, et si tu approchais ton visage du mien, je crois que je tomberais mort de 35 joie. Et toi, tu penses que si pareille chose t'arrivait tu en mourrais de colère et de honte !

Germain parlait comme dans un rêve sans entendre ce qu'il disait. La petite Marie tremblait toujours ; mais comme il tremblait encore davantage, il ne s'en apercevait plus. Tout à coup elle se retourna ; elle était toute en larmes et le regardait d'un air de reproche. Le pauvre laboureur crut que c'était le dernier coup, et, sans attendre son arrêt, il se leva pour partir, 40 mais la jeune fille l'arrêta en l'entourant de ses deux bras, et, cachant sa tête dans son sein :

– Ah ! Germain, lui dit-elle en sanglotant, vous n'avez donc pas deviné que je vous aime ?

Germain serait devenu fou, si son fils qui le cherchait et qui entra dans la chaumière au grand galop sur un bâton, avec sa petite sœur en croupe qui fouettait avec une branche d'osier ce coursier imaginaire, ne l'eût rappelé à lui-même. Il le souleva 45 dans ses bras, et le mettant dans ceux de sa fiancée :

– Tiens, lui dit-il, tu as fait plus d'un heureux en m'aimant !

George Sand, *La mare au diable*, 1846.

cette négociation entre un homme et une femme au moment de la demande en mariage.

La comparaison de ce texte avec un deuxième extrait tiré d'une œuvre de George Sand, *La mare au diable*, permet de mesurer la distance entre les naturalistes, qui se refusent à tout sentimentalisme, et les romantiques, qui présentent l'amour dans une perspective idéalisée. Dans le roman de George Sand, un laboureur, veuf de son état, demande en mariage une jeune femme de 12 ans sa cadette. Il a retardé ce moment parce qu'il entrevoit un refus de la jeune femme qui, au contraire, lui avoue son amour.

Atelier de comparaison

Exploration

1. Associez chacun des mots suivants à leur synonyme.
Dans le texte de Maupassant : 1 grisé ; 2 loyal ; 3 galante.
Dans celui de George Sand : 4 indulgence ; 5 répugnance.
Synonymes : poli ; soûlé ; dédain ; fidèle ; bienveillance.

2. Dressez le schéma narratif de chaque extrait.

Pierre et Jean

3. Clarifiez le contexte d'énonciation en précisant qui se trouve derrière les pronoms en rouge dans les phrases suivantes.
   a. « **Ils** étaient debout maintenant dans la mare salée qui les mouillait jusqu'aux mollets, et les mains ruisselantes appuyées sur leurs filets, **ils** se regardaient au fond des yeux. »
   b. « **Elle** reprit d'un ton plaisant et contrarié [...] »
   c. « **Il** murmura : »

4. Déterminez quel est le narrateur choisi par Maupassant.

5. En vous appuyant sur le texte, expliquez quels traits de caractère révèle le comportement du personnage féminin. Apportez des preuves à l'appui de votre réponse.

6. Analysez la réaction du personnage masculin en répondant aux questions suivantes.
   a. Quelle phrase traduit le mieux la déception du personnage ?
   b. « Et c'était fini, il se sentait lié, marié, en vingt paroles ». Pourquoi le fait de réduire l'engagement amoureux à un chiffre est-il significatif ici ?
   c. Expliquez en vos mots la ou les principales causes de la déception du futur marié.

7. Quel est le rôle du paysage dans l'extrait de Maupassant ? Contribue-t-il à donner une tonalité particulière au texte comme ce serait le cas chez les écrivains romantiques ?

8. Comment peut-on imaginer la vie conjugale à venir de ces deux personnages ? En quoi peut-on dire que l'extrait de Maupassant présente en quelque sorte une satire des mœurs bourgeoises ?

La mare au diable

9. Relevez toute la gamme des émotions par lesquelles passent les personnages en dégageant pour chaque émotion la série de termes qui l'expriment.

10. Au contraire du texte de Maupassant, pourquoi celui de George Sand peut-il paraître empreint d'un sentimentalisme trop naïf ?

Comparaison

11. Comparez les deux textes en vous attachant aux aspects suivants :
   a. les personnages masculins ;
   b. les personnages féminins ;
   c. la vision de la famille ou du milieu ;
   d. la tonalité générale ;
   e. la vision de l'amour ou du couple.

Rédaction

12. En quoi ces deux scènes traduisent-elles des visions très contrastées de l'amour ?

13. Peut-on dire que l'origine sociale conditionne le comportement des couples ?

LE FANTASTIQUE ET LA SCIENCE-FICTION, L'APPROCHE RÉALISTE

M
p. 275

En quoi le réalisme influence-t-il ces genres littéraires ?

Le récit fantastique

Maupassant compose des nouvelles fantastiques qui semblent s'éloigner du réalisme, mais la différence réside dans la nature de l'anecdote plus que dans la manière dont elle est racontée. Il laisse transparaître son allégeance littéraire en situant l'événement insolite dans un cadre rendu vraisemblable par des descriptions précises. Il amène le lecteur à s'intéresser au processus d'analyse rationnelle des événements auquel s'adonne le protagoniste du récit.

De plus, il augmente la crédibilité de ses nouvelles en faisant de son héros non pas un excentrique, mais un homme ordinaire auquel le lecteur peut s'identifier. Son héros se questionne sur ses hallucinations, de sorte qu'on doute avec lui des contours de la réalité. Les fantasmes intérieurs semblent prendre forme et menacer l'équilibre du héros tout comme ils ébranlent l'ordre du monde. Tout ne serait-il qu'apparence trompeuse ? se demande le héros. Ce questionnement traduit l'inquiétude intérieure et annonce la transition d'un réalisme à visée sociale vers un réalisme qui va s'intéresser à la vie psychologique.

L'arrivée de la science-fiction

Bientôt, pourtant, le fantastique côtoie une nouvelle catégorie de récit, la science-fiction, qu'invente Jules Verne. Cette littérature, qui explore par l'imaginaire le domaine du scientifiquement possible ou qui invente des mondes en se projetant dans l'avenir, se rattache au réalisme par des descriptions très détaillées dont le but est de faire visualiser au lecteur ces univers ainsi créés. Pour faire découvrir le monde à son jeune public et lui révéler les secrets de la science, l'auteur semble se transformer en professeur. Cette visée didactique est une autre caractéristique qui permet de lier la science-fiction au réalisme.

Honoré Daumier, *Fumeur et buveur d'absinthe*, v. 1856-1860.

Les caractéristiques du récit fantastique

Histoire	**Personnages** • Héros souvent représenté par un personnage ordinaire auquel le lecteur peut s'identifier. • Personnage principal à l'équilibre mental fragile, qui peut être victime d'hallucinations. **Intrigue** • Événements surnaturels qui se produisent et brisent la sensation de sécurité que donne la routine du quotidien. • Action qui se situe souvent la nuit (temps de l'obscurité, de l'onirisme et du fantasme) dans des lieux associés à la vie courante.
Narration	**Qui raconte l'histoire ?** • Tous les choix de narrateurs sont possibles. • Narrateur parfois identifié au héros qui pousse le lecteur à douter de la réalité. **De quel point de vue la scène est-elle observée ?** • Focalisation souvent interne : le lecteur doit pouvoir pénétrer la conscience d'un personnage pour mettre en doute, par son entremise, les principes de rationalité.
Thématique	• Thématique couvrant le réseau des émotions associées à la peur et à la mort. • Le Bien, le Mal, l'érotisme et la sexualité : le récit fantastique sert souvent à transgresser la morale, à franchir les frontières qui séparent le rêve de la réalité.
Style et procédés d'écriture	• Variation dans les formulations de phrases et usage d'un lexique particulier, traduisant l'émotion. • Recours à tous les éléments picturaux (couleurs, formes) pour susciter une atmosphère menaçante. • Utilisation d'hyperboles, de comparaisons, de personnifications et d'autres figures de style pour concrétiser le danger.

Les caractéristiques du récit de science-fiction

Histoire	**Personnages** • Personnages projetés en d'autres lieux ou d'autres temps. • Souvent des savants en situation de découverte, qui doivent affronter le danger ou l'imprévisible. **Intrigue** • Rapports conflictuels avec d'autres mondes ou avec la machine. • Résolution de problèmes d'ordre scientifique. • Temps souvent régi par des lois physiques différentes de celles du monde réel. • Dans un espace, décrit de façon généralement détaillée, des faits surviennent qui sont impossibles dans l'état actuel de la civilisation.
Narration	**Qui raconte l'histoire ?** • Généralement un narrateur non représenté. **De quel point de vue la scène est-elle observée ?** • Focalisation généralement omnisciente afin de permettre une vue globale sur un monde nouveau et différent.
Thématique	• Projection dans l'avenir des civilisations. • Exploration d'une hypothèse (ex. : si on avait retrouvé le fils de Louis XVI, que serait-il arrivé ?).
Style et procédés d'écriture	• Variation dans les formulations de phrases et usage d'un lexique particulier pour traduire le pittoresque d'un univers inconnu. • Descriptions détaillées. • Énumérations. • Comparaisons avec des réalités connues.

Le récit fantastique

Maupassant donne sa pleine mesure dans le récit bref. Ses nouvelles dépeignent une société gangrenée par la médiocrité, par l'absence de valeurs humanitaires et aussi par la compromission des élites et du clergé. Le dénouement, abrupt ou inattendu, a pour fonction d'interpeller la conscience du lecteur. Quant à ses romans, qui ressemblent à des nouvelles plus élaborées, ils annoncent la veine du récit psychologique. Ses personnages s'interrogent sur les mobiles de leurs gestes et font basculer l'action dans le discours introspectif.

Lui-même commentait son état d'écrivain en disant : « je suis avant tout un regardeur ». Pour lui, il n'y avait rien de plus beau que la lumière, l'espace, l'eau. Pourtant, très tôt sa vue baisse, car il est atteint de la syphilis dont il mourra. Ce déclin physique annonce la déchéance mentale. Dans sa dernière lettre, qui date de 1891, il écrit : « Je suis absolument perdu. [...] C'est la mort imminente et je suis fou. » C'est cette même anxiété, exprimée par un narrateur subjectif, qui donne à la nouvelle fantastique *Le Horla* un caractère introspectif qu'il aura aussi exploité dans ses romans. Par ce fait, Maupassant annonce la

Un malaise inexplicable

6 août. – Cette fois, je ne suis pas fou. J'ai vu... j'ai vu... j'ai vu ! ... Je ne puis plus douter... j'ai vu ! J'ai encore froid jusque dans les ongles... j'ai encore peur jusque dans les moelles... j'ai vu !...

Je me promenais à deux heures, en plein soleil, dans mon parterre de rosiers... dans
5   l'allée des rosiers d'automne qui commencent à fleurir.

Comme je m'arrêtais à regarder un *géant des batailles*, qui portait trois fleurs magnifiques, je vis, je vis, distinctement, tout près de moi, la tige d'une de ces roses se plier, comme si une main invisible l'eût tordue, puis se casser, comme si cette main l'eût cueillie ! Puis la fleur s'éleva, suivant la courbe qu'aurait décrite un bras en la
10   portant vers une bouche, et elle resta suspendue dans l'air transparent, toute seule, immobile, effrayante tache rouge à trois pas de mes yeux.

Éperdu, je me jetai sur elle pour la saisir ! Je ne trouvai rien ; elle avait disparu. Alors je fus pris d'une colère furieuse contre moi-même ; car il n'est pas permis à un homme raisonnable et sérieux d'avoir de pareilles hallucinations.
15   Mais était-ce bien une hallucination ? Je me retournai pour chercher la tige, et je la retrouvai immédiatement sur l'arbuste, fraîchement brisée, entre les deux autres roses demeurées à la branche.

Alors, je rentrai chez moi l'âme bouleversée ; car je suis certain, maintenant, certain comme de l'alternance des jours et des nuits, qu'il existe près de moi un être invi-
20   sible, qui se nourrit de lait et d'eau, qui peut toucher aux choses, les prendre et les changer de place, doué par conséquent d'une nature matérielle, bien qu'imperceptible pour nos sens, et qui habite comme moi, sous mon toit...

7 août. – J'ai dormi tranquille. Il a bu l'eau de ma carafe, mais n'a point troublé mon sommeil.
25   Je me demande si je suis fou. En me promenant, tantôt au grand soleil, le long de la rivière, des doutes me sont venus sur ma raison, non point des doutes vagues comme j'en avais jusqu'ici, mais des doutes précis, absolus. J'ai vu des fous ; j'en ai

Gustave Courbet, *Le désespéré*, 1841.

connu qui restaient intelligents, lucides, clairvoyants même sur toutes les choses de
la vie, sauf sur un point. Ils parlaient de tout avec clarté, avec souplesse, avec profon-
30 deur, et soudain leur pensée, touchant l'écueil de leur folie, s'y déchirait en pièces,
s'éparpillait et sombrait dans cet océan effrayant et furieux, plein de vagues bon-
dissantes, de brouillards, de bourrasques qu'on nomme « la démence ».

Certes, je me croirais fou, absolument fou, si je n'étais conscient, si je ne connaissais parfaitement mon état, si je ne le sondais en l'analysant avec une complète luci-
35 dité. Je ne serais donc, en somme, qu'un halluciné raisonnant. Un trouble inconnu se
serait produit dans mon cerveau, un de ces troubles qu'essaient de noter et de préciser aujourd'hui les physiologistes; et ce trouble aurait déterminé dans mon esprit,
dans l'ordre et la logique de mes idées, une crevasse profonde. Des phénomènes semblables ont lieu dans le rêve qui nous promène à travers les fantasmagories les plus
40 invraisemblables, sans que nous en soyons surpris, parce que l'appareil vérificateur,
parce que le sens du contrôle est endormi; tandis que la faculté imaginative veille et
travaille. Ne se peut-il pas qu'une des imperceptibles touches du clavier cérébral se
trouve paralysée chez moi? Des hommes, à la suite d'accidents, perdent la mémoire
des noms propres ou des verbes ou des chiffres, ou seulement des dates. Les localisa-
45 tions de toutes les parcelles de la pensée sont aujourd'hui prouvées. Or, quoi d'étonnant à ce que ma faculté de contrôler l'irréalité de certaines hallucinations se trouve
engourdie chez moi en ce moment.

Guy de Maupassant, *Le Horla,* 1887.

vogue que connaîtra au XXᵉ siècle
le récit d'analyse psychologique.

Cet extrait, qui adopte la forme
du journal, témoigne de la hantise d'un homme doté de toute sa
raison mais que sa vision mystifie.
Les questions surgissent. Le doute
s'installe. L'intelligence recule. La
folie guette.

Atelier d'analyse

Exploration

1. Analysez la journée du 6 août en répondant aux questions suivantes.
   a. Quel événement perturbe le narrateur?
   b. Quelle question le taraude?
   c. Quels sont les attributs contradictoires du mystérieux personnage?
   d. Le narrateur semble-t-il prisonnier de ses émotions ou fait-il preuve de lucidité?
   e. Retrouve-t-il sa tranquillité d'esprit?

2. Quel procédé marque de sa présence le récit de cette première journée? Comment contribue-t-il au climat qui règne dans le texte?

3. Le corps est-il sollicité pour rendre compte des émotions ressenties par le narrateur?

4. Analysez la journée du 7 août en répondant aux questions suivantes.
   a. Quels mots plusieurs fois répétés servent à indiquer les peurs du narrateur?
   b. Relevez les termes qui appartiennent au champ lexical de la lucidité.
   c. Dégagez au moins trois hypothèses qu'envisage le narrateur pour apaiser son inquiétude.
   d. Peut-on dire que le narrateur semble maîtriser sa folie ou qu'au contraire il se laisse entraîner par elle?

5. Dans le récit des deux journées, expliquez comment les phrases, dans leur variété, traduisent l'état mental du narrateur.

6. Contrairement à la tendance générale chez les auteurs réalistes de s'en tenir à un point de vue de narration omnisciente, Maupassant fait ici le choix d'un narrateur représenté dans le texte. Cette option vous paraît-elle justifiée?

Rédaction

7. **Sujet :** En quoi ce texte est-il à la fois fantastique et réaliste?
   Consigne : Construisez un plan de dissertation en vous rapportant notamment au tableau synthèse sur le réalisme et sur le récit fantastique.

La science-fiction

Né dans une famille d'avocats bien nantis, Jules Verne abandonne très rapidement le droit pour se consacrer à la littérature. Il éprouve toute sa vie l'amertume de n'être pas considéré comme un écrivain majeur. Cette opinion est en voie de changer, car on redécouvre sa puissance imaginative. À l'instar des hommes de science qu'il admire, Jules Verne invente un genre littéraire, la science-fiction, qui aura de nombreux adeptes, comme lui envoûtés par les nouvelles technologies. Pour que le lecteur visualise ses inventions fictives et qu'il ne doute aucunement de leur réalité, Jules Verne a recours à un style figuratif où foisonnent les détails descriptifs. D'ailleurs, ses créations ne se sont-elles pas concrétisées réellement, comme le montre ce wagon-projectile qui ressemble étrangement à nos fusées modernes ?

Le wagon-projectile

Il faut en convenir, c'était une magnifique pièce de métal, un produit métallurgique qui faisait le plus grand honneur au génie industriel des Américains. On venait d'obtenir pour la première fois l'aluminium en masse aussi considérable, ce qui pouvait être justement regardé comme un résultat prodigieux. Ce précieux projectile
5 étincelait aux rayons du Soleil. À le voir avec ses formes imposantes et coiffé de son chapeau conique, on l'eût pris volontiers pour une de ces épaisses tourelles en façon de poivrières, que les architectes du Moyen Âge suspendaient à l'angle des châteaux forts. Il ne lui manquait que des meurtrières et une girouette.

Le projectile mesurait neuf pieds de large extérieurement sur douze pieds de haut.
10 Afin de ne pas dépasser le poids assigné, on avait un peu diminué l'épaisseur de ses parois et renforcé sa partie inférieure, qui devait supporter toute la violence des gaz développés par la déflagration du pyroxyle. Il en est ainsi, d'ailleurs, dans les bombes et les obus cylindro-coniques, dont le culot est toujours plus épais.

Henri de Montaut, illustration originale tirée de *De la Terre à la Lune*, 1868.

On pénétrait dans cette tour de métal par une étroite ouverture ménagée sur les
15 parois du cône, et semblable à ces « trous d'homme » des chaudières à vapeur. Elle se
fermait hermétiquement au moyen d'une plaque d'aluminium, retenue à l'intérieur
par de puissantes vis de pression. Les voyageurs pourraient donc sortir à volonté de
leur prison mobile, dès qu'ils auraient atteint l'astre des nuits.

Mais il ne suffisait pas d'aller, il fallait voir en route. Rien ne fut plus facile. En effet,
20 sous le capitonnage se trouvaient quatre hublots de verre lenticulaire d'une forte
épaisseur, deux percés dans la paroi circulaire du projectile ; un troisième à sa partie
inférieure et un quatrième dans son chapeau conique. Les voyageurs seraient donc à
même d'observer, pendant leur parcours, la Terre qu'ils abandonnaient, la Lune dont
ils s'approchaient et les espaces constellés du ciel. Seulement, ces hublots étaient
25 protégés contre les chocs du départ par des plaques solidement encastrées, qu'il était
facile de rejeter au-dehors en dévissant des écrous intérieurs. De cette façon, l'air
contenu dans le projectile ne pouvait pas s'échapper, et les observations devenaient
possibles.

Jules Verne, *De la Terre à la Lune,* 1865.

Atelier d'analyse

Exploration

1. Quel procédé, employé dans le premier paragraphe, vise à impressionner le lecteur par rapport à l'engin décrit ?

2. Relevez trois détails qui permettent au lecteur de mieux visualiser le wagon-projectile.

3. De quels aspects pratiques a dû tenir compte l'inventeur dans la création de son engin ?

4. Relevez tous les termes à connotation scientifique ou technique. Quel est l'effet visé par Jules Verne ?

5. Selon vous, pourquoi les chiffres occupent-ils une place importante dans cette description ?

Rédaction

6. Dans un paragraphe bien structuré, montrez comment se concilient le passé, le présent et l'avenir dans la description.

7. Expliquez en quoi ce texte de science-fiction répond aux critères du réalisme.

DANS LA FOULÉE DU RÉALISME : LE ROMAN POLICIER

M
p. 275 **Quels liens peut-on établir entre le genre policier et le courant réaliste ?**

Il apparaît naturel que le roman policier, qui met l'accent sur l'enquête logique, doive sa naissance aux mêmes facteurs qui ont orienté la littérature vers le réalisme, soit la montée du capitalisme industriel en Europe et l'affirmation du positivisme. Dans les villes où se développent l'industrie, les écarts de richesse tout autant que les tensions entre patrons et subalternes poussent aux exactions et au crime. La science, qui a mis au point un protocole de recherche fondé sur l'observation rationnelle, sert en quelque sorte de modèle à l'enquête policière, qui doit se fonder sur la déduction pour être crédible aux yeux du lecteur.

En France, les romanciers réalistes ont donné son impulsion au genre, notamment Balzac dans plusieurs de ses romans, en particulier *Une ténébreuse affaire* et *Splendeurs et misères des courtisanes*. Mais c'est à Émile Gaboriau, romancier d'allégeance naturaliste, que reviendrait la paternité de ce genre populaire, souvent aussi appelé « polar », un mot qui semble résulter d'une contraction sonore de cet attribut. Il définit le genre de façon lapidaire : « La technique du roman judiciaire est enfantine : le rôle du lecteur est de découvrir l'assassin, le rôle de l'auteur de dérouter le lecteur. Voilà toute ma science. » Émile Gaboriau, écrivain dont on redécouvre aujourd'hui les qualités littéraires, est le premier à construire un roman ayant comme ligne directrice une enquête et à concevoir un inspecteur qui se distingue par le caractère autant que par la méthode. Le détective Lecoq procède rationnellement pour arriver à résoudre les énigmes qu'on lui soumet. Ses épigones seront nombreux.

Ainsi, Gaston Leroux prête un esprit curieux et une énergie primesautière à son jeune reporter-détective, qui se distingue en outre par le nom plutôt amusant de Rouletabille. Enfin, Maurice Leblanc innove avec son « gentleman-cambrioleur » Arsène Lupin, qui ne prend plus tout à fait le parti de la justice établie. Mais quoi qu'il en soit, on peut dire que l'enquêteur a généralement pour rôle de réduire le merveilleux à l'intelligible. Dans ce sens, le roman policier confirme l'importance de la raison perçue comme une faculté capable d'élucider le mystère mais aussi de servir une morale (le Bien et la justice incarnés par l'enquêteur) qui l'emporte sur le Mal (le criminel). La raison évacue en quelque sorte le pouvoir du surnaturel omniprésent dans la littérature fantastique.

Les critiques ont souvent reproché à ce genre très populaire de ne proposer que des variantes sur une recette de base impliquant toujours les mêmes ingrédients : un crime, son mobile et la façon dont il a été commis ; une enquête menée par un policier ou un détective privé qui cherche à distinguer un coupable parmi les innocents ou qui accumule les éléments de preuve pour le dénoncer. Pourtant, des romanciers de grand talent ont été capables non seulement de renouveler le genre, mais souvent même d'en pervertir la morale.

Honoré Daumier, *L'attente à la gare*, v. 1863.

Les caractéristiques du roman policier

Histoire	**Personnages**
	• Au cœur du roman policier traditionnel se trouve généralement un enquêteur à la personnalité singulière qui adopte une méthode d'investigation efficace, mais non conventionnelle.
	• Enquêteur généralement accompagné d'un collègue faire-valoir.
	• Dans une galerie de suspects, se trouvent un ou des coupables. Il y a d'abord eu une victime.
	• Pour faire évoluer le genre, les écrivains peuvent faire que le criminel devienne narrateur ou héros.
	Intrigue
	• Crime ou fait divers sensationnel.
	• Chronique judiciaire : interrogatoires, quête de renseignements.
Narration	**Qui raconte l'histoire ?**
	• Narrateur généralement non représenté dans les premiers romans policiers, puis ouverture à d'autres voix narratives.
	• Narrateur qui fait appel à la raison pour impliquer le lecteur dans une démarche de déduction logique.
	De quel point de vue la scène est-elle observée ?
	• Focalisation omnisciente dans les romans plus réalistes, puis emploi varié.
Thématique	• Justice.
	• Raison et vérité.
	• Violence et culpabilité.
	• Trahison et hypocrisie.
	• Argent, pouvoir, amour et famille.
Style et procédés d'écriture	• Style varié.
	• Phrases affirmatives et interrogatives.
	• Humour dans la description de l'enquêteur.

Émile Gaboriau (1832-1873)

Le détective caméléon

Considéré comme le créateur du roman policier, Émile Gaboriau exerce d'abord, comme plusieurs écrivains de sa génération, le métier de journaliste. Il est notamment responsable des affaires judiciaires dans l'un de ces hebdomadaires qui insèrent des romans feuilletons dans ses pages. Après avoir affirmé son style dans le genre du roman historique, il se lance dans la composition de son premier roman policier où apparaît son inspecteur Lecoq, *L'affaire Lerouge*. La popularité du récit, qui contribue à faire croître le lectorat du journal, pousse le directeur à commander d'autres titres. Paraîtront alors successivement *Le crime d'Orcival* et *Monsieur Lecoq*, deux romans qui instaurent en France le genre du roman policier avec ce héros éponyme, détective à la fois perspicace et entêté.

Dans la scène qui suit, le juge d'instruction M. Domini, qui a la réputation de ne pas avoir beaucoup d'estime pour les policiers, rencontre pour la première fois l'agent Lecoq, qui devra enquêter sur les circonstances entourant l'assassinat d'une dame de la haute société dont l'époux demeure introuvable.

Portraits de détectives

Lecoq

Or, à ce compte, M. Lecoq, entrant dans la salle à manger de Val Feuillu, n'avait certes pas l'air d'un agent de police.

Il est vrai que M. Lecoq a l'air qu'il lui plaît d'avoir. Ses amis assurent bien qu'il a une physionomie à lui, qui est sienne, qu'il reprend quand il rentre chez lui, et qu'il
5 garde tant qu'il est seul au coin de son feu, les pieds dans ses pantoufles; mais le fait n'est pas bien prouvé.

Ce qui est sûr, c'est que son masque mobile se prête à des métamorphoses étranges; qu'il pétrit pour ainsi dire son visage à son gré comme le sculteur pétrit la cire à modeler. [...]

10 Sa physionomie, d'ailleurs, n'exprimait rien de précis. C'était un mélange à doses à peu près égales de timidité, de suffisance et de contentement. [...]

Il manœuvrait tout en causant une bonbonnière de corne transparente, pleine de petits carrés de pâtes, de réglisse, guimauve et jujube, et ornée d'un portrait de femme
15 très laide et très bien mise; le portrait de la défunte, sans doute.

Et selon les hasards de la conversation, suivant qu'il était satisfait ou mécontent, M. Lecoq gobait un carré de pâte ou adressait au portrait un regard qui était tout un poème.

Ayant longuement retaillé l'homme, le juge d'instruction haussa les épaules.
20 – Enfin, dit M. Domini – et cet enfin répondait à sa pensée intime – nous allons, puisque vous voici, vous expliquer ce dont il s'agit.

– Oh! inutile, répondit Monsieur Lecoq avec un petit air suffisant, parfaitement inutile.

– Il est cependant indispensable que vous sachiez...
25 – Quoi? ce que sait monsieur le juge d'instruction? interrompit l'agent de la sûreté, je le sais déjà. Nous disons assassinat ayant le vol comme mobile, et nous partons de là. Nous avons ensuite l'escalade, le bris de clôture, les appartements bouleversés. Le cadavre de la comtesse a été retrouvé, mais le corps du comte est introuvable. Quoi encore? La Ripaille est arrêté, c'est un mauvais drôle, en tout état de cause, il
30 mérite un peu de prison. Guespin est revenu libre. Ah! Il a de lourdes charges contre lui, ce Guespin. Ses antécédents sont déplorables: on ne sait où il a passé la nuit, il refuse de répondre, il ne fournit pas d'alibi... c'est grave, très grave. [...]

– Tout cela, prononça sévèrement M. Domini, ne justifie pas votre retard.
35 M. Lecoq eut un tendre regard pour le portrait.

– Monsieur le juge n'a qu'à s'informer rue de Jérusalem, répondit-il, on lui dira que je sais mon métier. L'important pour bien faire une enquête, est de n'être point connu. La police – c'est bête comme tout – est mal vue. Maintenant qu'on sait qui je suis et d'où je viens, je puis sortir, on ne me dira plus rien, ou si j'interroge, on me dira mille
40 mensonges, on se défiera de moi, on aura des réticences.

– C'est assez juste, objecta M. Plantat venant au secours de l'agent de la sûreté.

– Donc, poursuivit M. Lecoq, quand on m'a dit, là-bas, «c'est en province», j'ai pris ma tête de province. J'arrive, et tout le monde en me voyant, se dit: «Voilà un bonhomme bien curieux, mais pas méchant.» Alors je me glisse, je me faufile, j'écoute,
45 je parle, je fais parler! J'interroge, on me répond à cœur ouvert; je me renseigne, je recueille des indications; on ne se gêne pas avec moi. Ils sont charmants, les gens d'Orcival, je me suis fait plusieurs amis, et on m'a invité à dîner pour ce soir.

Émile Gaboriau, *Le crime d'Orcival*, 1867.

Rouletabille

J'ai connu Rouletabille quand il était petit reporter. [...] Il avait, comme on dit, « une bonne balle ». Sa tête était ronde comme un boulet, et c'est à cause de cela, pensai-je, que ses camarades de la presse lui avaient donné ce surnom qui devait lui rester et qu'il devait illustrer. « Rouletabille » – As-tu vu Rouletabille ? – Tiens ! voilà
5 ce sacré Rouletabille. Il était souvent rouge comme une tomate, tantôt gai comme un pinson, et tantôt sérieux comme un pape. Comment, si jeune – il avait quand je le vis la première fois, seize ans et demi – gagnait-il déjà sa vie dans la presse ? Voilà ce qu'on eût pu se demander si tous ceux qui l'approchaient n'avaient été au courant de ses débuts. Lors de l'affaire de la femme coupée en morceaux de la rue Oberkampf –
10 encore une histoire bien oubliée – il avait apporté au rédacteur en chef de *L'époque*, journal qui était alors en rivalité d'informations avec *Le matin*, le pied gauche qui manquait dans le panier où furent découverts les lugubres débris. Ce pied gauche, la police le cherchait en vain depuis huit jours, et le jeune Rouletabille l'avait trouvé dans un égout où personne n'avait eu l'idée de l'y aller chercher. Il lui avait fallu, pour
15 cela, s'engager dans une équipe d'égoutiers d'occasion que l'administration de la ville de Paris avait réquisitionnée à la suite des dégâts causés par une exceptionnelle crue de la Seine.

Sur ces entrefaites éclata la fameuse affaire de la « Chambre Jaune », qui devait non seulement le classer le premier des reporters, mais encore en faire le premier
20 policier du monde, double qualité qu'on ne saurait s'étonner de trouver chez la même personne, attendu que la presse quotidienne commençait déjà à se transformer et à devenir ce qu'elle est à peu près aujourd'hui : la gazette du crime.

[...]

Voici donc Rouletabille dans ma chambre, ce matin-là, 26 octobre 1892. Il était
25 encore plus rouge que de coutume ; les yeux lui sortaient de la tête, comme on dit, et il paraissait en proie à une sérieuse exaltation. [...] Rouletabille s'assit dans un fauteuil, alluma sa pipe, qui ne le quittait jamais, fuma quelques instants en silence, le temps sans doute de calmer cette fièvre qui, visiblement, le dominait, et puis il me méprisa :
– Jeune homme ! Fit-il, sur un ton dont je n'essaierai point de rendre la regrettable
30 ironie, jeune homme... vous êtes avocat, et je ne doute pas de votre talent à faire acquitter les coupables ; mais, si vous êtes un jour magistrat instructeur, combien vous sera-t-il facile de faire condamner les innocents !... Vous êtes vraiment doué, jeune homme. »

Sur quoi, il fuma avec énergie, et reprit :
35 « On ne trouvera aucune trappe, et le mystère de la « Chambre Jaune » deviendra de plus en plus mystérieux. Voilà pourquoi il m'intéresse. Le juge d'instruction a raison : on n'aura jamais vu quelque chose de plus étrange que ce crime-là... [...]

Gaston Leroux, *Le mystère de la chambre jaune,* 1908.

Gaston Leroux (1868-1927)

Le détective reporter

Tout comme son prédécesseur, Gaston Leroux est grand reporter dans un journal parisien. Il y sera responsable d'abord des affaires judiciaires pour être ensuite affecté à la politique internationale, ce qui l'amènera à voyager dans le monde. Le protagoniste de ses romans policiers pratiquera le même métier que lui. Rouletabille n'a pas son pareil pour décortiquer les crimes les plus mystérieux, souvent à la limite du fantastique. Pour cette raison, Gaston Leroux est un des écrivains fétiches des surréalistes, qui le remettront à la mode.

Dans *Le mystère de la chambre jaune*, roman très fameux par son intrigue inventive, le fin limier Rouletabille doit résoudre un mystère troublant : on a trouvé une femme assassinée dans une chambre fermée dont il était normalement impossible de s'échapper. Par où serait donc venu puis reparti le criminel ?

Georges Simenon
(1903-1989)

Le détective petit bourgeois

Né en Belgique, Georges Simenon part très jeune tenter sa chance à Paris. Tout en travaillant comme journaliste, il écrit des petits romans d'aventures policières. En 1929, il crée le commissaire Maigret, l'un des plus célèbres personnages de la littérature policière, qui se comporte, comme il se doit, de façon singulière, avec ses manies et ses toquades. Simenon écrit aussi des romans psychologiques, des « romans durs » ainsi qu'il les appelle, qui montrent l'homme nu qui se cache « sous les apparences diverses ». Il analyse avec réalisme les conflits de la vie familiale ou quotidienne avec ses haines, ses tragédies, ses angoisses.

Très productif, Simenon ne semble pas pouvoir tenir en place puisqu'il voyage beaucoup et déménage fréquemment, quittant bientôt l'Europe pour s'installer aux États-Unis et bientôt épouser une Québécoise.

Le roman *Maigret à New York* témoigne de sa connaissance de la culture américaine. Son célèbre détective, qui a depuis peu quitté le Quai des Orfèvres, le commissariat où il officiait à Paris, pour prendre sa retraite, répond à une sollicitation pressante qui l'oblige à se déplacer à New York afin d'éclaircir une histoire de chantage.

Maigret

Au quai des orfèvres, un an plus tôt encore, on disait de Maigret dans ces moments-là :

– Ça y est. Le patron est en transe.

L'irrespectueux inspecteur Torrence, lui, qui n'en avait pas moins un véritable
5 culte pour le commissaire, disait plus crûment :

– Voilà le patron dans le bain.

« En transe » ou « dans le bain », c'était en tout cas un état que les collaborateurs de Maigret voyaient venir avec soulagement. Et ils étaient arrivés à en deviner l'approche à de petits signes avant-coureurs, à prévoir avant le commissaire le moment
10 où la crise se déclarerait.

Qu'est-ce qu'un Lewis aurait pensé de l'attitude de son collègue français pendant les heures qui suivirent ? Il n'aurait pas compris, c'était fatal, et sans doute l'aurait-il regardé avec une certaine pitié. Le capitaine O'Brien lui-même, à l'ironie si fine sous de lourdes apparences, aurait-il pu suivre le commissaire jusque-là ?
15 Cela se passait d'une façon assez curieuse, que Maigret n'avait jamais eu la curiosité d'analyser, mais qu'il avait fini par connaître à force d'en entendre parler avec de multiples détails par ses collègues de la Police judiciaire.

Pendant des jours, parfois des semaines, il pataugeait dans une affaire, il faisait ce qu'il y avait à faire, sans plus, donnait des ordres, s'informait sur les uns et les autres,
20 avec l'air de s'intéresser médiocrement à l'enquête et parfois de ne pas s'y intéresser du tout.

Cela tenait à ce que, pendant ce temps-là, le problème ne se présentait pas encore à lui sous une forme théorique. Tel homme a été tué dans telles et telles circonstances. Untel et Untel sont suspects.
25 Ces gens-là, au fond, ne l'intéressaient pas. *Ne l'intéressaient pas encore.*

Puis soudain, au moment où on s'y attendait le moins, où on pouvait le croire découragé par la complexité de sa tâche, le déclic se produisait.

Qui est-ce qui prétendait qu'à ce moment-là il devenait plus lourd ? N'était-ce pas un ancien directeur de la P.J. qui l'avait vu travailler pendant des années ? Ce n'était
30 qu'une boutade, mais elle rendait bien la vérité. Maigret, tout à coup, paraissait plus épais, plus pesant. Il avait une façon différente de serrer sa pipe entre ses dents, de la fumer à bouffées courtes et très espacées, de regarder autour de lui d'un air presque sournois, en réalité parce qu'il était entièrement pris par son activité intérieure.

Cela signifiait, en somme, que les personnages du drame venaient, pour lui, de
35 cesser d'être des entités, ou des pions, ou des marionnettes, pour devenir des hommes.

Et ces hommes-là, Maigret se mettait dans leur peau. Il s'acharnait à se mettre dans leur peau.

Ce qu'un de ses semblables avait pensé, avait vécu, avait souffert, n'était-il pas ca-
40 pable de le penser, de le revivre, de le souffrir à son tour ?

Tel individu, à un moment de sa vie, dans des circonstances déterminées, avait réagi, et il s'agissait, en somme, de faire jaillir du fond de soi-même, à force de se mettre à sa place, des réactions identiques.

Seulement, ce n'était pas conscient. Maigret ne s'en rendait pas toujours compte.
45 Par exemple, il croyait rester Maigret et bien Maigret, tandis qu'il déjeunait tout seul à un comptoir.

Or, s'il avait regardé son visage dans la glace, il y aurait surpris certaines des expressions de Little John. Entre autres celle de l'ancien violoniste, dans son appartement du *Saint-Régis*, au moment où, venant du fond de cet appartement, de cette
50 pièce pauvre qu'il s'était aménagée comme une sorte de refuge, il regardait pour la première fois le commissaire par la porte qu'il entrouvrait.

Était-ce de la peur ? Ou bien une sorte d'acceptation de la fatalité ?

Le même Little John marchant vers la fenêtre, dans les moments difficiles, écartant le rideau d'une main nerveuse et regardant dehors, tandis que Mac Gill prenait
55 automatiquement la direction des opérations.

Il ne suffisait pas de décider :

« Little John est ceci ou cela... »

Il fallait le sentir. Il fallait devenir Little John. Et voilà pourquoi, tandis qu'il marchait dans les rues, puis qu'il hélais un taxi pour se faire conduire aux docks, le monde
60 extérieur n'existait pas.

Georges Simenon, *Maigret à New York*, 1947.

Il laisse derrière lui ses collègues habitués à ses manières peu orthodoxes pour côtoyer ses alter ego américains, les capitaines Lewis et O'Brien, enquêteurs débonnaires qui lui font la leçon en évoquant le principe sacré de la liberté individuelle. Ce qui n'empêche aucunement Maigret de procéder comme à l'accoutumée. Et Simenon en profite pour tirer le portrait de son enquêteur.

Atelier de comparaison

Exploration

1. Dans chacun des trois extraits, résumez ce qu'on apprend sur chaque détective au point de vue du physique, du caractère, du statut social (il se peut que certains aspects ne soient pas mentionnés).

2. Quelles manies ou traits particuliers, attribués à chacun d'eux, contribuent à les typifier ?

3. Comment l'entourage perçoit-il ou réagit-il au comportement de chaque détective ?

4. La capacité logique hors de l'ordinaire semble-t-elle évoquée dans chacun de ces portraits ?

Comparaison

5. Quelles similitudes et quelles différences constate-t-on d'un portrait à l'autre ?

6. Constatez-vous une singularité dans le style de l'auteur, une façon distinctive d'écrire ?

Rédaction

7. Comparez ces différents détectives et expliquez lequel ou lesquels vous paraissent le plus s'inscrire dans la lignée du réalisme.

Gustav Klimt, *La musique*, 1895.

	Événements politiques	Arts, littérature et sciences
1857		Flaubert, *Madame Bovary* Baudelaire, *Les fleurs du mal*
1859		Darwin, *De l'origine des espèces*
1861	Début de la guerre de Sécession aux États-Unis (1861-1871)	
1862		Hugo, *Les misérables*
1863		Manet, *Le déjeuner sur l'herbe* Premier chemin de fer souterrain à Londres Première automobile à pétrole par Lenoir
1865	Abolition de l'esclavage aux États-Unis	Loi de l'hérédité de Mendel
1867	Fédération canadienne	Exposition universelle à Paris
1869		Baudelaire, *Le spleen de Paris* Lautréamont, *Les chants de Maldoror*
1870	Troisième République (1870-1940) Guerre franco-prussienne (1870-1871) Défaite de l'armée française, perte de l'Alsace et d'une grande partie de la Lorraine	Rimbaud, *Poésies*
1871	La Commune, insurrection populaire à Paris, réprimée au cours d'une semaine sanglante Création de l'Allemagne moderne ; Guillaume 1er de Prusse en devient l'empereur	Zola, *Les Rougon-Macquart* (1871-1893)
1872		Monet, *Impression soleil levant*
1873		Rimbaud, *Une saison en enfer*
1874		Première exposition impressionniste à Paris
1876		Mise au point du téléphone par Alexander Graham Bell
1878		Invention de l'ampoule électrique par Thomas Edison
1880		Maupassant, *Boule de suif* Verlaine, *Sagesse*
1882	L'école devient laïque, gratuite et obligatoire en France.	Mise en service de la première centrale électrique construite par Thomas Edison
1883		Nietzsche, *Ainsi parlait Zarathoustra* Mise au point du moteur à explosion par les ingénieurs Daimler et Benz
1884	Série de lois sociales en France concernant le statut des ouvriers et la syndicalisation (1884-1890)	
1885		Invention du cinéma par les frères Lumières Mise au point du vaccin contre la rage par Louis Pasteur
1886		Manifeste et première exposition symboliste à Paris
1887		Maupassant, *Le Horla* Invention du disque et du gramophone aux États-Unis
1889		Construction de la tour Eiffel à Paris Exposition universelle de Paris
1893		Construction de la première voiture par Henry Ford
1896		Jarry, *Ubu roi*
1898	Affaire Dreyfus ; publication par Émile Zola d'une lettre ouverte au président de la République : *J'accuse*	Découverte du radium par Pierre et Marie Curie
1900		Freud, *L'interprétation des rêves*
1905	Loi de séparation de l'Église et de l'État en France	Einstein, *Théorie de la relativité restreinte*
1907		Première exposition cubiste à Paris avec Picasso et Braque Picasso, *Les demoiselles d'Avignon*
1913		Proust, *Du côté de chez Swann, À la recherche du temps perdu*
1914	Assassinat de l'archiduc François-Ferdinand d'Autriche à Sarayevo ; début de la Première Guerre mondiale	

PRÉSENTATION DE L'ÉPOQUE

LE SYMBOLISME : Où faut-il le situer dans le contexte littéraire du XIXᵉ siècle ?

Dans la seconde moitié du XIXᵉ siècle, le symbolisme se développe parallèlement au réalisme. Représenté à l'origine par des poètes, le courant se situe dans la continuité du romantisme, explorant l'univers du rêve jusqu'aux confins du fantasme. Anticonformistes et souvent provocateurs, les écrivains symbolistes abordent la réalité de façon plus suggestive que leurs contemporains, les romanciers réalistes. De leur point de vue, l'homme se définit moins par ce qui le domine, l'argent ou la soif de pouvoir, que par ce qui lui échappe, ses chimères ou ses hantises. Dans son recueil *Les fleurs du mal*, publié en 1857, Charles Baudelaire trace la voie en cherchant à établir des liens entre l'univers matériel et le monde spirituel. Paul Verlaine et Arthur Rimbaud le suivront, eux qui utilisent le symbole pour rendre perceptibles les idées en les associant à des sensations, que ce soient des sons, des couleurs, des parfums et même des paysages. Mallarmé, de son côté, se met en quelque sorte au diapason de la peinture abstraite en proposant une poésie hermétique.

Le symbolisme étend son influence jusqu'à la Belle Époque, cette période d'insouciance qui précède la Première Guerre mondiale alors que la France tire profit de quatre décennies de paix et de prospérité. Des romanciers comme Marcel Proust et André Gide libèrent le roman du carcan réaliste en choisissant la voie de l'introspection et en explorant une thématique jusqu'alors méconnue, celle de l'homosexualité. Colette, seule femme dans ce groupe, crée des personnages de libertines qui lui ressemblent et traduisent la douce volupté de ce début de siècle. Paul Claudel donne au théâtre un souffle mystique et Alfred Jarry crée la pièce *Ubu roi*, qui annonce le surréalisme par le caractère outrancier de son célèbre personnage d'Ubu.

LE CONTEXTE HISTORIQUE : Que faut-il en retenir pour mieux saisir l'esprit du symbolisme ?

Le symbolisme prend son essor au moment où la France fait le choix – qui semble définitif – du régime républicain, mettant ainsi fin à un siècle d'incessant va-et-vient constitutionnel entre la **monarchie**, la **république** et l'**empire**. L'heure n'est pourtant pas à la réconciliation nationale puisque plusieurs crises politiques troublent les consciences. La plus importante, l'affaire Dreyfus, accentue le clivage entre les groupes politiques, la **gauche** étant convaincue de l'innocence de ce militaire d'ascendance juive accusé de trahison, alors que la **droite** se montre

Henri de Toulouse-Lautrec, *Au Moulin Rouge,* 1892.

soucieuse de protéger l'armée. Les procès se succèdent qui enflamment l'opinion publique. Ils ne font qu'amplifier l'hostilité entre les dreyfusards, qui se réclament du principe de la justice égale pour tous, et les antidreyfusards, qui considèrent la nation comme la valeur suprême, garante de l'ordre et de la continuité. Après des années d'errements et de tergiversations, les tribunaux finiront par donner raison aux partisans de Dreyfus. D'autres scandales minent la confiance dans l'État et rallument l'antisémitisme, dont celui du canal de Panamá, causé par la collusion des investisseurs – dont plusieurs d'origine juive – avec les décideurs politiques et qui entraînera la faillite de Ferdinand de Lesseps, le concepteur du projet.

Le début du XXᵉ siècle est aussi marqué par de vives polémiques idéologiques qui nourrissent la vie intellectuelle, mais contribue aussi au climat d'incertitude. Plusieurs artistes affichent leurs convictions, allant même jusqu'à faire le saut en politique comme c'est le cas de Maurice Barrès qui doit une partie de son prestige à son œuvre romanesque. Antidreyfusard et **nationaliste**, il préconise les valeurs de la patrie, de l'ordre social et du travail. En 1905, Georges Clémenceau, qui représente le camp des **républicains radicaux**, parvient à faire adopter une loi fondamentale qui instaure la séparation de l'Église et de l'État. La France est désormais un pays laïc, ce qui implique, entre autres, que l'éducation, la justice et les soins aux malades ne relèvent plus désormais du clergé mais des institutions publiques, et que tous les citoyens sont libres de pratiquer la religion de leur choix.

En 1914, l'assassinat de Jean Jaurès, grande figure du **socialisme** et du **pacifisme**, par un extrémiste s'inscrit dans un climat de tension interne ; dans la même période, les conflits aux frontières s'enveniment et entraînent la proclamation de la guerre la même année. Le meurtre à Sarajevo de l'archiduc d'Autriche François-Ferdinand sert d'élément déclencheur, mais depuis longtemps plusieurs facteurs concouraient à attiser l'esprit de vengeance, notamment les rivalités économiques entre les puissances impérialistes européennes, qui rêvent toutes d'expansion territoriale.

LA MENTALITÉ : Comment évolue la perception de la réalité ?

La coexistence de réactions variées, du scepticisme au mysticisme

L'idée selon laquelle l'humanité progresse vers le mieux-être grâce à la science et au capitalisme soulève des points de vue divergents, les uns montrant un profond **scepticisme** et les autres, un mysticisme souvent **réactionnaire**. Certains en viennent à douter de la capacité du système à résoudre les problèmes de société, alors que d'autres se convertissent de façon spectaculaire et reprennent goût au cérémonial sacré, si ce n'est aux rituels sataniques. Nullement enrayée, la pauvreté entraîne toujours son lot de conséquences néfastes, comme la prostitution et l'alcoolisme, alors que les réformes sociales, susceptibles d'améliorer les conditions de vie des classes inférieures, se font douloureusement attendre. Par ailleurs, l'impuissance de la médecine devant les fléaux que

Termes rattachés à la vie politique de cette époque :

Monarchie : régime politique dans lequel le chef de l'État est un roi qui hérite du pouvoir.

République : forme de régime démocratique.

Empire : État ou ensemble d'États soumis à une autorité absolue.

Gauche, droite : division commode pour répartir les partisans des réformes et des droits du citoyen à gauche, et les partisans de l'ordre social et des traditions à droite.

Nationalisme : idéologie qui donne priorité aux valeurs de la patrie, de la famille et de l'ordre social.

Républicain radical : partisan convaincu des avantages de la république sur tous les autres régimes (monarchie, empire, etc.) et favorable à la laïcité des institutions (ce qui signifie que celles-ci doivent êtres soustraites au contrôle de l'Église).

Socialisme : idéologie qui favorise la justice sociale en prônant l'intervention de l'État pour mieux répartir les richesses.

Pacifisme : opposition à la montée des impérialismes en Europe, qui ne peut qu'engendrer la guerre et nuire à l'amélioration des conditions de vie du peuple.

Scepticisme : attitude de défiance envers les idées toutes faites.

Réactionnaire : partisan du statu quo, qui considère les réformes sociales comme des atteintes à la tradition.

Occultisme : croyance en des pratiques secrètes, de l'ordre de la divination.

Colonialisme : politique des grandes puissances européennes qui les pousse à étendre leur zone d'influence par l'expansion territoriale. Synonyme : impérialisme.

sont la tuberculose et la syphilis réveille la peur ancestrale de la vengeance divine. Certaines pratiques, telles que l'hypnose, qui rapprochent la science de l'**occultisme**, captivent et dérangent par le mystère qui les entoure. Il en va de même des recherches de Jean Charcot, qui bouleversent les idées reçues sur la folie. Ce célèbre aliéniste attire les curieux à la Salpêtrière, un hôpital psychiatrique parisien, en donnant en spectacle, lors de ses séances thérapeutiques, ses patientes souffrant d'hystérie.

Un nouveau mode de vie

D'autres facteurs modifient à la fois le rapport au temps et la façon de vivre dans l'espace urbain. Par exemple, l'installation dans les rues de l'éclairage au gaz (puis à l'électricité) donne accès au monde nocturne. À la lumière des réverbères, la ville se mue en un théâtre d'ombres étranges. Les exclus du jour – prostituées, marginaux ou artistes sans le sou – envahissent la scène ; les uns et les autres laissent tomber leurs inhibitions et transgressent les règles morales. On s'enivre, on se dévergonde, on se laisse aller au « dérèglement des sens », selon la provocante formule de Rimbaud. Pour la bohème de l'époque, vivre la nuit devient une façon de détraquer l'horloge bourgeoise, celle qui compte chaque seconde parce que le temps, c'est de l'argent. La nuit, la raison dérive vers la chimère, la réalité bascule dans le rêve, et toute beauté devient trompeuse.

La sensualité est d'ailleurs dans l'air du temps, et de nouveaux goûts se développent pour des activités encore ignorées hier. La frange plus aisée de la population met à la mode les séjours dans les stations balnéaires de la côte et s'initie aux sports nautiques. Les Parisiens moins fortunés sont nombreux à envahir la Seine pour se laisser flotter au fil du courant dans de petits canots dont ils raffolent. Les guinguettes fleurissent sur la rive : des inconnus fraternisent dans ces lieux où la familiarité va de soi, où les hommes invitent sans manière les femmes à danser dans une atmosphère de fête foraine. Un peu en retrait, un peintre pose son chevalet ; il transpose sur sa toile l'ambiance jouissive qui fait vibrer tout le paysage et procède par petites touches successives pour convertir en paillettes d'or la luminosité de l'eau.

L'effervescence artistique

Cette ambiance de délicieuse langueur favorise l'effervescence artistique dans tous les domaines, comme en témoigne le foisonnement des groupes et des courants. À l'avant-garde, les impressionnistes se libèrent des règles de l'académisme, qui favorisaient notamment un apprentissage fondé sur la reproduction des œuvres des grands maîtres. Des peintres comme Auguste Renoir, Claude Monet, Camille Pissarro et Alfred Sisley décident d'affirmer leur indépendance en montant leurs propres expositions et en imposant leurs critères esthétiques, parmi lesquels le fait de donner priorité à la couleur sur le dessin. Ils quittent ainsi leurs ateliers pour capter la lumière naturelle de l'extérieur. Sur les toiles de ces peintres, les modèles semblent se détendre ; ils n'adoptent plus cette attitude figée caractéristique de la peinture antérieure à cette période.

Vers la fin du XIXe siècle, en réaction au naturalisme et à l'impressionnisme, des peintres comme Edvard Munch, Gustave Klimt, Gustave Moreau, Puvis de Chavannes et Odilon Redon cherchent à aller au-delà des apparences ; pour ces peintres, que l'on nommera « symbolistes », ce n'est pas le réel qui doit être représenté mais plutôt le monde du rêve. L'art doit révéler la profondeur de l'âme et la singularité de la pensée.

Au début du XXe siècle, Henri Matisse, Maurice de Vlaminck et André Derain choisissent d'accentuer les effets de contrastes sur la toile. Dans le but de les dénigrer, un critique nomme leur mouvement « fauvisme », appellation qu'ils finiront par adopter. Gauguin régénère la peinture au contact de l'art indigène. Puis, George Braque et Picasso radicalisent les leçons qu'ils ont retenues de Paul Cézanne et accentuent la géométrisation des formes : on les appellera par conséquent les « cubistes ». En parallèle à ces mouvements, l'Art nouveau impose, en décoration et en architecture, son style tout en fines courbes et en motifs élégants empruntés à la nature.

Au terme de ce parcours, les artistes choisissent de rompre avec l'obligation de représentation et poussent l'art dans la voie de l'abstraction. Dans leur quête ininterrompue d'originalité, plusieurs entretiennent entre eux des échanges fructueux et abolissent les frontières entre les genres : ainsi, Claude Debussy met en musique des poèmes de Charles Baudelaire et de Stéphane Mallarmé, et cherche à transposer dans ses partitions l'approche par petites touches des peintres impressionnistes.

L'INDIVIDU : Comment la perception de soi évolue-t-elle ?

Une nouvelle relation au corps

Il n'y a pas que la perception du monde qui se modifie, puisque la relation au corps, autrefois frappée d'interdit, se transforme aussi. Il y a peu de temps encore, les vieilles dames se vantaient de ne laver que leur visage et leurs mains, sous prétexte qu'il était péché d'entrevoir ses parties intimes. Or, la baignoire, qui fait son entrée dans la résidence bourgeoise, amène de nouvelles exigences hygiéniques et permet de lever une grande part des interdits concernant la sensualité. Le miroir permet aussi à la coquette avertie de contempler son image pour mieux masquer ses défauts. Il circulera bientôt en format de poche jusque dans les campagnes, donnant la possibilité à chacun d'évaluer ses attraits, pour ensuite mieux se comparer à autrui. Autrefois considérée comme une condition accessoire, la beauté tend

Claude Monet, *Impression, soleil levant*, 1872.
Ce paysage où Monet délaisse le détail en faveur de la fluidité pousse un critique d'art à s'exclamer : « Que représente cette toile ? Impression ! Impression, j'en étais sûr. Je me disais aussi puisque je suis impressionné, il doit y avoir de l'impression là-dedans. » De là naîtra l'appellation « impressionnisme », qui restera accolée au mouvement auquel Monet donne alors son impulsion.

désormais à s'imposer comme un critère incontournable dans le choix d'un partenaire amoureux.

Au contraire du miroir, qui présente une image fugitive de soi, la photographie, devenue à la mode après son invention en 1838, offre l'avantage de fixer l'éphémère sur la pellicule. Pour quelques sous, les photographes ambulants vous tirent le portrait pour la postérité. Chacun prend la pose et cherche à se singulariser. Tout quidam peut se donner l'impression d'accéder à la notoriété, d'échapper à l'anonymat. L'album de famille, qui se constitue progressivement, émerveille tout en faisant naître la nostalgie du temps qui passe et des êtres chers qui ont disparu avec lui.

Le processus d'individualisation

Tous ces faits favorisent l'émergence d'un processus d'individualisation qui s'étend à toutes les couches de la société ; celui-ci s'accompagne d'une tendance à l'intériorisation, tant dans le sens d'un nouveau goût pour « l'intérieur », pour le cocon, que pour l'inconscient, le psychisme. C'est en effet au cours de ces années que Sigmund Freud développe la psychanalyse et reçoit ses premiers patients. Le thérapeute se substitue en quelque sorte au curé pour soigner le malaise existentiel.

Un nouvel **hédonisme** imprime sa marque dans la décoration. Le bourgeois exprime son goût du luxe en surchargeant son décor de bibelots, de toiles, de draperies, de tapis, de meubles pour étaler les signes de sa réussite. Quelques clichés de l'époque permettent de le visualiser dans son élégant salon : il fronce le sourcil pour enserrer un monocle, sorte de lorgnette dont on saisit peu l'utilité ;

Hédonisme : mentalité de ceux qui orientent leur vie vers la recherche du plaisir.

une longue chaîne en or indique qu'il porte une montre à son gousset alors qu'à ses pieds se redresse un petit chien parfaitement domestiqué.

Un décadentisme qui s'affirme

Cette image ne suffit toutefois pas à traduire toute la complexité d'une période où subsistent des relents de **puritanisme** et où la jouissance engendre encore la culpabilité. Il n'en reste pas moins vrai que les valeurs puritaines reculent devant le désir très fort de jouir de la vie. Dans les salons huppés, dans les cercles fermés de la haute bourgeoisie fréquentés par les artistes et les intellectuels, on lève le voile sur l'homosexualité, on affiche sa déviance, on prône l'**égocentrisme**. Plusieurs affectent une religiosité aux relents mystiques; d'autres évoquent les civilisations anciennes au moment de leur déclin pour décrire leur époque, employant ce terme de « décadentisme » qui exhale un troublant parfum d'étiolement.

Désir, euphorie et excentricité décrivent bien ce qu'il est convenu d'appeler « la Belle Époque », belle surtout pour les classes supérieures, qui profitent du bien-être que procure l'argent tout en se voilant la face devant les pénibles conditions de vie du peuple. Bientôt, pourtant, tout bascule dans l'horreur. Le 28 juin 1914, l'archiduc d'Autriche est assassiné à Sarajevo, et cet événement déclenche la Première Guerre mondiale.

Tout au long de cette « sale guerre », comme on surnommera ce premier conflit mondial qui s'étend de 1914 à 1918, les élites continueront d'entretenir dans les grandes métropoles européennes un climat de réjouissance artificielle, alors qu'au même moment croupissent dans les tranchées de jeunes hommes anxieux du lendemain. D'ailleurs, plusieurs d'entre eux mourront parmi lesquels des artistes comme Alain-Fournier qui laisseront comme trace de leur passage sur terre une œuvre unique mais irremplaçable, tel *Le grand Meaulnes*. D'autres reviendront, qui ne seront plus que l'ombre d'eux-mêmes, éclopés mentalement ou défigurés, estropiés, mutilés.

LES ÉCRIVAINS SYMBOLISTES : Comment se distinguent-ils de leurs prédécesseurs ?

« Poètes maudits » : cette désignation, trouvée par Verlaine, sied comme un gant aux premiers représentants du symbolisme. Elle fait bien comprendre l'attitude de ces écrivains, qui rejettent la vision du monde des bien-pensants et adoptent souvent un comportement immoral. Ces poètes, de Baudelaire à Mallarmé, refusent d'entrer dans le rang et de se plier à la mentalité productiviste. Baudelaire fréquente les marginaux et fraye avec les prostituées; il a recours aux drogues pour provoquer artificiellement le rêve. Rimbaud multiplie les fugues pour échapper, encore adolescent, à un milieu besogneux et économe. Verlaine se réfugie dans l'alcool, prenant en vieillissant des allures de vagabond urbain. Ces deux derniers vivent d'ailleurs une aventure amoureuse susceptible de choquer une société où le préjugé contre l'homosexualité est très fort.

Une première génération qui cherche à se singulariser

Marginaux et bohèmes, les poètes symbolistes fréquentent le monde nocturne et cultivent l'anticonformisme, dans leur vie comme dans leur art. Leur conception du rôle de l'écrivain va à l'encontre des opinions communément admises à l'époque. Par la seule magie des mots, les symbolistes rendent esthétiques des réalités repoussantes, comme peut l'être par exemple une charogne, ou immorales, comme la perversion. Le langage ne sert plus à dépeindre le monde, comme chez les réalistes, mais à le transformer. De moyen d'expression, il devient aussi objet d'analyse. Le travail de création se double d'une activité critique. Les symbolistes s'interrogent sur la nature de l'image et du rythme poétique, ils réfléchissent sur leur métier de poète. Aussi leur répugne-t-il de mettre leurs vers au service de causes sociales. Aucun d'eux, en effet, ne milite dans un parti ni ne se fait le porte-parole d'un credo idéologique. C'est que les symbolistes reprennent à leur compte la théorie de « l'art pour l'art » formulée par Théophile Gautier. Celui-ci a rompu avec le romantisme en s'érigeant contre une littérature engagée; la poésie, et l'Art en général, a pour seule vocation de donner forme à la beauté. Cette recherche de la perfection formelle fait d'ailleurs plusieurs adeptes chez les poètes, parmi lesquels Leconte de Lisle et Villiers de L'Isle-Adam, qui s'inscrivent dans ce mouvement connu sous le nom de « Parnasse ».

Une deuxième génération d'intellectuels bourgeois

Les écrivains de la Belle Époque ont été poètes avant de se lancer dans l'exploration des autres genres littéraires. Leur fort désir d'innovation se nourrit, comme chez leurs précurseurs, d'un regard critique sur la littérature qui fait se côtoyer en chacun d'eux le théoricien et le créateur. Leur défi est de renouveler les formes littéraires, en insufflant au roman, par exemple, une plus grande subjectivité et plus de sensualité. Le défi consiste aussi à transposer dans la prose la thématique de la poésie symboliste : l'errance, la subversion, l'homosexualité. Le mouvement de libération outrepasse ainsi le cercle étroit de la bohème littéraire des débuts pour rejoindre des écrivains désormais issus de l'intelligentsia bourgeoise comme André Gide, Marcel Proust et Paul Valéry. Colette fait figure d'exception dans ce groupe, étant l'unique femme qui accède à la célébrité en tant qu'écrivaine.

Puritanisme : mentalité de ceux qui respectent rigoureusement les principes de la morale.

Égocentrisme : caractère de l'individu centré sur lui-même.

Édouard Manet, *Le déjeuner sur l'herbe*, 1863.
Ce tableau fait scandale lors de sa première exposition au Salon de 1863. Manet ne respecte aucune des conventions admises en art :
pas de dégradé, pas de perspective, ni de profondeur, aucune justification mythologique ou allégorique pour expliquer la nudité
de cette femme au milieu d'hommes habillés.

LE SYMBOLISME AU QUÉBEC : Comment se manifeste-t-il ?

Le symbolisme fait son entrée au Canada français par les vers d'Émile Nelligan, un jeune poète avant-gardiste dans cette société conservatrice, toujours soumise au clergé catholique. Grand lecteur de Baudelaire, Nelligan s'inspire de la conception que l'auteur des *Fleurs du mal* se fait de l'image et du rythme pour traduire son propre malaise existentiel. À la palette des couleurs symbolistes s'ajoute le blanc hivernal, et au registre des sensations, le froid qui gèle l'âme, comme l'illustre son poème «Soir d'hiver» : «Ah! comme la neige a neigé! // Ma vitre est un jardin de givre. // Ah! comme la neige a neigé! // Qu'est-ce que le spasme de vivre // À la douleur que j'ai que j'ai! // Tous les étangs gisent gelés // Mon âme est noire : Où vis-je ? ou vais-je ? » (*Poésie complètes*, 1904).

Incapable de résister aux assauts de la maladie mentale, Nelligan est interné au moment de la parution de son œuvre en 1904. Il mourra en 1941 dans un hôpital psychiatrique. Ce destin tragique contribuera à la fascination qu'exercera son œuvre sur les générations d'écrivains qui lui succéderont.

Alain Grandbois illustre aussi la solitude du poète symboliste, qui choisit de porter son regard ailleurs plutôt que de rester prisonnier d'une société étouffante. La poésie intemporelle de ce grand voyageur traduit les thèmes de l'expérience humaine par des métaphores à caractère cosmique. Le poème «Pris et protégé» permet de prendre la mesure de cette amplitude dans l'inspiration : «Pris et protégé et condamné par la mer // Je flotte au creux des houles // Les colonnes du ciel pressent mes épaules // Mes yeux fermés refusent l'archange bleu // Les poids des profondeurs frissonnent sous moi // Je suis seul et nu // Je suis seul et sel // Je flotte à la dérive sur la mer // J'entends l'aspiration géante des dieux noyés // J'écoute les derniers silences // Au-delà des horizons morts.» (*Les îles de la nuit*, 1963).

Rina Lasnier, autre représentante du symbolisme au Québec, choisit plutôt le cheminement intérieur dans une poésie imprégnée de sérénité mystique.

C'est Anne Hébert qui transportera le songe poétique dans l'univers du récit. Construite avec une grande rigueur, son œuvre fictive met en scène des personnages qui se tiennent en équilibre instable entre l'innocence de l'enfance et les trahisons de l'âge adulte. S'ils franchissent la frontière, ils se trouvent précipités dans le cycle infernal de la folie.

L'œuvre d'Anne Hébert illustre d'ailleurs l'une des voies qui permettra au symbolisme de se renouveler. Elle se nourrit des paysages d'Amérique, mais aussi de son climat social : dans ces grands espaces, c'est la religiosité étriquée de la société qui contribue à la sensation d'étouffement.

LE SYMBOLISME

En caricaturant un peu, on pourrait dire que les romanciers réalistes décrivent l'homme dans ses activités diurnes et utilitaires, alors que les symbolistes préfèrent le monde nocturne, quand le rêveur s'adonne à la gratuité du fantasme. Les premiers considèrent en général que l'être humain se définit d'abord par sa relation avec son milieu social ; les seconds pensent que l'enfance détermine aussi la destinée de l'adulte. Il ne fait aucun doute, pour les écrivains réalistes, que la raison est la faculté essentielle sur laquelle s'appuyer pour expliquer les comportements de tous les individus qui luttent pour leur survie. Pour les symbolistes, l'humain se présente en outre comme un être de mémoire et de sensibilité ; il a bien ses évidences, mais il cache une part secrète qui échappe souvent aux autres autant qu'à lui-même.

Les symbolistes ont marqué la littérature de manière particulière en faisant lever tous les interdits moraux, en valorisant la connaissance sensorielle et introspective. Par leurs textes de réflexion, leurs arts poétiques, ils ont en outre contribué à mieux faire comprendre le processus de création littéraire, et en particulier la nature et le rôle de l'image et du rythme en poésie.

Les traits distinctifs

1 Une relation au monde subversive

Baudelaire reprend à son compte la thématique associée au « mal du siècle » romantique en le renommant « spleen ». Cet ennui de vivre traduit une forme de profond désenchantement : le libéralisme a profité aux plus puissants mais n'a pas tenu ses promesses quant à l'amélioration des conditions de vie de l'humanité en général. En fait, les symbolistes ne croient plus aux vertus de l'engagement dans de grandes causes. Ils rejettent les valeurs associées à la morale bourgeoise : l'importance du travail et de l'épargne, la notoriété par la réussite financière, l'ordre social et le respect des autorités. Anticonformistes dans l'âme, ils n'adhèrent pas aux normes du « bon goût » ni aux « bons sentiments », car ils veulent tout révéler du monde et de la nature humaine sans jugement préconçu. Ainsi, tout objet, fut-il laid ou déformé, peut intéresser l'artiste et se convertir en œuvre d'art. Et tout être humain, fut-il voyou ou dévoyé, est susceptible de nous renseigner sur la condition humaine.

Les symbolistes pourfendent l'hypocrisie, aussi incluent-ils l'homosexualité, alors taboue, dans leur thématique. Rimbaud ira même jusqu'à promouvoir le dérèglement des sens comme façon de vivre. Voulant parvenir à l'extase et se faire voyant, il franchit les frontières du rationnel pour accéder aux fantasmes et aux hallucinations. Il se produit ainsi une sorte d'inversion dans les valeurs, puisque l'écriture détermine la façon de vivre : pour nourrir l'originalité de son œuvre, l'écrivain en vient à cultiver un mode de vie dissolu, à favoriser l'excentricité de sa propre existence.

Les romanciers symbolistes abordent fréquemment leurs sujets par l'intermédiaire de ce qui cloche, de ce qui est étrange, de ce qui s'éloigne de la convenance. La femme aimée dissimule un défaut, qui gâche toute la relation amoureuse. L'enfance ne se caractérise plus uniquement par son caractère d'innocence et cache, elle aussi, des zones troubles. On peut ainsi dire, selon la célèbre formule de Baudelaire, que chez les symbolistes, le « beau est toujours bizarre », ce qui signifie que l'œuvre d'art va à l'encontre des valeurs esthétiques établies, qu'elle dérange les attentes et les conditionnements du récepteur.

2 L'exploration de l'univers sensoriel

Les poètes symbolistes élèvent les sensations au rang d'outils de connaissance, ce qui apparaît comme une position novatrice qui va à l'encontre d'une tradition rationaliste. Reconnaître l'importance des sensations pour accéder au spirituel, c'est admettre que le corps est un organisme de perception de la réalité inégalable. Les écrivains symbolistes veulent donc explorer toutes les correspondances – terme employé par Baudelaire – entre l'univers sensoriel et l'univers spirituel, entre les sensations et les idées. Le symbole implique donc nécessairement de tisser des analogies en privilégiant deux figures de style, soit la comparaison et la métaphore, et de leur attribuer un caractère synesthésique. Dans un texte symboliste, les sons, les saveurs, les parfums et les sensations tactiles donnent accès au rêve, ouvrent au voyage, font imaginer, comme l'a écrit Baudelaire, « le luxe, le calme et la volupté » (« L'invitation au voyage », *Les fleurs du mal*). Les poètes symbolistes créent donc des liens entre toutes les strates du poème – sens, image et rythme – pour en faire un ensemble unifié.

Les romanciers, tout comme les dramaturges symbolistes, s'inspirent de la démarche instaurée par leurs prédécesseurs pour accorder aux sensations et à l'introspection une large place dans leurs œuvres. Plusieurs intrigues de romans trouvent appui sur des sensations fugitives qui ouvrent la voie au souvenir et permettent de recréer un monde oublié. C'est le cas notamment de la grande œuvre de Proust : la saveur d'une madeleine suffit à faire remonter à la mémoire des épisodes oubliés de l'enfance. Quant aux dramaturges, ils s'ingénient à créer des pièces qui baignent dans une atmosphère onirique.

3 L'analyse du processus de création et l'introspection

Le symbolisme a un caractère « métapoétique » : plusieurs poèmes, par exemple « Correspondances » de Baudelaire, « Voyelles » de Rimbaud et « Art poétique » de Verlaine, sont des manifestes littéraires qui permettent au profane de mieux saisir les intentions des symbolistes. Ces écrivains veulent accoucher d'une œuvre totale ; ils veulent, certes, que le poète communique des idées, mais ils font en sorte que celles-ci se concrétisent en se transposant en paysages ou en décors ; que ces mêmes idées se marient à des parfums et des sons, ou à des sensations tactiles. Ainsi procède Baudelaire dans son poème « L'Invitation au voyage » : il traduit en paysage de « soleils mouillés » et en décor (« des meubles luisants ») les idées d'ordre et de luxe ; il rend palpables ces concepts plutôt abstraits en leur associant des parfums d'ambre et de fleurs, et en faisant en sorte que son vers berce le lecteur et favorise une lascive délectation. Dans ce sens, on peut affirmer que ces poètes sont à la fois des peintres et des musiciens du langage.

Les romanciers symbolistes sont aussi animés d'une volonté d'exploration de nouveaux territoires : ils ne veulent plus se limiter uniquement à la dynamique sociale ou aux rapports de pouvoir dans la société. Influencés par les avancées de la psychanalyse, ils cherchent à révéler les secrets de l'enfance, comme le fait Alain-Fournier dans *Le grand Meaulnes* (publié en 1913) ; ils s'intéressent également à l'adolescence, parce que c'est l'âge de la rébellion mais aussi celui de la confusion sur l'identité sexuelle. Les intrigues des romans sont ainsi ralenties par de longs passages introspectifs qui révèlent les complexités de l'inconscient. On délaisse donc volontairement tout ce qui, hier encore, avait pour but de faciliter la lecture des œuvres, soit notamment la narration omnisciente et l'organisation linéaire des événements. Le goût de l'introspection pousse l'écrivain à se déplacer dans le temps vers le passé, vers l'enfance, mais aussi dans l'espace, pour se porter à la découverte de l'inconscient. Les romanciers font donc fréquemment le choix d'une narration subjective, utilisent l'analepse (ou rétrospective) et ont aussi tendance à enchâsser des récits secondaires dans l'intrigue principale.

Des romanciers aussi différents que Marcel Proust et André Gide finissent par se pencher sur le processus créatif pour en faire un thème à part entière de leur œuvre. On voit ainsi proliférer dans les récits un grand nombre de personnages issus des élites qui ont vocation d'artistes, qui multiplient les considérations sur l'art et qui en font ainsi, indirectement, la promotion.

4 La thématique de la ville, de la nuit et du fantasme

Le monde nocturne, celui du fantasme et du rêve, suscite plus d'intérêt que le monde diurne, celui des activités profitables et utilitaires, qui a déjà été très exhaustivement décrit par les romanciers réalistes. Les symbolistes partagent toutefois avec les réalistes une véritable fascination pour la vie urbaine : en parodiant un peu, on pourrait ainsi dire que les réalistes s'intéressaient aux salons mondains, les naturalistes, aux usines, alors que les symbolistes préfèrent les lieux interdits.

Les poètes conservent le goût du sacré, mais, par esprit de provocation, ils font souvent de Satan un allié qui lutte à leur côté contre la rigidité morale des élites bien établies. Les paradis artificiels, qui portent bien leur nom, surgissent au moyen de la drogue ; ils permettent d'échapper aux diktats d'une société matérialiste qui ne reconnaît qu'une seule sorte de réussite, celle qui vient avec l'argent. Les drogues aiguisent les sens et déclenchent des hallucinations. Au mépris des risques liés à leur usage, les artistes y recourent pour sonder l'inconnu.

5 Une écriture fondamentalement novatrice

Les romanciers symbolistes font face à l'énorme défi d'avoir à renouveler la littérature après le passage de très grands écrivains comme Victor Hugo, Honoré de Balzac et Émile Zola, qui ont produit des œuvres gigantesques, marquées du sceau de leur forte personnalité, très populaires auprès des lecteurs et qui, en outre, ont exercé une influence déterminante à l'étranger. À l'instar des peintres de leur époque, qui renoncent à reproduire fidèlement la réalité sur leurs toiles, les écrivains symbolistes refusent de plier leur art à l'obligation que s'était donnée Balzac de « copier la réalité ». Ils rejettent également l'idée d'un art engagé qui se met au service des grandes causes.

Que proposent-ils ? Comme leurs prédécesseurs en poésie, les romanciers accordent une grande importance à la forme, non seulement aux composantes de l'œuvre mais aussi à la façon d'agencer les mots dans la phrase. Ainsi, Proust impose au lecteur une écriture originale, faite de longues phrases tout en spirales et en sinuosités. Ce souci stylistique amène également les écrivains à vouloir inventer de nouvelles formes littéraires et à outrepasser les frontières entre les genres. Baudelaire, qui s'était plié avec un souci scrupuleux aux règles du sonnet, a aussi innové en créant le poème en prose. Les romanciers suivent son exemple en cherchant à faire éclater certaines frontières entre les genres. André Gide se fera l'instigateur d'une nouvelle façon de composer des récits qui exercera une influence déterminante sur ses successeurs : il conçoit, avec *Les faux-monnayeurs*, un roman polyphonique où se mêlent adroitement fiction et analyse du processus de création.

Les caractéristiques de la littérature symboliste

Prédilection pour une relation au monde subversive	• Spleen et ennui de vivre. Dandysme. • Remise en question des frontières morales et esthétiques (« le beau est toujours bizarre »). • Découverte de la sensualité. • Refus des interdits concernant la sexualité, l'identité sexuelle confuse, l'homosexualité.
Exploration de l'univers sensoriel	• Connaissance du monde par les sensations. • Liens entre les univers matériel et spirituel. • Personnages (souvent adolescents) éprouvant un désir de transgression.
Réflexion sur le processus de création et introspection	• Narrateur à la première personne, qui débusque les secrets, qui révèle l'intimité des êtres. • Exploration d'un temps narratif pluriel (le temps intérieur, le temps réel, le temps fantasmé) ou extensible (comme chez Proust). • Réflexion sur le processus créatif intégrée à la fiction ; thématique de l'art.
Thématique de la ville, de la nuit, du fantasme et de l'art	• Valorisation de la marginalité bohème. • Luxe, sensualité, frivolité. • Échappées vers l'inconscient.
Style porté vers l'innovation ; art des correspondances	• Métaphores synesthésiques (figures de style plurisensorielles). • Symbolisme à caractère cosmique (l'air, le feu, l'eau, la terre). • Hermétisme. Personnalisation du style, quête manifeste d'originalité. • Évolution du vers régulier au poème en prose.

LA POÉSIE

M
p. 280

Comment se caractérise-t-elle ?

La poésie symboliste présente une vision du monde subjective et exprime une forte volonté de liberté formelle. C'est pourquoi on considère Baudelaire, Verlaine et Rimbaud comme des héritiers directs du romantisme.

Par sa théorie du « beau qui est toujours bizarre », Baudelaire semble élargir et préciser l'idée de Victor Hugo voulant que le grotesque (associé au peuple et à ses valeurs) importe autant que le sublime (représentatif de l'élite). Sa théorie n'a toutefois pas les implications sociales de celle de Victor Hugo ; elle se limite à l'aspect esthétique, qui cherche à établir des critères de réception de l'œuvre. Ainsi, selon Baudelaire, une œuvre gagnera en intérêt si elle dérange ou étonne le récepteur. Elle doit déroger aux normes du bon goût.

Les poètes symbolistes sont aussi des écrivains qu'on peut qualifier de « formalistes », car ils revendiquent les mêmes idées que les Parnassiens : il faut accorder une grande attention à la forme du texte et il faut considérer les mots comme des matériaux susceptibles de se transformer en joyaux quand ils passent entre les mains du poète. Par ailleurs, l'invention du poème en prose est primordiale : les frontières s'estompent entre prose et poésie, comme elles seront bientôt appelées à disparaître entre toutes les disciplines artistiques. Dans ce sens, le symbolisme ouvre la voie à toutes les avant-gardes qui favoriseront, au XXe siècle, l'éclatement des genres et la libre exploration du sens en dehors des normes ou des règles préétablies.

Les traits distinctifs

1 Le réseau du sens : la thématique lyrique et subversive

Le réseau du sens se rapporte à la vision du monde et aux valeurs de l'écrivain, sa conception de l'art et de son propre rôle comme poète dans la société. Il renvoie à la thématique du texte poétique.

Pour les symbolistes, le rôle du poète s'assimile à celui de l'orfèvre : il faut ciseler le vers sans autre souci que celui de créer un bel objet. Cette théorie de « l'art pour l'art » est un emprunt de Baudelaire au Parnasse, un courant littéraire qui regroupe des poètes qu'on appelle justement « formalistes » parce qu'ils accordent une grande importance à la forme, c'est-à-dire à la beauté du vers. Parmi ces poètes, Théophile Gautier est celui qui résume le mieux cette théorie, exprimant le souhait d'une littérature pure, uniquement occupée d'elle-même.

Les symbolistes sont portés à vouloir réconcilier les contraires, le masculin avec le féminin, le bien avec le mal, le bizarre avec l'admirable. Leur nature rebelle les porte à transgresser les normes et les tabous : aussi les amours interdites, les fantasmes et le monde nocturne les attirent-ils plus particulièrement.

2 Le réseau de l'image : une poésie sensorielle

Le réseau de l'image renvoie à l'emploi des procédés stylistiques et à leur façon de contribuer au sens d'un poème.

Les symbolistes attribuent un caractère synesthésique aux figures de style et leur octroie un rôle central dans le poème : les idées ne sont plus uniquement des concepts abstraits, puisque le lecteur a l'impression de visualiser ces concepts, de les palper, d'en humer l'odeur. Les figures de style entrecroisent souvent plusieurs sensations. Le symbole est en outre doté du pouvoir de créer des correspondances entre deux mondes autrefois considérés comme séparés : les sensations (qui se situent du côté du corps, de l'univers matériel) vont rendre tangible l'univers spirituel tout en permettant d'atteindre un idéal esthétique.

Les symbolistes analysent les procédés stylistiques et se questionnent sur la place du langage dans la création. Peu à peu, ils refusent de plier leurs textes à la fonction de communication, qui oblige l'auteur à maintenir un lien de compréhension avec le lecteur. Mallarmé, le meilleur représentant de cette tendance, trouve que les mots s'usent comme de la vieille monnaie dans les échanges courants et qu'il faut rompre avec la syntaxe habituelle pour ressusciter la magie du texte. Il en résulte que ses poèmes, qu'il adresse à une élite de lecteurs exigeants, paraissent très hermétiques, c'est-à-dire difficiles à comprendre.

3 Le réseau du rythme : une poésie novatrice

Le réseau du rythme renvoie à la métrique du vers, c'est-à-dire à tous les moyens employés pour lui assurer un rythme régulier dans la poésie traditionnelle, mais aussi, plus largement, aux multiples possibilités sonores et syntaxiques pouvant contribuer à la musicalité des poèmes, quelle qu'en soit la forme.

Le puissant désir d'innover amène les poètes symbolistes à explorer toutes les possibilités sur le plan formel : de la métrique traditionnelle au vers impair, puis au vers libre, pour finalement faire éclater, dans le poème en prose, les frontières qui séparaient la poésie de la prose. Pour appuyer l'effet de musicalité, ils travaillent la structure et la sonorité de la phrase.

Ainsi, la poésie suit la direction prise par tous les arts qui, en cette fin de siècle, rompent avec la tradition pour faire émerger les lignes de force de la modernité.

Les caractéristiques de la poésie symboliste

Réseau du sens

Le poète « maudit » transgresse les tabous sociaux et les normes du genre poétique.

- Thématique subversive.
- Invocation de Satan.
- Marginalité, errance, révolte, liberté.
- Monde urbain, monde nocturne.
- Processus de création transformé en thème dans de nombreux manifestes, aussi appelés « arts poétiques ».

Réseau de l'image

Le poète est un peintre du langage. Le symbole sert de lien entre le monde matériel (les sensations) et le monde spirituel (l'idéal).

- Prédilection pour les métaphores à caractère synesthésique (liées au sensoriel).
- Associations très personnelles (qui contribuent au caractère hermétique des poèmes).
- Glissement vers l'onirisme, les hallucinations, les fantasmes.

Réseau du rythme

Le poète est un musicien du langage qui explore les possibilités formelles de la poésie.

- Renouvellement des formes poétiques :
  – passage du vers régulier au poème en prose ;
  – travail sur la structure et la sonorité de la phrase et du vers.

Paul Cézanne, *Une moderne Olympia*, 1873.

L'art

Oui, l'œuvre sort plus belle
D'une forme au travail
   Rebelle,
Vers, marbre, onyx, émail.

5 Point de contraintes fausses !
Mais que pour marcher droit
   Tu chausses,
Muse, un cothurne étroit.

Fi du rythme commode,
10 Comme un soulier trop grand,
   Du mode
Que tout pied quitte et prend !

Statuaire, repousse
L'argile que pétrit
15   Le pouce,
Quand flotte ailleurs l'esprit ;

Lutte avec le carrare,
Avec le paros dur
   Et rare,
20 Gardiens du contour pur ;

Emprunte à Syracuse
Son bronze où fermement
   S'accuse
Le trait fier et charmant ;

25 D'une main délicate
Poursuis dans un filon
   D'agate
Le profil d'Apollon.

Peintre, fuis l'aquarelle
30 Et fixe la couleur
   Trop frêle
Au four de l'émailleur.

Fais les Sirènes bleues,
Tordant de cent façons
35   Leurs queues,
Les monstres des blasons ;

Dans son nimbe trilobe
La Vierge et son Jésus,
   Le globe
40 Avec la croix dessus.

Tout passe. – L'art robuste
Seul a l'éternité ;
   Le buste
Survit à la cité.

45 Et la médaille austère
Que trouve un laboureur
   Sous terre
Révèle un empereur.

Les dieux eux-mêmes meurent.
50 Mais les vers souverains
   Demeurent
Plus forts que les airains.

Sculpte, lime, cisèle ;
Que ton rêve flottant
55   Se scelle
Dans le bloc résistant.

Théophile Gautier, *Émaux et Camées,* 1852.

Théophile Gautier (1811-1872)

La théorie de l'art pour l'art

Théophile Gautier est à la fois poète, journaliste et romancier. Ardent partisan du romantisme dans sa jeunesse, il participe avec fougue à la « bataille d'Hernani ». Au moment de la représentation d'*Hernani*, première pièce de théâtre de Victor Hugo, la salle se divise en deux camps : dans un, les adeptes du romantisme qui veulent renouveler la littérature en la libérant des règles classiques – c'est pourquoi on les surnommera les « modernes » –, et dans l'autre, leurs adversaires, fervents partisans du classicisme. Plus tard, Gautier rompt avec le romantisme en rejetant plus particulièrement l'idée que l'écrivain doive s'engager dans une cause. Il évolue vers le formalisme, affirmant qu'un poème doit avant tout s'imposer par la perfection du vers. Dans la préface de son roman *Mademoiselle de Maupin*, il formule en ces termes sa théorie de l'art pour l'art : « Rien de ce qui est beau n'est indispensable à la vie. On supprimerait les fleurs, le monde n'en souffrirait pas matériellement ; qui voudrait cependant qu'il n'y eût plus de fleurs ? [...] Il n'y a vraiment de beau que ce qui ne peut servir à rien... » Cette conception de l'art qui trouve en lui-même sa propre justification sert de fondement au Parnasse, un courant littéraire qui va grandement influencer le symbolisme, comme en témoigne d'ailleurs le fait que Baudelaire dédie son recueil *Les fleurs du mal* à Gautier.

Le poème intitulé « L'art » présente cette même théorie sous forme versifiée. Il attribue des limites au territoire artistique et formule les buts que doit viser l'artiste dans son travail. Pour ces raisons, on doit le lire comme un « manifeste littéraire » puisqu'il témoigne d'une position particulière sur un aspect essentiel du métier d'écrivain. Pour mieux comprendre le poème, on tiendra compte du fait que le marbre, l'onyx, l'émail et l'agate sont des matériaux très durs avec lesquels travaillent notamment les sculpteurs ; que le carrare et le paros sont des variétés de marbre alors que l'airain est une variété de bronze ; que le cothurne est un soulier qui symbolise la culture antique ; et que « Fi » aurait « débarrassons-nous » comme synonyme, dans le contexte du vers « Fi du rythme commode ».

Atelier d'analyse

Exploration

1. Parmi les vers suivants, lequel ou lesquels invitent le poète à se tenir loin de toute facilité ? Justifiez votre choix.
   a. « Point de contraintes fausses ! » (ligne 5)
   b. « Fi du rythme commode » (ligne 9)
   c. « Quand flotte ailleurs l'esprit » (ligne 16)
   d. « Les dieux eux-mêmes meurent » (ligne 49)

2. L'art résulte d'un travail exigeant. Pour démontrer cette affirmation, répondez aux questions suivantes.
   a. Théophile Gautier se rapporte ici à plusieurs matériaux. Lesquels ? Quelle est leur caractéristique commune ? Que semble-t-il valoriser en faisant ce choix de matériaux ?
   b. L'auteur évoque aussi des métiers divers. Lesquels ? Dans quel but ?
   c. Les références à l'Antiquité servent aussi à étayer son propos. Relevez-les et expliquez ce que Gautier tente ainsi de signaler à l'attention du lecteur.

3. Selon vous, est-ce que Théophile Gautier adhère à l'idée que rien n'est éternel ? Expliquez votre réponse.

4. Les poètes sont nombreux à vouloir préciser leur conception de l'art en écrivant des manifestes littéraires. En vous appuyant sur certaines de leurs recommandations, résumées dans les vers suivants, de quel écrivain Gautier serait-il le plus proche ?
   a. « Vingt fois sur le métier remettez votre ouvrage :
      Polissez-le sans cesse et le repolissez ;
      Ajoutez quelquefois, et souvent effacez. »
      (Nicolas Boileau, *L'art d'écrire*)

   b. « J'ai pris et démoli la bastille des rimes.
      [...] J'ai dit aux mots : Soyez république ! Soyez
      La fourmilière immense, et travaillez ! Croyez,
      Aimez, vivez ! – J'ai mis tout en branle, et, morose,
      J'ai jeté le vers noble aux chiens noirs de la prose. »
      (Victor Hugo, *Les contemplations*)

   c. « De la musique avant toute chose
      Et pour cela préfère l'Impair,
      Plus vague et plus soluble dans l'air
      [...] Rien de plus cher que la chanson grise
      Où l'Indécis au Précis se joint. »
      (Verlaine, *Art poétique*)

Rédaction

5. **Sujet :** En vous appuyant sur le poème « L'art », de Théophile Gautier, esquissez une présentation du Parnasse.

   Consigne : Composez une introduction en plaçant les phrases suivantes dans le bon ordre. Élaborez le développement en tenant compte de cette introduction.

   - C'est le cas d'un romancier comme Flaubert, mais c'est aussi l'orientation que privilégie un courant littéraire comme le Parnasse.
   - Dans la deuxième moitié du XIXᵉ siècle, plusieurs écrivains, provenant d'horizons variés, partagent une même préoccupation pour le style, pour la beauté formelle de leurs œuvres.
   - Dans un premier temps, il importe de formuler les idées qui se trouvent derrière les figures de style, pour ensuite mieux situer le Parnasse dans l'histoire littéraire de l'époque, qui succède au romantisme et annonce le symbolisme.
   - Théophile Gautier, dans son poème « L'art » (tiré du recueil *Émaux et camées*, publié en 1852), traduit en images les principes qui animeront ce mouvement.

6. Expliquez en quoi la dernière strophe du poème de Théophile Gautier résume le sens du poème.

Correspondances

La Nature est un temple où de vivants piliers
Laissent parfois sortir de confuses paroles ;
L'homme y passe à travers des forêts de symboles
Qui l'observent avec des regards familiers.

5 Comme de longs échos qui de loin se confondent
Dans une ténébreuse et profonde unité,
Vaste comme la nuit et comme la clarté,
Les parfums, les couleurs et les sons se répondent.

Il est des parfums frais comme des chairs d'enfants,
10 Doux comme les hautbois, verts comme les prairies,
— Et d'autres, corrompus, riches et triomphants,

Ayant l'expansion des choses infinies,
Comme l'ambre, le musc, le benjoin et l'encens,
Qui chantent les transports de l'esprit et des sens.

Charles Baudelaire, *Les fleurs du mal*, 1857.

Charles Baudelaire (1821-1867)

L'image : le pivot du poème symboliste

Héritant à sa majorité de la fortune paternelle, Baudelaire s'adonne à une vie de bohème déréglée, entre alcool et haschich. Pour l'éloigner de ses mauvaises fréquentations, la famille l'embarque pour un voyage en direction de Calcutta, voyage qu'il interrompt à mi-chemin, non sans en conserver des images indélébiles. En réaction à son indiscipline, son beau-père et sa mère lui coupent les vivres. Pour s'assurer des revenus, Baudelaire se convertit alors à la critique d'art, faisant preuve dans ce domaine d'une rare perspicacité.

Écrivain charnière du symbolisme, Baudelaire concrétise dans ce poème ce qu'il est convenu d'appeler la « théorie des correspondances ». Il cherche à démontrer que le symbole est consubstantiel au langage poétique, ce qui signifie que le poète n'utilise pas les figures de style comme des décorations pour embellir l'expression de sa pensée. Les images, comme le rythme, d'ailleurs, sont des éléments intrinsèques du discours poétique : ils participent à sa signification globale. Les symbolistes reconnaîtront en ce sonnet un texte fondateur de leur esthétique.

Atelier d'analyse

Exploration

1. Dégagez les étapes de la démonstration logique sous-jacente à ce poème.

2. En quoi le poème illustre-t-il le sens du sacré de Baudelaire (un sens du sacré d'ailleurs partagé par les symbolistes) ?

3. Comment l'idée que la beauté inclut le mal est-elle suggérée dans le texte ?

4. Comment Baudelaire traduit-il l'idée de la nuance ou d'une relative imprécision ?

5. Justifiez le choix du temps des verbes dans ce texte.

6. Quelle sensation en particulier est d'abord évoquée pour ensuite permettre d'ouvrir sur d'autres sensations mais aussi à l'univers spirituel ? Justifiez votre réponse.

7. Pour les romanciers réalistes, le monde est un lieu de combat pour s'enrichir et devenir puissant. En quoi ce poème semble-t-il prendre le contrepied d'une telle opinion ? Comment pourrait-on résumer la vision du monde que propose Baudelaire ?

8. Analysez la rhétorique du texte en relevant, dans le poème :
   a. deux comparaisons ;
   b. deux personnifications ;
   c. une antithèse ;
   d. deux énumérations.
   Dans un dernier temps, expliquez l'importance d'une telle richesse stylistique dans un poème comme « Correspondances ».

9. La synesthésie implique la combinaison en une seule figure de plusieurs sensations. Trouve-t-on dans ce poème des exemples de ce type de procédé ?

Rédaction

10. Sujet : Est-il juste de considérer ce poème comme un manifeste littéraire, un art poétique du symbolisme ?

**Charles Baudelaire
(1821-1867)**

La filiation avec le romantisme

La vie de Baudelaire est faite de solitude, de maladie et de misère. Il entretient une relation orageuse avec son amante Jeanne Duval, une mulâtresse langoureuse qui nourrit en lui le goût de l'exotisme et des ailleurs luxuriants. À la parution de son recueil *Les fleurs du mal*, publié en 1857, il est poursuivi en justice pour immoralité. Cet événement réveille en lui une lancinante nostalgie qu'il nommera le « spleen ». En 1861, il fait une tentative de suicide (qui n'est pas la première), notamment pour échapper à la maladie qui le tourmente : la syphilis. Il mourra de cette maladie en 1867 – comme sa maîtresse avant lui –, à son retour de Belgique où il était allé se réfugier trois ans plus tôt pour fuir ses créanciers. Tout au long de sa vie, il aura cherché à dissimuler son dénuement matériel sous des allures excentriques de dandy.

Situé au carrefour de la tradition et de la modernité, Baudelaire emprunte au romantisme les thèmes de l'ennui de vivre et de la solitude du poète dans une société matérialiste. Par ailleurs, il innove en faisant l'éloge de la ville et de ses lieux interdits plutôt qu'en chantant les charmes de la nature, et en décrivant le mal au lieu de se porter à la défense des bonnes causes comme l'avait fait Victor Hugo. Sur le plan formel, il privilégie le sonnet, dont il peut décider de respecter parfaitement les contraintes ou, au contraire, de s'en éloigner pour y introduire volontairement toutes sortes d'irrégularités.

L'invitation au voyage

Mon enfant, ma sœur,
    Songe à la douceur
D'aller là-bas vivre ensemble !
    Aimer à loisir,
5   Aimer et mourir
Au pays qui te ressemble !
    Les soleils mouillés
    De ces ciels brouillés
Pour mon esprit ont les charmes
10   Si mystérieux
    De tes traîtres yeux,
Brillant à travers leurs larmes.

Là, tout n'est qu'ordre et beauté,
Luxe, calme et volupté.

15   Des meubles luisants,
    Polis par les ans,
Décoreraient notre chambre ;
    Les plus rares fleurs
    Mêlant leurs odeurs
20 Aux vagues senteurs de l'ambre,
    Les riches plafonds,
    Les miroirs profonds,
La splendeur orientale,
    Tout y parlerait
25   À l'âme en secret
Sa douce langue natale.

Là, tout n'est qu'ordre et beauté,
Luxe, calme et volupté.

    Vois sur ces canaux
30   Dormir ces vaisseaux
Dont l'humeur est vagabonde ;
    C'est pour assouvir
    Ton moindre désir
Qu'ils viennent du bout du monde.
35   – Les soleils couchants
    Revêtent les champs,
Les canaux, la ville entière,
    D'hyacinthe et d'or ;
    Le monde s'endort
40 Dans une chaude lumière.

Là, tout n'est qu'ordre et beauté,
Luxe, calme et volupté.

Charles Baudelaire, *Les fleurs du mal*, 1857.

Atelier d'analyse

Exploration

1. Pour vous aider à comprendre le poème, cherchez la définition de mots comme « ambre », « assouvir », « hyacinthe », etc. Interrogez-vous également sur les mots dont la définition peut éclairer la signification du texte, par exemple « volupté ».

2. Analysez le contexte d'énonciation du poème en précisant quel en est le locuteur et son ou sa destinataire.

3. Relevez un ou deux vers qui illustrent, dans les strophes, les idées présentes dans le refrain, soit :
   a. l'ordre ;
   b. la beauté ;
   c. le luxe ;
   d. le calme ;
   e. la volupté.

4. Analysez la thématique du poème en répondant aux questions suivantes.
   a. Quelle image de la femme ce poème révèle-t-il ?
   b. Quel vers évoque le fait que la destinataire du poème est peut-être étrangère ?
   c. Se trouve-t-il dans le poème un vers qui traduise une forme de méfiance du poète vis-à-vis de son amante ?

5. Peut-on considérer « L'invitation au voyage » comme un poème d'amour ?

6. Pourquoi peut-on dire que ce poème évoque subtilement une déception face à la réalité ? Peut-on dire qu'il illustre le spleen (l'ennui de vivre) ?

7. Baudelaire explore un large registre de sensations dans ce poème. Dressez-en la liste avec exemples à l'appui.

8. Peut-on affirmer que ce poème, en privilégiant la nuance et l'« indécis », est verlainien avant la lettre ? Répondez avec exemples à l'appui.

9. Étudiez le rythme du poème en considérant les aspects suivants :
   a. le choix et l'ordonnance des vers ;
   b. les rimes et le jeu des sonorités ;
   c. la syntaxe et le temps des verbes ;
   d. le lien du rythme avec la signification du poème.

Rédaction

10. **Sujet :** Justifiez le titre du poème : « L'invitation au voyage ».

    Consigne : En vous appuyant sur les réponses aux questions de la section « Exploration », élaborez un plan d'analyse du texte très précis, comprenant les idées principales et secondaires ainsi que des citations.

On trouve également dans son œuvre des tentatives plus aventureuses, par exemple ce poème verlainien avant la lettre, en vers impairs, qui conjugue sur un rythme envoûtant plusieurs thèmes comme le rêve, le luxe et le voyage, faisant la preuve de l'indéniable virtuosité de Baudelaire.

Henri Matisse, *Luxe, calme et volupté*, 1904.

ATELIER DE
COMPARAISON

Deux conceptions de la beauté

Baudelaire porte à son accomplissement ultime la composition du sonnet, signalant ainsi en quelque sorte qu'il est temps de passer à autre chose, qu'il est temps d'ouvrir la porte à la modernité. Pour ce faire, il explore une nouvelle avenue, celle du poème en prose.

Grâce à Baudelaire, le lecteur prend conscience du mode d'organisation du poème, constitué d'un ensemble d'éléments en corrélation évoluant en quelque sorte de façon concentrique, puisque la signification est portée à la fois par les mots, par les sons et par les images. La poésie se détourne des événements pour embrasser tout le champ de la « sensorialité ».

Toujours porté par l'idée de se distinguer du commun des mortels par une attitude de défi, Baudelaire aime aussi scandaliser en choisissant des réalités répugnantes pour en dégager un constat essentiel : la beauté ne réside pas, a priori, dans l'objet, car c'est bien plutôt à l'artiste que revient le rôle de créer la beauté ; c'est lui qui est maître en ce domaine.

La comparaison du poème « Une charogne », de Baudelaire, avec le poème « L'hirondelle au printemps », tiré du recueil *Les contemplations,* de Victor Hugo, permet de mieux saisir les différences entre les conceptions symboliste et romantique de la beauté. Hugo choisit un sujet propice à l'émerveillement, conforme en quelque sorte aux attentes du lecteur. Chez Baudelaire, le sujet choisi vise à ébranler, voire à heurter le lecteur dans ses convictions esthétiques.

La beauté

Une charogne

Rappelez-vous l'objet que nous vîmes, mon âme,
    Ce beau matin d'été si doux :
Au détour d'un sentier une charogne infâme
    Sur un lit semé de cailloux,

5 Les jambes en l'air, comme une femme lubrique,
    Brûlante et suant les poisons,
Ouvrait d'une façon nonchalante et cynique
    Son ventre plein d'exhalaisons.

Le soleil rayonnait sur cette pourriture,
10   Comme afin de la cuire à point,
Et de rendre au centuple à la grande Nature
    Tout ce qu'ensemble elle avait joint.

Et le ciel regardait la carcasse superbe
    Comme une fleur s'épanouir.
15 La puanteur était si forte, que sur l'herbe
    Vous crûtes vous évanouir.

Les mouches bourdonnaient sur ce ventre putride,
    D'où sortaient de noirs bataillons
De larves, qui coulaient comme un épais liquide
20   Le long de ces vivants haillons.

Tout cela descendait, montait comme une vague,
    Ou s'élançait en pétillant ;
On eût dit que le corps, enflé d'un souffle vague,
    Vivait en se multipliant.

25 Et ce monde rendait une étrange musique,
    Comme l'eau courante et le vent,
Ou le grain qu'un vanneur d'un mouvement rythmique
    Agite et tourne dans son van.

Les formes s'effaçaient et n'étaient plus qu'un rêve,
30   Une ébauche lente à venir,
Sur la toile oubliée, et que l'artiste achève
    Seulement par le souvenir.

Derrière les rochers une chienne inquiète
    Nous regardait d'un œil fâché,
35 Épiant le moment de reprendre au squelette
    Le morceau qu'elle avait lâché.

– Et pourtant vous serez semblable à cette ordure,
    À cette horrible infection,
Étoile de mes yeux, soleil de ma nature,
40   Vous, mon ange et ma passion !

Oui ! telle vous serez, ô la reine des grâces,
    Après les derniers sacrements,
Quand vous irez, sous l'herbe et les floraisons grasses,
    Moisir parmi les ossements.

45 Alors, ô ma beauté! dites à la vermine
    Qui vous mangera de baisers,
Que j'ai gardé la forme et l'essence divine
    De mes amours décomposés!

Charles Baudelaire, *Les fleurs du mal,* 1857.

L'hirondelle au printemps

L'hirondelle au printemps cherche les vieilles tours,
Débris où n'est plus l'homme, où la vie est toujours;
La fauvette en avril cherche, ô ma bien-aimée,
La forêt sombre et fraîche et l'épaisse ramée,
5 La mousse, et, dans les nœuds des branches, les doux toits
Qu'en se superposant font les feuilles des bois.
Ainsi fait l'oiseau. Nous, nous cherchons, dans la ville
Le coin désert, l'abri solitaire et tranquille,
Le seuil qui n'a pas d'yeux obliques et méchants,
10 La rue où les volets sont fermés; dans les champs,
Nous cherchons le sentier du pâtre et du poëte;
Dans les bois, la clairière inconnue et muette
Où le silence éteint les bruits lointains et sourds.
L'oiseau cache son nid, nous cachons nos amours.

Victor Hugo, *Les contemplations,* 1856.

Pablo Picasso, *Les demoiselles d'Avignon,* **1907.**
Cette toile, considérée comme le point de départ du cubisme, fit scandale lors de sa première exposition. Ce n'est pas tant le sujet (l'intérieur d'un bordel) que la façon de représenter le nu féminin qui ne correspond pas aux critères de l'époque. Présentant les corps déformés, inachevés, voire mutilés de ces prostituées au regard troublant, Picasso, tout comme Baudelaire avant lui, ébranle le spectateur du début du XXe siècle dans ses convictions esthétiques.

Atelier de comparaison

Exploration

1. Pour vous aider à comprendre les deux poèmes, cherchez la définition des mots « infâme », « lubrique », « exhalaisons », « putride », « haillons » et « van », dans « Une charogne », et des mots « ramée », « obliques » et « pâtre », dans « L'hirondelle au printemps », et la définition de tout autre mot pouvant éclairer leur signification.

Une charogne

2. Est-il juste d'affirmer que le poème de Baudelaire se présente comme un court récit versifié ? Pour répondre, tenez compte des aspects suivants : les personnages, les étapes de l'intrigue, les thèmes ainsi que le message que l'auteur adresse à la toute fin à la destinataire du poème (mais aussi indirectement au lecteur).

3. Analysez les effets de l'évocation de la charogne en répondant aux questions suivantes.
   a. Relevez les mots ou les expressions à caractère péjoratif qui permettent à Baudelaire de rendre tangible la présence écœurante de la charogne.
   b. Peut-on dire que ce poème explore tout le registre sensoriel, soit le visuel, l'olfactif, l'auditif, le gustatif et le tactile ? Appuyez votre réponse sur des exemples.

4. Expliquez le caractère provocateur des passages suivants.
   a. « Les jambes en l'air, comme une femme lubrique, / Brûlante et suant les poisons »
   b. « Et le ciel regardait la carcasse superbe / Comme une fleur s'épanouir. »
   c. « – Et pourtant vous serez semblable à cette ordure, / À cette horrible infection, / Étoile de mes yeux, soleil de ma nature, / Vous, mon ange et ma passion ! »

5. Comment Baudelaire arrive-t-il à créer des effets de contraste dans le poème ?

6. Selon vous, quel est le thème dominant de ce poème ? L'amour, la nature, l'art, la musique, la beauté ? Justifiez votre réponse.

L'hirondelle au printemps

7. Quels aspects le poème de Victor Hugo partage-t-il avec celui de Baudelaire ? Pour répondre à cette question, tenez compte des éléments suivants :
   a. le contexte d'énonciation ;
   b. la thématique ;
   c. l'emploi de certaines figures de style.

Comparaison

8. Quels aspects différencient les deux poèmes, mis à part leur longueur ? Pour répondre à cette question, tenez compte des éléments suivants :
   a. la vision de la nature et de l'amour ;
   b. la tonalité ;
   c. l'organisation des idées dans le poème.

9. Quelles réalités sont-elles dignes de figurer dans un poème ? Comment faut-il concevoir l'art en poésie ? En vous appuyant sur ces poèmes et sur vos connaissances antérieures, dites quelles réponses fourniraient Baudelaire et Hugo à ces questions.

Rédaction

10. **Sujet :** Comparez la représentation de la nature et de l'amour dans les deux textes.

11. **Sujet :** Est-il juste d'affirmer que les deux poèmes illustrent des visions poétiques qui s'opposent sur tous les aspects ?

    Consigne : Dressez un tableau comparatif présentant les similitudes et les différences entre les deux poèmes. Ce tableau facilitera l'étape de la rédaction pour l'un ou l'autre des sujets ci-dessus.

Art poétique

De la musique avant toute chose
Et pour cela préfère l'Impair,
Plus vague et plus soluble dans l'air,
Sans rien en lui qui pèse ou qui pose.

5 Il faut aussi que tu n'ailles point
Choisir tes mots sans quelque méprise :
Rien de plus cher que la chanson grise
Où l'Indécis au Précis se joint.

C'est des beaux yeux derrière des voiles,
10 C'est le grand jour tremblant de midi,
C'est, par un ciel d'automne attiédi
Le bleu fouillis des claires étoiles !

Car nous voulons la Nuance encor,
Pas la Couleur, rien que la nuance !
15 Oh ! la nuance seule fiance
Le rêve au rêve et la flûte au cor !

Fuis du plus loin la Pointe assassine,
L'Esprit cruel et le Rire impur,
Qui font pleurer les yeux de l'Azur,
20 Et tout cet ail de basse cuisine !

Prends l'éloquence et tords-lui son cou !
Tu feras bien, en train d'énergie,
De rendre un peu la Rime assagie.
Si l'on n'y veille, elle ira jusqu'où ?

25 Oh ! qui dire les torts de la Rime !
Quel enfant sourd ou quel nègre fou
Nous a forgé ce bijou d'un sou
Qui sonne creux et faux sous la lime ?

De la musique encore et toujours !
30 Que ton vers soit la chose envolée
Qu'on sent qui fuit d'une âme en allée
Vers d'autres cieux à d'autres amours,

Que ton vers soit la bonne aventure
Éparse au vent crispé du matin
35 Qui va fleurant la menthe et le thym...
Et tout le reste est littérature.

Paul Verlaine, *Jadis et naguère,* 1884.

Paul Verlaine (1844-1896)

De la musique avant toute chose

Peu après s'être marié, Verlaine renonce à une vie rangée lorsqu'il fait la rencontre du jeune Rimbaud, avec lequel il part à l'aventure. Leur relation orageuse, qui dure trois ans, est ponctuée de ruptures et de réconciliations. Elle se termine par l'emprisonnement de Verlaine, trouvé coupable d'avoir tiré sur son amant. Cet enfermement est propice à l'inspiration : Verlaine compose alors le recueil des *Romances sans paroles,* qui lève le voile sur un amour alors perçu comme illicite.

Du point de vue artistique, on peut considérer Verlaine comme un intuitif : comme ces musiciens qui jouent à l'oreille, sans notions de solfège, il refuse de se plier aux règles d'une versification trop rigide. Tant sur le plan des atmosphères que sur celui des émotions et des idées, il aime la nuance suggestive, le flou et l'indéfini.

Son poème « Art poétique » est le seul à se rapporter spécifiquement à l'aspect du rythme. Sa démonstration n'a cependant pas le caractère franchement innovateur des manifestes littéraires de Rimbaud et de Baudelaire, car Verlaine préfère l'évanescence et l'indécision à l'évidence et au défi.

Atelier d'analyse

Exploration

1. Analysez l'organisation du sens dans ce poème en répondant aux questions suivantes.
   a. Relevez trois vers qui résument la position de Verlaine en matière de poésie. Expliquez les implications de ces recommandations.
   b. Quels vers ou quelles strophes semblent s'adresser à des adversaires ? Pourquoi les verbes au mode impératif conviennent-ils particulièrement ici ?
   c. Quelle est la composante poétique – sens, image ou rythme – sur laquelle insiste particulièrement Verlaine ? Justifiez votre choix.
   d. Dans quelle strophe Verlaine accumule-t-il des descriptions de paysages pour concrétiser certains de ses propos ? Justifiez votre réponse.

2. Peut-on dire que la dernière strophe présente une condensation de figures à caractère synesthésique ? Expliquez votre réponse.

3. Afin de pouvoir éventuellement mieux analyser la thématique, dégagez les champs lexicaux de l'imprécision et de la musique.

4. Est-il juste d'affirmer que Verlaine rejette certaines pratiques poétiques ? Si oui, lesquelles ? (Appuyez-vous sur le poème mais aussi sur votre connaissance de la théorie pour répondre.)

5. En observant les rimes, peut-on dire qu'il est vrai que Verlaine se soucie peu de leur qualité ou de leur richesse sonore ?

6. Comment Verlaine s'y prend-il pour créer un rythme poétique instable ?

Rédaction

7. **Sujet :** Est-il juste d'affirmer que les tonalités didactique et polémique dominent dans ce poème ?
   Consigne : Planifiez un développement en deux paragraphes qui tient compte de l'énoncé du sujet.

Le thème de la marginalité

C'est en 1871 que Verlaine fait la connaissance de Rimbaud. Cette rencontre brise son mariage et le force à rompre avec son milieu. Louvoyant entre son attrait pour la volupté et son désir de pureté, Verlaine peut tour à tour exprimer sa piété, puis se laisser aller aux excès ou encore s'adonner à la boisson. Pendant les dernières années de sa vie, il est réduit à l'état de clochard, faisant la navette entre le bar et l'hôpital. Ironiquement, c'est à ce moment qu'on redécouvre sa poésie et que ses disciples le consacrent prince des poètes. Toutefois, lorsqu'il meurt à Paris, dans le plus grand dénuement, Paul Verlaine est presque totalement inconnu du grand public.

La poésie de Verlaine est reconnaissable entre toutes par sa tonalité se faisant entendre dans son propre nom, Verlaine, qui le prédestine à la tiédeur douce des paysages d'automne empreints de nostalgie.

Le poème ci-contre porte sur le thème du rêve, cher aux symbolistes. Il illustre aussi des idées qui se trouvent condensées dans son « Art poétique ».

Mon rêve familier

Je fais souvent ce rêve étrange et pénétrant
D'une femme inconnue, et que j'aime, et qui m'aime,
Et qui n'est, chaque fois, ni tout à fait la même
Ni tout à fait une autre, et m'aime et me comprend.

5 Car elle me comprend, et mon cœur transparent
Pour elle seule, hélas! cesse d'être un problème
Pour elle seule, et les moiteurs de mon front blême,
Elle seule les sait rafraîchir, en pleurant.

Est-elle brune, blonde ou rousse ? – Je l'ignore.
10 Son nom ? Je me souviens qu'il est doux et sonore
Comme ceux des aimés que la Vie exila.

Son regard est pareil au regard des statues,
Et, pour sa voix, lointaine, et calme, et grave, elle a
L'inflexion des voix chères qui se sont tues.

Paul Verlaine, *Poèmes saturniens,* 1866.

Atelier d'analyse

Exploration

1. Analysez le lyrisme du poème en suivant les étapes ci-dessous.
   a. Relevez trois verbes conjugués à la première personne de l'indicatif présent qui témoignent de la présence du poète.
   b. Après avoir relevé des passages qui traduisent la présence d'une femme, montrez que sa description répond à cette idée d'imprécision qui est chère à Verlaine.
   c. Relevez les termes qui renvoient au sentiment amoureux.
   d. Montrez que l'amour est ici plus proche du mirage ou de l'illusion que de la réalité.

2. Expliquez comment l'évocation de la mort contribue à la mélancolie du poème.

3. Analysez la musicalité du poème en suivant les étapes ci-dessous.
   a. Montrez que Verlaine s'appuie sur un jeu de répétitions, d'énumérations et de parallélismes pour créer un rythme envoûtant.
   b. Expliquez comment il parvient, sur le plan sonore, à suggérer cette voix à la fois « lointaine, et calme, et grave ».

4. Ce poème confirme-t-il le peu de souci de Verlaine (voir « Art poétique », page 69) envers la qualité de la rime, sa richesse sonore ?

Rédaction

5. Analysez la thématique du rêve dans ce poème.

6. Est-il juste d'affirmer que « Mon rêve familier » illustre l'esthétique de Verlaine contenue dans son « Art poétique » ?

Chanson d'automne

Les sanglots longs
Des violons
   De l'automne
Blessent mon cœur
5 D'une langueur
   Monotone.

Tout suffocant
Et blême, quand
   Sonne l'heure,
10 Je me souviens
Des jours anciens
   Et je pleure ;

Et je m'en vais
Au vent mauvais
15   Qui m'emporte
Deçà, delà,
Pareil à la
   Feuille morte.

Paul Verlaine, *Poèmes saturniens*, 1866.

L. S. Gorjuschkin-Sorokopudow, *Blätterfall,* vers 1900.

**Paul Verlaine
(1844-1896)**

La tonalité nostalgique

Paul Verlaine va à l'encontre du goût de ses compatriotes pour le classicisme, les idées claires, les arguments indiscutables et pour les formes définies. Verlaine est un équilibriste qui propose un nouvel agencement du vers : il multiplie les redites, assouplit la rime et désarticule la syntaxe pour composer des vers qui tiennent sur un fil, fragile et instable. Il cultive une fausse naïveté en tentant de traduire dans ses textes la simplicité des comptines. Comment en effet résister au charme indescriptible de poèmes qui disent l'émotion familière, loin de tout souci utilitaire ? Les vers ont la grâce de la légèreté, et pourtant ils s'impriment dans la mémoire pour ne plus s'en évader.

Lorsqu'on examine un poème comme « Chanson d'automne », on se rend compte de toute la maîtrise qui sous-tend l'écriture de ces textes très courts, apparemment sans prétention. Le poète joue habilement avec les sons alors que le choix lexical obéit à une telle nécessité qu'on ne peut déplacer un seul mot sans risquer de rompre la délicate harmonie du texte.

Atelier d'analyse

Exploration

1. Analysez le lyrisme du poème en suivant les étapes ci-dessous.
   a. Relevez les marques du locuteur.
   b. Relevez les termes qui expriment la tristesse.
   c. Montrez comment Verlaine fait sentir que la nature contribue à la grisaille ambiante.

2. Le temps des verbes vous paraît-il justifié en fonction du sens du poème ? Expliquez votre réponse.

3. Comment la tendance de Verlaine à l'indécision et à la passivité transparaît-elle dans ce poème ?

4. Étudiez par quels moyens, sur le plan du rythme, Verlaine traduit les sentiments qu'il éprouve.

5. Peut-on considérer ce poème comme une application des idées exprimées dans son « Art poétique » (page 69) ? Expliquez votre réponse.

Rédaction

6. **Sujet :** Montrez que Verlaine s'est réellement fait peintre et musicien du langage dans son poème « Chanson d'automne ».

   Consigne : Rédigez un développement en deux paragraphes en adoptant le plan suggéré par l'énoncé du sujet.

**Arthur Rimbaud
(1854-1891)**

Un bucolisme perverti

Porté à la rébellion et à la délinquance dès son adolescence, Rimbaud ne tolère pas l'étroitesse d'esprit qui caractérise sa famille, très croyante. Il rejette particulièrement l'autorité d'une mère qui se montre extrêmement scrupuleuse en ce qui concerne la réputation de sa famille. Elle a d'ailleurs seule la charge de ses enfants, le père ayant très tôt quitté le toit familial. Rimbaud multiplie donc les fugues, mais ses extravagances découragent ses hôtes occasionnels. Verlaine, son aîné de quelques années, l'accueille finalement chez lui. Les deux hommes nouent un lien amoureux, mais leur aventure va tourner court. Le recueil de poèmes *Une saison en enfer* témoigne de la désillusion de Rimbaud, qui décidera bientôt de mettre de côté la poésie pour tenter sa chance ailleurs, sur de nouveaux territoires et même jusqu'en Afrique, où il pratiquera notamment le trafic des armes.

« Le dormeur du val » fait partie des premiers poèmes de Rimbaud ; il le compose en 1870, alors qu'il n'a que 16 ans et qu'il est déçu de la défaite des Français aux mains des Prussiens. Ce poème traduit-il un pacifisme latent ou un antimilitarisme spontané ? La tonalité du texte n'est pourtant nullement polémique...

Le dormeur du val

C'est un trou de verdure où chante une rivière,
Accrochant follement aux herbes des haillons
D'argent ; où le soleil, de la montagne fière,
Luit : c'est un petit val qui mousse de rayons.

5 Un soldat jeune, bouche ouverte, tête nue,
Et la nuque baignant dans le frais cresson bleu,
Dort ; il est étendu dans l'herbe, sous la nue,
Pâle dans son lit vert où la lumière pleut.

Les pieds dans les glaïeuls, il dort. Souriant comme
10 Sourirait un enfant malade, il fait un somme :
Nature, berce-le chaudement : il a froid.

Les parfums ne font pas frissonner sa narine ;
Il dort dans le soleil, la main sur sa poitrine,
Tranquille. Il a deux trous rouges au côté droit.

Arthur Rimbaud, *Poésies*, 1870.

Atelier d'analyse

Exploration

1. Analysez l'aspect formel du poème en répondant aux questions suivantes.
   a. Ce poème correspond-il aux caractéristiques du sonnet ?
   b. Quel est le patron de rimes ?
   c. Que peut-on dire de la qualité des rimes ?
   d. Montrez que Rimbaud suggère l'impression d'un monde éclaté au moyen d'une versification tout en ruptures (examinez notamment les enjambements et les rejets).

2. Analysez le sens du poème en répondant aux questions suivantes.
   a. Est-il juste d'affirmer que Rimbaud entretient un savant malentendu tout au long des strophes ?
   b. Comment la mort est-elle implicitement présente tout au long du poème ?
   c. Peut-on affirmer que la guerre est le thème central de ce poème ?

3. Analysez la rhétorique du poème en répondant aux questions suivantes.
   a. Quelles sont, à vos yeux, les figures de style les plus significatives du poème ? Justifiez vos choix.
   b. Retrouve-t-on des figures de style à caractère synesthésique ? Quelle sensation est la plus sollicitée ?
   c. Dégagez les couleurs qui dominent et expliquez leur contribution au sens du poème.

4. Les symbolistes s'opposent en général à une littérature engagée ou militante, et sont plutôt en faveur d'une littérature formaliste qui donne notamment priorité aux recherches formelles. En considérant ce poème, où pourrions-nous situer Rimbaud ?

Rédaction

5. Montrez que le dernier vers « Il a deux trous rouges au côté droit » fait basculer la signification du poème.

6. Montrez que le poème se situe entre tradition et modernité.

Alchimie du verbe

À moi. L'histoire d'une de mes folies.

Depuis longtemps je me vantais de posséder tous les paysages possibles, et trouvais dérisoires les célébrités de la peinture et de la poésie moderne.

J'aimais les peintures idiotes, dessus de portes, décors, toiles de saltimbanques,
5 enseignes, enluminures populaires ; la littérature démodée, latin d'église, livres érotiques sans orthographe, romans de nos aïeules, contes de fées, petits livres de l'enfance, opéras vieux, refrains niais, rythmes naïfs.

Je rêvais croisades, voyages de découvertes dont on n'a pas de relations, républiques sans histoires, guerres de religion étouffées, révolutions de mœurs, déplace-
10 ments de races et de continents : je croyais à tous les enchantements.

J'inventai la couleur des voyelles ! – *A* noir, *E* blanc, *I* rouge, *O* bleu, *U* vert. – Je réglai la forme et le mouvement de chaque consonne, et, avec des rythmes instinctifs, je me flattai d'inventer un verbe poétique accessible, un jour ou l'autre, à tous les sens. Je réservais la traduction.

15 Ce fut d'abord une étude. J'écrivais des silences, des nuits, je notais l'inexprimable. Je fixais des vertiges.

[...]

Je m'habituai à l'hallucination simple : je voyais très franchement une mosquée à la place d'une usine, une école de tambours faite par des anges, des calèches sur les
20 routes du ciel, un salon au fond d'un lac ; les monstres, les mystères ; un titre de vaudeville dressait des épouvantes devant moi.

Puis j'expliquai mes sophismes magiques avec l'hallucination des mots !

Je finis par trouver sacré le désordre de mon esprit. J'étais oisif, en proie à une lourde fièvre : j'enviais la félicité des bêtes, – les chenilles, qui représentent l'inno-
25 cence des limbes, les taupes, le sommeil de la virginité !

Mon caractère s'aigrissait. Je disais adieu au monde dans d'espèces de romances :

Chanson de la plus haute tour.

Qu'il vienne, qu'il vienne,
Le temps dont on s'éprenne.

30 J'ai tant fait patience
Qu'à jamais j'oublie.
Craintes et souffrances
Aux cieux sont parties.
Et la soif malsaine
35 Obscurcit mes veines.
Qu'il vienne, qu'il vienne.

Arthur Rimbaud, *Une saison en enfer,* 1873.

Arthur Rimbaud
(1854-1891)

L'esprit subversif

Né dans une famille indigente, Arthur Rimbaud meurt jeune deux fois : comme poète, il cesse d'écrire à 18 ans ; comme homme, il s'éteint à 37 ans des suites de l'amputation d'une jambe. Il y a donc un mystère Rimbaud, celui d'un être intensément poète, et même « existentiellement » poète, qui renoncera pourtant d'un seul coup, et pour toujours, à la poésie. Quelles sont les raisons d'une telle décision ? A-t-il craint les conséquences de ses propres postulats, soit de sombrer dans la folie en s'adonnant trop longuement au « dérèglement » des sens ? A-t-il cru que la vie dans ce continent d'Afrique encore inexploré à l'époque pouvait lui offrir des sensations plus fortes que celles qu'il attendait de la création ?

Le poème « Alchimie du verbe », de forme composite, reflète par son titre même l'intérêt de Rimbaud pour le langage (le verbe), matériau premier du travail poétique. Le terme « alchimie » fait référence à la fois au Moyen Âge, aux sciences occultes, à l'idée de fusion des éléments et à celle de la réalisation du « Grand Œuvre ». Voilà donc un titre qui ouvre de multiples pistes pour interpréter un poème où s'entrecroisent la réflexion esthétique et le bilan existentiel.

Atelier d'analyse

Exploration

1. Analysez le caractère autobiographique de ce texte en répondant aux questions suivantes.
   a. Relevez des marques du locuteur.
   b. Dégagez les principales étapes (au nombre de six ou sept) qui permettent de dresser un bilan de sa vie.
   c. Est-il juste d'affirmer que le texte traduit une forme de désarroi ? Répondez avec exemples à l'appui.

2. Ce texte présente aussi plusieurs caractéristiques du manifeste littéraire. Proposez au moins trois arguments à l'appui de cette idée, avec exemples à l'appui.

3. Ce texte est également très audacieux au point de vue formel. Démontrez-le en répondant aux questions suivantes.
   a. Dans quelle catégorie poétique pourrait-on le classer ? Poème en vers libre, poème en prose ou texte hybride ?
   b. Peut-on dire que Rimbaud désarticule la syntaxe ? Répondez avec exemples à l'appui.
   c. Pourrait-on considérer ce texte comme l'équivalent, en littérature, d'une peinture abstraite ? Expliquez votre point de vue.

4. Ce poème fournit-il des pistes pouvant expliquer l'abandon de la poésie par Rimbaud ? Lesquelles ?

5. Expliquez en quoi la phrase « Puis j'expliquai mes sophismes magiques avec l'hallucination des mots ! » traduit en quelque sorte le sens et la forme du texte.

Rédaction

6. Ce texte se présente comme un bilan à la fois existentiel et artistique. Démontrez cette affirmation.

Paul Gauguin, *D'où venons-nous ? Que sommes-nous ? Où allons-nous ?*, 1897.

Voyelles

A noir, E blanc, I rouge, U vert, O bleu : voyelles,
Je dirai quelque jour vos naissances latentes :
A, noir corset velu des mouches éclatantes
Qui bombinent autour des puanteurs cruelles,

5 Golfes d'ombre ; E, candeurs des vapeurs et des tentes,
Lances des glaciers fiers, rois blancs, frissons d'ombelles ;
I, pourpres, sang craché, rire des lèvres belles
Dans la colère ou les ivresses pénitentes ;

U, cycles, vibrements divins des mers virides,
10 Paix des pâtis semés d'animaux, paix des rides
Que l'alchimie imprime aux grands fronts studieux ;

O, suprême Clairon plein des strideurs étranges,
Silences traversés des Mondes et des Anges :
— O l'Oméga, rayon violet de Ses Yeux !

Arthur Rimbaud, *Œuvres complètes,* 1873.

Arthur Rimbaud
(1854-1891)

De l'innovation à l'abstraction

Rimbaud aborde la poésie avec le goût de l'exploration propre à l'adolescence et une intransigeance de jeune rebelle. Ainsi, dans la conception de l'image poétique, il va plus loin que Baudelaire en précisant que, dans l'ordre sensoriel, les sons ne peuvent être ramenés au même niveau que les autres sensations, puisqu'ils sont le support matériel de la pensée humaine. Les voyelles deviennent les seuls leviers capables de faire surgir les autres sensations, telles que les parfums, les couleurs et les saveurs.

Pour exprimer sa conception, Rimbaud opte pour le sonnet, le même type de poème que celui de « Correspondances », de Baudelaire. Est-ce un hasard ? On peut penser au contraire que Rimbaud fait ce choix pour mieux mettre en relief sa propre originalité dans les idées comme dans le choix des images, qui se font plus libres, plus arbitraires que celles de Baudelaire.

Atelier d'analyse

Exploration

1. Quel peut être le sens des mots « bombiner », « vibrement », « viride » et « strideur » inventés par Rimbaud ? Dans quelle intention place-t-il ici ces mots inventés ?

2. Le texte se présente comme une agglutination d'images : relevez-en trois et expliquez ce qu'elles révèlent de la signification du poème.

3. Peut-on considérer ce poème comme l'illustration rimbaldienne du concept de symbole ou de correspondance, tel qu'il est présenté par Baudelaire ?

4. Comment l'idée d'une beauté incluant le mal et la laideur est-elle suggérée ?

5. Pour le lecteur, ce poème est-il plus déstabilisant ou plus innovateur que le poème « Correspondances », de Baudelaire (page 63) ? Expliquez votre réponse.

Rédaction

6. Le poème de Rimbaud fait évoluer la poésie dans le sens de l'abstraction et de l'hermétisme. Expliquez cette affirmation en nuançant votre point de vue.

Stéphane Mallarmé (1842-1898)

La fascination des mots

Très jeune, Mallarmé se consacre à la poésie, qui lui procure la satisfaction que son métier d'enseignant ne lui apporte pas. Ses amis sont tous des artistes, à quelques exceptions près. Sur le plan littéraire, ses ambitions sont très élevées et tiennent même de l'utopie : il veut régénérer le langage, briser la logique syntaxique tout en tirant des effets musicaux des mots, et arriver à produire « l'œuvre d'art totale ». Il utilise un lexique rare, parce que, selon lui, les mots courants sont usés, ils ont perdu leur pouvoir incantatoire par l'usage trop utilitaire qu'en fait le commun des mortels. Il multiplie aussi les inversions syntaxiques, qui ne favorisent en rien la lisibilité de ses textes. L'hermétisme résultant de ces choix répond au souhait de Mallarmé, pour qui la poésie ne devrait être accessible qu'à de rares disciples.

Le poème « Sonnet en –yx » adopte une allure vaguement hiéroglyphique, parce que Mallarmé a recours aux lettres « y » et « x », d'usage limité en français. Devant une telle proposition, le lecteur se sent un peu comme un espion appelé à déchiffrer un message codé dans une langue impénétrable.

Sonnet en –yx

Ses purs ongles très haut dédiant leur onyx,
L'Angoisse, ce minuit, soutient, lampadophore,
Maint rêve vespéral brûlé par le Phénix
Que ne recueille pas de cinéraire amphore

5 Sur les crédences, au salon vide : nul ptyx,
Aboli bibelot d'inanité sonore,
(Car le Maître est allé puiser les pleurs au Styx
Avec ce seul objet dont le Néant s'honore.)

Mais proche la croisée au nord vacante, un or
10 Agonise selon peut-être le décor
Des licornes ruant du feu contre une nixe,

Elle, défunte nue en le miroir, encor
Que, dans l'oubli fermé par le cadre, se fixe
De scintillations sitôt le septuor.

Stéphane Mallarmé, *Poésies*, 1887.

Atelier d'analyse

Exploration

1. Relevez quelques mots d'emploi rare en français, puis expliquez pourquoi le lecteur peut se sentir déstabilisé par ce poème.

2. Relevez quelques inversions syntaxiques, puis expliquez comment elles contribuent au rythme du poème et aussi à sa complexité.

3. Pourquoi peut-on dire que Mallarmé exige du lecteur un plus grand effort de compréhension que Baudelaire ou Rimbaud, par exemple ?

Rédaction

4. Serait-il juste d'affirmer qu'un tel poème ait été conçu à l'origine pour secouer le lecteur et le forcer à une activité de déchiffrement ? Expliquez votre réponse.

Edvard Munch, *La madone*, 1895.

La romance du vin

Tout se mêle en un vif éclat de gaieté verte
O le beau soir de mai ! Tous les oiseaux en chœur,
Ainsi que les espoirs naguère à mon cœur,
Modulent leur prélude à ma croisée ouverte.

5   O le beau soir de mai ! le joyeux soir de mai !
Un orgue au loin éclate en froides mélopées ;
Et les rayons, ainsi que de pourpres épées,
Percent le cœur du jour qui se meurt parfumé.

Je suis gai ! je suis gai ! Dans le cristal qui chante,
10 Verse, verse le vin ! verse encore et toujours,
Que je puisse oublier la tristesse des jours,
Dans le dédain que j'ai de la foule méchante !

Je suis gai ! je suis gai ! Vive le vin et l'Art !...
J'ai le rêve de faire aussi des vers célèbres,
15 Des vers qui gémiront les musiques funèbres
Des vents d'automne au loin passant dans le brouillard.

C'est le règne du rire amer et de la rage
De se savoir poète et objet du mépris,
De se savoir un cœur et de n'être compris
20 Que par le clair de lune et les grands soirs d'orage !

Femmes ! je bois à vous qui riez du chemin
Où l'Idéal m'appelle en ouvrant ses bras roses ;
Je bois à vous surtout, hommes aux fronts moroses
Qui dédaignez ma vie et repoussez ma main !

25 Pendant que tout l'azur s'étoile dans la gloire,
Et qu'un rythme s'entonne au renouveau doré,
Sur le jour expirant je n'ai donc pas pleuré,
Moi qui marche à tâtons dans ma jeunesse noire !

Je suis gai ! je suis gai ! Vive le soir de mai !
30 Je suis follement gai, sans être pourtant ivre !...
Serait-ce que je suis enfin heureux de vivre ;
Enfin mon cœur est-il guéri d'avoir aimé ?

Les cloches ont chanté ; le vent du soir odore...
Et pendant que le vin ruisselle à joyeux flots,
35 Je suis gai, si gai, dans mon rire sonore,
Oh ! si gai, que j'ai peur d'éclater en sanglots !

Émile Nelligan, *Émile Nelligan et son œuvre*, 1903.

Émile Nelligan (1879-1941)

Le symbolisme au Québec

Nelligan apparaît comme une étoile filante dans le ciel de la littérature québécoise du début du siècle. Né de père d'ascendance irlandaise et de mère francophone, le jeune homme se sent vite étouffé par le conformisme d'une société soumise au clergé et avant tout préoccupée de sa survie dans un continent à majorité anglaise. Inscrit aux soirées de l'École littéraire de Montréal, il y récite ses flamboyants poèmes, inspirés de Baudelaire et Verlaine, qui tranchent sur la production locale. Déçu par les réactions de son entourage, notamment par celle de son beau-père, qui veut le ramener dans le droit chemin du travail payant et honorable, Nelligan succombe à des épisodes de psychose qui mènent à son internement. Il mourra en institution psychiatrique, sans avoir recouvré la santé mentale.

Le poème « La romance du vin » est à la fois le chant du cygne du jeune poète, puisqu'il sera suivi par des années de silence, et son acte de naissance littéraire, puisqu'il suscitera l'admiration durable de ses pairs. Par la suite, tout un mythe va s'édifier autour de cette figure de poète sacrifié qui va inspirer des générations d'écrivains québécois.

Atelier d'analyse

Exploration

1. Analysez la temporalité du poème en répondant aux questions suivantes.
   a. Relevez quelques passages qui évoquent le printemps puis l'automne.
   b. Après avoir relevé des passages relatifs au jour, expliquez pourquoi, en expirant, celui-ci évoque la trajectoire du poète.

2. Le poème repose sur un antagonisme très marqué dans les émotions. Démontrez-le.

3. Montrez que le poète exprime aussi une forme d'ambivalence dans l'expression de sa gaieté et de son ivresse.

4. La préoccupation pour la musicalité influence les choix lexicaux de Nelligan autant que la forme du poème. Expliquez cette affirmation avec exemples à l'appui.

5. Le poème exprime un sentiment d'intense déception par rapport à la figure d'altérité, qu'elle soit femme, homme ou foule. Démontrez-le.

6. Dressez un tableau des figures de style utilisées dans le poème. Certaines figures ont-elles un caractère synesthésique ?

7. Peut-on dire que le thème de l'idéal (et ses revers) est au centre de ce poème ? Apportez des preuves à l'appui de votre réponse.

Rédaction

8. Le poème « La romance du vin » permet-il de classer l'œuvre de Nelligan dans le courant symboliste ?

9. Analysez, dans « La romance du vin », la quête de l'idéal et la désillusion qui en résulte.

Odilon Redon, *Ophélie,* 1905.

LE THÉÂTRE

M
p. 278

Quelles orientations les symbolistes donnent-ils à ce genre ?

Au tournant du siècle, il est plus fréquent de voir les spectateurs se précipiter aux derniers vaudevilles de dramaturges immensément populaires comme Eugène Labiche (1815-1888), Georges Courteline (1858-1929), Georges Feydeau (1862-1921) et Jules Renard (1864-1910) que de les voir fréquenter les théâtres d'avant-garde. Le théâtre de boulevard que pratiquent ces écrivains se moque du mode de vie bourgeois en multipliant les intrigues fondées sur l'infidélité conjugale.

À cette même époque, plusieurs poètes, parmi lesquels le parnassien Villers de l'Isle Adam et Mallarmé lui-même, tentent de porter à la scène la magie du langage poétique. Ils voudraient en fait que le théâtre se dématérialise, qu'il se dépouille de son ancrage dans la réalité pour donner accès au rêve. Ils souhaiteraient un jeu statique, avec des personnages qui se concentrent sur l'aspect récitatif, ayant le moins possible recours aux gestes ou aux déplacements sur scène. Leurs tentatives sont loin d'être couronnées de succès. Il n'est pas facile de donner accès à l'invisible et à l'indicible en ayant uniquement recours au langage. Il n'est pas facile non plus de rendre concrètes sur scène les aspirations secrètes et les émotions intimes.

Il n'en reste pas moins vrai qu'un dramaturge comme Maurice Maeterlinck (1862-1949), issu du foyer symboliste belge comme son contemporain Émile Verhaeren, exercera une influence déterminante sur Antonin Artaud (1896-1948), le théoricien du théâtre surréaliste, et sur les dramaturges de l'antithéâtre, en particulier Samuel Beckett (1906-1989). Enclin au silence plutôt qu'à la volubilité, c'est le poète du dépouillement.

Français de naissance, son contemporain Paul Claudel est au contraire le poète de la plénitude. Cet écrivain excessif, peu enclin à la demi-mesure, noue le drame de l'individu au cycle du cosmos pour glorifier Dieu. Chez lui, la vérité passe par la grâce divine. Alfred Jarry assure finalement la transition vers le surréalisme par le caractère excessif et virulent des personnages de sa pièce *Ubu roi*. Jarry se fait l'inventeur d'une science illusoire, la pataphysique, qui doit faire la promotion de l'absurde, c'est-à-dire de tout ce qui traduit le non-sens dans la façon de vivre ou de s'exprimer des êtres humains.

Les caractéristiques du théâtre symboliste

Histoire Échapper au réalisme.	**Personnages** • Personnages stylisés exprimant les contradictions et les aspirations du dramaturge lui-même. • Ombres vulnérables et fantomatiques. • Chez Jarry, personnages grotesques et caricaturaux. **Intrigue** • Univers onirique, peu ancré dans la réalité.
Structure Mettre l'accent sur la littérarité (l'importance du langage) plutôt que sur la théâtralité (jeu corporel et décor).	• Intrigues dépouillées (mais surchargées chez Jarry). • Jeu statique. • Importance du langage, souvent proche du lyrisme poétique ou très inventif.
Thématique • Donner accès à l'invisible. • Se moquer de la thématique naturaliste.	• Religiosité et mysticisme ; intériorité. • Satire outrancière. • Onirisme et fantasme.
Style et procédés d'écriture Personnaliser l'écriture ; explorer toutes les ressources de la langue.	• Chez Claudel, amplitude du verset. • Chez Jarry, langue provocatrice (jusqu'à la scatologie). • Ailleurs, innovation formelle jusqu'à l'hermétisme.

Maurice Maeterlinck (1862-1949)

Un théâtre de l'absence

Prix Nobel de littérature en 1911, Maeterlinck est né en Belgique mais a vécu la plus grande partie de sa vie en France, notamment dans une résidence de sa conception à laquelle il a donné une allure féérique. Très tôt, d'ailleurs, il manifeste son intérêt pour les romantiques allemands, dont les textes baignent dans une atmosphère éthérée. Lui-même construit des pièces au climat insolite, mettant en scène des personnages qui semblent souvent plus proches de mystérieuses statues parlantes que de véritables êtres humains. Ce théâtre austère peine à obtenir du succès auprès du grand public, alors que les musiciens, sensibles à cet univers tout en finesse, transposent en opéras plusieurs des œuvres du dramaturge.

La pièce *Les aveugles* met en scène un groupe de non-voyants, sur une île, dans une clairière au milieu de la forêt; ils attendent le prêtre, leur guide, pour retourner à l'hospice où ils habitent. Or, celui-ci est mort au milieu d'eux sans bruit. Le retour du chien du prêtre leur apprendra leur tragique destin. Sans secours possible, ils sont prisonniers d'une attente indéfinie.

Les êtres anonymes

Le sixième aveugle. On dit que vous êtes belle comme une femme qui vient de très loin ?

La jeune aveugle. Je ne me suis jamais vue.

Le plus vieil aveugle. Nous ne nous sommes jamais vus les uns les autres. Nous nous interrogeons et nous nous répondons; nous vivons ensemble, nous sommes tou-
5   jours ensemble, mais nous ne savons pas ce que nous sommes!... Nous avons beau nous toucher des deux mains; les yeux en savent plus que les mains...

Le sixième aveugle. Je vois parfois vos ombres quand vous êtes au soleil.

Le plus vieil aveugle. Nous n'avons jamais vu la maison où nous vivons; nous avons beau tâter les murs et les fenêtres; nous ne savons pas où nous vivons!...

10   La plus vieille aveugle. On dit que c'est un vieux château très sombre et très misérable, on n'y voit jamais de lumière, si ce n'est dans la tour où se trouve la chambre du prêtre.

Premier aveugle-né. Il ne faut pas de lumière à ceux qui ne voient pas.

Le sixième aveugle. Quand je garde le troupeau, aux environs de l'hospice, les brebis
15   rentrent d'elles-mêmes, en apercevant, le soir, cette lumière de la tour... – Elles ne m'ont jamais égaré.

Le plus vieil aveugle. Voilà des années et des années que nous sommes ensemble, et nous ne nous sommes jamais aperçus! On dirait que nous sommes toujours seuls!... Il faut voir pour aimer...

20   La plus vieille aveugle. Je rêve parfois que je vois...

Le plus vieil aveugle. Moi, je ne vois que quand je rêve...

Premier aveugle-né. Je ne rêve, d'ordinaire, qu'à minuit.

Deuxième aveugle-né. À quoi peut-on rêver quand les mains sont immobiles ?

(Une rafale ébranle la forêt, et les feuilles tombent en masses sombres.)

25   Le cinquième aveugle. Qui est-ce qui m'a touché les mains ?

Premier aveugle-né. Quelque chose tombe autour de nous !

Le plus vieil aveugle. Cela vient d'en haut; je ne sais ce que c'est...

Le cinquième aveugle. Qui est-ce qui m'a touché les mains ? – Je m'étais endormi; laissez-moi dormir !

30   Le plus vieil aveugle. Personne n'a touché vos mains.

Le cinquième aveugle. Qui est-ce qui m'a pris les mains ? Répondez à haute voix, j'ai l'oreille un peu dure...

Le plus vieil aveugle. Nous ne le savons pas nous-mêmes.

Le cinquième aveugle. Est-on venu nous avertir ?

35   premier aveugle-né. Il est inutile de répondre; il n'entend rien.

Troisième aveugle-né. Il faut avouer que les sourds sont bien malheureux !

Le plus vieil aveugle. Je suis las d'être assis !

Le sixième aveugle. Je suis las d'être ici !

Deuxième aveugle-né. Il me semble que nous sommes si loin les uns des autres...
40 Essayons de nous rapprocher un peu ; – il commence à faire froid...

Troisième aveugle-né. Je n'ose pas me lever ! Il vaut mieux rester à sa place.

Le plus vieil aveugle. On ne sait pas ce qu'il peut y avoir entre nous.

Maurice Maeterlinck, *Les aveugles*, 1890.

Atelier d'analyse

Exploration

1. Résumez l'extrait en une ou deux phrases.

2. Comment Maeterlinck fait-il ressentir au spectateur l'état de privation dans lequel se trouvent les aveugles ?

3. Pourquoi peut-on dire que ces aveugles semblent dans un état de grande vulnérabilité par rapport à la nature ?

4. Quelles notations rapides suggèrent un climat de littérature fantastique, une inquiétude latente ?

5. Est-il juste d'affirmer que les personnages progressent vers le silence, mais aussi peut-être vers l'immobilité de la mort ? Justifiez votre réponse.

6. Pourrait-on interpréter la pièce différemment et dire qu'elle traduit l'anonymat et l'état d'abandon auxquels sont réduits les hommes au moment de la guerre ?

Rédaction

7. Justifiez le titre de la pièce en vous appuyant sur cet extrait.

ubu 30 ans

LES AVEUGLES
FANTASMAGORIE TECHNOLOGIQUE

DE
MAURICE MAETERLINK
CONCEPTION ET RÉALISATION
DENIS MARLEAU

AVEC Céline Bonnier | Paul Savoie
COLLABORATION ARTISTIQUE Stéphanie Jasmin

ÉQUIPE DE CRÉATION Angelo Barsetti | Élaine Hamel | Yves Labelle
Pierre Laniel | Michel Pétrin | Claude Rodrigue | Nancy Tobin

22 FÉVRIER
AU 11 MARS 2012

MUSÉE D'ART
CONTEMPORAIN DE MONTRÉAL

INFORMATIONS 514 521-0403 | UBUCC.CA
RÉSERVATIONS 514 790-1245 | ADMISSION.CA

Le mysticisme sur scène

Paul Claudel réagit fortement aux valeurs matérialistes de son époque en pratiquant l'écriture comme un sacerdoce. Trois faits principaux l'orientent vers le mysticisme et le surnaturel : la lecture de Rimbaud qui « illumine » sa vie, selon ses propres termes ; sa conversion à la foi chrétienne qui le pousse à louanger l'ordre divin ; sa carrière diplomatique qui, en le mettant en contact avec des cultures variées, enrichit sa perception du monde. Convaincu qu'il existe une harmonie universelle, Claudel croit que « tout ce qui passe est promu à la signification, tout est symbole ou parabole, tout est figure ». La forme du verset, ample vers libre, convient à son souffle épique et à son inspiration plus baroque que classique.

Claudel est conscient des exigences propres au théâtre, comme l'illustre cet extrait, tiré de l'une de ses premières pièces, *L'échange*. L'intrigue de cette pièce est située aux États-Unis, où Claudel exerce sa carrière de diplomate. La pièce met face à face deux couples. Lechy Elbernon, une actrice américaine, mariée à un homme d'affaires serein et pragmatique qui échange ici avec Marthe, l'épouse française d'un métis épris de liberté.

Le regard

LECHY ELBERNON. Ils regardent le rideau de la scène,
Et ce qu'il y a derrière quand il est levé.
Et il arrive quelque chose sur la scène comme si c'était vrai.

MARTHE. Mais puisque ce n'est pas vrai ! C'est comme les rêves que l'on fait quand
5 on dort.

LECHY ELBERNON. C'est ainsi qu'ils viennent au théâtre la nuit.

THOMAS POLLOCK NAGEOIRE. Elle a raison. Et quand ce serait vrai encore, qu'est-ce que cela me fait ?

LECHY ELBERNON. Je les regarde, et la salle n'est rien que de la chair vivante et habillée.
10 Et ils garnissent les murs comme des mouches, jusqu'au plafond.
Et je vois ces centaines de visages blancs.
L'homme s'ennuie, et l'ignorance lui est attachée depuis sa naissance.
Et ne sachant de rien comment cela commence ou finit, c'est pour cela qu'il va au théâtre.
15 Et il se regarde lui-même, les mains posées sur les genoux.
Et il pleure et il rit, et il n'a point envie de s'en aller.
Et je les regarde aussi, et je sais bien qu'il y a là le caissier qui sait que demain
On vérifiera les livres, et la mère adultère dont l'enfant vient de tomber malade.
Et celui qui vient de voler pour la première fois, et celui qui n'a rien fait de tout le jour.
20 Et ils regardent et écoutent comme s'ils dormaient.

MARTHE. L'œil est fait pour voir et l'oreille
Pour entendre la vérité.

LECHY ELBERNON. Qu'est-ce que la vérité ? Est-ce qu'elle n'a pas dix-sept enveloppes, comme les oignons ?
25 Qui voit les choses comme elles sont ? L'œil certes voit, l'oreille entend.
Mais l'esprit tout seul connaît. [...]

Paul Claudel, *L'échange*, 1894.

Atelier d'analyse

Exploration

1. Cet extrait évoque la magie du théâtre et ses composantes. Relevez un passage qui se rapporte à chacun des aspects suivants :
   a. le décor ;
   b. les spectateurs ;
   c. la thématique de la pièce ;
   d. le théâtre comme institution.

2. Le regard est ici très important : relevez les références qui y sont faites et expliquez l'importance du visuel au théâtre.

3. Relevez une métaphore, une comparaison et une antithèse, et montrez qu'elles contribuent au sens du texte.

4. Montrez comment l'accès à la connaissance se fait par le corps, par les sensations.

5. Montrez que l'emploi de certains procédés stylistiques contribue au rythme de ce passage.

Rédaction

6. **Sujet :** Cet extrait illustre la préoccupation de Claudel pour son art, le théâtre, préoccupation que l'on retrouve chez les écrivains symbolistes en général. Démontrez-le.

Le temps des impôts

Père Ubu. Qui de vous est le plus vieux ? (*Un paysan s'avance.*) Comment te nommes-tu ?

Le paysan. Stanislas Leczinski.

Père Ubu. Eh bien, cornegidouille, écoute-moi bien sinon ces messieurs te couperont les oreilles. Mais, vas-tu m'écouter enfin ?

5   Stanislas. Mais Votre Excellence n'a encore rien dit.

Père Ubu. Comment, je parle depuis une heure. Crois-tu que je vienne ici pour prêcher dans le désert ?

Stanislas. Loin de moi cette pensée.

Père Ubu. Je viens donc de te dire, t'ordonner et te signifier que tu aies à produire et
10   exhiber promptement ta finance, sinon tu seras massacré. Allons, messeigneurs les salopins de finance, voiturez ici le voiturin à phynances.

On apporte le voiturin.

Stanislas. Sire, nous ne sommes inscrits sur le registre que pour cent cinquante-deux rixdales que nous avons déjà payées, il y aura tantôt six semaines à la Saint-Mathieu.

15   Père Ubu. C'est fort possible, mais j'ai changé le gouvernement et j'ai fait mettre dans le journal qu'on paierait deux fois tous les impôts et trois fois ceux qui pourront être désignés ultérieurement. Avec ce système, j'aurai vite fait fortune, alors je tuerai tout le monde et je m'en irai.

Paysans. Monsieur Ubu, de grâce, ayez pitié de nous. Nous sommes de pauvres
20   citoyens.

Père Ubu. Je m'en fiche. Payez.

Paysans. Nous ne pouvons, nous avons payé.

Père Ubu. Payez ! ou je vous mets dans ma poche avec supplice et décollation du cou et de la tête ! Cornegidouille, je suis le roi peut-être !

25   Tous. Ah, c'est ainsi ! Aux armes ! Vive Bougrelas, par la grâce de Dieu, roi de Pologne et de Lithuanie !

Père Ubu. En avant, messieurs des Finances, faites votre devoir.

Une lutte s'engage, la maison est détruite et le vieux Stanislas s'enfuit seul à travers la plaine. Ubu reste à ramasser la finance.

Alfred Jarry, *Ubu roi*, 1896.

Alfred Jarry (1873-1907)

La parodie

Alfred Jarry est un original et un joyeux fêtard, condamné à une fin précoce par son goût immodéré pour l'absinthe, liqueur alcoolique nocive, très en vogue au XIXᵉ siècle. Il est d'abord connu pour ses pièces mettant en scène un tyranneau de comédie au machiavélisme grotesque, le père Ubu. La pièce *Ubu roi* est triplement parodique : elle se moque du théâtre classique et antique (*Œdipe roi* aurait servi de référence à cette pièce) ; elle contrefait la vie scolaire (dans la première version d'*Ubu roi*, Jarry ridiculise un de ses professeurs) ; elle porte un regard cynique sur la politique en faisant d'Ubu un parangon de dictateur. Salué par les surréalistes comme l'un des inventeurs de l'humour noir, cet auteur inclassable exerce, par sa démesure et son insolence, une influence déterminante au XXᵉ siècle, en particulier sur les dramaturges de l'antithéâtre Samuel Beckett et Eugène Ionesco.

Après s'être emparé du trône de Pologne et en avoir chassé Bougrelas, le père Ubu, toujours aussi tonitruant, met en pratique les méthodes violentes que lui dicte son insatiable appétit de pouvoir.

Père Ubu, Mère Ubu (Rémy Girard et Marie Tifo) et les soldats polonais dans *Ubu Roi*, mise en scène de Normand Chouinard, Théâtre du Nouveau Monde, 2007.

Atelier d'analyse

Exploration

1. Étudiez les répliques d'Ubu en répondant aux questions suivantes.
   a. Relevez les néologismes et les déformations de mots. Peut-on dire qu'en mettant ces mots dans la bouche d'Ubu, Jarry veut montrer l'ineptie du personnage, son inhabileté à communiquer, ou qu'il vise tout simplement l'humour farcesque ?
   b. Certains propos d'Ubu semblent déconstruire le discours logique. Démontrez-le.
   c. Est-il vrai que ce fantoche est aussi un personnage excessif qui peut déborder dans la violence ?

2. Parmi les possibilités suivantes, que représente le personnage de Stanislas ?
   a. Le bon sens
   b. La paysannerie exploitée
   c. Le peuple en général
   d. La foule inconsciente
   Justifiez votre choix.

3. Quels sont les thèmes qui ressortent de cet extrait ? Justifiez votre réponse.

4. Peut-on dire que le monde créé par Jarry est complètement étranger au réalisme ? Nuancez votre réponse.

5. Dans ce passage, de qui ou de quoi semble se moquer Jarry ?
   a. Du théâtre antique
   b. De ses professeurs
   c. Des hommes politiques
   Expliquez votre choix.

6. Quels aspects du symbolisme cet extrait illustre-t-il ? Quelles préoccupations des symbolistes Jarry semble-t-il ignorer ?

Rédaction

7. Analysez la tonalité parodique de l'extrait.

LE RÉCIT

M p. 275

Comment les romanciers de la Belle Époque transposent-ils dans le récit les innovations mises de l'avant par leurs aînés, les poètes ?

Les romanciers prennent la relève des grands poètes symbolistes, déjà tous décédés à l'aube du xxe siècle, et étendent à tous les genres littéraires le processus d'innovation amorcé par leurs aînés. Alors que les romanciers réalistes tournaient leur regard vers le monde extérieur et les conflits sociaux, les symbolistes favorisent des récits à caractère initiatique (ou récits d'apprentissage), mettant en scène des héros naturellement portés vers l'introspection (l'analyse de soi) plutôt que vers l'action. Cherchant à échapper au quotidien dérisoire, leurs personnages s'engagent dans une quête qui concerne moins leur réussite matérielle que la poursuite d'un rêve, qui tourne presque toujours à la désillusion. Le narrateur, souvent identifié au personnage principal, se comporte tel un investigateur qui débusque non seulement les drames secrets de ses voisins mais aussi les siens propres. Les énigmes conservent toutefois leurs zones d'ombre car, en cherchant la révélation du mystère, le lecteur découvre souvent la complexité mystérieuse de l'être humain qui veut s'affranchir de contraintes morales. L'écriture, fluide et voluptueuse, se met au service de la mémoire affective dans un retour vers l'enfance et un repli dans le monde intérieur.

Les romanciers d'allégeance symboliste choisissent en général de se tenir à l'écart du débat public, mais certains d'entre eux, comme André Gide ou Charles Péguy, sont appelés à participer aux grands débats de leur époque en animant des revues qui deviennent des lieux d'échange incontournables. Plusieurs romanciers symbolistes expriment un grand intérêt pour les questions d'ordre formel, ce qui les incite au renouvellement des genres. Huysmans transpose dans son héros l'esprit précieux du décadentisme. Paul Valéry réfléchit au rôle du langage comme matériau de création et pousse à l'extrême la contestation des postulats narratifs en créant le personnage de monsieur Teste, qui est un cerveau pur, dénué d'émotion. Celui-ci est détaché de toute continuité existentielle, puisque Valéry morcelle sa description en de courts textes juxtaposés les uns aux autres.

Marcel Proust témoigne du même intérêt que Valéry pour les théories esthétiques, au point de faire de l'art l'un des thèmes de son œuvre monumentale. Ses personnages, souvent des artistes accomplis, ont sur l'art des considérations qui enrichissent les réflexions formulées par le narrateur lui-même. Le processus créatif apparaît, de surcroît, comme un principe unificateur de l'œuvre : le jeu des métaphores et des réminiscences permet d'associer des tranches de vie à des sensations furtives.

À ces aspects, qui placent l'œuvre de Proust dans la filiation symboliste, il faut ajouter d'autres caractéristiques : la subjectivité du point de vue narratif, l'insertion de l'homosexualité dans la thématique et les qualités du style, dont on a dit qu'il progressait en volutes musicales.

Dans le sillage symboliste, d'autres écrivains cherchent à affranchir le roman du moule réaliste. André Gide dénonce la double imposture du réalisme : celle du romancier, qui prétend copier la réalité avec des mots, et celle de son lecteur, qui feint de s'y laisser prendre. Toujours est-il que *Les faux-monnayeurs* (roman publié après la guerre) représente l'aboutissement de tentatives préliminaires pour concevoir un récit polyphonique, où se mêlent adroitement fiction et analyse du processus de création. Comme chez Proust, l'homosexualité est un prétexte à une dénonciation plus large de l'hypocrisie des bien-pensants.

Colette imprègne son œuvre des valeurs de la Belle Époque : elle cherche à traduire une atmosphère d'insouciance et de légèreté plutôt qu'à reconstituer des épisodes significatifs de sa propre vie ou de celle de son époque. De leur côté, Alain-Fournier et Jean Cocteau (ce dernier se situant aux confins du symbolisme) sont séduits par l'adolescence, parce que c'est un âge d'instabilité sexuelle. Faisant preuve d'intransigeance dans leur quête d'absolu, leurs jeunes héros savent pourtant transiger avec leurs propres contradictions. Inflexibles dans leur jugement sur les adultes, eux-mêmes trouvent pourtant des excuses à leur manque de loyauté en amitié et à leur insouciance en amour.

Tous ces auteurs se trouvent ainsi à l'origine d'un grand mouvement de spéculation et d'invention touchant les formes littéraires, mouvement qui va exercer un impact décisif sur tout le xxe siècle. Les multiples avant-gardes se bousculeront à leur suite dans une quête effrénée d'originalité.

L'esprit frivole de la Belle Époque, vers 1910.

Les caractéristiques du récit symboliste

Histoire

Donner à l'action un caractère introspectif.

Personnages

- Personnages de l'élite intellectuelle ou héros adolescents ayant à assumer leur instabilité en matière de sexualité.
- Personnages masculins issus de l'élite, esthètes et souvent homosexuels ; personnages féminins enclins à la frivolité.

Intrigue

- Exploration formelle ; restructuration spatio-temporelle.
- Temps : intériorisé et extensible.
- Espace : la ville, les quartiers riches, mais aussi les lieux de la mémoire et de l'inconscient.

Narration

Entraîner le lecteur dans un récit à caractère initiatique.

Qui raconte l'histoire ?

- Le narrateur, qui est généralement aussi le héros du récit.
- Le narrateur, qui est assimilé à un voyeur qui révèle les secrets.

De quel point de vue la scène est-elle observée ?

- Focalisation généralement interne.

Thématique

Explorer tout l'univers sensoriel.

- Intérêt marqué pour l'âge trouble de l'adolescence.
- Mode de vie de la haute société, avec son insouciance raffinée.

Thèmes :

- Fantasmes et interdits.
- Homosexualité.
- En amour, jalousie ou affranchissement.
- Art et culture.
- Frivolité et snobisme.
- Mysticisme.

Style et procédés d'écriture

Explorer toutes les ressources de la langue.

- Personnalisation de l'écriture.
- Phrase qui suit les méandres de la quête personnelle.
- Innovation formelle.

Les lieux significatifs

La salle à manger comme ancrage

Cette salle à manger ressemblait à la cabine d'un navire avec son plafond voûté, muni de poutres en demi-cercle, ses cloisons et son plancher, en bois de pitchpin, sa petite croisée ouverte dans la boiserie, de même qu'un hublot dans un sabord.

Ainsi que ces boîtes du Japon qui entrent, les unes dans les autres, cette pièce était
5 insérée dans une pièce plus grande, qui était la véritable salle à manger bâtie par l'architecte.

Celle-ci était percée de deux fenêtres, l'une, maintenant invisible, cachée par la cloison qu'un ressort rabattait cependant, à volonté, afin de permettre de renouveler l'air qui par cette ouverture pouvait alors circuler autour de la boîte de pitchpin et
10 pénétrer en elle ; l'autre, visible, car elle était placée juste en face du hublot pratiqué dans la boiserie, mais condamnée ; en effet, un grand aquarium occupait tout l'espace compris entre ce hublot et cette réelle fenêtre ouverte dans le vrai mur. Le jour traversait donc, pour éclairer la cabine, la croisée, dont les carreaux avaient été remplacés par une glace sans tain, l'eau, et, en dernier lieu, la vitre à demeure du sabord.
15 Au moment où le samovar fumait sur la table, alors que, pendant l'automne, le soleil achevait de disparaître, l'eau de l'aquarium durant la matinée vitreuse et trouble, rougeoyait et tamisait sur les blondes cloisons des lueurs enflammées de braises.

Quelquefois, dans l'après-midi, lorsque, par hasard, Des Esseintes était réveillé
20 et debout, il faisait manœuvrer le jeu des tuyaux et des conduits qui vidaient l'aquarium et le remplissait à nouveau d'eau pure, et il y faisait verser des gouttes d'essences colorées, s'offrant, à sa guise ainsi, les tons verts ou saumâtres, opalins ou argentés, qu'ont les véritables rivières, suivant la couleur du ciel, l'ardeur plus ou moins vive du soleil, les menaces plus ou moins accentuées de la pluie, suivant, en
25 un mot, l'état de la saison et de l'atmosphère.

Il se figurait alors être dans l'entrepont d'un brick, et curieusement il contemplait de merveilleux poissons mécaniques, montés comme des pièces d'horlogerie, qui passaient devant la vitre du sabord et s'accrochaient dans de fausses herbes ; ou bien, tout en aspirant la senteur du goudron, qu'on insufflait dans la pièce avant qu'il y
30 entrât, il examinait, pendues aux murs, des gravures en couleur représentant, ainsi que dans les agences des paquebots et des Lloyd, des steamers en route pour Valparaiso et La Plata, et des tableaux encadrés sur lesquels étaient inscrits les itinéraires de la ligne du Royal Mail Steam Packet, des compagnies Lopez et Valery, les frets et les escales des services postaux de l'Atlantique.
35 Puis, quand il était las de consulter ces indicateurs, il se reposait la vue en regardant les chronomètres et les boussoles, les sextants et les compas, les jumelles et les cartes éparpillées sur une table au-dessus de laquelle se dressait un seul livre, relié en veau marin, les aventures d'Arthur Gordon Pym, spécialement tiré pour lui, sur papier vergé, pur fil, trié à la feuille, avec une mouette en filigrane.
40 Il pouvait apercevoir enfin des cannes à pêche, des filets brunis au tan, des rouleaux de voiles rousses, une ancre minuscule en liège, peinte en noir, jetés en tas, près de la porte qui communiquait avec la cuisine par un couloir garni de capitons et résorbait, de même que le corridor rejoignant la salle à manger au cabinet de travail, toutes les odeurs et tous les bruits.
45 Il se procurait ainsi, en ne bougeant point, les sensations rapides, presque instantanées, d'un voyage au long cours, et ce plaisir du déplacement qui n'existe, en somme, que par le souvenir et presque jamais dans le présent, à la minute même où il s'effectue, il le humait pleinement, à l'aise, sans fatigue, sans tracas, dans cette

Un roman décadent

Transfuge du naturalisme, Huysmans adhère au symbolisme parce que ce courant convient très bien à son tempérament excentrique et à son mysticisme misanthrope. Ce converti au catholicisme fait de son personnage Des Esseintes, l'antihéros au centre de son roman *À rebours,* un alter ego amoureux de l'art comme lui, qui manifeste avec affectation son snobisme car il déteste plus que tout la vulgarité. Des Esseintes s'est donc créé un décor à sa ressemblance : il vit entouré d'objets rares et précieux, d'une utilité plus que douteuse. Par ailleurs, il invente un « orgue à parfums », instrument hautement symbolique ; il cultive des fleurs vénéneuses pour satisfaire son goût de l'étrangeté.

Le décor dont s'entoure le personnage traduit son maniérisme décadent : la description de sa salle à manger ne peut qu'éveiller chez le lecteur le souvenir d'une autre pièce décrite avec une grande surcharge de détails, soit la salle à manger de la maison Vauquer dans *Le père Goriot* de Balzac. Rappelons que ce dernier roman présente une galerie de personnages ambitieux, magouilleurs et scélérats qui désirent s'extraire de cette pension qui pue la médiocrité.

cabine dont le désordre apprêté, dont la tenue transitoire et l'installation comme
50 temporaire correspondaient assez exactement avec le séjour passager qu'il y faisait,
avec le temps limité de ses repas, et contrastait, d'une manière absolue, avec son cabinet de travail, une pièce définitive, rangée, bien assise, outillée pour le ferme maintien d'une existence casanière.

Joris-Karl Huysmans, *À rebours*, 1884.

Quelques mots de Huysmans utilisés dans l'extrait de *À rebours* ne sont pas d'usage courant. Les définitions suivantes aideront à la compréhension du texte : « Pitchpin » : variété de bois apprécié en construction navale ; « sabord » : ouverture sur la coque d'un navire ; « samovar » : théière russe ; « brick » : navire à voile ; « Valparaiso » et « La Plata » : villes d'Amérique du Sud.

L'expression de la misère

Naturellement destiné à l'exploitation de la pension bourgeoise, le rez-de-chaussée se compose d'une première pièce éclairée par les deux croisées de la rue et où l'on entre par une porte-fenêtre. Ce salon communique à une salle à manger qui est sé-parée de la cuisine par la cage d'un escalier dont les marches sont en bois et en
5 carreaux mis en couleur et frottés. Rien n'est plus triste à voir que ce salon meublé de fauteuils et de chaises en étoffe de crin à raies alternativement mates et lui-santes. Au milieu se trouve une table ronde à dessus de marbre Sainte-Anne, déco-rée de ce cabaret en porcelaine blanche ornée de filets d'or effacés à demi, que l'on rencontre partout aujourd'hui. Cette pièce, assez mal planchéiée, est lambrissée à
10 hauteur d'appui. Le surplus des parois est tendu d'un papier verni représentant les principales scènes de Télémaque, et dont les classiques personnages sont coloriés. Le panneau d'entre les croisées grillagées offre aux pensionnaires le tableau du fes-tin donné au fils d'Ulysse par Calypso. Depuis quarante ans cette peinture excite les plaisanteries des jeunes pensionnaires, qui se croient supérieurs à leur position
15 en se moquant du dîner auquel la misère les condamne. La cheminée en pierre, dont le foyer toujours propre atteste qu'il ne s'y fait de feu que dans les grandes occasions, est ornée de deux vases pleins de fleurs artificielles, vieillies et encagées, qui accompagnent une pendule en marbre bleuâtre du plus mauvais goût. Cette première pièce exhale une odeur sans nom dans la langue, et qu'il faudrait appeler
20 l'odeur de pension. Elle sent le renfermé, le moisi, le rance ; elle donne froid, elle est humide au nez, elle pénètre les vêtements ; elle a le goût d'une salle où l'on a dîné ; elle pue le service, l'office, l'hospice. Peut-être pourrait-elle se décrire si l'on inven-tait un procédé pour évaluer les quantités élémentaires et nauséabondes qu'y jettent les atmosphères catarrhales et *sui generis* de chaque pensionnaire, jeune ou
25 vieux. Eh bien ! malgré ces plates horreurs, si vous le compariez à la salle à manger, qui lui est contiguë, vous trouveriez ce salon élégant et parfumé comme doit l'être un boudoir. Cette salle, entièrement boisée, fut jadis peinte en une couleur indis-tincte aujourd'hui, qui forme un fond sur lequel la crasse a imprimé ses couches de manière à y dessiner des figures bizarres. Elle est plaquée de buffets gluants sur
30 lesquels sont des carafes échancrées, ternies, des ronds de moiré métallique, des piles d'assiettes en porcelaine épaisse, à bords bleus, fabriquées à Tournai. Dans un angle est placée une boîte à cases numérotées qui sert à garder les serviettes, ou tachées ou vineuses, de chaque pensionnaire. Il s'y rencontre de ces meubles indes-tructibles, proscrits partout, mais placés là comme le sont les débris de la civilisa-
35 tion aux Incurables. Vous y verriez un baromètre à capucin qui sort quand il pleut, des gravures exécrables qui ôtent l'appétit, toutes encadrées en bois noir verni à filets dorés ; un cartel en écaille incrustée de cuivre ; un poêle vert, des quinquets d'Argand où la poussière se combine avec l'huile, une longue table couverte en toile cirée assez grasse pour qu'un facétieux externe y écrive son nom en se servant
40 de son doigt comme de style, des chaises estropiées, de petits paillassons piteux en sparterie qui se déroule toujours sans se perdre jamais, puis des chaufferettes misé-rables à trous cassés, à charnières défaites, dont le bois se carbonise. Pour expliquer

combien ce mobilier est vieux, crevassé, pourri, tremblant, rongé, manchot, borgne, invalide, ex-
45 pirant, il faudrait en faire une description qui re-tarderait trop l'intérêt de cette histoire, et que les gens pressés ne pardonneraient pas. Le carreau rouge est plein de vallées produites par le frotte-ment ou par les mises en couleur. Enfin, là règne
50 la misère sans poésie ; une misère économe, concentrée, râpée. Si elle n'a pas de fange encore, elle a des taches ; si elle n'a ni trous ni haillons, elle va tomber en pourriture.

Honoré de Balzac, *Le père Goriot*, 1834-1835.

Vincent Van Gogh,
*La maison blanche,
la nuit*, 1890.

Atelier de comparaison

Exploration

À rebours

1. Cette salle à manger semble avoir été conçue pour s'ouvrir sur l'ailleurs. Démontrez cette affirma-tion avec exemples à l'appui.

2. Plusieurs passages donnent un caractère cosmique à la description (participation des quatre élé-ments : l'air, le feu, l'eau, la terre). Démontrez-le.

3. Relevez plusieurs notations qui signalent que tout cela a été créé par l'homme, que tout cela est faux, artificiel.

4. Ce passage traduit des traits de caractère en opposition chez Des Esseintes, le personnage prin-cipal du roman *À rebours*. Quels sont-ils ? Illustrez votre réponse.

5. Pourrait-on considérer le voyage comme le thème essentiel de ce passage ? Nuancez votre réponse.

6. Est-il juste d'affirmer que cette description dégage une exaltation stimulante ? Expliquez votre réponse.

Le père Goriot

7. Relevez les épithètes dépréciatives dans la description de la salle à manger de la pension Vauquer. Comment contribuent-elles à la tonalité générale du texte ?

8. Montrez que les nombreuses énumérations créent un effet de bric-à-brac.

9. Relevez quelques personnifications. Peut-on dire qu'elles contribuent elles aussi à cet effet de désordre misérable ?

10. Si les personnages sont à l'image du lieu, quelles indications cette description nous fournit-elle sur eux, indirectement ?

Rédaction

11. **Sujet :** Comment les descriptions de Huysmans et Balzac traduisent-elles des existences très différentes ?

   Consigne : Dressez un tableau comparatif des deux salles à manger en vous appuyant sur les questions d'exploration. Ce tableau facilitera l'étape de la rédaction.

La thématique de l'adolescence

De son vrai nom Henri Alban Fournier, Alain-Fournier est issu d'une famille de la petite bourgeoisie. Il fera ses études primaires sous la tutelle de son père, instituteur dans cette même région du centre de la France (Sologne et Berry) où se situe l'action de son unique roman, *Le grand Meaulnes*. L'intrigue de ce récit, devenu légendaire au fil du temps, puise à même plusieurs événements de la vie de l'écrivain, qui fait à l'orée de ses vingt ans la rencontre furtive d'une élégante jeune femme, incarnation de son idéal féminin. Elle servira de modèle à Yvonne de Galais, héroïne qui tient plus du fantasme que du personnage réel dans le roman. En effet, le grand Meaulnes a le coup de foudre pour cette jeune fille, qui représente à ses yeux la grâce et l'innocence. Après l'avoir perdue puis retrouvée par les bons soins de son ami François Seurel, narrateur du roman, Augustin Meaulnes épouse Yvonne, puis la quitte le lendemain du mariage pour respecter le serment fait au frère de celle-ci, Frantz de Galais. Il ressent une étrange attraction doublée de culpabilité envers ce jeune homme, fantasque et capricieux, qui le relance vers de nouvelles aventures.

L'adolescence vue par Alain-Fournier et Jean Cocteau

Le gamin royal

Un instant de silence ; je vais me décider à crier encore, lorsque, au cœur même de la sapinière, où mon regard n'atteint pas tout à fait, une voix commande :

« Restez où vous êtes : il va venir vous trouver. »

Peu à peu, entre les grands sapins que l'éloignement fait paraître serrés, je dis-
5　tingue la silhouette du jeune homme qui s'approche. Il paraît couvert de boue et mal vêtu ; des épingles de bicyclette serrent le bas de son pantalon, une vieille casquette à ancre est plaquée sur ses cheveux trop longs ; je vois maintenant sa figure amaigrie... Il semble avoir pleuré.

S'approchant de moi, résolument :

10　« Que voulez-vous ? demande-t-il d'un air très insolent.

– Et vous-même, Frantz, que faites-vous ici ? Pourquoi venez-vous troubler ceux qui sont heureux ? Qu'avez-vous à demander ? Dites-le. »

Ainsi interrogé directement, il rougit un peu, balbutie, répond seulement :

« Je suis malheureux, moi, je suis malheureux. »

15　Puis, la tête dans le bras, appuyé à un tronc d'arbre, il se prend à sangloter amère-
ment. Nous avons fait quelques pas dans la sapinière. L'endroit est parfaitement silen-
cieux. Pas même la voix du vent que les grands sapins de la lisière arrêtent. Entre les troncs réguliers se répète et s'éteint le bruit des sanglots étouffés du jeune homme. J'attends que cette crise s'apaise et je dis, en lui mettant la main sur l'épaule :

20　« Frantz, vous viendrez avec moi. Je vous mènerai auprès d'eux. Ils vous accueille-
ront comme un enfant perdu qu'on a retrouvé et tout sera fini. »

Mais il ne voulait rien entendre. D'une voix assourdie par les larmes, malheureux, entêté, colère, il reprenait :

« Ainsi Meaulnes ne s'occupe plus de moi ? Pourquoi ne répond-il pas quand je
25　l'appelle ? Pourquoi ne tient-il pas sa promesse ?

– Voyons, Frantz, répondis-je, le temps des fantasmagories et des enfantillages est passé. Ne troublez pas avec des folies le bonheur de ceux qui vous aiment ; de votre sœur et d'Augustin Meaulnes.

– Mais lui seul peut me sauver, vous le savez bien. Lui seul est capable de retrouver
30　la trace que je cherche. Voilà bientôt trois ans que Ganache et moi nous battons toute la France sans résultat. Je n'avais plus confiance qu'en votre ami. Et voici qu'il ne répond plus. Il a retrouvé son amour, lui. Pourquoi, maintenant, ne pense-t-il pas à moi ? Il faut qu'il se mette en route. Yvonne le laissera bien partir... Elle ne m'a jamais rien refusé. »

35　Il me montrait un visage où, dans la poussière et la boue, les larmes avaient tracé des sillons sales, un visage de vieux gamin épuisé et battu. Ses yeux étaient cernés de taches de rousseur ; son menton, mal rasé ; ses cheveux trop longs traînaient sur son col sale. Les mains dans les poches, il grelottait. Ce n'était plus ce royal enfant en guenilles des années passées. De cœur, sans doute, il était plus enfant que jamais :
40　impérieux, fantasque et tout de suite désespéré. Mais cet enfantillage était pénible à supporter chez ce garçon déjà légèrement vieilli... Naguère, il y avait en lui tant d'or-
gueilleuse jeunesse que toute folie au monde lui paraissait permise. À présent, on était d'abord tenté de le plaindre pour n'avoir pas réussi sa vie ; puis de lui reprocher ce rôle absurde de jeune héros romantique où je le voyais s'entêter... Et enfin je pen-
45　sais malgré moi que notre beau Frantz aux belles amours avait dû se mettre à voler pour vivre, tout comme son compagnon Ganache... Tant d'orgueil avait abouti à cela !

Alain-Fournier, *Le grand Meaulnes*, 1913.

Les adolescents marginaux

Agathe jouissait d'être victime parce qu'elle sentait cette chambre pleine d'une électricité d'amour dont les secousses les plus brutales demeuraient inoffensives et dont le parfum d'ozone vivifiait.

C'était une fille de cocaïnomanes qui la brutalisaient et se suicidèrent au gaz. L'ad-
5 ministrateur d'une grande maison de modes habitait l'immeuble. Il la réclama, l'emmena chez sa patronne. Après un travail de subalterne, elle obtint de passer les robes. Elle s'y connaissait en coups, en insultes, en farces sinistres. Ceux de la chambre la changeaient ; ils évoquaient les vagues qui battent, le vent qui gifle et la foudre espiègle qui déshabille un berger.

10 Malgré cette différence, une maison de drogues l'avait instruite sur les pénombres, les menaces, les poursuites qui cassent des meubles, les viandes froides mangées la nuit. Rien de ce qui, rue Montmartre, pouvait scandaliser une jeune fille ne l'étonna. Elle sortait d'une rude école et le régime de cette école lui avait imprimé autour des yeux et des narines ce quelque chose de farouche qui pouvait se prendre d'abord pour
15 la morgue de Dargelos.

Dans la chambre, elle monta, en quelque sorte, au ciel de son enfer. Elle vivait, elle respirait. Rien de l'inquiétait et jamais elle ne trembla que ses amis n'en vinssent aux drogues, parce qu'ils agissaient sous l'influence d'une drogue naturelle, jalouse, et que prendre des drogues eût été pour eux mettre blanc sur blanc, noir sur noir.

20 Pourtant, il leur arrivait d'être en proie à quelque délire ; une fièvre revêtait la chambre de miroirs déformants. Alors, Agathe s'assombrissait, se demandait si, pour être naturelle, la drogue mystérieuse n'en serait pas moins exigeante et si toute drogue n'aboutissait pas à s'asphyxier avec du gaz.

Une chute de lest, une reprise d'équilibre chassaient ses doutes, la rassuraient.
25 Mais la drogue existait. Élisabeth et Paul étaient nés en charriant dans leur sang cette substance fabuleuse.

Les drogues procèdent par périodes et changent le décor. Ce changement de décor, ces différents stades d'un cycle de phénomènes, ne se produisent pas d'un seul coup. Le passage est insensible et provoque une zone intermédiaire de désarroi. Les choses
30 se meuvent à contresens pour former de nouveaux dessins.

Le jeu tenait une place de moins en moins grande dans la vie d'Élisabeth et même dans celle de Paul. Gérard, absorbé par Élisabeth, n'y jouait plus. Le frère et la sœur essayaient encore et s'agaçaient de n'y pouvoir parvenir. Ils ne *partaient* pas. Ils se sentaient distraits, dérangés au fil du rêve. En vérité, ils partaient ailleurs. Rompus à
35 l'exercice qui consiste à se projeter hors de soi, ils appelaient distraction l'étape nouvelle qui les enfonçait en eux-mêmes. Une intrigue de tragédie de Racine se substituait aux machines que ce poète employa pour apporter et emporter les dieux des fêtes de Versailles. Leurs fêtes s'en trouvaient toutes désorganisées. Descendre en soi demande une discipline dont ils étaient incapables. Ils n'y rencontraient que ténè-
40 bres, fantômes de sentiments. « Zut ! zut ! » criait Paul d'une voix courroucée. Chacun levait la tête. Paul enrageait de ne pouvoir partir chez les ombres. Ce « zut ! » exprimait sa mauvaise humeur d'avoir été interrompu au bord du jeu par le souvenir d'un geste d'Agathe. Il la rendait responsable et tournait contre elle cette mauvaise humeur. La cause de l'algarade était trop simple pour que Paul à l'intérieur, et à l'exté-
45 rieur Élisabeth, en fussent avertis. Élisabeth qui, de son côté, essayait de prendre le large et déviait, sombrant dans de confuses méditations, saisissait au vol ce prétexte à sortir d'elle-même. La rancune amoureuse de son frère la trompait. Elle se disait : « Agathe l'agace parce qu'elle ressemble à ce type », et ce couple aussi maladroit à se déchiffrer qu'il déployait jadis d'adresse à résoudre l'insoluble, reprenait au travers
50 d'Agathe son dialogue injurieux.

**Alain-Fournier
(*suite*)**

Dans l'extrait choisi, François Seurel, le narrateur-témoin du récit, dresse un portrait sans complaisance de Frantz de Galais, ce saltimbanque lunaire aux traits vieillis qui cherche à revoir Augustin Meaulnes.

Le deuxième extrait est de la plume de Jean Cocteau (1889-1963), qui publie d'abord en 1909 un recueil de poésie avant d'imprimer sa marque sur toutes les disciplines artistiques, qu'il pratiquera tout au long de sa carrière avec un talent inégalé. Doté d'une élégance naturelle, celui qu'on surnomme déjà « le prince » fréquente toutes les personnalités connues du monde de l'art. Il a tôt fait de scandaliser en s'affichant publiquement au bras de ses amants, mais aussi en publiant des œuvres au charme incendiaire, parmi lesquelles *Les enfants terribles,* court récit qui présente un portrait d'adolescents voulant s'affranchir de tous les interdits. Le passage retenu ici présente un portrait controversé d'Agathe, une jeune fille attirée par un couple d'adolescents liés par une attraction incestueuse. En effet, Élizabeth et Paul se trouvent au centre d'un entrecroisement de relations amoureuses avec d'autres jeunes de leur âge (notamment Gérard et Dargelos).

À trop crier l'on s'enroue. Le dialogue se ralentissait, cessait, et les guerriers se retrouvaient la proie d'une vie réelle qui empiétait sur le songe, bousculait la vie végétative de l'enfance, uniquement peuplée d'objets inoffensifs.

Jean Cocteau, *Les enfants terribles*, 1929

Atelier de comparaison

Exploration

Le grand Meaulnes

1. Comment Frantz est-il représenté au début de l'extrait ? Pour répondre, tenez compte des aspects suivants.
   a. Quand il aborde Seurel, comment son comportement contraste-t-il avec son apparence ?
   b. Quelles observations du narrateur permettent au lecteur de saisir le désarroi de Frantz ?

2. En vous appuyant sur son comportement et sur les observations faites sur Frantz, que peut-on déduire du caractère de François Seurel ?

3. Quels traits de caractère est-il possible de déduire du comportement de François Seurel et des observations qu'il fait sur Frantz ? Justifiez votre réponse.

4. Comment les réponses de Frantz de Galais à François Seurel (en milieu d'extrait) traduisent-elles l'égocentrisme du premier ?

5. Dans le dernier paragraphe, peut-on dire que Seurel démolit l'image de héros romantique dans laquelle se réfugie Frantz de Galais ?

6. Montrez que la ponctuation contribue à révéler l'état mental des deux personnages.

7. Pourquoi peut-on considérer Frantz de Galais et François Seurel comme deux personnalités aux antipodes l'une de l'autre ?

Les enfants terribles

8. Expliquez le parfum de scandale qu'exhalent les deux premiers paragraphes.

9. Quels mots suggèrent que l'enfance d'Agathe a été marquée par la violence ?

10. L'extrait rend perceptible le fait que Cocteau avait lui-même fait l'expérience de la drogue. Démontrez-le.

11. Relevez des passages qui montrent que « les enfants terribles » semblent uniquement préoccupés de quitter le monde réel et d'éviter à tout prix de devenir adultes.

12. Analysez la rhétorique du texte en relevant les figures d'analogie à caractère cosmique ainsi que les antithèses et les oxymores qui soulignent les contrastes.

13. Quelles considérations peut-on faire sur le style de l'auteur ? Tenez compte des questions suivantes.
    a. Est-il rapide (fait de phrases courtes) ou lent (fait de phrases complexes et sinueuses) ?
    b. Est-il humoristique, porté sur l'ironie ou le sarcasme ?
    c. Est-il lyrique, porté vers l'épanchement introspectif ?
    d. Est-il didactique, porté vers les messages moralisateurs ?
    Répondez avec exemples à l'appui.

Comparaison

14. Comparez les deux récits en tenant compte des aspects suivants.
    a. Montrez que seul François Seurel incarne la lucidité, alors que les autres personnages des deux récits sont du côté du rêve.
    b. Montrez que les deux textes présentent des personnages anticonformistes, mais que ceux de Cocteau risquent de scandaliser davantage que ceux d'Alain-Fournier.
    c. Comparez l'ambiance générale, les tonalités et le style des deux extraits.

Rédaction

15. Comparez les deux représentations de l'adolescence et montrez que le potentiel de scandale est plus grand dans *Les enfants terribles* de Jean Cocteau que dans *Le grand Meaulnes* d'Alain-Fournier.

Le riche d'esprit

Cet homme avait en soi de telles possessions, de telles perspectives ; il était fait de tant d'années de lectures, de réfutations, de méditations, de combinaisons internes, d'observations ; de telles ramifications que ses réponses étaient difficiles à prévoir ; qu'il ignorait lui-même à quoi il aboutirait, quel aspect le frapperait enfin, quel sen-
5 timent prévaudrait en lui, quels crochets et quelle simplification inattendue se feraient, quel désir naîtrait, quelle riposte, quels éclairages !...

Peut-être était-il parvenu à cet étrange état de ne pouvoir regarder sa propre décision ou réponse intérieure que sous l'aspect d'un expédient, sachant bien que le développement de son attention serait infini et que l'*idée* d'en *finir* n'a plus aucun sens,
10 dans un esprit qui se connaît assez. Il était au degré de *civilisation intérieure* où la conscience ne souffre plus d'opinions qu'elle ne les accompagne de leur cortège de modalités, et qu'elle ne se repose (si c'est là se reposer) que dans le sentiment de ses prodiges, de ses exercices, de ses substitutions, de ses précisions innombrables.

... Dans sa tête où derrière les yeux fermés se passaient des rotations curieuses, –
15 des changements si variés, si libres, et pourtant si limités – des lumières comme celles que ferait une lampe portée par quelqu'un qui visiterait une maison dont on verrait les fenêtres dans la nuit, comme des fêtes éloignées, des foires de nuit ; mais qui pourraient se changer en gares et en sauvageries si l'on pouvait en approcher – ou en effrayants malheurs, – ou en vérités et révélations...
20 C'était comme le sanctuaire et le lupanar des possibilités.

L'habitude de méditation faisait vivre cet esprit au milieu – au moyen – d'états rares ; dans une supposition perpétuelle d'expériences purement idéales ; dans l'usage continuel des conditions-limites et des phases critiques de la pensée...

Comme si les raréfactions extrêmes, les vides inconnus, les températures hypo-
25 thétiques, les pressions et les charges monstrueuses avaient été ses ressources naturelles – et que rien ne pût être pensé en lui qu'il ne le soumît par cela seul au traitement le plus énergique et ne recherchât tout le domaine de son existence.

Paul Valéry, *Extraits du log-book de monsieur Teste*, 1925.

Paul Valéry
(1871-1945)

La complexité de l'homme cultivé

Né la même année que Proust, Paul Valéry est, au contraire de son contemporain, porté vers la brièveté, mais il partage avec lui une approche d'esthète qui s'intéresse à toutes les questions relatives à l'art et à la littérature. Esprit rigoureux et méthodique, il veut plier la poésie aux exigences d'une versification régulière pour la distinguer de la prose et lui assurer toute sa valeur. Admirateur de Baudelaire et disciple de Mallarmé, il observe comment fonctionne le langage en cours de création. Peu enclin à écrire pour séduire, Valéry aime par-dessus tout exercer ses facultés mentales et jongler avec des concepts. Sa pensée se concentre souvent en de courts textes portant sur des sujets aussi variés que l'art, le passage du temps et la disparition des civilisations. Cette façon de procéder donne à son œuvre un caractère morcelé.

Allergique au réalisme, qui utilise le langage pour décrire des faits selon lui insignifiants, Valéry crée avec monsieur Teste un personnage singulier, un être de pure abstraction, à nul autre pareil en littérature. Le titre de cet extrait en résume le sujet.

Atelier d'analyse

Exploration

1. Analysez la personnalité de monsieur Teste, telle qu'elle est représentée dans le texte.
   a. Montrez que l'accent est mis sur les activités cérébrales en dressant la liste des termes relatifs à des opérations mentales.
   b. Relevez les synonymes du mot « cerveau » qui contribuent à l'organisation du texte.
   c. Relevez les notations qui montrent l'importance de la culture aux yeux de monsieur Teste.

2. Peut-on dire que l'énumération est ici le procédé stylistique essentiel ? Donnez des exemples d'énumération à l'appui de votre réponse.

3. Pourquoi l'énumération convient-elle parfaitement à un écrivain qui aime la brièveté comme Paul Valéry ?

4. Le troisième paragraphe est construit sur une comparaison. Peut-on dire qu'elle sert à projeter au dehors le monde intérieur de monsieur Teste ?

Rédaction

5. Montrez en un ou deux paragraphes de développement bien structurés que le nom de monsieur Teste convient très bien au personnage créé par Valéry.

Marcel Proust (1871-1922)

Réflexion sur l'art

Né dans une famille de la bourgeoisie intellectuelle, Marcel Proust meurt après avoir consacré les dernières années de sa vie en réclusion à écrire son œuvre monumentale, *À la recherche du temps perdu,* qui fait le pont entre le roman réaliste et la modernité. Des réalistes, il retient le goût pour la chronique sociale, empruntant à Balzac son procédé de retour des personnages dans l'œuvre (la sienne est aussi ambitieuse et tentaculaire que *La comédie humaine* de Balzac). Proche du symbolisme par sa sensibilité, Proust transpose dans le récit les correspondances qui, chez lui, s'établissent entre des sensations et des épisodes de vie recomposés. Il crée un narrateur conscient de devenir un personnage par l'écriture. L'art permet d'échapper en quelque sorte au passage du temps. Sa thématique est aussi profondément moderne, englobant l'homosexualité, la jalousie et le snobisme.

Cet extrait est tiré de *Du côté de chez Swann,* premier volume de sa grande fresque romanesque. Le début du roman se situe à Combray ; le narrateur-héros va voir tout un pan de sa vie resurgir à la suite de la dégustation d'une madeleine (un petit gâteau en forme de coquille) trempée dans une tasse de thé.

Impressions créatives

Et bientôt, machinalement, accablé par la morne journée et la perspective d'un triste lendemain, je portai à mes lèvres une cuillerée du thé où j'avais laissé s'amollir un morceau de madeleine. Mais à l'instant même où la gorgée mêlée des miettes du gâteau toucha mon palais, je tressaillis, attentif à ce qui se passait d'extraordinaire en
5   moi. Un plaisir délicieux m'avait envahi, isolé, sans la notion de sa cause. Il m'avait aussitôt rendu les vicissitudes de la vie indifférentes, ses désastres inoffensifs, sa brièveté illusoire, de la même façon qu'opère l'amour, en me remplissant d'une essence précieuse : ou plutôt cette essence n'était pas en moi, elle était moi. J'avais cessé de me sentir médiocre, contingent, mortel. D'où avait pu me venir cette puissante joie ?
10 Je sentais qu'elle était liée au goût du thé et du gâteau, mais qu'elle le dépassait infiniment, ne devait pas être de même nature. D'où venait-elle ? Que signifiait-elle ? Où l'appréhender ? Je bois une seconde gorgée où je ne trouve rien de plus que dans la première, une troisième qui m'apporte un peu moins que la seconde. Il est temps que je m'arrête, la vertu du breuvage semble diminuer. Il est clair que la vérité que je
15 cherche n'est pas en lui, mais en moi. Il l'y a éveillé, mais ne la connaît pas, et ne peut que répéter indéfiniment, avec de moins en moins de force, ce même témoignage que je ne sais interpréter et que je veux au moins pouvoir lui redemander et retrouver intact, à ma disposition, tout à l'heure, pour un éclaircissement décisif. Je pose la tasse et me tourne vers mon esprit. C'est à lui de trouver la vérité. Mais comment ?
20 Grave incertitude, toutes les fois que l'esprit se sent dépassé par lui-même ; quand lui, le chercheur, est tout ensemble le pays obscur où il doit chercher et où tout son bagage ne lui sera de rien. Chercher ? pas seulement : créer. Il est en face de quelque chose qui n'est pas encore et que seul il peut réaliser, puis faire entrer dans sa lumière.

Et je recommence à me demander quel pouvait être cet état inconnu, qui n'appor-
25 tait aucune preuve logique, mais l'évidence de sa félicité, de sa réalité devant laquelle les autres s'évanouissaient. Je veux essayer de le faire réapparaître. Je rétrograde par la pensée au moment où je pris la première cuillerée de thé. Je retrouve le même état, sans une clarté nouvelle. Je demande à mon esprit un effort de plus, de ramener encore une fois la sensation qui s'enfuit. Et, pour que rien ne brise l'élan dont il va tâcher
30 de la ressaisir, j'écarte tout obstacle, toute idée étrangère, j'abrite mes oreilles et mon attention contre les bruits de la chambre voisine. Mais sentant mon esprit qui se fatigue sans réussir, je le force au contraire à prendre cette distraction que je lui refusais, à penser à autre chose, à se refaire avant une tentative suprême. Puis une deuxième fois, je fais le vide devant lui, je remets en face de lui la saveur encore
35 récente de cette première gorgée et je sens tressaillir en moi quelque chose qui se déplace, voudrait s'élever, quelque chose qu'on aurait désancré, à une grande profondeur ; je ne sais ce que c'est, mais cela monte lentement ; j'éprouve la résistance et j'entends la rumeur des distances traversées.

Certes, ce qui palpite ainsi au fond de moi, ce doit être l'image, le souvenir visuel,
40 qui, lié à cette saveur, tente de la suivre jusqu'à moi. Mais il se débat trop loin, trop confusément ; à peine si je perçois le reflet neutre où se confond l'insaisissable tourbillon des couleurs remuées ; mais je ne peux distinguer la forme, lui demander, comme au seul interprète possible, de me traduire le témoignage de sa contemporaine, de son inséparable compagne, la saveur, lui demander de m'apprendre de
45 quelle circonstance particulière, de quelle époque du passé il s'agit.

Arrivera-t-il jusqu'à la surface de ma claire conscience, ce souvenir, l'instant ancien que l'attraction d'un instant identique est venue de si loin solliciter, émouvoir, soulever tout au fond de moi ? Je ne sais. Maintenant je ne sens plus rien, il est arrêté, redescendu peut-être ; qui sait s'il remontera jamais de sa nuit ? Dix fois il me faut
50 recommencer, me pencher vers lui. Et chaque fois la lâcheté qui nous détourne de toute tâche difficile, de toute œuvre importante, m'a conseillé de laisser cela, de boire

mon thé en pensant simplement à mes ennuis d'aujourd'hui, à mes désirs de demain qui se laissent remâcher sans peine.

Et tout d'un coup le souvenir m'est apparu. Ce goût c'était celui du petit morceau
55 de madeleine que le dimanche matin à Combray (parce que ce jour-là je ne sortais pas avant l'heure de la messe), quand j'allais lui dire bonjour dans sa chambre, ma tante Léonie m'offrait après l'avoir trempé dans son infusion de thé ou de tilleul. La vue de la petite madeleine ne m'avait rien rappelé avant que je n'y eusse goûté; peut-être parce que, en ayant souvent aperçu depuis, sans en manger, sur les tablettes des
60 pâtissiers, leur image avait quitté ces jours de Combray pour se lier à d'autres plus récents; peut-être parce que de ces souvenirs abandonnés si longtemps hors de la mémoire, rien ne survivait, tout s'était désagrégé; les formes – et celle aussi du petit coquillage de pâtisserie, si grassement sensuel, sous son plissage sévère et dévot – s'étaient abolies, ou, ensommeillées, avaient perdu la force d'expansion qui leur eût
65 permis de rejoindre la conscience. Mais, quand d'un passé ancien rien ne subsiste, après la mort des êtres, après la destruction des choses, seules, plus frêles mais plus vivaces, plus immatérielles, plus persistantes, plus fidèles, l'odeur et la saveur restent encore longtemps, comme des âmes, à se rappeler, à attendre, à espérer, sur la ruine de tout le reste, à porter sans fléchir, sur leur gouttelette presque impalpable, l'édifice
70 immense du souvenir.

Et dès que j'eus reconnu le goût du morceau de madeleine trempé dans le tilleul que me donnait ma tante (quoique je ne susse pas encore et dusse remettre à bien plus tard de découvrir pourquoi ce souvenir me rendait si heureux), aussitôt la vieille maison
75 grise sur la rue, où était sa chambre, vint comme un décor de théâtre s'appliquer au petit pavillon, donnant sur le jardin, qu'on avait construit pour mes parents sur ses derrières (ce pan tronqué que seul j'avais revu jusque-là); et avec la maison, la
80 ville, depuis le matin jusqu'au soir et par tous les temps, la Place où on m'envoyait avant déjeuner, les rues où j'allais faire des courses, les chemins qu'on prenait si le temps était beau. Et comme dans ce jeu où les Japonais s'amusent à tremper
85 dans un bol de porcelaine rempli d'eau, de petits morceaux de papier jusque-là indistincts qui, à peine y sont-ils plongés s'étirent, se contournent, se colorent, se différencient, deviennent des fleurs, des maisons, des personnages consistants
90 et reconnaissables, de même maintenant toutes les fleurs de notre jardin et celles du parc de M. Swann, et les nymphéas de la Vivonne, et les bonnes gens du village et leurs petits logis et l'église et tout Combray et ses environs, tout cela
95 qui prend forme et solidité, est sorti, ville et jardins, de ma tasse de thé.

Marcel Proust, *Du côté de chez Swann, À la recherche du temps perdu*, 1913.

Georges de Feure, Illustration pour *À la recherche du temps perdu*, 1913-1927.

Atelier d'analyse

Exploration

1. Montrez comment le narrateur accumule, en début de texte, les expressions qui traduisent l'importance du moment décrit dans l'extrait.

2. Dans ce même début de texte, quel type de phrase traduit la perplexité du narrateur devant ce qui lui arrive ?

3. Est-il juste d'affirmer que cet effort de remémoration du passé est uniquement d'ordre sensoriel ? Expliquez votre réponse.

4. Comment peut-on décrire les intentions du narrateur ? Tente-t-il de faire en sorte que le passé échappe au néant de l'oubli ? Répondez avec exemples à l'appui.

5. Montrez que la fin du texte permet déjà au lecteur de visualiser tout un passé disparu.

6. Parce que Proust aime raffiner ses analyses, il est porté vers la profusion stylistique. Démontrez-le en dégageant ses tendances :
   a. en matière de raisonnement (déductions, subtilités logiques, etc.) ;
   b. en matière de syntaxe (type de phrase, longueur, etc.) ;
   c. en matière de rhétorique (figures de style privilégiées).

Rédaction

7. **Sujet :** En vous appuyant sur ce passage, montrez que la sensation, l'intelligence et la mémoire jouent selon Proust un rôle essentiel dans la création littéraire.

   Consigne : Tenez compte de l'énoncé du sujet pour planifier votre développement.

Vassili Kandinsky, *Composition VIII*, 1923.
Si l'art abstrait fait disparaître toute trace de l'objet, il ne perd pas pour autant son sens. Avec *Du spirituel dans l'art* (1912), notamment, Vassili Kandinsky se fait le théoricien de cette approche en donnant une signification symbolique non seulement à chaque couleur mais à chaque ligne, à chaque angle de ses tableaux.

Un roman en gestation

— Et… le sujet de ce roman ?

— Il n'en a pas, repartit Édouard brusquement ; et c'est là ce qu'il a de plus étonnant peut-être. Mon roman n'a pas de sujet. Oui, je sais bien ; ça a l'air stupide ce que je dis là. Mettons si vous préférez qu'il n'y aura pas *un* sujet… « Une tranche de vie », disait
5 l'école naturaliste. Le grand défaut de cette école, c'est de couper sa tranche toujours dans le même sens ; dans le sens du temps, en longueur. Pourquoi pas en largeur ? ou en profondeur ? Pour moi, je voudrais ne pas couper du tout. Comprenez-moi : je voudrais tout y faire entrer, dans ce roman. Pas de coup de ciseaux pour arrêter, ici plutôt que là, sa substance. Depuis plus d'un an que j'y travaille il ne m'arrive rien que je n'y
10 verse, et que je n'y veuille faire entrer : ce que je vois, ce que je sais, tout ce que m'apprend la vie des autres et la mienne…

— Et tout cela stylisé ? dit Sophroniska, feignant l'attention la plus vive, mais sans doute avec un peu d'ironie. Laura ne peut réprimer un sourire. Édouard haussa légèrement les épaules et reprit :

15 — Et ce n'est même pas cela que je veux faire. Ce que je veux, c'est présenter d'une part la réalité, présenter d'autre part cet effort pour la styliser, dont je vous parlais tout à l'heure.

— Mon pauvre ami, vous ferez mourir d'ennui vos lecteurs, dit Laura ; ne pouvant plus cacher son sourire, elle avait pris le parti de rire vraiment.

20 — Pas du tout. Pour obtenir cet effet, suivez-moi, j'invente un personnage de romancier, que je pose en figure centrale ; et le sujet du livre, si vous voulez, c'est précisément la lutte entre ce que lui offre la réalité et ce que, lui, prétend en faire.

— Si, si ; j'entrevois, dit poliment Sophroniska, que le rire de Laura était bien près de gagner. — Ce pourrait être assez curieux. Mais, vous savez, dans les romans, c'est
25 toujours dangereux de présenter des intellectuels. Ils assomment le public ; on ne parvient à leur faire dire que des âneries, et, à tout ce qui les touche, ils communiquent un air abstrait.

— Et puis je vois très bien ce qui va arriver, s'écria Laura : dans ce romancier, vous ne pourrez faire autrement que de vous peindre.

30 Elle avait pris, depuis quelque temps, en parlant à Édouard, un ton persifleur qui l'étonnait elle-même, et qui désarçonnait Édouard d'autant plus qu'il en surprenait un reflet dans les regards malicieux de Bernard. Édouard protesta :

— Mais non ; j'aurai besoin de le faire très désagréable.

Laura était lancée :

35 — C'est cela : tout le monde vous y reconnaîtra, dit-elle en éclatant d'un rire si franc qu'il entraîna celui des trois autres.

— Et le plan de ce livre est fait ? demanda Sophroniaksa, en tâchant de reprendre son sérieux.

— Naturellement pas.

40 — Comment ! naturellement pas ?

— Vous devriez comprendre qu'un plan, pour un livre de ce genre, est essentiellement inadmissible. Tout y serait faussé si j'y décidais rien par avance. J'attends que la réalité me le dicte.

— Mais je croyais que vous vouliez vous écarter de la réalité.

45 — Mon romancier voudra s'en écarter ; mais moi je l'y ramènerai sans cesse. À vrai dire, ce sera là le sujet : la lutte entre les faits proposés par la réalité, et la réalité idéale.

L'illogisme de son propos était flagrant, sautait aux yeux d'une manière pénible. Il apparaissait clairement que, sous son crâne, Édouard abritait deux exigences inconciliables, et qu'il s'usait à les vouloir accorder.

50 — Et c'est très avancé ? demanda poliment Sophroniska.

André Gide
(1869-1951)

La mise en abyme

André Gide joue au XX\(^e\) siècle un rôle prépondérant dans l'évolution des mentalités en prônant l'émancipation de l'individu à l'égard d'une morale de l'abnégation. Son écriture se nourrit de l'expérience vécue : ses personnages homosexuels vivent les mêmes crises de conscience que Gide lui-même, cet homme déchiré entre son désir d'affranchissement et son besoin de légitimer moralement son existence. La problématique œdipienne se trouve au cœur de son œuvre, qui oscille entre la confession, la fiction, l'analyse critique et l'écriture militante. Le récit, soumis chez lui à une multitude de points de vue narratifs, démontre l'impossibilité de rendre compte de la réalité de façon univoque et définitive.

Son roman *Les faux-monnayeurs* dénonce les faux-fuyants d'une morale hypocrite. L'intérêt du récit réside notamment dans sa structure, puisqu'en même temps qu'il raconte une histoire, Gide réfléchit sur le mode d'élaboration du récit. C'est là un des premiers exemples du procédé de mise en abyme que reprendront les écrivains du nouveau roman. Cet extrait présente Édouard, qui tente d'expliquer l'originalité d'un roman en gestation, celui-là même que le lecteur est en train de lire, *Les faux-monnayeurs*.

– Cela dépend de ce que vous entendez par là. À vrai dire, du livre même, je n'ai pas encore écrit une ligne. Mais j'y ai déjà beaucoup travaillé. J'y pense chaque jour et sans cesse. J'y travaille d'un façon très curieuse, que je m'en vais vous dire : sur un carnet, je note au jour le jour l'état de ce roman dans mon esprit ; oui, c'est une sorte
55 de journal que je tiens, comme on ferait celui d'un enfant... C'est-à-dire qu'au lieu de me contenter de résoudre, à mesure qu'elle se propose, chaque difficulté (et toute œuvre d'art n'est que la somme ou le produit des solutions d'une quantité de menues difficultés successives), chacune de ces difficultés, je l'expose, je l'étudie. Si vous voulez, ce carnet contient la critique continu de mon roman ; ou mieux : du roman en
60 général. Songez à l'intérêt qu'aurait pour nous un semblable carnet tenu par Dickens, ou Balzac ; si nous avions le journal de *L'éducation sentimentale*, ou des *Frères Karamazof* ! l'histoire de l'œuvre, de sa gestation ! Mais ce serait passionnant... plus intéressant que l'œuvre elle-même.

André Gide, *Les faux-monnayeurs,* 1925.

Atelier d'analyse

Exploration

1. Quels sont les quatre personnages présents dans cet extrait ? Quels traits de caractère les répliques de trois d'entre eux traduisent-elles ?

2. Énumérez les principales caractéristiques du projet romanesque d'Édouard.

3. Parallèlement, énumérez les critiques que ce projet soulève chez ses interlocutrices.

4. Dressez le portrait d'Édouard, et par le fait même d'André Gide, qui s'est lui-même projeté par petites touches dans ce personnage.

5. La mise en abyme est un procédé qui consiste à créer un effet de miroir par rapport à l'anecdote racontée dans un texte. L'auteur peut faire les choix suivants :
   a. combiner la fiction avec une explication sur la gestation de l'œuvre ;
   b. enchâsser un second récit dans l'histoire principale ;
   c. faire du personnage principal une projection de l'auteur se regardant vivre et écrire ;
   d. raconter une histoire tout en faisant une critique du mode de narration.
   Lesquelles de ces options semblent avoir été retenues par Gide ?

Rédaction

6. **Sujet :** Analysez la complexité du projet romanesque d'Édouard, le protagoniste du roman *Les faux-monnayeurs.*

   Consigne : Planifiez votre développement en tenant compte du plan suggéré par l'extrait lui-même : la fiction d'un côté (personnages et intrigue) ; la critique du projet romanesque de l'autre côté (liée à la genèse de l'œuvre).

Le retour au quotidien

Elle avait crié si haut, d'un tel cœur qu'elle rougit, et il lui vit les yeux pleins de larmes. Mais courageusement elle fuit leur émotion et sauta du lit sous prétexte d'emporter le plateau. Elle courut vers les fenêtres, se prit le pied dans son peignoir trop long, jura un gros juron et se suspendit à un cordage de bateau. Les rideaux de
5 toile cirée se replièrent. Paris avec sa banlieue, bleuâtres et sans bornes comme le désert, tachés de verdures encore claires, de verrières d'un bleu d'insecte, entrèrent d'un bond dans la chambre triangulaire, qui n'avait qu'une paroi de ciment, les deux autres étant de verre à mi-hauteur.

— C'est beau, dit Alain, à mi-voix.

10 Mais il mentait à demi et sa tempe cherchait l'appui d'une jeune épaule, d'où glissait le peignoir éponge. « Ce n'est pas un logis humain... Tout cet horizon chez soi, dans son lit... Et les jours de tempête ? Abandonnés au sommet d'un phare, parmi les albatros... »

Le bras de Camille, qui l'avait rejoint sur le lit, lui tenait le cou, et elle regardait
15 sans peur tour à tour les vertigineuses limites de Paris et la blonde tête désordonnée. Sa fierté nouvelle, qui semblait faire crédit à la prochaine nuit, aux jours suivants, se contentait sans doute des licences d'aujourd'hui : fouler le lit commun, étayer, de l'épaule et de la hanche, un corps de jeune homme, s'habituer à sa couleur, à ses courbes, à ses offenses, appuyer avec assurance le regard sur les secs petits tétons,
20 les reins qu'elle enviait, l'étrange motif du sexe capricieux...

Ils mordirent la même pêche insipide, et rirent en se montrant leurs belles dents mouillées, leurs gencives un peu pâles d'enfants fatigués.

— Cette journée d'hier !... soupira Camille. Quand on pense qu'il y a des gens qui se marient si souvent !...

25 La vanité lui revint, et elle ajouta :

— C'était d'ailleurs très bien. Aucun accroc. N'est-ce pas ?

— Oui, dit Alain mollement.

— Oh ! toi... C'est comme ta mère ! Je veux dire que du moment qu'on n'abîmait pas le gazon de votre jardin, et qu'on ne jetait pas de mégots sur votre gravier, vous trou-
30 viez tout très bien. N'est-ce pas ? N'empêche que notre mariage aurait été plus joli à Neuilly. Seulement ça aurait dérangé la chatte sacro-sainte...

Colette, *La chatte*, 1933.

Colette
(1873-1954)

L'esprit frivole de la Belle Époque

Nul mieux que Colette n'illustre dans sa vie et dans son œuvre la vitalité insouciante de la Belle Époque. Sous le parrainage de son mari Willy, Sidonie Gabrielle Colette suscite l'intérêt du milieu littéraire en lançant la série des *Claudine* (1900-1903), une chronique d'adolescence vaguement osée pour l'époque. Ces conquérantes mènent le jeu de la séduction en portant sur l'autre sexe un regard analogue à celui d'un don Juan évaluant l'objet de son désir. L'écriture de Colette se tient entre féminité et virilité : la sensualité, fut-elle gourmande, fait bon ménage avec une perspicacité presque cruelle.

Dans le roman *La chatte*, publié alors que le symbolisme lance ses derniers feux, Colette fait du petit félin un personnage essentiel de son récit, ce qui illustre par le fait même son amour des animaux. Après leur nuit de noces, Alain et Camille, le couple au centre du récit, font une récapitulation de leurs émotions alors que surgit déjà un premier motif de discorde.

Atelier d'analyse

Exploration

1. Expliquez en quoi Camille s'éloigne du comportement traditionnellement attribué aux jeunes filles bien.

2. Expliquez comment la ponctuation sert à souligner le caractère émotif et primesautier de Camille.

3. La description de Paris contribue à donner un caractère de sensualité à la scène. Expliquez comment en vous appuyant sur l'extrait.

4. L'échange entre les jeunes gens laisse entrevoir des sujets de mésentente. Lesquels ?

5. À la suite de la lecture de cet extrait, quel(s) dénouement(s) le lecteur est-il en mesure d'imaginer ? Faites preuve d'imagination en tentant de tenir compte des multiples éléments mis en place ici et en justifiant vos choix.

Rédaction

6. Expliquez en quoi cette petite scène séduit par son caractère de modernité.

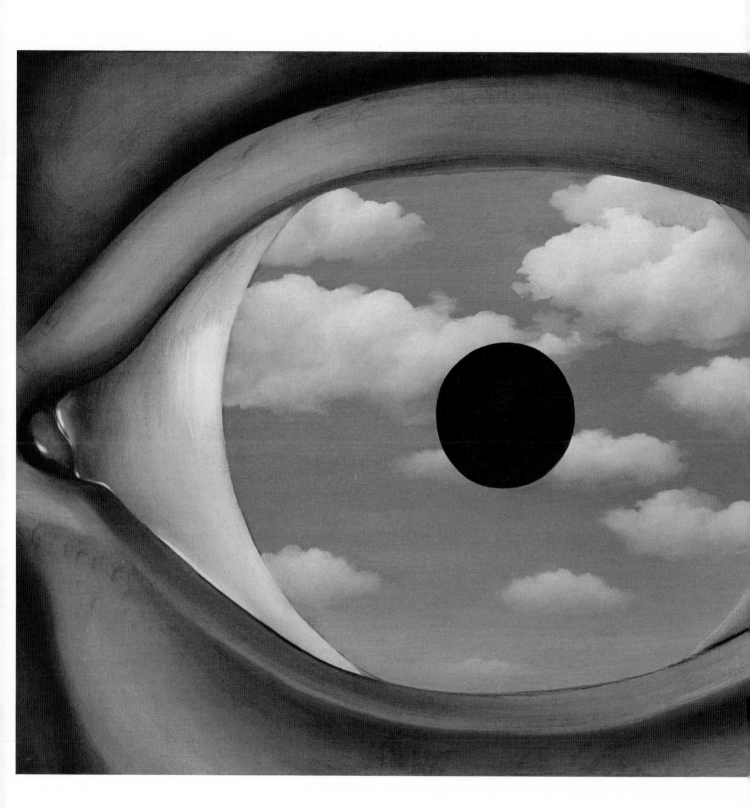

René Magritte, *Le faux miroir*, 1928.

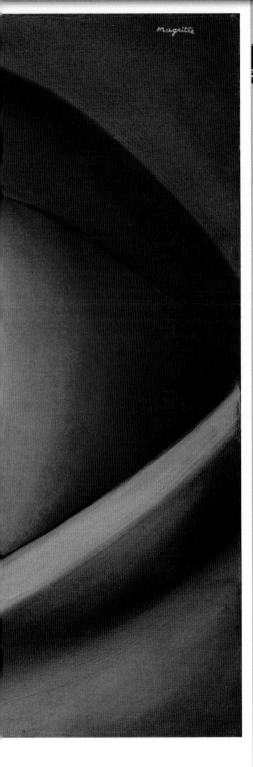

magritte

CHAPITRE 3 Le surréalisme
Avant-garde de l'esprit moderne

Repères chronologiques

	Événements politiques	Arts, littérature et sciences
1914	L'assassinat de l'archiduc François-Ferdinand d'Autriche entraîne le déclenchement de la Première Guerre mondiale.	
1916		Freud, *Introduction à la psychanalyse*
1917	En Russie, la révolution bolchévique dirigée par Lénine aboutit à la prise de pouvoir.	Apollinaire, *Les mamelles de Tirésias* Duchamp, *Fontaine* – premier « ready-made » médiatisé
1918	Fin de la Première Guerre mondiale	
1920	Fondation de la Société des Nations (ancêtre de l'ONU)	Breton et Soupault, *Les champs magnétiques* – naissance du surréalisme
1921		Formulation par Albert Einstein de la théorie de la relativité restreinte et généralisée
1922	En Italie, prise du pouvoir par Benito Mussolini. En 1926, mise en place de la dictature fasciste.	Desnos, *Rose Sélavy* Découverte de l'insuline par les médecins Banting et McLeod
1924		Breton, *Premier manifeste du surréalisme* Tzara, *Sept manifestes dada*
1925	Révolte contre le colonisateur français dirigée par Abd el-Krim au Maroc	Léger et Murphy, *Ballet mécanique* Fitzgerald, *Gatsby le magnifique* Heidegger, *L'être et le temps* – naissance de l'existentialisme
1926		Éluard, *Capitale de la douleur* Cocteau, *Orphée* Aragon, *Le paysan de Paris*
1927		Premier film parlant : *Le chanteur de jazz*, de A. Crossland
1928		Brecht, *L'opéra de quat'sous* Découverte de la pénicilline par Alexander Fleming
1929	Krach boursier de Wall Street et grave crise financière et économique aux États-Unis. La crise s'étend à l'ensemble du monde occidental au cours des deux années suivantes.	Buñuel, *Un chien andalou* Premier album de Tintin publié par Hergé Magritte, *La trahison des images*
1930	La crise économique mondiale frappe durement l'Allemagne. Le parti nazi emporte 107 sièges au Parlement.	
1931		Breton, *L'union libre* Dalí, *La persistance de la mémoire*
1932		Construction de l'Empire State Building à New York Huxley, *Le meilleur des mondes*
1933	Adolf Hitler est nommé chancelier. Le Parti national-socialiste devient l'unique parti légal en Allemagne.	Garcia Lorca, *Noces de sang*
1934	En Chine, Mao Tsé-Toung entreprend la « Longue Marche ». En France, le gouvernement du Front populaire fait voter des mesures sociales : semaine de travail de 40 heures, congés payés.	Production des premiers corps radioactifs artificiels par Irène Joliot-Curie et Frédéric Joliot
1935		Popper, *La logique de la découverte scientifique*
1936	Les Français élisent un gouvernement de Front populaire (alliance des partis de gauche). Début de la guerre civile en Espagne (1936-1939)	Chaplin, *Les temps modernes*
1938		Exposition internationale du surréalisme à Paris Artaud, *Le théâtre et son double*
1939	La France déclare la guerre à l'Allemagne. Début de la Seconde Guerre mondiale.	Steinbeck, *Les raisins de la colère* Césaire, *Cahier d'un retour au pays natal*
1940	Signature de l'armistice, qui sépare la France en deux zones. Gouvernement de Vichy (1940-1941) ; sept millions de Français fuient devant l'armée allemande. Élection du premier ministre Winston Churchill au Royaume-Uni.	
1941	L'attaque japonaise sur Pearl Harbour provoque l'entrée en guerre des États-Unis.	Exil aux États-Unis de plusieurs surréalistes, parmi lesquels Breton

PRÉSENTATION DE L'ÉPOQUE

LE SURRÉALISME : Comment le définir et le situer brièvement ?

Avec l'œuvre intitulée *Les champs magnétiques* (1920), André Breton et Philippe Soupault expérimentent un nouveau mode d'écriture qui permet d'échapper au contrôle de la raison et d'explorer les images et les significations enfouies dans l'inconscient. La publication de ces textes constitue l'acte de naissance du surréalisme, ce mouvement de révolte qui se situe résolument à l'avant-garde de l'esprit moderne. Quant au terme « surréaliste », synonyme d'invraisemblable ou de mystérieux, il est utilisé une première fois par Guillaume Apollinaire pour qualifier l'une de ses pièces de théâtre, *Les mamelles de Tirésias*.

Les peintres, écrivains, photographes et cinéastes qui, au fil des ans, se réclameront de cette étiquette, sont de toutes nationalités ; ils partagent en outre un profond dégoût pour les valeurs ayant engendré la Première Guerre mondiale, soit le patriotisme, le moralisme bourgeois et la confiance aveugle dans les découvertes scientifiques. Sous l'égide d'André Breton, l'animateur du courant et son principal théoricien, ces artistes se lancent dans l'exploration de nouveaux modes de création. Ils rejettent tous les types de représentation qui se veulent conformes à la réalité ainsi que tous les modes de création qui se plient aux conventions logiques.

Au moment de la Seconde Guerre mondiale, l'occupation de la France par les nazis met un frein à la production surréaliste. Plusieurs artistes, parmi lesquels Breton lui-même, s'exilent sur le continent américain. Pendant leur absence, certains membres du courant se rangent sous d'autres bannières, notamment Louis Aragon, qui adhère au Parti communiste, et d'autres, comme René Char ou Paul Éluard, prennent goût à l'indépendance. Il faut dire que les anathèmes et les reniements ont été nombreux tout au long de l'histoire de ce courant, qui s'était donné comme projet de transformer l'individu et la société. Après coup, on peut affirmer sans aucun doute que le surréalisme aura réussi – et ce n'est pas rien – à changer l'art irrémédiablement.

LA PREMIÈRE GUERRE MONDIALE : Quel est son impact sur la littérature ?

L'assassinat de l'héritier au trône austro-hongrois sert de prétexte au déclenchement de la Première Guerre mondiale, sur fond de tensions entre grandes puissances avides d'expansion territoriale. Dans un premier temps, elle oppose les pays regroupés dans la Triple-Alliance, soit l'Allemagne, l'Autriche-Hongrie et l'Italie, aux pays alliés dans la Triple-Entente, soit la France, le Royaume-Uni et la

Amedeo Modigliani, *Femme au grand chapeau*, 1917.

Russie. Le conflit déborde rapidement le cadre européen pour s'étendre à tout le monde civilisé : plus de 32 nations y participent, parmi lesquelles les États-Unis, qui décident en quelque sorte de l'issue du combat, soit la victoire de la Triple-Entente.

Au moment de l'armistice, le désastre est d'une telle ampleur en Europe que cela ébranle les certitudes séculaires, même celle voulant que l'humanité marche vers le progrès. La science a participé à l'entreprise de destruction : elle a rendu possible la conception d'armes meurtrières permettant d'atteindre des cibles à distance, de tuer dans l'abstraction. Les raids sur les villes, les bombardements aériens et l'emploi des gaz ont saccagé le territoire, laissant à l'abandon des quartiers, des villages entiers. L'Europe se relève difficilement de ce cataclysme, qui semble avoir englouti l'espoir lui-même. Ces quatre ans de combats, durant lesquels les soldats ont été tenus captifs des tranchées dans des conditions inhumaines, ont dévasté toute une jeunesse. Les morts civils et militaires sont évalués à plus de 10 millions, sans compter les ravages de la grippe espagnole sur des populations sous-alimentées. Les blessés souffrent souvent de graves séquelles physiques ou

psychologiques (plusieurs sont complètement défigurés) qui nuisent à leur réintégration sociale.

Cet affrontement mènera finalement à une nouvelle division de l'Europe, conséquence de la chute des Empires austro-hongrois et ottoman, mais aussi à son déclassement puisque, désormais, les États-Unis domineront le monde tout en se proposant comme modèle de réussite économique. Seul le krach financier de 1929, qui ruinera autant de grands industriels que de petits actionnaires, mettra en péril – pendant un court intermède d'à peine deux ans – cette suprématie presque incontestable.

La guerre met aussi un terme à l'enthousiasme qu'exprimaient des poètes comme Blaise Cendrars et Guillaume Apollinaire pour les innovations technologiques et les audaces du décor urbain. Cette agression a brisé l'élan vers la nouveauté, a sapé l'énergie consacrée à soutenir le rythme de la révolution industrielle. Dans l'entre-deux-guerres, plusieurs intellectuels dénoncent l'opportunisme des grandes puissances, toujours dévorées par une seule ambition, étendre leur empire, et cela au détriment des pays vaincus. Ces puissances prétendent mettre au service des populations indigènes les bienfaits de la culture européenne. Pourtant, dans les faits, ils ne se soucient en général aucunement du développement des pays conquis ou de l'éducation de leurs populations. Dans les pays sous tutelle européenne, des mouvements visant la libération du joug colonial s'organisent.

Dans cette même période, une vague de **nihilisme** atteint en Europe toutes les couches de la société. Le mouvement dada, prédécesseur immédiat du surréalisme, incarne ce désenchantement dans un monde où les valeurs **humanistes** s'écroulent sous la gouverne d'hommes politiques faisant souvent figure de dangereux déséquilibrés. Le chef du groupe, Tristan Tzara, orchestre les actions du mouvement, proclamant que l'art ne trouve plus sa place dans une civilisation qui sacrifie l'être humain à des finalités douteuses.

Les dadaïstes ne croient plus à rien : ils renient l'héritage des grandes civilisations antiques, ils dénigrent les religions et croyances de toutes sortes, ils ridiculisent le **rationalisme** des Lumières ainsi que toute forme d'optimisme quant à l'avenir. Ils semblent même vouloir régresser à une forme d'expression primitive faite de cris et d'onomatopées, hors de toute organisation syntaxique. Cette tendance à tout abolir et à tout ridiculiser finit toutefois par engendrer le désespoir. En effet, les dadaïstes ne proposent aucune utopie qui puisse soulever le regard vers l'horizon ou galvaniser le moral. Dans un premier temps, les surréalistes revendiqueront l'esprit de provocation des dadaïstes, mais ils finiront par s'en distancier, s'éloignant d'une vision trop profondément désengagée et désespérée qui aura même poussé plusieurs artistes au suicide.

LA RÉVOLUTION COMMUNISTE : Comment impose-t-elle le dilemme de l'engagement ?

Comme pour contrecarrer l'atmosphère de morosité engendrée par la guerre, un événement de portée internationale semble donner raison à ceux qui militent en faveur de meilleures conditions de vie pour le peuple : la révolution russe de 1917. Les travailleurs russes, en multipliant les manifestations et les grèves, renversent l'oppressant **régime des tsars**, lequel aura maintenu pendant des

---

Nihilisme : désabusement total et attraction pour le néant.

Humaniste : adhérent au courant de pensée qui se donne comme finalité la dignité de l'homme (considéré comme le centre de l'Univers).

Rationalisme : point de vue selon lequel toute connaissance vient de la raison.

Régime des tsars : avant la révolution communiste de 1917, régime autocratique de la Russie qui s'apparente à la monarchie par le fait que le pouvoir est légué de père en fils.

siècles toute une population dans le servage et la pauvreté. Le Parti bolchevik, dirigé par Lénine, prend le relais du mouvement ouvrier et instaure une **dictature du prolétariat**.

La création de l'URSS (Union des républiques socialistes soviétiques) entraîne en Occident une scission idéologique entre les disciples du libéralisme économique, ayant comme modèle les États-Unis, et les partisans de régimes socialisants, sinon même marxistes. En France, la démarcation est aussi très nette entre les adhérents aux partis de droite, qui représentent les intérêts des classes possédantes, et les sympathisants de la gauche qui subissent fortement l'attraction du Parti communiste, fondé en 1920. Les surréalistes n'y échappent pas : ils doivent eux aussi se situer sur l'échiquier politique. Une des principales causes de dissension au sein du groupe réside justement dans cette question de l'engagement et, plus concrètement, dans le dilemme que pose l'adhésion au Parti communiste. Celui-ci semble en effet le mieux en mesure de servir un des objectifs primordiaux du groupe, soit de transformer la société. Cependant, l'autoritarisme doctrinaire des marxistes heurte de front ces intellectuels, qui veulent que l'art libère l'individu et non qu'il serve d'outil de propagande.

Ainsi, presque partout en Europe, la vie politique porte l'empreinte de cette lutte entre la droite et la gauche. La succession des gouvernements et les tentatives de coups d'État reflètent d'ailleurs cette réalité. En Espagne, l'armée soutient le parti nationaliste de Franco, alors que plusieurs sympathisants français joignent le camp adverse des républicains. Ces derniers finiront par capituler, et plusieurs d'entre eux en seront réduits à s'expatrier, laissant le pays sous le joug du *caudillo* Franco jusqu'à la mort de celui-ci, en 1975.

En Italie, Mussolini séduit l'électorat par un programme antisocialiste et antisyndicaliste, avant de se radicaliser à droite en adoptant les idées nazies à partir de 1935. En Allemagne, on assiste à la montée d'Adolf Hitler. Ce démagogue fanatique prêche non seulement l'extermination des Juifs, à qui il attribue tous les maux de la société allemande, mais aussi celle des handicapés, des déficients mentaux et des Tziganes, cela dans le but de purifier la race « aryenne ». Hitler étend son emprise sur toutes les institutions gouvernementales et finit par provoquer la Seconde Guerre mondiale, qui sera encore plus dévastatrice que la première. En 1940, les Allemands envahiront même la France, qui se trouvera divisée en deux zones : le Nord, occupé par les nazis, et le Sud, sous l'administration du maréchal Pétain. Soumis aux pressions de l'occupant, celui-ci arrivera difficilement à sauvegarder l'indépendance de son gouvernement. Après la guerre, il sera d'ailleurs condamné à mort pour haute trahison. La sentence sera toutefois commuée en détention à vie, et il mourra en prison en 1951.

En 1941, les surréalistes, comme plusieurs de leurs concitoyens, prennent le chemin de l'exil. André Breton se retrouve ainsi à New York, la métropole américaine, avec les peintres André Masson et Yves Tanguy. Marcel Duchamp y est déjà installé depuis quelque temps et choque en exposant des objets ordinaires qu'il nomme « ready-made ». Son but : désacraliser l'art. Duchamp exercera une énorme influence sur la jeune génération d'artistes américains de l'après-guerre.

La même année, le peintre d'origine allemande Max Ersnt réussit à rejoindre ses camarades, souvent isolés les uns des autres. Il constate avec amertume combien il est difficile de relancer la créativité en sol étranger. « La vie au café nous manquait, écrit-il, ainsi nous avions les artistes à New York mais pas d'art. Tout seul, on ne peut pas faire d'art. Il est largement dépendant des échanges d'idées avec les autres. » (Cathrin Klingsöhr-Leroy, *Surréalisme*, 2004) Il n'en reste pas moins vrai que ce séjour à l'étranger de plusieurs artistes contribue à la diffusion internationale du mouvement. L'effervescence surréaliste gagne non seulement l'Amérique du Nord, notamment grâce à la mise sur pied d'expositions et de revues, mais aussi le Mexique, grâce au couple formé par Diego Rivera et Frida Kahlo, et même le Japon, passé maître dans la conception de revues avant-gardistes, ouvertes sur l'Occident. Cependant, cet éparpillement des membres emporte avec lui l'esprit d'une époque. Après la Libération (la fin de l'occupation allemande à la suite de la défaite des nazis), les activités parisiennes des surréalistes reprennent, sans atteindre la profusion de naguère. Plusieurs écrivains ayant participé à la Résistance ont changé leur point de vue, notamment sur la question du militantisme de l'artiste. Le combat a scellé des amitiés mais aussi brisé d'anciennes complicités. Inexorablement, la vie culturelle et intellectuelle change, et c'est l'existentialisme, autour de Jean-Paul Sartre, qui devient le courant dominant.

SIGMUND FREUD : Quelle influence exerce-t-il sur le surréalisme ?

Les surréalistes n'échappent pas à l'emprise de la philosophie marxiste, mise de l'avant par le philosophe allemand **Karl Marx**, qui marque totalement la vie politique européenne à partir des années 1920. Ce sont surtout les circonstances qui les obligent à prendre position sur ce

---

Dictature du prolétariat : dans une société communiste, phase transitoire durant laquelle le pouvoir politique devait être exercé par les travailleurs, en servant leurs intérêts.

Karl Marx (1818-1883) : philosophe qui rédige avec Friedrich Engels le *Manifeste du Parti communiste*. Marx fait de la lutte des classes le concept-clé pour expliquer la dynamique sociale et propose que l'État prenne la responsabilité de tous les types de production en tenant compte des intérêts du peuple.

système de pensée, qui séduit l'Occident en prétendant faire basculer le pouvoir en faveur du peuple; il s'oppose au libéralisme économique, qui semble surtout servir les intérêts de la bourgeoisie. L'histoire a démontré par la suite que cet antagonisme était un peu réducteur et que les bonnes idées sur papier ne donnent pas toujours les résultats attendus dans la réalité.

Toutefois, c'est avec la théorie des rêves de **Sigmund Freud** que les surréalistes ressentent une véritable proximité d'esprit. Le fondateur de la psychanalyse met en quelque sorte à leur disposition tout un ensemble de concepts, comme ceux de l'inconscient, de la libido, des pulsions sexuelles et du complexe d'Œdipe, que lui-même utilise à des fins thérapeutiques et que les surréalistes récupèrent à des fins artistiques. Ils souhaitent puiser dans l'inconscient les images qui vont nourrir leur créativité; dans cette optique, ils vont donc chercher à se mettre en état de réceptivité, par exemple en pratiquant l'écriture automatique en état de demi-sommeil, dans le but d'échapper au jugement rationnel. Ils créent aussi des jeux qui permettent d'accorder une grande place au hasard dans l'écriture. Le cadavre exquis répond notamment à cet objectif : chaque participant à l'activité inscrit un mot dans une suite sans connaître celui qui a été écrit par le participant précédent. La phrase qui en résulte crée la surprise, puisqu'elle juxtapose des mots qui normalement n'iraient pas ensemble. On arrive ainsi à des énoncés qui semblent tout droit sortis du rêve. En effet, dans un rêve, les événements s'enchaînent hors de toute logique et les choses se côtoient dans un désordre hétéroclite. Pourtant, le rêveur ne cesse d'être fasciné par tout ce chaos auquel il cherche un sens. Au contraire de Freud, les surréalistes ne veulent aucunement résoudre l'énigme ni même soigner la folie, source d'inspiration à leurs yeux. Ils veulent plutôt laisser couler librement leur imagination, faire en sorte, comme l'avait si bien dit Lautréamont, que se rencontrent fortuitement, «sur une table de dissection», la «machine à coudre» et le «parapluie».

Le surréalisme force donc l'inconscient à se révéler, car le rêve peut permettre à l'individu de se reconstruire. La pulsion de mort a mené à la guerre; la libido est une pulsion de vie. Les surréalistes ambitionnent de fonder une nouvelle éthique sur la quête du plaisir. Ils remettent l'amour, la liberté et l'humour à l'ordre du jour.

LES ARTISTES SURRÉALISTES : Qui sont-ils ? Dans quelle direction font-ils évoluer l'expression plastique ?

Les artistes surréalistes sont des explorateurs. Non seulement dévoilent-ils tout le potentiel créatif de l'inconscient,

Sigmund Freud (1856-1939) : neurologue d'origine juive né en Autriche, fondateur de la psychanalyse.

mais ils élaborent aussi des procédés qui renouvellent la perception de la réalité, qui en révèlent les faces cachées. Trois noms s'imposent a priori quand on veut parler de la peinture surréaliste, soit ceux du catalan Salvador Dalí (1904-1989), de l'allemand Max Ernst (1891-1976) et du belge René Magritte (1898-1967).

Salvador Dalí semble projeter sur la toile des fantasmes enfouis dans l'inconscient. Des formes tordues, des objets gluants et dégoulinants, des cadavres en putréfaction peuplent ses toiles, leur conférant un caractère inquiétant. Dans une œuvre célèbre d'une complexe intensité (*Rêve causé par le vol d'une abeille autour d'une grenade, une seconde avant l'éveil*, 1944), un personnage qui représente sa muse, Gala, flotte en état d'apesanteur sur une plaque de continent à la dérive; elle est menacée par des tigres, dont l'un est engendré par un poisson tandis qu'en arrière-plan déambule un éléphant juché sur des pattes d'araignée. L'ensemble est pourtant doté d'une grande cohésion, qui force le récepteur à l'interprétation : «Que se passe-t-il ici?» Pour formuler la réponse, il faudra assurément avoir recours à la terminologie freudienne. Le peintre lui-même déroge d'ailleurs à la norme dans sa propre vie : il multiplie les galéjades et aime offrir en spectacle son excentricité. Sa mégalomanie suscite le malaise, même chez les surréalistes. Mais cela n'enlève rien au caractère percutant d'une œuvre iconoclaste entre toutes qui, au demeurant, déborde de la peinture; Salvador Dalí aura ainsi collaboré à la scénarisation du film culte *Un chien andalou* (1929), réalisé par Luis Buñuel. D'autres artistes frayant dans les cercles surréalistes serviront eux aussi le septième art, notamment Jean Cocteau, qui donne un peu plus tard, dans une veine tout de même différente, les très beaux films *La belle et la bête* (1946) et *Orphée* (1949). Par ailleurs, on peut considérer que les tableaux d'Yves Tanguy (1900-1955) sont des variations en bleu (sa couleur de prédilection) très proches parentes de l'œuvre de Dalí.

Max Ersnt n'a pas le panache de Dalí. Il s'emploie avant tout à découvrir des moyens qui pourraient permettre au hasard de jouer un rôle dans la démarche de création. Ainsi procède-t-il d'abord par «collage» d'images tirées de vieux catalogues ou de revues, pour ensuite les juxtaposer sur un support en suivant son inspiration du moment. Il s'intéresse au «frottage», procédé qui lui permet en quelque sorte de révéler les surfaces des objets et leurs anfractuosités, comme c'est le cas en posant un papier sur une écorce d'arbre pour ensuite le crayonner. Il fera ensuite du «grattage» et de la décalcomanie, pour finalement se livrer au *dripping*, action de laisser couler la peinture par gouttes sur la toile, un procédé rendu plus tard célèbre par le peintre américain Jackson Pollock (1912-1956). Les tableaux qui résultent de ces recherches ne se distinguent pas tant par leur virtuosité, comme chez Dalí, mais plutôt par leur absence de prétention qui leur confère un charme presque artisanal.

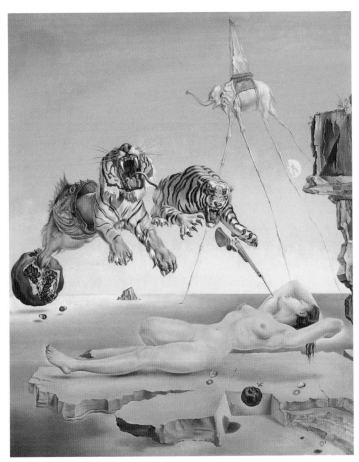

Salvador Dalí, *Rêve causé par le vol d'une abeille autour d'une grenade, une seconde avant l'éveil*, 1944.

1976). Picasso (1891-1973) lui-même aura produit des œuvres illustrant l'influence du surréalisme.

C'est également l'intérêt des surréalistes – notamment celui d'André Breton – pour tous les arts qui jaillissent en marge des réseaux artistiques européens bien établis qui explique, par exemple, qu'un peintre d'origine cubaine comme Wilfredo Lam (1902-1982) trouvera moyen d'exposer à Paris. Breton se servira aussi de son influence pour faire sortir de l'anonymat le peintre haïtien Hector Hyppolite (1894-1948). Mais en général, dans les Antilles, en Afrique et au Québec, la libération appelée par les surréalistes prend le sens particulier de l'affirmation nationale et échappe à leur gouverne. En Haïti et en Martinique, l'écriture constitue un outil de contestation de l'oppression, qu'elle soit le fait de pays colonisateurs ou des élites locales qui collaborent avec eux. C'est probablement le Martiniquais Aimé Césaire qui incarnera le mieux le mouvement de la négritude, qui se veut une revendication de l'identité noire. Il donne l'une des formules les plus frappantes qui puissent expliquer le rôle de toute forme de création dans l'épanouissement de l'individu : « La poésie est cette démarche qui par le mot, l'image, le mythe, l'amour et l'humour m'installe au cœur vivant de moi-même et du monde. » La phrase pourrait en quelque sorte servir de leitmotiv à la production surréaliste dans son intégralité.

LES ÉCRIVAINS SURRÉALISTES : Partagent-ils devant l'art et la vie une attitude commune ?

La poésie avant tout

Dans toutes leurs créations, les surréalistes témoignent d'une grande passion pour le langage. En font foi les associations de mots inusitées dans leurs poèmes, les longs titres attribués à leurs tableaux et l'intégration du langage à leurs toiles. Toutefois, ces rebelles incorrigibles s'inquiètent peu de leur notoriété ou que leurs œuvres puissent être reconnues comme « littéraires ». Breton aurait même considéré comme un déshonneur de figurer dans un manuel d'histoire littéraire ; or, ses textes occupent une place enviable dans toutes les anthologies, y compris celle-ci.

En fait, ce qui motive d'abord les surréalistes, c'est de connaître les ressources du psychisme, qui ont été ignorées par des siècles de rationalisme. En valorisant le premier jet de l'écriture, ils permettent un contact direct avec l'inconscient. Dans un premier temps, les écrivains surréalistes refusent de se soumettre au travail de réécriture, souhaitant conserver la force brute de leurs énoncés. Ils répugnent à réviser leurs textes en les soumettant à une grille de critères esthétiques issus d'une longue tradition littéraire. Les surréalistes ne veulent pas faire « beau » à tout prix ; ils veulent faire « vrai ».

Issus de la mouvance dadaïste, les écrivains surréalistes proclament haut et fort leur rejet de l'idéologie bourgeoise,

René Magritte est le représentant le mieux connu du mouvement surréaliste belge, qui a toujours affirmé son indépendance par rapport au groupe parisien et entretient avec lui des rapports tendus. Magritte s'intéresse à la relation du mot avec l'objet qu'il désigne, tout autant qu'il s'intéresse au lien de la toile avec son titre. Peignant une pipe, il prend la peine de préciser à l'intérieur même du cadre que « ceci n'est pas une pipe ». Assurément, il ne s'agit pas d'une pipe, puisque c'est une toile et qu'en outre, ce même objet pourrait être nommé bien autrement en d'autres langues. Certains de ses tableaux jouent sur l'équivoque sexuelle ou laisse le fantasme l'emporter par l'érotisation totale d'un visage (*Le viol*, 1934). Un autre peintre belge, Paul Delvaux (1897-1994), associé lui aussi au cercle surréaliste belge, construit sur ses toiles d'étranges mises en scène comportant des personnages énigmatiques qui déambulent dans un espace onirique.

Plusieurs autres artistes notoires ont fait partie à un moment ou l'autre de leur carrière de la nébuleuse surréaliste, parmi lesquels les sculpteurs Jean Arp (1887-1966) et Alberto Giacometti (1901-1966), les peintres Giorgio de Chirico (1888-1978), Francis Picabia (1879-1953), André Masson (1896-1987), Joan Miró (1893-1983) et Paul Klee (1879-1940), ainsi que le photographe Man Ray (1890-

qu'ils tiennent responsable de la guerre. Ils vilipendent ce matérialisme débilitant qui pousse à l'esprit de conquête, avec pour conséquence l'exploitation de l'être humain. Leur révolte s'appuie sur une réévaluation du passé et se réclame de prédécesseurs ayant placé leur plume au service de la subversion, soit en particulier le marquis de Sade, Rimbaud et le comte de Lautréamont. Leur attrait pour des sources d'inspiration peu conventionnelles est tout aussi connu : Breton s'initie, lors de son exil en Amérique, aux rites amérindiens et se montre captivé par le vaudou. Le groupe révèle en outre au public des peintres autodidactes et affichent un grand intérêt pour l'art des primitifs et des aliénés.

LA FEMME : Quelle place prend-elle dans le surréalisme ?

En dépit de ses prétentions à vouloir renverser l'ordre ancien, le mouvement surréaliste laisse peu de place à la femme créatrice. De plus, il tend à la cantonner au rôle passif de la muse, de l'inspiratrice réduite à n'être qu'objet du discours ou de la représentation picturale. Peu de femmes arrivent à se tailler une place en tant qu'artistes. Celles qui émergent de l'anonymat sont d'origine étrangère, comme c'est le cas de l'Allemande Meret Oppenheim (1913-1985), de la Britannique Leonora Carrington (1917-2011), de l'Américaine Dorothea Tanning (1910-2012) et de Leonor Fini (1908-1996), une Argentine d'ascendance italienne. Le surréalisme a d'ailleurs fait l'objet d'une remise en question par les féministes des années 1970, qui ont passé au peigne fin toute l'histoire littéraire afin de dénoncer le paternalisme couvant sous l'esprit de révolte quasi permanent.

Pourtant, dans les faits, les femmes s'émancipent. De tout temps indispensables dans les familles, elles réalisent qu'elles peuvent aussi, dans l'urgence de la guerre, se substituer aux hommes partis se battre au front. Plusieurs deviennent chefs de famille et doivent travailler pour survivre ; d'autres font plus que leur part dans les usines d'armement ou encore dans les hôpitaux, à soigner les blessés. Durant l'entre-deux-guerres, les femmes manifestent dans les rues pour obtenir le droit de vote. Refusant désormais d'être reléguées à la cuisine ou de faire les potiches au salon, les femmes bougent, font du sport. Elles sont séduites par la mode « garçonne », qui libère leur corps des corsets, crinolines ou autres appendices encombrants. Leur chevelure coupée court sur la nuque leur donne un air d'effronterie qui laisse présager une ère de revendications. Toutefois, pour que soient formulés des arguments décisifs en faveur de leur lutte, il faudra attendre qu'une écrivaine philosophe comme Simone de Beauvoir, la compagne de Sartre, publie *Le deuxième sexe*, perçu dès sa sortie en 1949 comme un manifeste du féminisme en gestation.

L'AUTOMATISME AU QUÉBEC : Suit-il les traces du courant français ?

L'éclosion tardive du surréalisme au Québec ne se fait pas de façon orthodoxe. Les créateurs québécois proposent leur propre interprétation des théories surréalistes et inventent leur propre écriture. Autour du peintre Paul-Émile Borduas se regroupent des artistes et des écrivains appelés « automatistes ». Ils organisent plusieurs manifestations collectives, de 1944 à 1956 principalement. Leur coup d'éclat est sans contredit la publication, en 1948, du *Refus global*, un ensemble de textes chapeauté par le manifeste du même titre (rédigé par Borduas et contresigné par 15 personnes). Il comprend également trois « objets dramatiques », du poète Claude Gauvreau, ainsi que divers textes d'autres signataires proposant des réflexions novatrices sur l'art, la danse, la peinture et la société. Gauvreau se distinguera d'ailleurs comme l'un des rares dramaturges à s'être risqué dans la composition d'une pièce « exploréenne », qui rompt avec la tradition réaliste. Tout cela est très mal reçu par les élites en place, qui condamnent l'ouvrage par divers gestes de censure : retrait du *Refus global* dans les librairies, licenciement de Borduas (qui enseigne à l'École du meuble), exil plus ou moins consenti de plusieurs membres du groupe. Malgré cet échec, les œuvres picturales et poétiques des automatistes, animées par un esprit de révolte, constituent quelques-uns des facteurs de progrès qui jalonnent la transformation collective que représente la Révolution tranquille (dont on s'entend pour situer le début en 1960).

Somme toute, les liens des automatistes québécois avec leurs confrères d'outre-mer sont plutôt ténus. Même si André Breton visite le Québec pendant la guerre et qu'il situe en Gaspésie le début de son œuvre *Arcane 17* (publiée en 1945), les intellectuels québécois ne font pas partie du groupe qu'il recrée à New York. Après son retour d'exil, la reprise des activités surréalistes à Paris attire quelques québécois, dont les peintres Fernand Leduc et Jean-Paul Riopelle (sur lequel Breton publie un texte dans son essai *Le surréalisme et la peinture*), et le poète Roland Giguère. Toutefois, leur participation ne signifie aucunement une adhésion sans condition au mouvement.

Cela dit, dans l'art et la littérature au Québec, on doit distinguer l'automatisme comme tel – que pratiquent plusieurs peintres autour de Borduas et un poète comme Gauvreau – d'un surréalisme québécois plus libre. En effet, plusieurs artistes et écrivains ne participent pas aux manifestations publiques des automatistes, ne signent pas leur manifeste et n'adhèrent pas explicitement à leurs théories, mais ils se laissent tout de même séduire par l'esthétique ou l'esprit surréalistes, surtout parce qu'ils constituent des instruments de mutation sociale.

LE SURRÉALISME

Quelles caractéristiques peut-on lui attribuer qui puissent aider à l'analyse des œuvres ?

Étant donné l'importance que prennent la spontanéité et l'improvisation chez les surréalistes, la poésie s'impose comme genre privilégié. En effet, les textes courts conviennent bien au jaillissement de la pensée, qui se fait hors de toute contrainte à condition de repousser les règles de la versification classique. Les romans, par contre, sont des œuvres de longue haleine qui exigent une ordonnance des anecdotes si l'on veut que le lecteur s'y retrouve, ne serait-ce que minimalement. Ainsi, le roman *Nadja*, d'André Breton, paru une première fois en 1928, a fait l'objet d'une refonte au moment de sa seconde publication en 1962 pour approfondir les propos et à la fois mieux les organiser. Louis Aragon, de son côté, s'est toujours porté à la défense du genre narratif, que les surréalistes, en général, dénigraient. Il compose plusieurs romans tout au long de sa vie : *Le paysan de Paris* paraît en 1926 alors qu'Aragon n'a pas encore 30 ans et il publie en 1989, à la fin de sa vie, un récit à caractère autobiographique, *Pour expliquer ce que j'étais*. Enfin, le théâtre doit souvent ses plus grandes réussites à des écrivains qui fréquentent les surréalistes, mais sans adhérer au groupe, comme c'est le cas de Jean Cocteau, qui excelle en tout.

Les traits distinctifs

1 Le jeu et l'expérimentation

Le surréalisme favorise l'expérimentation des formes littéraires en se dotant de moyens ou de consignes susceptibles de provoquer l'inspiration. L'écriture en état de demi-sommeil, la création sous hypnose ou les récits de rêves représentent autant de tentatives d'échapper à la supervision de la raison. L'écriture automatique vise donc en général à exprimer l'inconscient, cet inconnu intérieur, en appliquant cette phrase de Rimbaud : « Je est un autre ». Le « cadavre exquis », ainsi nommé à cause de la première phrase qui a été obtenue en pratiquant ce jeu, consiste à composer un énoncé à plusieurs, sans qu'aucun participant connaisse le mot qui a été écrit par le participant précédent. Le but visé est de laisser place au hasard qui peut donner lieu, dans la création, à des découvertes thématiques et stylistiques surprenantes. Toutes ces approches permettent de se détacher à la fois du pathétisme romantique, qui donne priorité à l'émotion, et de l'esthétisme symboliste, qui valorise le travail plutôt que la forme. En fait, le surréalisme met en place les expérimentations qu'approfondiront par la suite les postmodernistes. Les frontières entre les disciplines artistiques, les règles, les tabous, tout cela est déclaré caduc, est jeté par-dessus bord,

car on découvre que la liberté ouvre une ère de commencement. Ainsi, les poètes surréalistes agencent des mots sans tenir compte des contraintes sémantiques ; ils font des poèmes en vers libres, en prose et même des poèmes graphiques (ex. : les calligrammes d'Apollinaire). Ils combinent facilement essai, poésie et roman dans une même œuvre. Les formes surgissent en toute liberté ; elles s'offrent comme des fruits à cueillir par l'imagination.

2 La libération des genres et de la rhétorique

La hiérarchie des genres littéraires est bouleversée. André Breton, de même que plusieurs écrivains surréalistes, placent la poésie au centre de l'expérience humaine. Ils déprécient tout autre genre ou procédé visant la représentation réaliste du monde. Pourtant, Breton lui-même tentera, avec *Nadja*, de renouveler le genre narratif en faisant en sorte que le récit des anecdotes soit guidé par le hasard des déplacements et des rencontres dans Paris. Aragon, de son côté, tiendra toujours le roman en haute estime, car ce genre lui permet d'approfondir la thématique amoureuse. Il importe aussi de préciser qu'en parallèle au surréalisme, d'autres écrivains (regroupés au chapitre suivant) feront évoluer ce genre critiqué par les surréalistes.

Le fait est qu'en concentrant leurs intérêts non seulement sur le jaillissement de l'inspiration, mais aussi sur l'image, les surréalistes sont pratiquement tenus de privilégier le poème du fait que c'est un texte court. L'image surréaliste, comparaison ou métaphore, sera fondée sur le rapprochement inédit et innovateur de termes éloignés. En conséquence, elle va forcément déstabiliser le lecteur, comme l'illustrent les exemples suivants.

> *L'aigle sexuel exulte il va dorer la terre encore une fois*
> (André Breton, premier vers de *L'air de l'eau*).

> *L'avion tisse les fils télégraphiques*
> *et la source chante la même chanson*
> *Au rendez-vous des cochers l'apéritif est orangé*
> *mais les mécaniciens des locomotives ont les yeux blancs*
> *la dame a perdu son sourire dans les bois*
> (Philippe Soupault, *Rose des vents*)

Les textes qui résultent de cette improvisation ou de ce travail d'agencement libre ne sont pas faciles à décrypter. De nombreux vers énigmatiques, dépourvus de ponctuation, obligent le lecteur à participer à la construction du sens. Il en est de même pour certains passages de romans qui prennent le lecteur au dépourvu, à l'instar des films surréalistes, semblant quelquefois plus tenir du rébus que du récit organisé. D'autre part, on ne peut nier la puissance de séduction – quelquefois étrangement inexplicable – des textes surréalistes, comme en témoigne le fait que plusieurs ont été mis en chansons. C'est le cas, par exemple, des poèmes d'Aragon *Est-ce ainsi que les hommes vivent* (poème sur la guerre), *Complainte de Robert le diable* (composé à la mémoire de Robert Desnos) et *Il n'aurait fallu* (très beau poème d'éloge à l'amour qui sauve du suicide).

3 Les thèmes du fantasme, de l'amour, de la liberté et de la ville

S'abandonner à la dictée de l'inconscient suppose une ouverture au monde du rêve et du fantasme. L'expérience intérieure consiste à donner libre cours au désir et au plaisir, entre autres pulsions. Certains poètes élaborent un merveilleux monde d'images autour des thèmes de l'amour et de l'érotisme, tous deux dotés d'un pouvoir libérateur. « Des mythes nouveaux naissent sous chacun de nos pas », écrit Louis Aragon dans *Le paysan de Paris* (1926). Parmi ceux-ci se détachent les mythes de la femme-muse et de la femme-mystère.

Attentifs au spectacle de la rue, entichés des marchés aux puces où ils débusquent des objets insolites, les surréalistes ont élu la ville comme lieu de pérégrination, comme lieu de rencontres et de trouvailles magiques dans leur vie comme dans leurs œuvres. Partagés entre leur atelier, fréquenté par les amis, et les cafés, lieux d'échanges et de discussion, ces artistes s'émeuvent aussi du charme discret des objets sortis de la banalité du quotidien.

D'autres poètes, enfin, expriment plutôt l'angoisse, la douleur et la révolte devant la façon de vivre des hommes. À l'époque, la violence politique l'emporte plus souvent qu'autrement sur la compassion ou la solidarité.

4 Une écriture jaillissante qui échappe au contrôle de la raison

Au début, les surréalistes valorisent l'écriture du premier jet et cherchent à transcrire les images surgissant de l'inconscient. Par la suite, le courant évolue par rapport à ces premiers principes, car il apparaît finalement évident qu'on ne peut éliminer complètement le travail de réécriture. Cependant, le besoin de respecter une forme d'innocence à l'origine du texte persiste, car c'est là un chemin qui permet de renouveler le langage. On pratique notamment l'humour, qui n'est plus considéré comme un simple agrément de la conversation depuis que Freud a démontré ses racines inconscientes. Breton va jusqu'à définir l'humour noir comme une entreprise de déstructuration de nos certitudes logiques et des conventions du langage. Le fantastique retrouve ses lettres de noblesse, de même que les contes merveilleux traditionnels et une certaine littérature enfantine. Finalement, la littérature surréaliste est aussi portée par un désir très palpable de persuasion : on veut convaincre le lecteur de s'aventurer en zone encore inexplorée pour vivre l'ivresse des mots.

En se déployant au cœur du XXe siècle, entre deux guerres mondiales, le surréalisme a donné forme à une furieuse exaltation de la vie, comme pour effacer les effrayantes séquelles de la violence. Son empreinte sur les arts et la littérature est indélébile, et son impact sur la culture et les mentalités est également indéniable. La musique actuelle et la publicité témoignent encore aujourd'hui du fait qu'un vent de folie a permis d'ouvrir les digues de l'imaginaire.

Salvador Dalí,
*La Persistance
de la mémoire*, 1931.

Les caractéristiques de la littérature surréaliste

Littérature du jeu et de l'expérimentation	• Écriture automatique sans le contrôle de la raison. Récits de rêve. • Mélange des formes : dans un texte, juxtaposition de passages narratifs, référentiels et poétiques. Poèmes adoptant toutes les formes possibles : vers libre, prose, et calligramme. Collage, effets graphiques, etc. • Écriture collective, cadavres exquis.
Libération des genres et de la rhétorique	• Héros promeneur, ouvert aux imprévus. • Poèmes fondés sur le jaillissement de l'inspiration. • Importance de la figure de style résultant d'une libre association de mots appartenant à des réalités éloignées.
Thématique du fantasme, de l'amour et de la liberté	• L'amour érigé en mythe salvateur de l'individu. • Exploration de l'étrangeté, de l'indicible et de l'immoral. Goût du défi et du scandale. • Personnages d'éternels adolescents souvent en rébellion. • Femmes mystérieuses. • Sexe et perversité. Angoisse, douleur, révolte. • L'espace urbain, lieu de l'imprévisible ; intervention du merveilleux qui fracture le temps réel ; évasion dans le rêve.
Écriture échappant au contrôle de la raison	• Humour noir, caricature et dérision. • Récits déstructurés. • Magie des coïncidences ; importance des prémonitions. • Images arbitraires. Poème litanie.

LA POÉSIE

M
p. 280

Quel héritage les surréalistes reprennent-ils à leur compte ? Dans quelle direction font-ils évoluer la poésie ?

Sous l'égide de Breton, la poésie s'inscrit à la fois dans un mouvement de filiation et de contestation. Elle poursuit ainsi la continuité, notamment avec le romantisme, en faisant en sorte que l'émotion soit présente dans le contenu tout en marquant de son empreinte la forme du poème. Les romantiques s'étaient permis une versification libérée, des coupes métriques discordantes. Les surréalistes vont naturellement aller plus loin : ils se soucient généralement peu des règles de la versification et poussent l'audace jusqu'au poème graphique.

L'amour des romantiques était déchiré entre deux figures iconiques ; d'un côté, la femme virginale, salvatrice, et de l'autre, la femme fatale, corruptrice. Chez les surréalistes, la femme est associée au désir charnel, ce qui, dans certains cas, donne préséance au corps sur l'esprit. Alors qu'en peinture, le corps féminin est souvent distordu, violenté, comme s'il faisait l'objet d'une dérive perverse, dans les poèmes, il est quelquefois découpé en parties, comme s'il était soumis au regard d'un fétichiste. Mais il arrive aussi que les muses envoûtent par leur mystère ou s'imposent même à ces hommes comme leur seule raison de vivre.

Les surréalistes confessent toutefois de bon gré leur dette envers les symbolistes. Rimbaud est vu comme une figure tutélaire : comme lui, on veut se faire voyant, avoir accès à des mondes secrets, jamais explorés. On adopte également l'esprit subversif des symbolistes en étant comme eux anticléricaux et antimilitaristes, et en favorisant l'anticonformisme sur tous les fronts. On adhère aux idées de Mallarmé, qui refuse notamment de réduire le langage à l'état de simple outil au service d'une communication utilitaire. On recherche plutôt les images inhabituelles qui déstabiliseront le lecteur. Par ailleurs, les surréalistes innovent dans leur conception de l'image, qu'ils détachent de son contenu descriptif ou sensoriel ; ils favorisent plutôt la rencontre imprévue de réalités éloignées sans liens logiques entre elles. Les surréalistes privilégient en outre la liberté de l'inspiration, hors de toute contrainte. Ils n'adhèrent nullement, comme l'ont fait les symbolistes, à la théorie de l'art pour l'art. L'emploi de certains procédés stylistiques, comme l'anaphore ou le jeu de mots, structure le poème. Celui-ci peut, par exemple, prendre l'allure d'une litanie. Il importe donc, comme lecteur, de s'ouvrir à la nouveauté, de briser le sceau de nos attentes marquées par des siècles de tradition versifiée.

Les caractéristiques de la poésie surréaliste

Réseau du sens Capter les messages qui surgissent de l'inconscient et se libérer de la censure morale.	• Expression de l'inconnu intérieur. • Thèmes du rêve, de l'érotisme (incluant le fantasme pervers ou sadique). • Angoisse, douleur, révolte. • Humour noir. • Libération de mythes : l'amour, la femme, la ville associés au mystère et à la magie. • Hasard objectif (effets des coïncidences et des prémonitions sur la destinée personnelle).
Réseau de l'image Libérer le langage des contraintes de la logique.	• Associations de mots imprévues, inédites, innovatrices. • Liens entre les mots qui semblent arbitraires du point de vue de la logique. • Prédilection pour la répétition, l'énumération et leurs variantes.
Réseau du rythme Expérimenter des procédés d'écriture	• Jeux et expérimentations variées : écriture automatique, transcription de rêves, cadavres exquis, écriture collective. • Écriture spontanée, au fil de la plume. • Mélange de genres, de tons, de niveaux de langue. • Effets graphiques, insertions d'illustrations, collage. • Rythme de litanie qui vise l'envoûtement.

Un malheur se prépare

Les magasins de la rue Vivienne étalent leurs richesses aux yeux émerveillés. Éclairés par de nombreux becs de gaz, les coffrets d'acajou et les montres en or répandent à travers les vitrines des gerbes de lumière éblouissante. Huit heures ont sonné à l'horloge de la bourse : ce n'est pas tard ! à peine le dernier coup de marteau s'est-il fait
5 entendre, que la rue, dont le nom a été cité, se met à trembler, et secoue ses fondements depuis la place royale jusqu'au boulevard Montmartre. Les promeneurs hâtent le pas, et se retirent pensifs dans leurs maisons. Une femme s'évanouit et tombe sur l'asphalte. Personne ne la relève : il tarde à chacun de s'éloigner de ce parage. Les volets se referment avec impétuosité, et les habitants s'enfoncent dans leurs couver-
10 tures. On dirait que la peste asiatique a révélé sa présence. Ainsi, pendant que la plus grande partie de la ville se prépare à nager dans les réjouissances des fêtes nocturnes, la rue Vivienne se trouve subitement glacée par une sorte de pétrification. Comme un cœur qui cesse d'aimer, elle a vu sa vie éteinte. Mais, bientôt, la nouvelle du phénomène se répand dans les autres couches de la population, et un silence morne

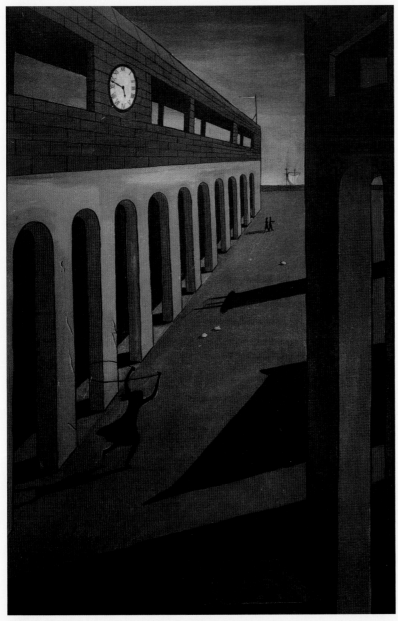

Giorgio de Chirico, *Mélancolie d'une rue*, 1924.

Lautréamont (Isidore Ducasse, dit le comte de) (1846-1870)

L'écriture libre

On connaît peu de choses de ce poète, né en Uruguay d'un père affecté au consulat de France, qui très jeune quitte sa famille pour aller étudier à Paris. Dans les collèges qu'il fréquente alors, il semble avoir été un élève moyen qui a laissé peu de souvenirs de son passage. À l'âge de 23 ans, Isidore Ducasse publie, sous le pseudonyme de « comte de Lautréamont », un récit incomparable entre tous : *Les chants de Maldoror*. Celui-ci passe inaperçu au moment de sa parution, et son auteur meurt l'année suivante dans son appartement parisien, apparemment de phtisie. Son œuvre hallucinante, dans laquelle s'estompent les frontières entre rêve et réalité, portent les surréalistes – qui le redécouvrent au cours des années 1920 – à lui prêter une existence mystérieuse et à créer un véritable mythe autour de l'énigme de sa vie. Par sa liberté d'écriture, Lautréamont se présente, au même titre que Rimbaud, comme l'un des principaux précurseurs de l'esprit surréaliste. Son succès de librairie demeurera toutefois modeste, car le texte semble souvent impénétrable, truffé de figures de style déroutantes. Les liens entre les épisodes du récit sont peu explicites et ne tiennent souvent qu'à l'unique présence de Maldoror, personnage dont le nom évoque le mal et l'horreur.

Au sixième chant, le narrateur insère un court récit qui se situe dans un quartier de Paris où Lautréamont a habité. En reprenant le prénom d'un héros du grand romancier écossais Walter Scott, il présente dans cet extrait la nouvelle victime qui, à la fin du livre, sera tuée et projetée dans le ciel par le cruel Maldoror.

15 plane sur l'auguste capitale. Où sont-ils passés, les becs de gaz ? Que sont-elles devenues, les vendeuses d'amour ? Rien... la solitude et l'obscurité ! Une chouette, volant dans une direction rectiligne, et dont la patte est cassée, passe au-dessus de la Madeleine, et prend son essor vers la barrière du Trône, en s'écriant : « Un malheur se prépare. » Or, dans cet endroit que ma plume (ce véritable ami qui me sert de compère)
20 vient de rendre mystérieux, si vous regardez du côté par où la rue Colbert s'engage dans la rue Vivienne, vous verrez, à l'angle formé par le croisement de ces deux voies, un personnage montrer sa silhouette, et diriger sa marche légère vers les boulevards. Mais, si l'on s'approche davantage, de manière à ne pas amener sur soi-même l'attention de ce passant, on s'aperçoit, avec un agréable étonnement, qu'il est jeune ! De
25 loin on l'aurait pris en effet pour un homme mûr. La somme des jours ne compte plus, quand il s'agit d'apprécier la capacité intellectuelle d'une figure sérieuse. Je me connais à lire l'âge dans les lignes physiognomoniques du front : il a seize ans et quatre mois ! Il est beau comme la rétractilité des serres des oiseaux rapaces ; ou encore, comme l'incertitude des mouvements musculaires dans les plaies des parties
30 molles de la région cervicale postérieure ; ou plutôt, comme ce piège à rats perpétuel, toujours retendu par l'animal pris, qui peut prendre seul des rongeurs indéfiniment, et fonctionner même caché sous la paille ; et surtout, comme la rencontre fortuite sur une table de dissection d'une machine à coudre et d'un parapluie ! Mervyn, ce fils de la blonde Angleterre, vient de prendre chez son professeur une leçon d'escrime, et,
35 enveloppé dans son tartan écossais, il retourne chez ses parents. C'est huit heures et demie, et il espère arriver chez lui à neuf heures : de sa part, c'est une grande présomption que de feindre d'être certain de connaître l'avenir.

Le comte de Lautréamont, *Les chants de Maldoror*, « Chant sixième » (extrait de la strophe 3), 1869.

Atelier d'analyse

Exploration

1. Le début du texte paraît totalement réaliste. Démontrez-le.

2. Quel événement inhabituel semble briser la continuité du quotidien ?

3. Comment les piétons et les habitants de la rue Vivienne en général réagissent-ils devant cet événement imprévisible ?

4. Quels faits, au centre du récit, contribuent à donner une tonalité morbide à l'atmosphère ?

5. « Or, dans cet endroit que ma plume [...] vient de rendre mystérieux, si vous regardez [...]. » Quel effet probable peut avoir cette phrase sur le lecteur ?

6. Expliquez en quoi la série de comparaisons entre les lignes 28 et 33 ne pouvait que séduire les surréalistes.

7. Expliquez en quoi les dernières lignes constituent un retour au réalisme.

Rédaction

8. **Sujet** : Montrez que ce texte répond à la conception héritée de Baudelaire selon laquelle l'art doit créer un effet de bizarre.

9. **Consignes** :
   • Dégagez les éléments contribuant à l'effet de bizarre.
   • Parmi ceux-ci, retenez-en deux qui vous paraissent les plus significatifs.
   • Transformez-les en idées principales (ou phrases-clés) et formulez ensuite les paragraphes en conséquence (avec idées secondaires et citations).

La cravate et la montre

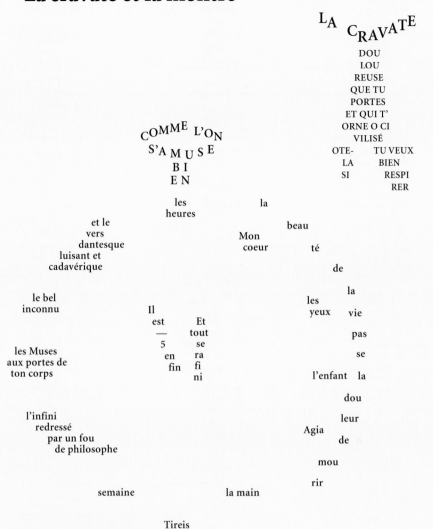

Guillaume Apollinaire, *Calligrammes*, 1918.

Guillaume Apollinaire (1880-1918)

La poésie graphique : le calligramme

Né d'une mère issue de la noblesse polonaise et de père inconnu, Guillaume Apollinaire prend plaisir très jeune à la vie de bohème et aux conduites frivoles. Il compose des romans érotiques et des poèmes lyriques en hommage à ses amantes. Engagé volontaire au moment de la Première Guerre, il est blessé à la tête et bientôt opéré par trépanation. Il reprend ensuite ses activités littéraires tout en collaborant à de nombreux journaux, notamment comme critique d'art. Il meurt à 38 ans, victime de la grave épidémie de grippe espagnole qui s'abat sur une population affaiblie par les privations de toutes sortes.

Faisant le pont entre les deux siècles, son œuvre poétique présente des traits symbolistes, voire romantiques. En effet, il utilise avec bonheur les formes régulières de la versification et s'inscrit dans la tradition apparentée à la poésie courtoise. Pourtant, ce défenseur de « l'esprit nouveau » (titre de sa conférence de 1917) et l'inventeur de l'adjectif « surréaliste » peut aussi faire preuve de hardiesse en décidant, par exemple, de supprimer toute ponctuation de son recueil *Alcools*. Il crée les calligrammes, ces poèmes qui, comme « La cravate et la montre », sont faits de mots disposés dans une forme figurative.

Atelier d'analyse

Exploration

1. Transposez ce calligramme en vers libres placés à l'horizontale. Quelles difficultés pose cette transcription ? Dans ce nouvel ordre, quelle signification se dégage du poème ? Cette signification a-t-elle un lien avec le dessin ?

2. Le poème de la « cravate » semble plus facile à comprendre que celui de la « montre ». Pourquoi ?

3. Ces deux objets, cravate et montre, constituent-ils des symboles (des objets représentatifs d'autre chose) ? Combinés l'un à l'autre, construisent-ils une image surréaliste (tenir compte de ses caractéristiques présentées dans la description du genre poétique) ?

4. Relevez les mots associés au thème du temps. Quelles sont les réflexions du poète sur ce thème ?

5. Y a-t-il dans ce calligramme un récit implicite ? Si oui, lequel ?

Rédaction

6. Énumérez en phrases complètes trois aspects qui contribuent au caractère anticonformiste de ce poème et illustrez-les par des exemples.

Tristan Tzara
(1896-1963)

Le poème dadaïste

Né en Roumanie et d'origine juive, Tristan Tzara, pseudonyme de Samuel Rosenstock, est l'initiateur du mouvement dada, fondé en 1916 à Zurich, en Suisse, et qui se transporte ensuite à Paris, attirant les futurs surréalistes dont André Breton et Paul Éluard. Le courant dadaïste, profondément nihiliste, exprime le désenchantement d'une génération qui ne trouve de réconfort que dans la provocation. Tzara mène ainsi plusieurs manifestations ayant pour but de s'attaquer aux structures du langage. Dans ses poèmes du début, plusieurs mots sont déconstruits en lettres, en sons, tenus dans l'isolement, comme si on annulait toute intelligence dans la communication.

Réfractaire au militantisme s'exprimant par les voies de la littérature, Tzara n'hésitera pourtant pas au moment de la Seconde Guerre à s'engager dans la Résistance contre l'oppresseur nazi. Il meurt à Paris après avoir publié tout au long de sa carrière de nombreux recueils de poèmes.

La « recette » ci-contre fait partie d'un manifeste dada qui exprime bien la révolte par l'absurde des dadaïstes.

Pour faire un poème dadaïste

Prenez un journal.

Prenez des ciseaux.

Choisissez dans ce journal un article ayant la longueur que vous comptez donner à votre poème.

5 Découpez l'article.

Découpez ensuite avec soin chacun des mots qui forment cet article et mettez-les dans un sac.

Agitez doucement.

Sortez ensuite chaque coupure l'une après l'autre.

10 Copiez consciencieusement dans l'ordre où elles ont quitté le sac.

Le poème vous ressemblera.

Et vous voilà un écrivain infiniment original et d'une sensibilité charmante, encor qu'incomprise du vulgaire[1].

_____

1. _Exemple_ : lorsque les chiens traversent l'air dans un diamant comme les idées et l'appendice de la méninge montre l'heure du réveil programme (le titre est de moi)
prix ils sont hier convenant ensuite tableaux / apprécier le rêve époque des théose imaginer dit-il fatalité pouvoir des couleurs / tailla cintres ahuri la réalité un enchantement / spectateur tous à effort de la ce n'est plus 10 à 12 / pendant la divagation virevolte descend pression / rendre de fous queu-leu-leu chairs sur un monstrueuse écrasant scène / célébrer mais leur 160 adeptes dans pas aux mis en mon nacré / fastueux de terre bananes soutint s'éclairer / joie demander réunis presque / de a la un tant que le invoquait des visions / des chante celle-ci rit / sort situation disparaît décrit celle 25 danse salut / dissimula le tout de ce n'est pas fut / magnifique l'ascension a la bande mieux lumière dont somptuosité scène me music-hall / reparaît suivant instant s'agite vivre / affaires qu'il n'y a prêtait / manière mots viennent ces gens

Tristan Tzara, _Sept manifestes dada_, 1924.

Atelier d'analyse

Exploration

1. Montrez que ce poème fonctionne sur le modèle de la recette.

2. Examinez l'« Exemple » et commentez les effets de cette méthode de composition sur la syntaxe et la logique générale du texte. Reste-t-il des fragments compréhensibles ? Suffisent-ils à construire un poème ?

3. Peut-on dire que ce poème oppose la spontanéité du néophyte à la maîtrise du métier des poètes accomplis ? Justifier votre réponse.

4. Trouvez dans le texte des exemples d'ironie ou d'humour par l'absurde.

5. Pourrait-on considérer ce texte comme une sorte d'art poétique dadaïste ?

Rédaction

6. Est-il juste d'affirmer que ce poème prône une forme de démocratisation de la poésie ?

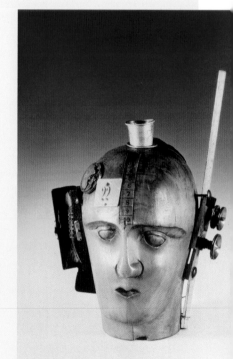

Raoul Hausmann, _L'esprit de notre temps (Tête mécanique)_, 1919.

Au mocassin le verbe

Tu me suicides, si docilement.
Je te mourrai pourtant un jour.
Je connaîtrons cette femme idéale
Et lentement je neigerai sur sa bouche.
5 Et je pleuvrai sans doute même si je fais tard, même si je fais beau temps.
Nous aimez si peu nos yeux
Et s'écroulerai cette larme sans
Raison bien entendu et sans tristesse.
Sans.

Robert Desnos, *Langage cuit,* 1923.

Notre paire quiète, ô yeux !

Notre paire quiète, ô yeux !
que votre nom soit sang (t'y fier ?)
que votre araignée rie,
que votre vol honteux soit fête (au fait)
5 sur la terre (commotion).

Donnez-nous, aux joues réduites,
notre pain quotidien.
Part, donnez-nous, de nos œufs foncés
comme nous part donnons
10 à ceux qui nous ont offensés.
Nounou laissez-nous succomber à la tentation
et d'aile ivrez-nous du mal.

Robert Desnos, *Corps et biens,* 1930.

La girafe

La girafe et la girouette,
Vent du sud et vent de l'est,
Tendent leur cou vers l'alouette,
Vent du nord et vent de l'ouest.

5 Toutes deux vivent près du ciel,
Vent du sud et vent de l'est,
À la hauteur des hirondelles,
Vent du nord et vent de l'ouest.

Et l'hirondelle pirouette,
10 Vent du sud et vent de l'est,
En été sur les girouettes,
Vent du nord et vent de l'ouest.

L'hirondelle fait des paraphes,
Vent du sud et vent de l'est,
15 Tout l'hiver autour des girafes,
Vent du nord et vent de l'ouest.

Robert Desnos, *Trente chantefables pour les enfants sages,* 1944.

Robert Desnos (1900-1945)

Trois poèmes, une exploration poétique

Au début du mouvement surréaliste, Desnos est au cœur des activités « expérimentales » menées par le groupe. L'un de ses plus brillants sujets, il est capable de composer des poèmes en faisant surgir des images insolites en état de demi-sommeil. On le dirait doté d'un pouvoir secret pour se brancher sur son inconscient. « Robert Desnos parle surréaliste à volonté », déclare André Breton en guise d'hommage à ce compagnon de route qui manifeste une disposition naturelle pour l'écriture automatique.

La destinée de Robert Desnos illustre également la fatalité du siècle, puisque ce poète de la légèreté se mue en tragique héros de la Résistance, bientôt déporté au camp de concentration de Terezin où il meurt au moment même où les alliés libèrent la Tchécoslovaquie. Ses compagnons de détention ne manqueront pas de souligner sa grandeur d'âme.

Dans son parcours poétique, Robert Desnos est poussé par l'ambition d'inventer de nouvelles formes, de jouer avec les mots, de sortir des sentiers battus, mais aussi par le désir d'exprimer sa secrète fantasmagorie. Les trois poèmes retenus ici illustrent cette volonté d'exploration.

Atelier d'analyse

Exploration

1. Parmi les thèmes suivants, lequel ou lesquels s'appliquent à chacun des poèmes ? Justifiez votre choix, notamment à l'aide de citations.
   a. L'enfance
   b. L'argent
   c. L'amour
   d. La drogue
   e. La peur
   f. La mort
   g. L'espoir
   h. La mort
   i. La religion

2. Un seul de ces poèmes peut être considéré de tonalité lyrique. Lequel ? Justifiez votre choix.

3. Lequel de ces poèmes est un pastiche (une contrefaçon parodique) du *Notre père,* une prière qu'adressent les chrétiens à leur Créateur ? Expliquez votre choix.

4. Lequel de ces poèmes se présente comme une comptine ? Montrez que dans ce poème, le sens est indissociable du rythme.

5. Est-il juste d'affirmer que le jeu avec les mots est le seul élément commun entre ces trois poèmes ? Expliquez votre réponse.

Rédaction

6. Montrez comment ces poèmes illustrent le goût de l'exploration poétique chez Robert Desnos.

Juan Miró, *Hirondelle amour,* 1933.

Il n'aurait fallu

Il n'aurait fallu
Qu'un moment de plus
Pour que la mort vienne
Mais une main nue
5 Alors est venue
Qui a pris la mienne

Qui donc a rendu
Leurs couleurs perdues
Aux jours aux semaines
10 Sa réalité
À l'immense été
Des choses humaines

Moi qui frémissais
Toujours je ne sais
15 De quelle colère
Deux bras ont suffi
Pour faire à ma vie
Un grand collier d'air

Rien qu'un mouvement
20 Ce geste en dormant
Léger qui me frôle
Un souffle posé
Moins Une rosée
Contre mon épaule

25 Un front qui s'appuie
À moi dans la nuit
Deux grands yeux ouverts
Et tout m'a semblé
Comme un champ de blé
30 Dans cet univers

Un tendre jardin
Dans l'herbe où soudain
La verveine pousse
Et mon cœur défunt
35 Renaît au parfum
Qui fait l'ombre douce

Louis Aragon, *Le roman inachevé*, 1956.

Elsa au miroir

C'était au beau milieu de notre tragédie
Et pendant un long jour assise à son miroir
Elle peignait ses cheveux d'or Je croyais voir
Ses patientes mains calmer un incendie
5 C'était au beau milieu de notre tragédie

Et pendant un long jour assise à son miroir
Elle peignait ses cheveux d'or et j'aurais dit
C'était au beau milieu de notre tragédie
Qu'elle jouait un air de harpe sans y croire
10 Pendant tout ce long séjour assise à son miroir

Elle peignait ses cheveux d'or et j'aurais dit
Qu'elle martyrisait à plaisir sa mémoire
Pendant tout ce long séjour assise à son miroir
À ranimer les fleurs sans fin de l'incendie
15 Sans dire ce qu'une autre à sa place aurait dit

Elle martyrisait à plaisir sa mémoire
C'était au beau milieu de notre tragédie
Le monde ressemblait à ce miroir maudit
Le peigne partageait les feux de cette moire
20 Et ces feux éclairaient des coins de ma mémoire

C'était au beau milieu de notre tragédie
Comme dans la semaine est assis le jeudi

Et pendant un long jour assise à sa mémoire
Elle voyait au loin mourir dans son miroir

25 Un à un les acteurs de notre tragédie
Et qui sont les meilleurs de ce monde maudit

Et que vous savez leurs noms sans que je les aie dits
Et ce que signifient les flammes des longs soirs

Et ces cheveux dorés quand elle vient s'asseoir
30 Et peigner sans rien dire un reflet d'incendie.

Louis Aragon, *La Diane française*, 1945.

La louange à la femme-muse

Toute l'œuvre de Louis Aragon est dirigée vers la quête de soi, car son identité lui échappe aux premiers jours de sa vie : sa famille brouille les liens de parenté pour cacher la honte de sa naissance illégitime. Membre fondateur du surréalisme et son ardent défenseur, il rompt pourtant avec le groupe en 1931 pour devenir un fidèle militant du Parti communiste. Sur le plan de l'écriture, il effectue un retour aux formes traditionnelles à la fois dans sa poésie et dans ses romans, pour reprendre ensuite le chemin de l'innovation. Marié à Elsa Triolet, il forme avec elle un couple mythique, et les poèmes qu'il dédie à sa compagne contribuent à l'édification de leur légende.

Au même titre que celle d'Éluard, sa poésie amoureuse marque le siècle. Plusieurs de ses poèmes ont été mis en musique et chantés par de nombreux interprètes. Les deux poèmes retenus ici montrent une grande virtuosité dans le traitement du thème de la femme salvatrice.

Atelier de comparaison

Exploration

Il n'aurait fallu

1. Comment la présence de la femme est-elle évoquée dans plusieurs strophes de ce poème ?

2. Comment Aragon suggère-t-il qu'il était habité par des idées suicidaires peu avant la rédaction du poème ?

3. Comment la nature contribue-t-elle à illustrer le retour à l'état de bien-être ?

4. La métaphore est-elle ici la figure de style privilégiée par Aragon ? Y a-t-il des exceptions dans ce poème ? Donnez des preuves à l'appui de votre réponse.

5. Est-il vrai que ce poème se rapproche davantage de la poésie de Verlaine que de la poésie des surréalistes ? Pour répondre, observez tous les aspects de la versification.

Elsa au miroir

6. Expliquez pourquoi Elsa prend valeur de mythe, son miroir semblant refléter plus grand qu'elle-même (ex. : la nature, la musique, l'histoire de l'humanité, le cosmos).

7. Expliquez l'organisation des vers et montrez que la musicalité ainsi créée participe à un effet d'inquiétude et de mélancolie.

8. La métaphore est-elle ici la figure de style privilégiée par Aragon ? Y a-t-il des exceptions dans ce poème ? Donnez des preuves à l'appui de votre réponse.

9. Relevez trois mots qui, à vos yeux, seraient les plus importants pour révéler le sens du poème. Expliquez votre choix.

10. Pourquoi peut-on affirmer, à coup sûr, que ce poème ne résulte pas d'un exercice d'écriture automatique ?

Rédaction

11. **Sujet :** Est-il juste d'affirmer que l'éloge de la femme est associé, dans ces deux poèmes, à une tonalité grave ?

    Consigne : Réservez les deux premiers paragraphes à une analyse descriptive des poèmes et le troisième à la prise de position.

Exposition internationale du surréalisme, galerie des Beaux-Arts, Paris, 1938.

L'union libre

Ma femme à la chevelure de feu de bois
Aux pensées d'éclairs de chaleur
À la taille de sablier
Ma femme à la taille de loutre entre les dents du tigre
5 Ma femme à la bouche de cocarde et de bouquet d'étoiles de dernière grandeur
Aux dents d'empreintes de souris blanche sur la terre blanche
À la langue d'ambre et de verre frottés
Ma femme à la langue d'ostie poignardée
À la langue de poupée qui ouvre et ferme les yeux
10 À la langue de pierre incroyable
Ma femme aux cils de bâtons d'écriture d'enfant
Aux sourcils de bord de nid d'hirondelle
Ma femme aux tempes d'ardoise de toit de serre
Et de buée aux vitres
15 Ma femme aux épaules de champagne
Et de fontaine à têtes de dauphins sous la glace
Ma femme aux poignets d'allumettes
Ma femme aux doigts du hasard et d'as de cœur
Aux doigts de foin coupé
20 Ma femme aux aisselles de martre et de fênes
De nuit de la Saint-Jean
De troène et de nid de scalares
Aux bras d'écume de mer et d'écluse
Et de mélange du blé et du moulin
25 Ma femme aux jambes de fusée
Aux mouvements d'horlogerie et de désespoir
Ma femme aux mollets de moelle de sureau
Ma femme aux pieds d'initiales
Aux pieds de trousseaux de clés aux pieds de calfats qui boivent
30 Ma femme au cou d'orge imperlé
Ma femme à la gorge de Val d'or
De rendez-vous dans le lit même du torrent
Aux seins de nuit
Ma femme aux seins de taupinière marine
35 Ma femme aux seins de creuset du rubis
Aux seins de spectre de la rose sous la rosée
Ma femme au ventre de dépliement d'éventail des jours
Au ventre de griffe géante
Ma femme au dos d'oiseau qui fuit vertical
40 Au dos de vif-argent
Au dos de lumière
À la nuque de pierre roulée et de craie mouillée
Et de chute d'un verre dans lequel on vient de boire
Ma femme aux hanches de nacelle
45 Aux hanches de lustre et de pennes de flèche
Et de tiges de plumes de paon blanc
De balance insensible
Ma femme aux fesses de grès et d'amiante
Ma femme aux fesses de dos de cygne
50 Ma femme aux fesses de printemps

André Breton (1896-1966)

La résurrection de formes poétiques oubliées

C'est en 1921, à l'âge de 25 ans, qu'André Breton se marie pour une première fois. Ce grand amoureux se laissera toutefois fréquemment séduire, puisqu'il est ouvert aux lois du hasard et de l'aventure. La femme occupera par conséquent une place centrale dans sa poésie, comme ce fut le cas dans sa vie. Selon son opinion, les chemins de la connaissance passent par le cœur et l'amour génère une énergie vitale directement liée à l'imagination instinctive. De fait, Breton, poète ou critique, n'écrit que sur ce qu'il aime. L'émotion, comme chez les romantiques, est garante de l'authenticité de sa parole. Il place en outre un immense espoir dans le message de l'inconscient. Ce sont d'ailleurs ses études de médecine qui l'ont conduit à s'intéresser à Freud et à la psychanalyse. Son œuvre témoigne d'une attirance continue pour la folie susceptible de révéler une part d'inconnu qui, chez l'être humain, aurait été occulté par des siècles de rationalisme.

Ce célèbre poème présente une synthèse des principaux procédés du surréalisme : les figures de style en association libre, le procédé d'énumération ainsi que le recours aux grands thèmes du courant comme l'amour et l'érotisme en lien avec la nature, laquelle sert ici comme ailleurs de fondement au lyrisme.

Au sexe de glaïeul
Ma femme au sexe de placer et d'ornithorynque
Ma femme au sexe d'algue et de bonbons anciens
Ma femme au sexe de miroir
55 Ma femme aux yeux pleins de larmes
Aux yeux de panoplie violette et d'aiguille aimantée
Ma femme aux yeux de savane
Ma femme aux yeux d'eau pour boire en prison
Ma femme aux yeux de bois toujours sous la hache
60 Aux yeux de niveau d'eau de niveau d'air de terre et de feu

André Breton, *Clair de terre*, 1931.

Atelier d'analyse

Exploration

1. Pour vous aider à comprendre le texte :
   a. Cherchez la définition des mots dont la signification vous échappe, par exemple « cocarde », « ambre », « troène », « sureau », « calfat », « placer », etc. (Les mots « fêne » et « scalare » n'existent pas : allez voir à « faine » et « scalaire ».) Interrogez-vous aussi sur les mots dont la définition peut éclairer la signification du texte, comme « ardoise », « taupinière », etc.
   b. Dressez les principaux champs lexicaux du texte.

2. Ce poème appartient à un genre poétique ancien (XVIe siècle), appelé « blason », consistant en une description détaillée, élogieuse ou satirique, d'une personne ou d'une chose. Établissez le plan du texte en tenant compte du passage qui s'effectue d'une partie du corps à une autre et des mouvements du regard. Comment interpréter le fait que le poème se termine par des images liées aux yeux ?

3. Les surréalistes ont idéalisé la femme. Ce poème s'inscrit-il dans cette perspective ?

4. Comment le thème de la sexualité est-il suggéré dans le poème ?

5. Analysez la rhétorique en relevant des répétitions, des parallélismes ou d'autres figures de style.

6. Ce poème contient-il des verbes conjugués ? Comporte-t-il une proposition principale complète ? Comment peut-on qualifier la construction syntaxique de chaque vers ?

7. Vérifiez ce qu'est une « anaphore ». Quel est l'effet recherché par ce procédé ?

8. Ce poème ressemble à une litanie. Expliquez l'impression que peut produire ce choix sur le lecteur.

9. Étudiez cinq figures de style de votre choix : expliquez l'audacieuse liberté qui préside à l'agencement des mots.

10. Relevez les allusions aux quatre éléments symboliques (air, eau, feu, terre). En quoi le dernier vers constitue-t-il une synthèse du poème ?

Rédaction

11. **Sujet :** En trois paragraphes, justifiez le titre du poème d'André Breton en tenant compte de la thématique et de la conception que se fait l'auteur de la figure de style.
    Consignes :
    • Dans le premier paragraphe, associez le titre au thème de la femme.
    • Dans le second, associez le titre aux thèmes de l'amour et de la sexualité.
    • Dans le troisième, tenez compte de l'union libre entre mots et idées dans les figures de style.

12. Comparez ce poème de Breton avec l'un ou l'autre des poèmes d'Aragon portant sur le thème de l'amour et sur le mythe de la femme-muse.

La terre est bleue...

La terre est bleue comme une orange
Jamais une erreur les mots ne mentent pas
Ils ne vous donnent plus à chanter
Au tour des baisers de s'entendre
5 Les fous et les amours
Elle sa bouche d'alliance
Tous les secrets tous les sourires
Et quels vêtements d'indulgence
À la croire toute nue.

10 Les guêpes fleurissent vert
L'aube se passe autour du cou
Un collier de fenêtres
Des ailes couvrent les feuilles
Tu as toutes les joies solaires
15 Tout le soleil sur la terre
Sur les chemins de ta beauté.

Paul Éluard, *L'amour la poésie*, 1929.

Liberté

Sur mes cahiers d'écolier
Sur mon pupitre et les arbres
Sur le sable de neige
J'écris ton nom

5 Sur les pages lues
Sur toutes les pages blanches
Pierre sang papier
J'écris ton nom

Sur les images dorées
10 Sur les armes des guerriers
Sur la couronne des rois
J'écris ton nom

Sur la jungle et le désert
Sur les nids sur les genêts
15 Sur l'écho de mon enfance
J'écris ton nom

Sur tous mes chiffons d'azur
Sur lie étang soleil moisi
Sur le lac lune vivante
20 J'écris ton nom

Sur les champs sur l'horizon
Sur les ailes des oiseaux
Et sur le moulin des ombres
J'écris ton nom

25 Sur chaque bouffée d'aurore
Sur la mer sur les bateaux
Sur la montagne démente
J'écris ton nom

Paul Éluard (1895-1952)

La poésie libératrice

Né dans une famille fortunée, Paul Éluard, de son vrai nom Paul Grindel, fait très tôt l'expérience de la maladie puisqu'il est atteint de tuberculose dans l'adolescence. C'est au sanatorium qu'il rencontre la première de ses trois épouses, une jeune femme russe surnommée Gala qui deviendra plus tard la compagne et l'inspiratrice du peintre Salvador Dalí. Celle qui la remplace recevra le surnom de Nusch; il la célèbre dans sa poésie jusqu'à sa mort inattendue en 1946, événement qui amènera le poète au bord du suicide. Au cours de l'un de ses nombreux déplacements outre-mer, il rencontre Dominique Lemort, sa troisième compagne, qu'il épousera en 1951, un an avant son décès.

Grand poète de l'amour, Éluard exprime son lyrisme à travers un univers imaginaire très riche. Alors que dans *L'union libre*, Breton décrit le corps immobile de la femme aimée, Éluard fait de la femme le centre d'un monde transformé par la poésie.

Le premier poème retenu ici fait partie du recueil *L'amour la poésie*, publié en 1929, et il illustre pleinement l'influence du surréalisme par l'arbitraire des figures de style employées et l'importance qu'y prend le thème du langage.

Le second texte fait comprendre comment évolue un poète, par la force des circonstances. C'est en effet au moment de la Résistance qu'Éluard compose, en 1942, ce célèbre poème intitulé « Liberté », qu'on laissera pleuvoir sur Paris à partir d'un avion afin de soutenir l'espoir des Français qui attendent la libération de leur territoire.

Sur la mousse des nuages
30 Sur les sueurs de l'orage
Sur la pluie épaisse de fade
J'écris ton nom

Sur les sentiers éveillés
Sur les routes déployées
35 Sur les places qui débordent
J'écris ton nom

Sur la lampe qui s'allume
Sur la lampe qui s'éteint
Sur mes raisons réunies
40 J'écris ton nom

Sur le fruit coupé en deux
Du miroir et de ma chambre
Sur mon lit coquille vide
J'écris ton nom

45 Sur mon chien gourmand et tendre
Sur ses oreilles dressées
Sur sa patte maladroite
J'écris ton nom

Sur le tremplin de ma porte
50 Sur les objets familiers
Sur le flot du feu béni
J'écris ton nom

Sur toute chair accordée
Sur le front de mes amis
55 Sur chaque main qui se tend
J'écris ton nom

Sur la vitre des surprises
Sur les lèvres attendries
Bien au-dessus du silence
60 J'écris ton nom

Sur mes refuges détruits
Sur mes phares écroulés
Sur les murs de mon ennui
J'écris ton nom

65 Sur l'absence sans désir
Sur la solitude nue
Sur les marches de la mort
J'écris ton nom

Sur la santé revenue
70 Sur le risque disparu
Sur l'espoir sans souvenir
J'écris ton nom

Et par le pouvoir d'un mot
Je recommence ma vie
75 Je suis né pour te connaître
Pour te nommer

Liberté

Paul Éluard, *Au rendez-vous allemand*, 1942.

Fernand Léger, *Liberté j'écris ton nom*, 1953.
« Je suis né pour te connaître, pour te nommer » :
Éluard, comme tous ses compagnons surréalistes,
s'est donné comme mission de promouvoir
la liberté sous toutes ses formes : artistique,
littéraire, amoureuse, politique...

Atelier de comparaison

Exploration

La terre est bleue...

1. « La terre est bleue comme une orange » : montrez que cette figure de style, comme beaucoup d'autres dans le poème, illustre la conception que les surréalistes se faisaient de l'image poétique.

2. Selon vous, que veut dire Éluard dans le deuxième vers quand il affirme que « Jamais une erreur les mots ne mentent pas » ?

3. Comment est évoquée la présence féminine dans le poème ?

4. Expliquez pourquoi ce poème donne l'impression de résulter d'un exercice d'écriture automatique.

5. Expliquez la sensation de liberté, d'ouverture au monde que suggère ce premier poème.

Liberté

6. Sauf dans le titre du poème, le mot « liberté » n'apparaît dans aucune strophe. En quoi cela est-il paradoxal ? Selon vous, pourquoi Éluard a-t-il fait ce choix ?

7. Les répétitions combinées aux anaphores donnent un rythme de martèlement au poème. Expliquez l'efficacité d'un tel procédé dans ce poème rédigé comme un appel à la libération.

8. Relevez dans le poème au moins cinq vers reposant sur des associations de mots inattendus et dégagez-en des éléments de signification.

9. La quête de liberté se joue sur une toile en clair-obscur. Démontrez-le et expliquez les variations dans la luminosité du poème.

10. La thématique de la liberté est associée à une symbolique cosmique. Illustrez et commentez la pertinence de cette alliance.

11. À l'opposé, de nombreux vers sont dotés d'un caractère autobiographique. Relevez cinq de ces vers en expliquant ce qu'ils révèlent de l'auteur et les effets possibles sur le lecteur.

Rédaction

12. Analysez la thématique de la liberté dans l'un des deux poèmes (à votre choix) ou comparez le traitement de ce thème dans les deux poèmes.

13. En dehors des liens avec la guerre, le poème *Liberté* conserve encore aujourd'hui un fort pouvoir d'évocation, particulièrement pour de jeunes adultes. Commentez cette affirmation.

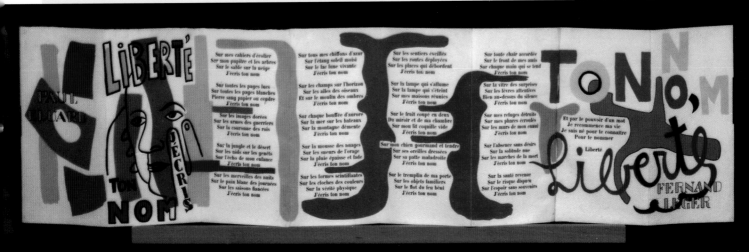

ATELIER DE COMPARAISON

**Jacques Prévert
(1900-1977)**

Le surréalisme rendu familier

Né dans un milieu humble et dévot, Jacques Prévert fait, dans son enfance, figure de cancre, c'est-à-dire de mauvais élève paresseux, ce qui le pousse à quitter l'école à 15 ans pour exercer divers petits métiers. Demeuré toute sa vie fidèle à ses origines, il exprimera souvent avec un humour féroce son hostilité envers toute forme de bigoterie. À le lire, l'impression se confirme qu'il a voulu rendre le surréalisme accessible au lecteur moyen. Sa révolte s'exprime dans une langue familière, dont on dirait qu'elle est plus orale qu'écrite, alors qu'il démontre en fait une réelle virtuosité en multipliant les jeux de mots et les effets sonores. Homme de gauche, sinon même anarchiste, il participe à plusieurs entreprises de vulgarisation de la culture dans les domaines du théâtre mais aussi de la musique classique. Scénariste reconnu pour la finesse de ses dialogues, il a collaboré à de grands classiques du cinéma comme *Quai des brumes* (1938) et *Les enfants du paradis* (1945), de Marcel Carné, et *Le crime de Monsieur Lange* (1936), de Jean Renoir. Plusieurs grands interprètes de la chanson française, d'Yves Montand à Serge Reggiani, ont chanté ses

Pater Noster

Notre Père qui êtes aux cieux
Restez-y
Et nous nous resterons sur la terre
Qui est quelquefois si jolie
5 Avec ses mystères du New York
Et puis ses mystères de Paris
Qui valent bien celui de la Trinité
Avec son petit canal de l'Ourcq
Sa grande muraille de Chine
10 Sa rivière de Morlaix
Ses bêtises de Cambrai
Avec son océan Pacifique
Et ses deux bassins aux Tuileries
Avec ses bons enfants et ses mauvais sujets
15 Avec toutes les merveilles du monde
Qui sont là
Simplement sur la terre
Offertes à tout le monde
Éparpillées
20 Émerveillées elles-mêmes d'être de telles merveilles
Et qui n'osent se l'avouer
Comme une jolie fille nue qui n'ose se montrer
Avec les épouvantables malheurs du monde
Qui sont légion
25 Avec leurs légionnaires
Avec leurs tortionnaires
Avec les maîtres de ce monde
Les maîtres avec leurs prêtres leurs traîtres et leurs reîtres
Avec les saisons
30 Avec les années
Avec les jolies filles et avec les vieux cons
Avec la paille de la misère pourrissant dans l'acier des canons.

Jacques Prévert, *Paroles*, 1946.

Le cancre

Il dit non avec la tête
Mais il dit oui avec le cœur
Il dit oui à ce qu'il aime
Il dit non au professeur
5 Il est debout
On le questionne
Et tous les problèmes sont posés
Soudain le fou-rire le prend
Et il efface tout
10 Les chiffres et les mots
Les dates et les noms
Les phrases et les pièges

Et malgré les menaces du maître
Sous les huées des enfants prodiges
15 Avec les craies de toutes les couleurs
Sur le tableau noir du malheur
Il dessine le visage du bonheur

Jacques Prévert, *Paroles*, 1946.

poèmes. Dans les dernières années de sa vie, il est en quelque sorte devenu, à son grand dam, un monument de la littérature française. Fait exceptionnel, son recueil *Paroles* demeure encore aujourd'hui sur la liste des best-sellers, avec plus de trois millions d'exemplaires vendus.

Dans les deux poèmes retenus ici, Prévert exprime son esprit libertaire tout en donnant une leçon de savoir-faire poétique.

Atelier de comparaison

Exploration

Pater Noster

1. Établissez un plan du texte en quatre ou cinq parties et donnez un titre à chacune d'elles.

2. Est-il juste de dire qu'un tour du monde, plutôt fantaisiste, sert en quelque sorte d'argument à l'invitation faite aux hommes de demeurer sur terre et de laisser le ciel à Dieu ? Expliquez votre réponse.

3. Le poème est construit sur un réseau d'antithèses. Démontrez-le et expliquez quelles semblent être les intentions de Prévert en procédant ainsi.

4. Montrez que l'autre figure la plus employée dans le poème est le parallélisme, qui se conjugue dans certains cas avec un effet de rime.

5. En filigrane, trouve-t-on dans ce poème une dénonciation de la guerre ? Justifiez votre réponse.

Le cancre

6. Montrez, avec exemples à l'appui, que Prévert utilise dans *Le cancre* les mêmes procédés stylistiques que dans *Pater Noster*.

7. Montrez que le poème exprime un esprit libertaire et s'insurge contre les institutions et contre le pouvoir établi.

8. Comment la couleur soutient-elle ici l'amour de la vie ?

9. En considérant l'aspect thématique, peut-on dire que ce poème évolue à l'inverse du premier ?

Rédaction

10. **Sujet :** En quoi ces deux poèmes expriment-ils le goût du bonheur chez un poète à l'esprit libertaire ?
    Consigne : Dans le développement, tenez compte des aspects du sujet, soit :
    • la thématique du bonheur ;
    • le caractère libertaire du point de vue.
    N'oubliez pas en outre d'appuyer les arguments sur des citations et des exemples tirés des deux poèmes.

11. Au choix, répondez à la même question, mais en vous attachant à un seul des deux poèmes.

Henri Michaux
(1899-1984)

Le nihilisme créatif

Né en Belgique, pays avec lequel il rompra toute attache, Henri Michaux devient matelot après l'abandon de ses études en médecine et demeure toute sa vie un grand voyageur avide d'expériences et de découvertes. Malgré des affinités avec le surréalisme, il se tient en marge de tout groupe mais entretient des amitiés fidèles avec des écrivains de sa génération comme Jules Supervielle et Jean Paulhan. Sa révolte le conduit à entamer une longue exploration intérieure, traduite dans le titre d'un de ses ouvrages : *L'espace du dedans*. Il poursuit sa recherche en écrivant sous l'effet des drogues, en particulier la mescaline et la marijuana. En parallèle de sa création poétique, il produit une importante œuvre de peintre, de dessinateur, de graveur, où taches, lignes et couleurs élaborent un langage personnel au service d'une imagination singulière.

Le titre *La nuit remue* montre à la fois l'univers de création privilégié de Michaux et le bouillonnement qui l'habite. Le poème *Contre* appartient aux textes-cris qu'il lance afin de matérialiser sa violence et sa douleur.

Contre!

Je vous construirai une ville avec des loques, moi !
Je vous construirai sans plan et sans ciment
Un édifice que vous ne détruirez pas,
Et qu'une espèce d'évidence écumante
5 Soutiendra et gonflera, qui viendra vous braire au nez,
Et au nez gelé de tous vos Parthénons, vos arts arabes, et de vos Mings.

Avec de la fumée, avec de la dilution de brouillard
Et du son de peau de tambour,
Je vous assoirai des forteresses écrasantes et superbes,
10 Des forteresses faites exclusivement de remous et de secousses,
Contre lesquelles votre ordre multimillénaire et votre géométrie
Tomberont en fadaises et galimatias et poussière de sable sans raison.

Glas ! Glas ! Glas sur vous tous, néant sur les vivants !
Oui, je crois en Dieu ! Certes, il n'en sait rien !
15 Foi, semelle inusable pour qui n'avance pas.
Oh monde, monde étranglé, ventre froid !
Même pas symbole, mais néant, je contre, je contre,
Je contre et te gave de chiens crevés.
En tonnes, vous m'entendez, en tonnes, je vous arracherai ce que vous m'avez
20   [refusé en grammes.

Le venin du serpent est son fidèle compagnon,
Fidèle, et il l'estime à sa juste valeur.
Frères, mes frères damnés, suivez-moi avec confiance.
Les dents du loup ne lâchent pas le loup.
25 C'est la chair du mouton qui lâche.

Dans le noir nous verrons clair, mes frères.
Dans le labyrinthe nous trouverons la voie droite.
Carcasse, où est ta place ici, gêneuse, pisseuse, pot cassé ?
Poulie gémissante, comme tu vas sentir les cordages tendus des quatre mondes !
30 Comme je vais t'écarteler !

Henri Michaux, *La nuit remue*, 1935.

Atelier d'analyse

Exploration

1. Relevez les objets successifs de la révolte du poète. Que leur oppose-t-il ?

2. Établissez le plan du texte. Donnez un titre à chaque partie.

3. Quelle consonne contribue à donner un rythme de roulement à la première strophe ? Dans la deuxième strophe, Michaux enrichit le tissu sonore en jouant sur une nouvelle allitération : quelle est-elle ? Selon vous, quel est l'effet souhaité ?

4. Relevez les énumérations qui, dans cette deuxième strophe, contribuent à donner un rythme saccadé au poème. Ce rythme vous paraît-il convenir à la signification du texte ?

5. Dans la troisième strophe, Michaux continue de donner de l'importance à l'aspect phonétique du poème par l'emploi d'un autre procédé. Lequel ? Donnez un exemple.

6. Expliquez le caractère ironique de cette troisième strophe.

7. Expliquez l'effet possible des répétitions sur le lecteur.

8. Relevez les passages qui donnent à cette strophe un ton de parabole antireligieuse.

Rédaction

9. **Sujet :** Commentez l'évolution du sentiment de révolte dans le poème.

    Consigne : Tenez compte du fond et de la forme.

Henri Michaux, *Le prince de la nuit*, 1937.

**Aimé Césaire
(1913-2008)**

Le poète de la négritude

Né en Martinique, Aimé Césaire devient, au moment de ses études à Paris, l'ami de Léopold Sédar Senghor, lui aussi poète ainsi que futur homme d'État sénégalais. Ensemble, ils lancent le « mouvement anticolonialiste de la négritude », qui vise à reconnaître la contribution des peuples noirs à la culture mondiale. Au moment où André Breton découvre cette voix singulière, celle-ci a déjà révélé ses accents, qui sont personnels, tout en étant apparentés au surréalisme. Au point de vue thématique, la poésie de Césaire exprime une révolte qui se fonde sur une recherche collective d'identité, que certains ont appelée l'« antillanité ». Engagé dans la politique de son pays, Césaire est connu pour ses pièces se rattachant au théâtre de libération (*Une saison au Congo*, 1967).

Les armes miraculeuses sont celles du langage qu'on s'approprie pour revendiquer son identité comme peuple et combattre l'aliénation ou l'assimilation par le colonisateur européen. Ce recueil illustre la tendance à l'écriture militante à l'intérieur même du mouvement surréaliste.

Prophétie

là où l'aventure garde les yeux clairs
là où les femmes rayonnent de langage
là où la mort est belle dans la main comme un oiseau saison de lait
là où le souterrain cueille de sa propre génuflexion un luxe de prunelles plus
5   violent que des chenilles
là où la merveille agile fait flèche et feu de tout bois

là où la nuit vigoureuse saigne une vitesse de purs végétaux

là où les abeilles des étoiles piquent le ciel d'une ruche plus ardente que la nuit
là où le bruit de mes talons remplit l'espace et lève à rebours la face du
10   temps
là où l'arc-en-ciel de ma parole est chargé d'unir demain à l'espoir et l'infant
à la reine,

d'avoir injurié mes maîtres mordu les soldats du sultan
d'avoir gémi dans le désert
15 d'avoir crié vers mes gardiens
d'avoir supplié les chacals et les hyènes pasteurs de caravanes

je regarde
la fumée se précipite en cheval sauvage sur le devant de la scène ourle un
instant la lave de sa fragile queue de paon puis se déchirant la chemise
20   s'ouvre d'un coup la poitrine et je la regarde en îles britanniques en îlots
en rochers déchiquetés se fondre peu à peu dans la mer lucide de l'air
où baignent prophétiques
ma gueule
    ma révolte
        mon nom.

Aimé Césaire, *Les armes miraculeuses*, 1946.

Atelier d'analyse

Exploration

1. Dégagez le plan de ce poème en trois mouvements essentiels.

2. Dressez un répertoire des procédés stylistiques employés dans ce poème avec exemples à l'appui.

3. Selon vous, pourquoi Césaire a-t-il isolé, presque au centre du poème, les mots « je regarde » dans un seul vers ?

4. Trouvez un vers qui évoque le titre du recueil. Comment peut-on interpréter la fin du poème ?

Rédaction

5. Montrez que ce poème porte la marque du militantisme de Césaire.

M
p. 275
p. 278
p. 283

Comment évoluent ces genres sous la plume des surréalistes ?

Les surréalistes n'établissent plus, comme leurs prédécesseurs, de nette distinction entre la prose et la poésie. Cette dernière pénètre l'ensemble de leurs textes. Ce mélange des genres participe d'un grand mouvement de transformation de la prose au XXᵉ siècle, qui atteint également le théâtre.

L'ESSAI

En raison de leur appartenance à une avant-garde artistique, les surréalistes se servent de l'essai à des fins polémiques. Les nombreuses querelles au sein du groupe poussent Breton, surnommé le « pape » du surréalisme par ses détracteurs, à « excommunier » les brebis insoumises, plaidoyer à l'appui. Dans son deuxième manifeste, il passe en jugement d'anciens condisciples qui refusent, par exemple, d'adhérer à son point de vue concernant l'engagement politique. Les conflits de personnalité s'avèrent en outre aussi fréquents que les conflits idéologiques. On peut le comprendre, ce courant s'étant donné comme double ambition de changer la vie et de transformer la société.

Les surréalistes vont donc pratiquer l'écriture pamphlétaire sous toutes ses formes, tirant notamment profit des nombreuses revues qu'ils créent pour s'exprimer. L'humour noir y côtoie souvent la violence verbale, tout cela dans un espace graphique qui, encore aujourd'hui, séduit par sa modernité. Tous ces textes, et en particulier les *Manifestes* d'André Breton, permettent de suivre l'histoire du groupe, de retrouver des définitions, de comparer des points de vue théoriques et de voir comment se modifie la liste des écrivains admirés ou frappés d'interdit. Aucun thème n'est exclu, qu'il soit philosophique, politique, social ou culturel. Ainsi, en 1924, dans le premier *Manifeste du surréalisme*, Breton énumère les noms des écrivains qu'il admire (Gérard de Nerval, Arthur Rimbaud, le comte de Lautréamont, Alfred Jarry, etc.) ainsi que ceux de ses camarades de l'époque qui ont participé à la fondation du courant : Paul Éluard, Louis Aragon, Robert Desnos, Antonin Artaud, Benjamin Péret. Il y formule aussi, sur le modèle des entrées du dictionnaire, une définition qu'il veut définitive :

> SURRÉALISME : *n. m. Automatisme psychique pur par lequel on se propose d'exprimer, soit verbalement, soit par écrit, soit de toute autre manière, le fonctionnement réel de la pensée. Dictée de la pensée, en l'absence de tout contrôle exercé par la raison, en dehors de toute préoccupation esthétique ou morale.*

Cependant, avec le recul, on constate que les essais surréalistes constituent bel et bien des prises de position esthétiques et littéraires. Dans *Signe ascendant* (1947),

Breton admet que des règles formelles et éthiques gouvernent l'écriture surréaliste telle qu'il la conçoit. Le style fortement argumentatif de ses essais démontre en outre que le surréalisme ne se limite pas à s'abandonner au flux de l'inconscient. Le ton impérieux et les nombreuses invectives semblent aussi entrer en contradiction avec l'éloge de la liberté, élu comme thème prioritaire du mouvement.

À la même époque, d'autres écrivains qui créent en marge du surréalisme cherchent aussi à préciser la singularité de leur démarche à l'aide d'essais, ce qui est le cas d'écrivains comme Jean Cocteau ou Henri Michaux.

LE RÉCIT

Dans son premier manifeste, Breton condamne le roman parce qu'il est, selon lui, un genre littéraire trop terre à terre. De plus, il rejette la description qui, selon lui, est un procédé qui rabaisse le langage en le dédiant à un usage trop utilitaire. Il interdit même la pratique du récit aux membres du groupe ; plusieurs écrivains du passé célébrés par les surréalistes ont pourtant excellé dans ce genre. Breton fait d'ailleurs quelques exceptions, notamment pour les récits fantastiques dont il vante les effets poétiques (chez Gérard de Nerval, par exemple). C'est plutôt le réalisme qui, en cherchant à refléter la réalité dans son apparence extérieure, fait l'objet d'une réfutation radicale de la part des surréalistes. « Je veux qu'on se taise, quand on cesse de ressentir », écrit Breton en 1924, mettant ainsi l'accent sur l'émotion, qui doit gouverner l'art et la vie.

Cependant, pour atteindre cette autre réalité visée par le surréalisme, Breton invente, avec *Nadja* (1928), un nouveau genre de récit qui contribuera à façonner la modernité. *Nadja* emprunte la forme générale du récit autobiographique. Le personnage de l'auteur y est fortement présent : il raconte sa quête personnelle, amoureuse, inconsciente, symbolique, politique, cherchant à rendre compte de la démarche synthétique propre au surréalisme. Le texte intègre des passages théoriques, poétiques, polémiques. L'absence de descriptions est compensée par l'insertion de documents photographiques et la reproduction d'œuvres plastiques. Les grands thèmes de la poésie surréaliste se retrouvent dans ce récit. Le mélange des genres donne au livre-collage de Breton un caractère tout à fait novateur.

Louis Aragon, de son côté, fait du hasard le principal ressort de sa méditation dans son roman *Le paysan de Paris*. Plus tard, d'autres romanciers comme Boris Vian ou Julien Gracq subiront l'influence du surréalisme ; ils utiliseront les procédés du fantastique ou de l'humour pour traduire en images leur imagination souvent débridée.

LE THÉÂTRE

Le surréalisme renie tout du théâtre passé, qu'il soit classique, romantique ou symboliste. Dans l'optique des surréalistes, toute pièce, quelle que soit l'esthétique qui préside à sa conception, concentre l'essence de la culture bourgeoise, traditionaliste et conventionnelle. Les surréalistes dénoncent le fait de présenter comme authentiques des faits qui sont fictifs. Selon eux, il faudrait rendre le spectateur conscient du fait que tout spectacle repose sur une illusion qui dure le temps d'une représentation. Finalement, le seul point de vue valorisé est celui de la caricature, de la dérision et de la provocation, emprunté en fait à l'esprit dada. Alfred Jarry, qui a créé avec Ubu un personnage burlesque et grotesque, est d'ailleurs l'unique dramaturge admiré par le groupe. À mesure que l'époque s'imprègne de l'esprit surréaliste, certains auteurs, en marge du courant, s'emploient à matérialiser des images de rêve sur scène, ce que fait notamment Jean Cocteau dans un univers fortement marqué de l'empreinte du symbolisme.

Sans avoir réussi à créer des pièces susceptibles de séduire le public, Artaud, de son côté, exerce par ses théories une forte influence sur un théâtre d'avant-garde qui prend vie à partir des années 1960 sous l'impulsion de troupes et de metteurs en scène de divers pays : par exemple, le metteur en scène Jerzy Grotowski (Pologne), la troupe du Living Theatre (États-Unis) et le Théâtre du Soleil d'Ariane Mnouchkine (France). Ces spectacles ont en effet une certaine dimension surréaliste par l'esprit d'expérimentation et de provocation qui les caractérise, par leur ouverture à l'inconscient, aux mythes et aux symboles, ainsi que par la libération de formes nouvelles et la rupture avec la linéarité du récit qu'ils préconisent. Ainsi, le happening, la danse-théâtre, ou la danse de performance, sont toutes autant de tentatives pour mettre en pratique les théories d'Artaud. Ces diverses formes de spectacles remettent en question la suprématie de l'auteur et du texte par divers moyens : la création collective et l'improvisation, la collaboration avec d'autres arts (peinture, sculpture, danse, musique) et, surtout, l'importance accordée au langage corporel et gestuel.

Les caractéristiques du récit et du théâtre surréalistes

Histoire • Incarner le rêve. • Rompre avec la culture établie.	**Personnages** • Femme-mystère, femme-muse, personnages à caractère onirique. • Personnage principal qui est souvent une projection de l'auteur ; artistes maudits. • Au théâtre, personnages à caractère mythique. **Intrigue** • Esprit de provocation et d'expérimentation qui influence notamment la mise en scène. • La ville, lieu de rencontres et de trouvailles magiques. • Temps élastique ou brisé.
Structure Déstructurer le récit et le théâtre.	• Récit déstructuré où s'entremêlent réflexion philosophique et fiction à caractère nettement autobiographique. • Rejet de la description. • Nette prédilection pour le narrateur représenté dans le récit. • Au théâtre, rupture avec les critères de vraisemblance et de cohérence.
Thématique Refuser toute forme de conformisme.	• Quête existentielle. • Retour aux thèmes de la littérature fantastique : les mondes étranges et nocturnes. • Goût pour le merveilleux. • Pouvoir libérateur de l'amour. • Violente critique des conventions et des cadres sociaux (propos antireligieux, antimilitaristes). • Au théâtre : jeux sur l'ambiguïté et forme de mysticisme.
Style et procédés d'écriture Utiliser les mots pour transformer la vie.	• Écriture qui traduit un processus de recherche. • Caractère novateur des images. • Expression de la spiritualité ou tentative de sonder l'inexprimable.

Un bilan critique

Il est aujourd'hui de notoriété courante que le surréalisme, en tant que mouvement organisé, a pris naissance dans une opération de grande envergure portant sur le langage. À ce sujet on ne saurait trop répéter que les produits de l'automatisme verbal ou graphique qu'il a commencé par mettre en avant, dans l'esprit de leurs auteurs ne
5 relevaient aucunement du critère esthétique. Dès que la vanité de certains de ceux-ci eut permis à un tel critère de trouver prise – ce qui ne tarda guère – l'opération était faussée et, pour comble, « l'état de grâce » qui l'avait rendue possible était perdu.

De quoi s'agissait-il donc ? De rien moins que de retrouver le secret d'un langage dont les éléments cessassent de se comporter en épaves à la surface d'une mer morte.
10 Il importait pour cela de les soustraire à leur usage de plus en plus strictement utilitaire, ce qui était le seul moyen de les émanciper et de leur rendre tout leur pouvoir. Ce besoin de réagir de façon draconienne contre la dépréciation du langage, qui s'est affirmé ici avec Lautréamont, Rimbaud, Mallarmé – en même temps qu'en Angleterre avec Lewis Carroll –, n'a pas laissé de se manifester impérieusement depuis lors.
15 On en a pour preuves les tentatives, d'intérêt très inégal, qui correspondent aux « mots en liberté » du futurisme, à la très relative spontanéité « dada », en passant par l'exubérance d'une activité de « jeux de mots » se reliant tant bien que mal à la « cabale phonétique » ou « langage des oiseaux » (Jean-Pierre Brisset, Raymond Roussel, Marcel Duchamp, Robert Desnos) et par le déchaînement d'une « révolution du
20 mot » (James Joyce, E. E. Cummings, Henri Michaux) qui ne pouvait faire moins qu'aboutir au « lettrisme ». Sur le plan plastique, l'évolution devait refléter la même inquiétude.

Bien qu'elles traduisent une commune volonté d'insurrection contre la tyrannie d'un langage totalement avili, des démarches comme celles auxquelles répondent
25 l'« écriture automatique » à l'origine du surréalisme et le « monologue intérieur » dans le système joycien diffèrent radicalement par le fond. Autrement dit elles sont sous-tendues par deux modes d'appréhension du monde qui diffèrent du tout au tout. Au courant illusoire des associations conscientes, Joyce opposera un flux qu'il s'efforce de faire saillir de toutes parts et qui tend, en fin de compte, à l'*imitation* la
30 plus approchante de la vie (moyennant quoi il se maintient dans le cadre de l'*art*, retombe dans l'*illusion romanesque*, n'évite pas de prendre rang dans la longue lignée des naturalistes et expressionnistes). À ce même courant – beaucoup plus modestement à première vue – l'« automatisme psychique pur » qui commande le surréalisme opposera le débit d'une source qu'il ne s'agit que d'aller prospecter en soi-même assez
35 loin et dont on ne saurait prétendre diriger le cours sans être assuré de la voir aussitôt se tarir. Cette source, avant le surréalisme, seules eussent pu donner notion de son intensité lumineuse certaines infiltrations auxquelles on ne prenait pas garde, telles les phrases dites « de demi-sommeil » ou « de réveil ». L'acte décisif du surréalisme a été de manifester leur déroulement continu. L'expérience a montré qu'y passaient
40 fort peu de néologismes et qu'il n'entraînait ni démembrement syntaxique ni désintégration du vocabulaire.

André Breton, *Du surréalisme en ses œuvres vives,* 1953.

André Breton (1896-1966)

Un texte manifeste

Breton choisit très tôt d'exprimer par la poésie sa révolte contre cet humanisme sénile qui a poussé l'Europe dans le sang et la boue. Lui-même participe à la Première Guerre mondiale en tant qu'infirmier militaire et met à profit ses connaissances de la psychanalyse au chevet de soldats victimes de psychose. À son retour, il intègre le dadaïsme, mouvement à caractère anarchiste qui érige le vide en art de vivre, et la provocation en outil de destruction du conformisme. De concert avec Philippe Soupault, il compose le texte fondateur du surréalisme, *Les champs magnétiques,* en adoptant la méthode de l'écriture automatique. Il se porte aussi régulièrement à la défense du courant et il témoigne de la profondeur de son engagement par la publication de ses *Manifestes* (1924 et 1930) et par les autres textes théoriques qui contribuent à décrire le courant et à établir ses principes esthétiques.

À ses débuts, il aura été attiré par le marxisme, puisqu'il adhère en 1927 au Parti communiste avec lequel il rompt définitivement en 1935, refusant de réduire le rôle de l'artiste à celui d'un propagandiste politique. Au moment de la Seconde Guerre mondiale, il s'exile en Amérique ; il effectue d'ailleurs un voyage en Gaspésie, où il compose *Arcane 17*. De retour en France, Breton participe à de nombreuses expositions qui témoignent de la vitalité du groupe surréaliste, jusqu'à sa mort en 1966.

Composé en 1953, le texte présenté ici est loin du ton polémique et souvent acerbe qui caractérise les premiers manifestes. Il met en lumière l'importance accordée au matériau même de la création littéraire, soit le langage. Breton salue au passage les compatriotes qui l'ont devancé sur ce chemin de l'exploration linguistique, soit Lautréamont, Rimbaud et Mallarmé, en même temps qu'il reconnaît la contribution d'écrivains étrangers, notamment Lewis Carroll (1832-1898), auteur des fameuses *Aventures d'Alice au pays des merveilles*. Une partie de l'extrait s'appuie finalement sur une comparaison avec le procédé du monologue intérieur créé par l'Irlandais James Joyce (1882-1941), auteur d'*Ulysse*. Cette comparaison sert à mieux faire ressortir les caractéristiques de l'écriture automatique pratiquée par les surréalistes.

Atelier d'analyse

Exploration

1. Formulez en vos mots trois preuves, avec citations à l'appui, qui démontrent que le thème de cet extrait est le langage.

2. Comment perçoit-on dans le texte que Breton en a contre l'usage « utilitaire » du langage et que cette perspective contribue même à la dépréciation du genre romanesque ?

3. Montrez qu'il se glisse presque toujours une nuance dépréciative dans le bilan que Breton dresse des tentatives de libération du langage qui ne viennent pas des surréalistes.

4. Quelles différences l'extrait permet-il de saisir entre le monologue intérieur, tel que pratiqué par le romancier irlandais James Joyce, et l'écriture automatique des surréalistes ?

5. Comment le lecteur en arrive-t-il à saisir que Breton considère le procédé de l'écriture automatique comme étant supérieur au monologue intérieur mis au point par Joyce ?

6. Expliquez les difficultés de compréhension que pose un texte de cette nature.

Rédaction

7. Sujet : Commentez le caractère polémique de ce bilan critique.

Consignes :
- Dégagez les idées soutenues par Breton en lien avec la thématique du langage (la thèse).
- Dégagez les faiblesses qu'il relève chez les autres écrivains intéressés par cette même thématique (l'antithèse).
- Dressez une synthèse de son point de vue.

Pablo Picasso, *Jeune fille devant un miroir*, 1932.

André Breton
(1896-1966)

Nadja, la passante mystérieuse

J'observais sans le vouloir des visages, des accoutrements, des allures. Allons, ce n'étaient pas encore ceux-là qu'on trouverait prêts à faire la Révolution. Je venais de traverser ce carrefour dont j'oublie ou ignore le nom, là, devant une église. Tout à coup, alors qu'elle est peut-être encore à dix pas de moi, venant en sens inverse, je

5 vois une jeune femme, très pauvrement vêtue, qui, elle aussi, me voit ou m'a vu. Elle va la tête haute, contrairement à tous les autres passants. Si frêle qu'elle se pose à peine en marchant. Un sourire imperceptible erre peut-être sur son visage. Curieusement fardée, comme quelqu'un qui, ayant commencé par les yeux, n'a pas eu le temps de finir, mais le bord des yeux si noir pour une blonde. Le bord, nullement la paupière

10 [...]. Je n'avais jamais vu de tels yeux. Sans hésitation j'adresse la parole à l'inconnue, tout en m'attendant, j'en conviens du reste, au pire. Elle sourit, mais très mystérieusement, et, dirai-je comme *en connaissance de cause*, bien qu'alors je n'en puisse rien croire. Elle se rend, prétend-elle, chez un coiffeur du boulevard Magenta (je dis : prétend-elle, parce que sur l'instant j'en doute et qu'elle devait reconnaître par la

15 suite qu'elle allait sans but aucun). Elle m'entretient bien avec une certaine insistance de difficultés d'argent qu'elle éprouve, mais ceci, semble-t-il, plutôt en manière d'excuse et pour expliquer l'assez grand dénuement de sa mise. Nous nous arrêtons à la terrasse d'un café proche de la gare du Nord. Je la regarde mieux. Que peut-il bien se passer de si extraordinaire dans ces yeux ? Que s'y mire-t-il à la fois obscurément de

20 détresse et lumineusement d'orgueil ? C'est aussi l'énigme que pose le début de confession que, sans m'en demander davantage, avec une confiance qui pourrait (ou bien qui ne pourrait ?) être mal placée elle me fait. À Lille, ville dont elle est originaire et qu'elle n'a quittée qu'il y a deux ou trois ans, elle a connu un étudiant qu'elle a peut-être aimé, et qui l'aimait. Un beau jour, elle s'est résolue à le quitter alors qu'il s'y

25 attendait le moins, et cela « de peur de le gêner ». C'est alors qu'elle est venue à Paris, d'où elle lui a écrit à des intervalles de plus en plus longs sans jamais lui donner son adresse. À près d'un an de là, cependant, elle l'a rencontré par hasard : tous deux ont été très surpris. Lui prenant les mains, il n'a pu s'empêcher de dire combien il la trouvait changée et, posant son regard sur ces mains, s'est étonné de les voir si soignées

30 (elles ne le sont guère maintenant). Machinalement alors, à son tour, elle a regardé l'une des mains qui tenaient les siennes et n'a pu réprimer un cri en s'apercevant que les deux derniers doigts en étaient inséparablement joints. « Mais tu t'es blessé ! » Il fallut absolument que le jeune lui montrât son autre main, qui présentait la même malformation. Là-dessus, très émue, elle m'interroge longuement : « Est-ce possible ?

35 Avoir vécu si longtemps avec un être, avoir eu toutes les occasions possibles de l'observer, s'être attachée à découvrir ses moindres particularités physiques ou autres, pour enfin si mal le connaître, pour ne pas même s'être aperçue de *cela* ! Vous croyez... vous croyez que l'amour peut faire de ces choses ? Et lui qui a été si fâché, que voulez-vous, je n'ai pu ensuite que me taire, ces mains... Il a dit alors quelque chose que je ne

40 comprends pas, où il y a un mot que je ne comprends pas, il a dit : "Gribouille ! Je vais retourner en Alsace-Lorraine. Il n'y a que là que les femmes sachent aimer." Pourquoi : Gribouille ? Vous ne savez pas ? » Comme on pense je réagis assez vivement : « N'importe. Mais je trouve odieuses ces généralités sur l'Alsace-Lorraine, à coup sûr cet individu était un bel idiot, etc. Alors il est parti, vous ne l'avez plus revu ? Tant mieux. »

45 Elle me dit son nom, celui qu'elle s'est choisi. « Nadja, parce qu'en russe c'est le commencement du mot espérance, et parce que ce n'en est que le commencement. »

André Breton, *Nadja*, 1928.

Le mythe féminin

André Breton est l'homme de la ferveur. Fidèle en premier lieu à ses principes, il veille à sauvegarder l'orthodoxie du surréalisme ; aussi fait-il parfois figure de grand inquisiteur en excluant du groupe des compagnons de route, ce qui lui vaudra le titre ironique de « pape du surréalisme ». Chantre de l'amour, il voit les femmes comme des médiatrices qui déchiffrent les énigmes du rêve. Grand explorateur des mondes intérieurs, il expérimente lui-même des procédés d'écriture insolites permettant de capter les messages qui jaillissent de l'inconscient. Toujours à l'affût du merveilleux qui peut surgir au hasard d'une promenade dans Paris érigée en ville mythique, il interprète les moindres coïncidences ou prémonitions comme des signes révélateurs de sa destinée.

Nadja se présente comme une œuvre au carrefour de plusieurs genres. À la fois récit autobiographique et essai sur l'art et la philosophie, l'œuvre illustre le procédé du collage en juxtaposant textes et photos. Dans la thématique, Breton entrelace plusieurs thèmes et motifs chers au surréalisme : la quête existentielle, la femme-mystère et la ville mythique, tout naturellement Paris, où déambule l'écrivain qui y fait la rencontre de Nadja. Cette femme, qui paraît dotée du pouvoir d'interpréter les signes, dérive vers la folie et Breton semble impuissant à freiner ce mouvement. *Nadja* brosse finalement un portrait de femme qui permet de mieux cerner la conception de la féminité chez les surréalistes tout en marquant les distances par rapport aux descriptions de femmes datant d'époques antérieures.

Conçue par Prosper Mérimée (écrivain romantique), Carmen est un personnage de gitane qui incarne par son anticonformisme une forme d'exotisme pittoresque. La nouvelle au titre éponyme a aussi donné naissance à un opéra célèbre, composé par Bizet.

Enfin, Boule de suif, la prostituée au grand cœur de Maupassant (écrivain naturaliste), présente un vibrant contraste avec les héroïnes précédentes : c'est une fille publique, bien enroulée dans sa graisse comme le suggère son surnom, vouée à être dévorée par plus puissant qu'elle dans l'échelle sociale.

Carmen, la femme fatale

Un soir, à l'heure où l'on ne voit plus rien, je fumais, appuyé sur le parapet du quai, lorsqu'une femme, remontant l'escalier qui conduit à la rivière, vint s'asseoir près de moi. Elle avait dans les cheveux un gros bouquet de jasmin, dont les pétales exhalent le soir une odeur enivrante. Elle était simplement, peut-être pauvrement vêtue, tout
5 en noir, comme la plupart des grisettes dans la soirée. Les femmes comme il faut ne portent le noir que le matin ; le soir, elles s'habillent *a la francesa*. En arrivant auprès de moi, ma baigneuse laissa glisser sur ses épaules la mantille qui lui couvrait la tête, et, *à l'obscure clarté qui tombe des étoiles*, je vis qu'elle était petite, jeune, bien faite, et qu'elle avait de très grands yeux.
10 [...]

Je crus n'être point indiscret en lui offrant d'aller prendre des glaces à la *neveria*. Après une hésitation modeste elle accepta ; mais avant de se décider, elle désira savoir quelle heure il était. Je fis sonner ma montre, et cette sonnerie parut l'étonner beaucoup.
15 – Quelles inventions on a chez vous, messieurs les étrangères ! De quel pays êtes-vous, monsieur ? Anglais sans doute ?

– Français et votre grand serviteur. Et vous mademoiselle, ou madame, vous êtes probablement de Cordoue ?

[...]
20 – Allons, allons ! Vous voyez bien que je suis bohémienne. [...]

J'étais alors un tel mécréant, il y a de cela quinze ans, que je ne reculai pas d'horreur en me voyant à côté d'une sorcière. – Bon ! me dis-je ; la semaine passée j'ai soupé avec un voleur de grands chemins, allons aujourd'hui prendre des glaces avec une servante du diable.
25 [...]

C'était une beauté étrange et sauvage, une figure qui étonnait d'abord, mais qu'on ne pouvait oublier. Ses yeux surtout avaient une expression à la fois voluptueuse et farouche que je n'ai trouvée depuis à aucun regard humain.

Prosper Mérimée, *Carmen*, 1845.

Boule de suif, la femme en chair

La femme, une de celles appelées galantes, était célèbre par son embonpoint précoce qui lui avait valu le surnom de Boule de Suif. Petite, ronde de partout, grasse à lard, avec des doigts bouffis, étranglés aux phalanges, pareils à des chapelets de courtes saucisses, avec une peau luisante et tendue, une gorge énorme qui saillait sous sa
5 robe, elle restait cependant appétissante et courue, tant sa fraîcheur faisait plaisir à voir. Sa figure était une pomme rouge, un bouton de pivoine prêt à fleurir, et là-dedans s'ouvraient, en haut, deux yeux noirs magnifiques, ombragés de grands cils épais qui mettaient une ombre dedans ; en bas, une bouche charmante, étroite, humide pour le baiser, meublée de quenottes luisantes et microscopiques. [...]
10 Aussitôt qu'elle fût reconnue, des chuchotements coururent parmi les femmes honnêtes, et les mots de « prostituée », de « honte publique » furent chuchotés si haut qu'elle leva la tête.

Guy de Maupassant, *Boule de suif*, 1880.

Atelier de comparaison

Exploration

Nadja

1. Dressez un portrait du narrateur en vous appuyant sur ses observations, ses réactions, etc.

2. Décrivez Nadja (physique, caractère, situation sociale) en tenant compte des informations fournies par l'extrait. Apparaît-elle énigmatique ou très correcte, légère ou plutôt tragique ? Appuyez vos réponses sur des citations.

3. Relevez les mots ou les expressions qui traduisent l'état de doute dans lequel Nadja plonge le narrateur.

4. Dans ce passage, tout passe par le regard. Commentez cette affirmation.

5. Pourquoi peut-on dire que l'extrait baigne dans une tonalité merveilleuse ?

6. En quoi le prénom « Nadja », choisi par la jeune femme, peut-il être interprété comme un présage, soit positif soit négatif ?

Carmen

7. Faites le portrait de Carmen, tel qu'il se dégage de l'extrait, en tenant compte du physique, du caractère, de la situation sociale, etc.

8. Peut-on dire que Carmen se présente comme un personnage plutôt sensuel ou prude ? Plutôt timoré ou téméraire ? Plutôt maléfique ou bénéfique ? Justifiez votre point de vue.

9. Comment la réaction du narrateur et ses commentaires font-ils comprendre la perception qu'on avait alors (et encore aujourd'hui) des Tziganes (aussi appelés « gitans », « roms », etc.) ?

Boule de suif

10. Boule de suif est décrite comme un personnage fait pour être mangé. Démontrez-le.

11. Non représenté dans le texte, comment le narrateur s'y prend-il pour véhiculer un jugement sur Boule de suif ?

Comparaison

12. Comparez les trois femmes en tenant compte :
    a. de leurs surnoms dans certains cas et de ce que cela traduit ;
    b. du portrait que l'on fait de chacune d'elles ;
    c. de la réaction des narrateurs.

Rédaction

13. Comparez les trois portraits de femmes en tenant compte des similitudes et des différences.

14. Montrez que ces portraits de femmes traduisent des perceptions masculines différentes selon les époques et les courants.

L'éloge de l'amour

Écrivain prolifique, Aragon accorde à ses recueils poétiques et ses écrits en prose une égale importance. Son œuvre protéiforme peut tantôt se situer résolument du côté de la modernité, tantôt renouer avec la tradition.

Récit inclassable, sans intrigue véritable ni personnages, *Le paysan de Paris* tient son unité par la présence d'un unique narrateur, promeneur insatiable qui se laisse guider dans Paris par le hasard. Cette ville adorée est le deuxième élément qui unifie une œuvre qui surprend à chaque pas, à chaque page tant le style est variable. Il passe de la réflexion philosophique à la méditation littéraire, puis au compte-rendu humoristique, et laisse place, de façon intermittente, à des moments d'éblouissement poétique. Les pages retenues, qui arrivent peu avant le dénouement, donnent lieu à une envolée poétique dans le plus pur style surréaliste : Aragon y célèbre l'amour en des mots très personnels, avec des images fulgurantes.

Croire au miracle

Ils m'ont dit que l'amour est risible. Ils m'ont dit : c'est facile, et m'ont expliqué le mécanisme de mon cœur. Il paraît. Ils m'ont dit de ne pas croire au miracle, si les tables tournent c'est que quelqu'un les pousse du pied. Enfin on m'a montré un homme qui est amoureux sur commande, vraiment amoureux, il s'y trompe, amou-
5   reux que voulez-vous de mieux, amoureux on sait ce que c'est depuis que le monde est monde.

Pourtant vous ne vous rendez pas compte de ma crédulité. Maintenant prêt à tout croire, les fleurs pourraient pousser à ses pas, elle ferait de la nuit le grand jour, et toutes les fantasmagories de l'ivresse et de l'imagination, que cela n'aurait rien d'ex-
10   traordinaire. S'ils n'aiment pas c'est qu'ils ignorent. Moi j'ai vu sortir de la crypte le grand fantôme blanc à la chaîne brisée. Mais eux n'ont pas senti le divin de cette femme. Il leur paraît naturel qu'elle soit là, qui va, qui vient, ils ont d'elle une connaissance abstraite, une connaissance d'occasion. L'inexplicable ne leur saute pas aux yeux, n'est-ce pas.
15   De quel ravin surgit-elle, par quelle sente aux pieds des arbres résineux, quel fossé de lueurs, quelle piste de mica et de menthe a-t-elle suivi jusqu'à moi. Il fallait à tous les carrefours, entre les mêmes perspectives répétées de briques et de macadam, qu'elle choisît toujours le couloir couleur orage pour, de sulfure en sulfure, délaissant des feuillages minéraux, des abricots pétrifiés sous les cascades calcaires, des fleuves

Marc Chagall, *Les mariés de la tour Eiffel*, 1939.

de murmures où des ombres mobiles l'appelaient, enfin s'engager dans le défilé magnétique, entre les éclats de l'acier doux, sous l'arche rouge. Je n'osais pas la regarder venir. J'étais cloué, j'étais rivé à l'abstraite vie diamantaire. Il avait neigé ce jour-là.

Les hommes vivent les yeux fermés au milieu des précipices magiques. Ils manient innocemment des symboles noirs, leurs lèvres ignorantes répètent sans le savoir des incantations terribles, des formules pareilles à des revolvers. Il y a de quoi frémir à voir une famille bourgeoise qui prend son café au lait du matin, sans remarquer l'inconnaissable qui transparaît dans les carreaux rouges et blancs de la nappe. Je ne parlerai pas de l'usage inconsidéré des miroirs, des signes obscènes dessinés sur les murs, de la lettre W aujourd'hui employée sans méfiance, des chansons de café-concert qu'on retient sans en connaître les paroles, des langues étrangères introduites dans la vie courante sans la moindre enquête préalable sur leur démonialité, des vocables obscurs évocateurs pris pour des appels téléphoniques, et l'alphabet Morse, dont le seul nom devrait donner à réfléchir. Après cela, comment les hommes prendraient-ils conscience des enchantements ? Ce passant qu'ils bousculent, n'avez-vous rien remarqué ? c'est une statue de pierre en marche, cet autre est une girafe changée en bookmaker, et celui-ci, ah celui-ci chut : c'est un amoureux. Voyez comme il marche, avec toutes les pierres des frondes cinglant son front, avec les aiguillées d'hirondelles à son chapeau, avec la brise des vallées heureuses autour du cou, à la bouche l'œillet de la morsure, il est habillé de velours blanc, aussi vrai que je suis au monde, et dans les viviers suburbains s'il se penche à leur surface, les poissons deviennent des couteaux. Il y a des amoureux dans les rues, des amoureux véritables, comme ceux dont on rit et pleure, comme ceux qu'on chasse et qu'on chante, comme ceux dont il sera un jour mené grand bruit, retournez-vous : voici des amoureux qui passent.

Louis Aragon, *Le paysan de Paris,* 1926.

Atelier d'analyse

Exploration

1. Le texte présente un caractère autobiographique. Démontrez-le.

2. Expliquez comment Aragon construit une image mythique de la femme.

3. « Les hommes vivent les yeux fermés [...] » Montrez que le paragraphe qui commence par ces mots présente une critique à mots couverts du comportement des hommes dans ces premières décennies du XXᵉ siècle.

4. Aragon développe ses métaphores dans l'espace, leur donne un caractère cosmique. Prouvez cette affirmation en vous appuyant sur les dernières lignes de l'extrait en rapport avec « l'amoureux ».

5. Expliquez en quoi ce texte s'inscrit dans le surréalisme.

Rédaction

6. Démontrez que ces lignes présentent une véritable célébration de l'amour.

Le tragique fantasque

Né dans une riche famille qui fait faillite au moment du krach de 1929, Boris Vian, qui souffre d'une maladie grave, est surprotégé durant toute son enfance par sa mère, situation qui lui inspire son roman *L'arrache-cœur*. Après avoir complété des études d'ingénieur, il s'engage dans la vie adulte avec frénésie : il fréquente les bars, fait la fête, entreprend une carrière de chansonnier, fait l'achat d'automobiles luxueuses, tout en composant en parallèle des romans et des pièces de théâtre. Critique musical dans quelques revues, il se fait le propagandiste du jazz, et en joue lui-même à la trompette.

Appartenant à l'époque fiévreuse de la guerre et de l'après-guerre, Boris Vian est en quelque sorte inclassable : son œuvre traduit une parenté avec le surréalisme par sa fantaisie et son inventivité verbale, mais elle véhicule aussi un sentiment d'absurde. Certains personnages sont inspirés de Jean-Paul Sartre et de Simone de Beauvoir, le couple de philosophes au cœur de l'existentialisme, qu'il fréquente d'ailleurs dans la vraie vie. Dans l'univers magique de *L'écume des jours,* les animaux, les objets et les éléments naturels s'animent et participent à la vie des personnages. Longtemps considéré, pour cette raison, comme ne

Nouer une cravate

– Ça va ? dit Colin.

– Pas encore, dit Chick.

Pour la quatorzième fois, Chick refaisait le nœud de cravate de Colin, et ça n'allait toujours pas.

5 – On pourrait essayer avec des gants, dit Colin.

– Pourquoi ? demanda Chick. Ça ira mieux ?

– Je ne sais pas, dit Colin. C'est une idée sans prétention.

– On a bien fait de s'y prendre en avance, dit Chick !

– Oui, dit Colin. Mais on sera quand même en retard si on n'y arrive pas.

10 – Oh ! dit Chick. On va y arriver.

Il réalisa un ensemble de mouvements rapides étroitement associés et tira les deux bouts avec force. La cravate se brisa par le milieu et lui resta dans les doigts.

– C'est la troisième, remarqua Colin, l'air absent.

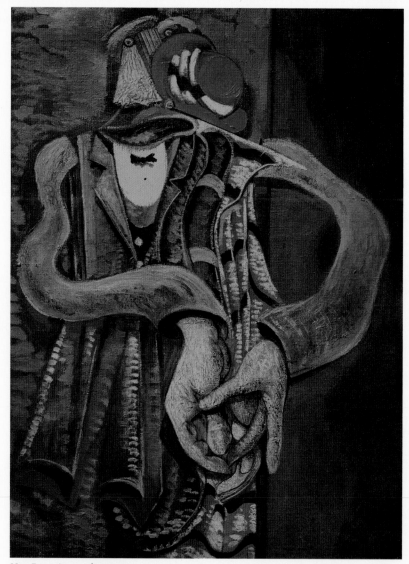

Max Ernst, *Le couple,* **1924.**

– Oh! dit Chick. Ça va... je le sais...

15 Il s'assit sur une chaise et se frotta le menton d'un air absorbé.

– Je ne sais pas ce qu'il y a, dit-il.

– Moi non plus, dit Colin. Mais c'est anormal.

– Oui, dit Chick, nettement. Je vais essayer sans regarder.

Il prit une quatrième cravate et l'enroula négligemment autour du cou de Colin, en
20 suivant des yeux le vol d'un brouzillon, d'un air très intéressé. Il passa le gros bout
sous le petit, le fit revenir dans la boucle, un tour vers la droite, le repassa dessous,
et, par malheur, à ce moment-là, ses yeux tombèrent sur son ouvrage et la cravate
se referma brutalement, lui écrasant l'index. Il laissa échapper un gloussement
de douleur.

25 – Bougre de néant! dit-il. La vache!!!

– Elle t'a fait mal? demanda Colin compatissant.

Chick se suçait vigoureusement le doigt.

– Je vais avoir l'ongle tout noir, dit-il.

– Mon pauvre vieux! dit Colin.

30 Chick marmonna quelque chose et regarda le cou de Colin.

– Minute!... souffla-t-il. Le nœud est fait!... Bouge pas!!...

Il recula avec précaution sans le quitter des yeux et saisit sur la table, derrière lui, une
bouteille de fixateur à pastel. Il porta lentement à sa bouche l'extrémité du petit tube
à vaporiser et se rapprocha sans bruit. Colin chantonnait en regardant ostensible-
35 ment le plafond.

Le jet du pulvérin frappa la cravate en plein milieu du nœud. Elle eut un soubresaut
rapide et s'immobilisa, clouée à sa place par le durcissement de la résine.

Boris Vian, *L'écume des jours,* 1947.

Boris Vian
(*suite*)

pouvant faire l'objet d'une adaptation au cinéma, le roman a été
porté à l'écran en 2013 par le réalisateur français Michel Gondry.

Dans ce chapitre du début de
L'écume des jours, Chick aide son
ami Colin, le héros au cœur du roman, à terminer les préparatifs de
son mariage avec Chloé, mais la
mauvaise volonté des objets annonce la fin tragique du récit.

Atelier d'analyse

Exploration

1. Pourquoi la première phrase (hors dialogue) introduit-elle déjà un élément d'insolite?

2. Expliquez en quoi le comportement de la cravate ajoute un deuxième élément d'insolite dans le paragraphe commençant par « Il prit une quatrième cravate [...] ».

3. Commentez l'efficacité du recours à la langue orale de niveau familier en vous appuyant sur quelques exemples.

4. Quelles sont les émotions qu'expriment, individuellement, Chick et Colin? Tenez compte des mots, des gestes et de la ponctuation.

5. Peut-on dire que la mort est implicitement suggérée dans cette scène?

Rédaction

6. Analysez la tonalité du texte, qui se situe entre légèreté et gravité.

Julien Gracq
(1910-2007)

La persistance du fantastique dans le surréalisme

Louis Poirier choisit le pseudonyme de Julien Gracq pour préserver son anonymat. Ce choix traduit l'exigence de probité d'un homme qui fuit toutes les petites guerres de chapelles, notamment celle opposant les existentialistes aux surréalistes. Il refusera même le Goncourt, un prestigieux prix littéraire, pour bien signifier son dédain pour ces campagnes de promotion entretenues par les maisons d'édition à des fins mercantiles.

Chez cet auteur, le sortilège des lieux est rendu par un style fastueux qui lui permet d'évoquer des atmosphères insolites. Puisant aux sources du romantisme noir, Gracq prolonge l'influence du surréalisme au-delà de la Seconde Guerre en alliant dans une narration intemporelle trois ingrédients du fantastique : la quête d'absolu, l'érotisme et les pouvoirs occultes. Son écriture chargée de comparaisons et de métaphores fait continuellement basculer l'émotion individuelle dans une symbolique cosmique.

Oppressé par une nuit lourde et close, Aldo, le personnage principal du roman *Le rivage des Syrtes* n'arrive pas à déloger la peur au cœur de la forteresse, au cœur de Vanessa, la femme qu'il aime.

Au cœur de la forteresse

Quelquefois, derrière la barre de la lagune, un aviron par intervalles tâtait l'eau gluante, ou tout près s'étranglait le cri falot et obscène d'un rat ou de quelque bête menue comme il en rôde aux abords des charniers. Je me retournais sous cette nuit oppressante comme dans le suint d'une laine, bâillonné, isolé, cherchant l'air roulé dans une
5 moiteur suffocante ; Vanessa sous ma main reposait près de moi comme l'accroissement d'une nuit plus lourde et plus close : fermée, plombée, aveugle sous mes paumes, elle était cette nuit où je n'entrais pas, un ensevelissement vivace, une ténèbre ardente et plus lointaine, et toute étoilée de sa chevelure, une grande rose noire dénouée et offerte, et pourtant durement serrée sur son cœur lourd. On eût dit que ces nuits à la
10 douceur trop moite couvaient interminablement un orage qui ne voulait pas mûrir – je me levais, je marchais nu dans les enfilades de pièces aussi abandonnées qu'au cœur d'une forêt, presque gémissantes de solitude, comme si quelque chose d'alourdi et de faiblement voletant m'eût fait signe à la fois et fui de porte en porte à travers l'air stagnant de ces hautes galeries moisies – le sommeil se refermait mal sur mon oreille
15 tendue, comme quand nous a éveillé dans la nuit la rumeur et la lueur lointaine d'un incendie. Quelquefois, en revenant, je voyais de loin une ombre remuer sur le sol, et, à la lueur de la lampe, les mains de Vanessa qui soulevait ses cheveux emmêlés sitôt qu'elle s'éveillait faisaient voleter sur les murs de gros papillons de nuit ; les traits très légèrement exténués aux lumières, elle paraissait lasse et pâle, sérieuse, toute recou-
20 verte encore d'un songe qui donnait trop à penser, et la lumière immobile de la lampe ne me rassurait pas. Une fois sa voix s'éleva, bizarrement impersonnelle, une voix de médium ou de somnambule, qui semblait en proie à l'évidence d'un délire calme.

– Tu me laisses seule, Aldo. Pourquoi me laisses-tu toute seule dans le noir ? Je sentais que tu m'avais quittée, je faisais un rêve triste...
25 Elle leva sur moi des yeux de sommeil :
– ... Il n'y a pas de fantôme dans le palais, tu sais. Viens, ne me laisse pas seule.
Je caressai le front et la douce naissance des cheveux, tout amolli de tendresse par cette voix d'enfance.
– Est-ce que tu as peur, Vanessa ? Peur la nuit, au cœur de ta forteresse... Et quelle
30 forteresse ! grands dieux... Des panoplies jusque dans notre chambre. Et les quatorze Aldobrandi qui montent la garde en effigie.

Julien Gracq, *Le rivage des Syrtes,* 1951.

Atelier d'analyse

Exploration

1. Faites l'inventaire des termes qui contribuent à alourdir l'atmosphère du récit.

2. Relevez tous les verbes qui permettent de visualiser le comportement du narrateur-héros dans l'extrait.

3. Montrez que Vanessa semble surgir d'un rêve.

4. Relevez des figures de style – antithèse, comparaison et métaphore – et expliquez comment elles contribuent à la tonalité onirique du récit.

5. En vous appuyant sur cet extrait, vous apparaît-il juste de dire que ce roman publié après la Seconde Guerre traduit quelque chose de la morbidité de cette époque ?

Rédaction

6. Analysez l'influence de la littérature fantastique (aussi appelé « romantisme noir ») sur l'écriture de Julien Gracq.

Le théâtre de la cruauté

On ne peut continuer à prostituer l'idée de théâtre qui ne vaut que par une liaison magique, atroce, avec la réalité et avec le danger.

Posée de la sorte, la question du théâtre doit réveiller l'attention générale, étant sous-entendu que le théâtre par son côté physique, et parce qu'il exige l'expression dans l'espace, la seule réelle en fait, permet aux moyens magiques de l'art et de la parole de s'exercer organiquement et dans leur entier, comme des exorcismes renouvelés. De tout ceci il ressort qu'on ne rendra pas au théâtre ses pouvoirs spécifiques d'action, avant de lui rendre son langage.

C'est-à-dire qu'au lieu d'en revenir à des textes considérés comme définitifs et comme sacrés, il importe avant tout de rompre l'assujettissement du théâtre au texte, et de retrouver la notion d'une sorte de langage unique à mi-chemin entre le geste et la pensée.

Ce langage, on ne peut le définir que par les possibilités de l'expression dynamique et dans l'espace opposées aux possibilités de l'expression par la parole dialoguée. Et ce que le théâtre peut encore arracher à la parole, ce sont ses possibilités d'expansion hors des mots, de développement dans l'espace, d'action dissociatrice et vibratoire sur la sensibilité. C'est ici qu'interviennent les intonations, la prononciation particulière d'un mot. C'est ici qu'intervient, en dehors du langage auditif des sons, le langage visuel des objets, des mouvements, des attitudes, des gestes, mais à condition qu'on prolonge leur sens, leur physionomie, leurs assemblages jusqu'aux signes, en faisant de ces signes une manière d'alphabet. Ayant pris conscience de ce langage dans l'espace, langage de sons, de cris, de lumières, d'onomatopées, le théâtre se doit de l'organiser en faisant avec les personnages et les objets de véritables hiéroglyphes, et en se servant de leur symbolisme et de leurs correspondances par rapport à tous les organes et sur tous les plans.

Il s'agit donc, pour le théâtre, de créer une métaphysique de la parole, du geste, de l'expression, en vue de l'arracher à son piétinement psychologique et humain. [...] La question d'ailleurs ne se pose pas de faire venir sur la scène et directement des idées métaphysiques, mais de créer des sortes de tentations, d'appels d'air autour de ces idées. Et l'humour avec son anarchie, la poésie avec son symbolisme et ses images, donnent comme une première notion des moyens de canaliser la tentation de ces idées.

Antonin Artaud, *Le théâtre et son double*, 1938.

Atelier d'analyse

Exploration

1. Relevez les passages qui renvoient au désir d'Artaud de détruire un langage pour lui en substituer un autre, d'essence différente. Donnez les caractéristiques de chacun de ces langages.

2. Établissez les champs lexicaux de la liaison et de la rupture. Quels rapports entretiennent-ils ?

3. Quels mots ou expressions donnent des indices sur le sens du terme « cruauté » dans ce début de manifeste ?

Rédaction

4. Quelles critiques peut-on opposer au projet d'Artaud ?

Antonin Artaud (1896-1948)

Le théoricien de l'avant-garde

Antonin Artaud souffre d'une maladie nerveuse qui le porte à l'usage des drogues et qui met son équilibre mental à rude épreuve jusqu'à son décès. Excessif par nature, Artaud incarne la face nocturne du surréalisme, celle qui est associée au cauchemar, à l'angoisse, à la souffrance. Théoricien du théâtre, acteur et metteur en scène, il exerce par ses essais une énorme influence, surtout sur le théâtre expérimental de la deuxième moitié du XXe siècle. Artaud s'en prend à cette tradition bien établie du théâtre français de donner priorité au texte, au dialogue, alors que lui voudrait en revenir à une expression plus primitive, plus corporelle des émotions. Il voudrait un théâtre qui se fonde sur l'idée d'exorcisme par la cruauté et qui sollicite la participation des spectateurs.

Dans *Le Théâtre et son double*, Artaud fonde son exigeante méthode sur le postulat suivant : « Sans un élément de cruauté à la base de tout spectacle, le théâtre n'est pas possible. Dans l'état de dégénérescence où nous sommes, c'est par la peau qu'on fera rentrer la métaphysique dans les esprits. »

Le théâtre : une ouverture à la modernité

Issu d'une famille de la haute bourgeoisie, Jean Cocteau connaît une enfance dorée jusqu'au suicide de son père, alors qu'il n'a que neuf ans. Poète précoce, il fréquente toutes les célébrités parisiennes et collabore avec plusieurs grands artistes de son temps, parmi lesquels le peintre Picasso et le musicien Erik Satie. Alors que le surréalisme domine la scène littéraire, Jean Cocteau prolonge l'esprit symboliste par ses thèmes, ceux de l'orientation sexuelle et des paradis artificiels, et par sa rhétorique dominée par des correspondances sensorielles.

Artiste très doué et polyvalent, il est bientôt reconnu non seulement pour ses talents d'écrivain mais aussi pour son originalité de cinéaste. Il donnera ainsi une version filmée de sa pièce *Orphée*, qui se présente comme une réinterprétation d'une légende antique. Dans l'extrait de la pièce, Orphée est un jeune poète qui se sent responsable du décès de sa femme Eurydice et souhaite sa résurrection. Il suit les conseils que lui donne Heurtebise : il devra faire comme la mort, ici personnifiée, et aller au-delà des miroirs.

Au-delà du miroir

ORPHÉE, *pleurant, effondré sur la table*. Morte. Eurydice est morte. (*Il se lève.*) Eh bien... je l'arracherai à la mort! S'il le faut, j'irai la chercher jusqu'aux enfers!

HEURTEBISE. Orphée... écoutez-moi. Du calme. Vous m'écouterez...

ORPHÉE. Oui... Je serai calme. Réfléchissons. Trouvons un plan...

5 HEURTEBISE. Je connais un moyen.

ORPHÉE. Vous!

HEURTEBISE. Mais il faut m'obéir et ne pas perdre une minute.

ORPHÉE. Oui.
Toutes ces répliques d'Orphée, il les prononce dans la fièvre et la docilité. La scène se déroule
10 *avec une extrême vitesse.*

HEURTEBISE. La Mort est entrée chez vous pour prendre Eurydice.

ORPHÉE. Oui...

HEURTEBISE. Elle a oublié ses gants de caoutchouc. (*Un silence. Il s'approche de la table, hésite et prend les gants de loin comme on touche un objet sacré.*)

15 ORPHÉE, *avec terreur*. Ah!

HEURTEBISE. Vous allez les mettre.

ORPHÉE. Bon.

HEURTEBISE. Mettez-les. (*Il les lui passe. Orphée les met.*) Vous irez voir la Mort sous prétexte de les lui rendre, et grâce à eux vous pourrez parvenir jusqu'à elle.

20 ORPHÉE. Bien...

HEURTEBISE. La Mort va chercher ses gants. Si vous les lui rapportez, elle vous donnera une récompense. Elle est avare, elle aime mieux prendre que donner, et comme elle ne rend jamais ce qu'on lui laisse prendre, votre démarche l'étonnera beaucoup. Sans doute vous obtiendrez peu, mais vous obtiendrez toujours quelque chose.

25 ORPHÉE. Bon.

HEURTEBISE. *Il le mène devant le miroir*. Voilà votre route.

ORPHÉE. Ce miroir?

HEURTEBISE. Je vous livre le secret des secrets. Les miroirs sont les portes par lesquelles la Mort va et vient. Ne le dites à personne. Du reste, regardez-vous toute votre vie
30 dans une glace et vous verrez la Mort travailler comme des abeilles dans une ruche de verre. Adieu. Bonne chance!

ORPHÉE. Mais un miroir, c'est dur.

HEURTEBISE, *la main haute*. Avec ces gants vous traverserez les miroirs comme de l'eau.

ORPHÉE. Où avez-vous appris toutes ces choses redoutables?

35 HEURTEBISE, *sa main retombe*. Vous savez, les miroirs, ça rentre un peu dans la vitre. C'est notre métier.

ORPHÉE. Et une fois passée cette... porte...

HEURTEBISE. Respirez lentement, régulièrement. Marchez sans crainte devant vous.

Prenez à droite, puis à gauche, puis à droite, puis tout droit. Là, comment vous expli-
40 quer... Il n'y a plus de sens..., on tourne ; c'est un peu pénible au premier abord.

ORPHÉE. Et après ?

HEURTEBISE. Après ? Personne au monde ne peut vous renseigner. La Mort commence.

ORPHÉE. Je ne la crains pas.

HEURTEBISE. Adieu. Je vous attends à la sortie.

45 ORPHÉE. Je serai peut-être long.

HEURTEBISE. Long... pour vous. Pour nous, vous ne ferez guère qu'entrer et sortir.

ORPHÉE. Je ne peux croire que cette glace soit molle. Enfin, j'essaye.

HEURTEBISE. Essayez. (*Orphée se met en marche.*) D'abord les mains !

Orphée, les mains en avant, gantées de rouge, s'enfonce dans la glace.

50 ORPHÉE. Eurydice !... (*Il disparaît.*)

Jean Cocteau, *Orphée*, 1926.

Après avoir fait, en 1950, une adaptation cinématographique de cette pièce de théâtre, Cocteau se livre 10 ans plus tard à une nouvelle interprétation du mythe, dans le film *Le Testament d'Orphée* où il tient le premier rôle. Artiste multidisciplinaire, il est aussi le créateur de l'affiche promotionnelle ci-contre.

Atelier d'analyse

Exploration

1. Démontrez que la mort est traitée comme un personnage dont on rapporte à la fois les traits de caractère et le comportement.

2. Énumérez au moins cinq éléments qui contribuent à la tonalité merveilleuse de l'extrait.

3. Formulez en vos mots ce que laisse entendre la phrase suivante : « Du reste, regardez-vous toute votre vie dans une glace et vous verrez la mort travailler comme des abeilles dans une ruche de verre. »

4. Le moment ne paraît pas si tragique, puisqu'il est tempéré par une certaine légèreté de ton dans certains passages. Démontrez-le à l'aide de citations.

5. Jugez de l'efficacité des nombreuses didascalies : permettent-elles d'imaginer le jeu des comédiens et les déplacements sur scène ?

6. Selon vous, pourquoi Cocteau prend-il la peine de préciser que les gants sont de couleur rouge ?

Rédaction

7. **Sujet :** Analysez la représentation du thème de la mort dans cet extrait.
   Consignes :
   • Rédigez une introduction de quatre phrases au maximum.
   • Pour le développement, composez deux paragraphes, qui devront être concis et bien illustrés.
   • Ensuite, écrivez une conclusion de trois phrases au maximum.

Jean Marais et François Périer dans le film *Orphée,* de Jean Cocteau, 1950.

La mémoire en tourbillon

Mycroft Mixeudeim. Des souvenirs... C'est curieux : juste en ce moment, des réminiscences de fragments vécus tourbillonnent dans ma tête...

Laura Pa. Vas-y. Ne te retiens pas.

Lontil-Déparey. Il vaut mieux l'autoriser, ici.

5 **Becket-Bobo.** En effet.

Mycroft Mixeudeim. (*Monologuant avec frénésie.*) Je vois une main. Une main jaune. Que vient faire cette main ? Et ce gros derrière blanc. Un gros derrière blanc se dévoile devant moi. Il n'y a pas d'érotisme ; il n'y a que du cocasse. Ah ! la maîtresse d'école est belle ! Elle a de beaux yeux gris, sur son regard sévère. Je jette la tasse de café ! Flaque
10 de boue brune ! Un doigt est dressé, menaçant : un doigt qui expulse. Partez ! Les juges ont des œillères. Des œillères de chevaux. Mais il y a de la beauté, à travers un virevoltement blafard : incendiaire corvée de se déshabiller en public. Le pubis doré a des sourcils bruns. Et quelle est cette enfance qui glisse sur des glacis ? Des enfants, qui ne sont pas moi, montent la garde autour d'un parc sans lumière. Avec la main gauche,
15 il fait l'acte défendu : puis avec la main droite. C'est loin, c'est loin, c'est loin. Un pied est pris dans un piège à loup. La femme a des bras invitants qui sont des mâts flexibles, des mâts de rose bambou. Qu'il y a du chaud dans la succion affectueuse ! Des gendarmes courent. La pluie a recouvert la ville d'une rosée souriante. La femme a donné rendez-vous : et un hoquet ricaneur est seul présent à travers les chambres glacées.
20 Signal d'arrêt. Je suis automobiliste. La salive des drogués se répand sur l'asphalte des trottoirs ; il y a un manteau de salive, il y a une patinoire de paroles coagulées. L'âge d'homme est venu, et l'espoir s'est résorbé. Une tête qui sortait du trottoir a été coupée comme un champignon. Les femmes dansent ! On a dit qu'il était fou ! Les moustaches de tendresse font trempette dans la bière âcre. Ce sont les cerceaux les cerceaux
25 les cerceaux. La femme est chaude : sa hanche est un refuge de grive. Les lois se dissolvent dans le plaisir qui est seul légitime.

M. J. Commode. Il est hystérique.

Laura Pa. C'est un hystérique.

Mycroft Mixeudeim. C'est malgré moi. On me coupe du monde. C'est malgré moi.
30 On me fait un procès. Des justiciers ridicules, élus par eux-mêmes, me font un procès. Des moralisateurs insincères se reconnaissent le droit de me juger. Des conformistes drapés me jugent, profitant de ma léthargie. Procuste m'a jugé, m'a condamné. Procuste inquisiteur, Procuste vaniteux et impotent et suiveur et sournoisement envieux. Le jugement de celui qui ne sait pas faire et qui ne sait qu'es-
35 sayer d'empêcher l'autre de faire ! Celui qu'on déprime et qui déprime ! Procuste empereur ! Les ongles ont inscrit sur ma face le signe du mépris : sillons du pouilleux-purulent ! Mais il y a des dentelles roses. Il y a la paix de ces jambes souples qui ne refusent pas de s'entrouvrir. Courroucé ! le vaincu est courroucé ! On l'a frappé dans sa poignée de chair sensible. Le dogue montre les dents ; il est un chat-chien qui fait
40 pleuvoir du crachat. Et pendant ce temps, les travailleurs marchent calmement. Le labeur abouti tisse une couverte sur l'univers existant. Les amoureux, mains dans la main, se noient dans la pelure nacrée d'une lumière. Je suis innocent. Je ne reconnais pas la culpabilité qu'on m'impose de force. Je ne reconnais pas la compétence des juges intéressés. Je ne reconnais pas l'amour des assassins guêtrés de stupidité.

Claude Gauvreau
(1925-1971)

Le représentant de l'automatisme

Signataire du manifeste *Refus global* qui signale l'ouverture du Québec à la modernité, Claude Gauvreau se fait le défenseur du groupe des automatistes. Comme beaucoup de ces artistes avant-gardistes qui auront à subir la censure d'une élite rétrograde, Gauvreau souffre de l'incompréhension générale face à son œuvre, novatrice entre toutes. Le suicide de celle qu'il considérait comme sa muse l'atteint en outre profondément, et il commettra lui-même quelques années plus tard le geste irréparable.

Ses pièces, qui tranchent nettement sur la production théâtrale de l'époque, seront montées avec succès dans les années 1970 par des metteurs en scène qui aiment s'écarter des sentiers battus, comme Jean-Pierre Ronfard, André Brassard et Lorraine Pintal. *La charge de l'orignal épormyable* indique déjà, par le choix de l'attribut « épormyable », le goût de l'exploration linguistique propre à ce dramaturge. Après la lecture de la pièce, on comprend aussi qu'elle est, en effet, une attaque du poète (que figure l'orignal) contre la société bien-pensante de son époque.

45 Je ne reconnais pas la lucidité des vengeurs qui n'ont rien compris. Le lac-bolide fuse, ondée verticale et parabolique !

Laura Pa. C'est un hystérique.

Lontil-Déparey. Hystérie conversante.

Claude Gauvreau, *La charge de l'orignal épormyable*, 1956.

François Papineau et Sylvie Moreau dans *La charge de l'orignal épormyable*, mise en scène de Lorraine Pintal, Théâtre du Nouveau Monde, 2009.

Atelier d'analyse

Exploration

1. Dans le premier monologue, relevez les passages se rapportant aux idées de lois et de procès.

2. Montrez que les liquides évoquent souvent des taches ou la pollution.

3. Quelles sont les phrases qui expriment une violence faite au corps ?

4. Comment peut-on considérer ici l'image féminine ? Comme une source de réconfort ou de malaise ? Justifiez votre réponse.

5. Comment le deuxième monologue vient-il confirmer l'idée de culpabilité ou de victimisation ?

6. Peut-on dire que certaines phrases pourraient évoquer l'indifférence de la société par rapport au drame de l'artiste ?

7. Dans cet extrait, Claude Gauvreau privilégie la métaphore de type surréaliste, la répétition et les mots-valises. Démontrez-le.

8. Expliquez pourquoi ces deux monologues illustrent le rejet de la continuité logique, tout en étant plus proches d'une forme d'écriture jaillissante.

Rédaction

9. **Sujet :** Expliquez en quoi cet extrait illustre l'influence du mouvement surréaliste sur Gauvreau.

   Consignes :
   - Rapportez-vous à la théorie donnée dans l'anthologie et dans l'enseignement en classe pour expliquer, dans le premier paragraphe du développement, les traits essentiels du surréalisme applicables à cet extrait.
   - Dans les deux paragraphes suivants, prouvez l'influence du surréalisme sur Gauvreau en vous appuyant sur l'extrait.
   - Complétez le travail par la rédaction d'une introduction et d'une conclusion.

Otto Dix, *Prisonniers de guerre II*, 1948.

CHAPITRE 4

Le combat pour la liberté

L'humanisme chrétien et l'existentialisme

Repères chronologiques

	Événements politiques	Arts, littérature et sciences
1918	Fin de la Première Guerre mondiale	
1922	En Italie, prise du pouvoir par Benito Mussolini Fondation de l'URSS	
1925	Révolte au Maroc contre le colonisateur français	Heidegger, *L'être et le temps* – naissance de l'existentialisme
1926	Mise en place de la dictature fasciste en Italie par Mussolini	Hemingway, *Le soleil se lève aussi*
1929	Krach boursier de Wall Street et grave crise financière et économique aux États-Unis ; la crise s'étend à l'ensemble du monde occidental au cours des deux années suivantes.	Green, *Léviathan* Hergé publie le premier album de Tintin.
1930	En Allemagne, le parti nazi remporte 107 sièges au Parlement.	Freud, *Malaise dans la civilisation*
1932	Élection du président Franklin D. Roosevelt (États-Unis)	Mauriac, *Le nœud de vipères* Céline, *Voyage au bout de la nuit* Huxley, *Le meilleur des mondes*
1933	Nomination d'Adolf Hitler au poste de chancelier ; le Parti national-socialiste devient l'unique parti légal en Allemagne.	Malraux, *La condition humaine* García Lorca, *Noces de sang*
1934	En Chine, Mao Tsé-Toung entreprend la « Longue marche ».	Char, *Le marteau sans maître* Irène Joliot-Curie et Frédéric Joliot produisent les premiers corps radioactifs artificiels.
1936	Élection d'un gouvernement de Front populaire (alliance des partis de gauche) en France ; avènement de la semaine de 40 heures et des congés payés. Début de la guerre civile en Espagne (1936-1939)	Bernanos, *Le journal d'un curé de campagne* Chaplin, *Les temps modernes*
1937		Steinbeck, *Des souris et des hommes* Picasso, *Guernica*
1938		Sartre, *La nausée*, roman qui marque le début de l'existentialisme littéraire en France
1939	La France déclare la guerre à l'Allemagne. Début de la Seconde Guerre mondiale	Steinbeck, *Les raisins de la colère*
1940	Signature de l'armistice, qui sépare la France en deux zones. Gouvernement de Vichy (1940-1944) ; sept millions de Français fuient devant l'armée allemande. Élection du premier ministre Winston Churchill au Royaume-Uni	Zweig, *Le monde d'hier* Hemingway, *Pour qui sonne le glas* Chaplin, *Le dictateur* Découverte du carbone 14
1941	Attaque japonaise sur Pearl Harbour ; entrée en guerre des États-Unis	
1942	Aux États-Unis, mise en œuvre du projet Manhattan, qui aboutira en 1945 à la production de l'arme atomique	Ponge, *Le parti pris des choses* Camus, *L'étranger*
1943		Sartre, *L'être et le néant* Saint-Exupéry, *Le petit prince* Dubuffet, *Le métro*
1944		Sartre, *Huis clos* Camus, *Le malentendu*
1945	Capitulation de l'Allemagne Bombes atomiques sur Hiroshima et Nagasaki ; capitulation du Japon Découverte des camps de concentration et du génocide des Juifs en Europe ; création d'un tribunal des crimes de guerre à Nuremberg Création de l'ONU et de l'UNESCO	Roberto Rossellini réalise *Rome, ville ouverte*, film-phare du néoréalisme.
1946	Établissement du Rideau de fer entre l'Europe de l'Est et l'Europe de l'Ouest ; début de la guerre froide	Aragon, *La Diane française*
1947	Indépendance de l'Inde	Camus, *La peste* Genet, *Les bonnes*
1948	Proclamation de l'État d'Israël Création de deux Allemagnes Déclaration universelle des droits de l'homme de l'ONU	Sartre, *Qu'est-ce que la littérature ?* Senghor, *Hosties noires* Fondation, à Amsterdam, du groupe de peintres COBRA
1949		De Beauvoir, *Le deuxième sexe* Début du développement des ordinateurs

PRÉSENTATION DE L'ÉPOQUE

ENGAGEMENT ET LITTÉRATURE : En quoi consiste la réaction au surréalisme ?

Alors que le surréalisme occupe toujours le devant de la scène littéraire, des romanciers de grand talent expriment de nouvelles préoccupations dans un style qui ne répond aucunement aux principes prônés par André Breton. Issus de familles très religieuses, François Mauriac, Julien Green et Georges Bernanos publient dans l'entre-deux-guerres leurs œuvres les plus marquantes, qui s'inscrivent dans une défense du christianisme. Enclins à explorer les abysses du mal plutôt qu'à scruter les mystères de la grâce, ces écrivains sont beaucoup plus proches des existentialistes qu'il ne le semble à première vue. Regroupés autour de Jean-Paul Sartre, les existentialistes imposeront leurs voix à partir de la Seconde Guerre. Au contraire des surréalistes, qui misaient sur la poésie pour s'exprimer, ceux-ci élisent la prose pour transmettre une vision du monde inspirée de la philosophie. Peu portés au narcissisme, allergiques à toute forme d'hermétisme, les existentialistes écrivent pour agir sur la réalité. Aucun d'entre eux n'échappe à cette angoisse profonde d'une époque marquée par deux conflits mondiaux qui se succèdent à moins de 30 ans d'intervalle.

L'Europe semble en effet prisonnière de son impuissance : ce continent, qui prétendait autrefois étendre au monde sa propre civilisation, ne semble au XXᵉ siècle que propager ses crises politiques. On ne peut plus vanter les mérites de la science, qui s'est mise au service de la destruction : elle a rendu possible l'emploi de gaz de combat au cours de la Première Guerre mondiale (1914-1918), de même que l'usage de la bombe atomique au cours de la Seconde Guerre (1939-1945). Ce monde qui s'abîme dans l'absurde suscite à présent plus d'appréhension que d'admiration et renvoie les écrivains à deux questions désormais incontournables : Pourquoi vivre ? Pourquoi écrire ? Autant poussés par les événements que mobilisés par leurs propres valeurs, les adhérents à l'humanisme chrétien tout comme les existentialistes – qui proclament leur athéisme – vont choisir l'engagement au service d'une cause afin, notamment, de redonner sens à l'aventure humaine.

LA DEUXIÈME GUERRE MONDIALE : Quelles sont les causes de cet événement en toile de fond de l'existentialisme ?

Dans les années qui succèdent à la Première Guerre mondiale, surnommée la « der des der » puisqu'on croyait qu'elle serait la dernière, l'Europe dévastée se remet progressivement des conséquences de ce cataclysme. Pourtant, des signes de perturbation sociale ne laissent pas d'inquiéter,

Jean Dubuffet, *Visage rouge et visage bleu* (*Le métro*), 1943.

notamment l'établissement de gouvernements totalitaires en Allemagne, en Italie, en Espagne et au Portugal. Ces deux derniers pays opteront pour la neutralité au moment de la Seconde Guerre.

En Allemagne, Hitler, qui possède des talents d'orateur hors du commun, profite du climat de ressentiment nourri par l'iniquité des traités de paix à la suite de la Première Guerre pour jeter les bases de son parti politique national-socialiste, aussi appelé parti nazi (1920). La rancœur des Allemands est bientôt attisée par la crise de 1929, qui entraîne une fuite des capitaux portant atteinte à la reconstruction économique du pays et réduisant la population au chômage, voire à la mendicité. Soutenu par les grands industriels, qui craignent en outre la montée du communisme, Hitler est d'abord nommé au poste de chancelier (chef du gouvernement) avant de s'arroger les pleins pouvoirs. Par la propagande et l'organisation de manifestations de masse, par la création d'une police d'État (la sinistre Gestapo) et la mise sur pied des camps de concentration, Hitler se donne tous les moyens pour embrigader les Allemands et les convaincre de la nécessité de soumettre l'Europe à la supériorité de la race aryenne et d'éliminer les peuples prétendument inférieurs, à commencer par les Juifs. Dès lors, il multiplie les gestes d'intimidation qui vont forcer la France et l'Angleterre à lui déclarer la guerre : invasion de l'Autriche en 1938, de la Tchécoslovaquie, puis de la Pologne en 1939.

Depuis l'accession au pouvoir de Benito Mussolini en 1922, l'Italie est soumise à un régime fasciste totalitaire dont le programme tient dans les trois mots de sa devise : « Croire, Obéir, Combattre ». Poussé par le désir de se constituer un empire colonial, Mussolini s'allie à Hitler et sera bientôt rejoint par l'empereur japonais Hirohito, qui mène de son côté une politique expansionniste dans le Pacifique. Les « forces de l'Axe », nom donné à cette alliance de pays fascistes, vont affronter les Alliés, qui regroupent les démocraties libérales que sont la Grande-Bretagne, la France et les États-Unis, auxquelles s'ajoute la Russie communiste. Dans les trois premières années de la guerre, les troupes allemandes, bien entraînées, bien dirigées et pourvues d'armes modernes, prennent l'avantage sur les Alliés, forçant même la France à signer l'armistice en 1940.

LE CHOC DES IDÉOLOGIES : Quels pays participent à la Deuxième Guerre et quelles valeurs défendent-ils ?

Les grandes puissances rivalisent entre elles non seulement aux points de vue militaire et économique, mais également par leur système de valeurs. Au moment de leur entrée en guerre, les pays de l'Axe sont gouvernés par des régimes totalitaires. Soutenus par des partis qui leur sont parfaitement assujettis, Hitler et Mussolini exercent un contrôle total sur toutes les institutions de l'État. Ils réglementent le travail, organisent des manifestations populaires de soutien au régime, frappent d'interdit tous les adversaires politiques. Pour rendre ce contrôle plus efficace, les deux dictateurs s'appuient sur des polices secrètes totalement dévouées à leur cause. C'est toutefois Hitler qui avance une théorie de la hiérarchie des races et qui met en place tout un appareil d'extermination, visant non seulement les Juifs, mais en fait tous les individus considérés comme inférieurs et, finalement, tous les opposants au régime. Le **nazisme**, élaboré par Hitler dans son livre *Mein Kampf,* a donc comme fondements une xénophobie meurtrière et la volonté d'établir un mode de gouvernement dictatorial. Quant au fascisme, d'abord appliqué au régime de Mussolini, il se définit plus largement comme une idéologie d'extrême-droite qui donne priorité à la nation sur l'individu, tout en étant contre toute mesure de démocratisation des institutions et contre tout mouvement en faveur de l'égalité des citoyens.

Pour ce qui est du Japon, il s'agit, à cette époque, d'une monarchie dominée par une caste de militaires qui veut conquérir l'Asie, notamment pour résoudre la grave pénurie alimentaire d'une population en forte croissance démographique. L'attaque de Pearl Harbour par des pilotes d'aviation kamikazes, prêts à tout risquer pour l'empereur, entraînera la participation décisive des États-Unis qui iront même jusqu'à larguer des bombes atomiques sur les villes d'Hiroshima et de Nagasaki en août 1945, apportant au conflit un terrible dénouement qui laissera des traces indélébiles.

Le camp des Alliés est lui aussi déchiré entre différents systèmes de valeurs. La Grande-Bretagne et les États-Unis sont des démocraties libérales qui cherchent à protéger les

Nazisme : idéologie attribuable à Hitler, qui la résume en trois mots : un peuple, un empire, un chef, c'est-à-dire une race supérieure qui règne sur le monde sous la loi d'un parti totalitaire.

libertés individuelles tout en adoptant des mesures pour assurer le bien commun. La France, de son côté, vit les mêmes tensions qu'on retrouve ailleurs en Occident entre les partisans de la droite, qui proposent des idées d'ordre et de pureté raciale, et ceux de la gauche, qui font la promotion de l'égalité sociale. La séparation de l'Église et de l'État, survenue en 1905, avait pourtant semblé offrir des garanties contre les préjugés raciaux tel l'**antisémitisme**, partiellement légitimés par l'histoire religieuse. Cependant, il est à l'époque toujours possible d'interpréter certaines hypothèses scientifiques (entre autres la sélection des espèces de Darwin) pour accréditer des théories comme celle de l'inégalité des peuples. En France, les milieux conservateurs et ultra-catholiques s'emparent d'ailleurs aussitôt de ces hypothèses pour propager un **nationalisme** à caractère **xénophobe**.

Le régime de Vichy, qui va capituler devant Hitler et signer l'armistice en 1940, est issu de ces milieux. À la tête de ce gouvernement, le maréchal Pétain, âgé de 84 ans, adopte des mesures de nature moralisatrice comme la restriction des divorces et des avortements. Acceptant de collaborer avec l'ennemi, Pétain oblige les Juifs à porter l'étoile jaune, un insigne distinctif qui les soumet à l'humiliation. Le pas menant à leur persécution et à leur extermination dans les camps de concentration sera rapidement franchi.

Les Français n'acceptent pourtant pas unanimement la capitulation. Réfugié à Londres, le général De Gaulle lance outre-mer un message radiophonique pour encourager la population à la résistance. Des réseaux se forment à l'intérieur comme à l'extérieur de la France qui entreprennent des actions d'espionnage et de sabotage. Après la libération, De Gaulle saura négocier habilement avec Churchill, Staline et Roosevelt, respectivement chefs des gouvernements britannique, russe et américain, pour que la France puisse préserver son statut de grande puissance sur la scène internationale ; il invoquera en particulier l'aide apportée par les résistants, qui ont préparé l'avancée des troupes alliées sur le territoire français.

La Russie, quant à elle, dirigée d'une main de fer par Staline, fait aussi partie des grands vainqueurs à l'issue de la guerre car elle a porté un coup fatal à l'offensive allemande. Avec la mise à l'écart du fascisme s'installe alors une nouvelle bipolarisation idéologique, qui met face à face l'URSS (le bloc soviétique de l'Est, dominé par la Russie) et l'Occident capitaliste (le bloc de l'Ouest, fortement influencé, voire manipulé, par les États-Unis). On donnera le nom de **guerre froide** à cette période d'intense rivalité dans la conquête de la terre et du ciel. Les deux superpuissances essaient en effet d'étendre leur emprise sur les colonies européennes qui obtiennent alors pour la plupart leur indépendance au prix de lourds sacrifices. En même temps, Américains et Russes se lancent à la conquête de l'espace et se font concurrence dans l'armement.

René Magritte, *La mémoire*, 1948.

LE COLONIALISME : Comment le grand rêve colonial des puissances européennes prend-il fin ?

La conviction qu'avait l'Européen de la supériorité de sa culture se voit ébranlée par la connaissance de ce qui se passe dans les colonies. Les journaux, la radio et la télévision font prendre conscience que le **colonialisme**, qui peut apporter certains bienfaits aux populations conquises, contribue aussi à leur aliénation. Dans plusieurs colonies, les différences de traitement entre les populations blanche et indigène sont scandaleuses : les Blancs ont accès aux postes les plus prestigieux, ils sont en général mieux rémunérés, ont à leur service des domestiques et vivent souvent

---

Antisémitisme : discrimination raciale qui s'exerce contre les Juifs.

Nationalisme xénophobe : point de vue de ceux qui, accordant la priorité à la nation, ont tendance à vouloir préserver ce qu'ils nomment la « pureté de la race » de toute intrusion étrangère.

Guerre froide : période d'hostilité après la Seconde Guerre mondiale entre les États-Unis (idéologie capitaliste) et l'URSS (idéologie communiste).

Colonialisme : expansion territoriale d'un État puissant qui soumet d'autres pays à son pouvoir ; synonyme de « impérialisme ».

en cercle fermé, pratiquement sans entrer en contact avec la population locale qui est nettement défavorisée, souvent réduite à l'analphabétisme. Dans l'après-guerre, les luttes contre le colonialisme se généralisent et mènent dans plusieurs pays à la déclaration d'indépendance. Les pays d'Afrique et d'Asie, qui dépendaient directement des métropoles européennes, certains depuis deux siècles, gagnent progressivement leur autonomie. Sur une période d'une trentaine d'années, la France et la Grande-Bretagne, longtemps en lutte pour la suprématie coloniale, perdent la majeure partie de leur empire : l'Indochine et plusieurs pays d'Afrique noire et du Maghreb quittent le giron français. Le grand rêve colonial s'écroule.

Les métropoles ne sortent pas indemnes de ces conflits, dont les répercussions sont parfois imprévisibles. Ainsi, la longue et violente guerre d'Algérie divise une fois de plus la France en deux camps : d'un côté, les tenants d'une Algérie sous tutelle française et de l'autre, les partisans de l'autodétermination, qui exigent que la gouvernance du pays revienne aux Algériens. Comme la crise semble sans issue, on fait appel au général Charles de Gaulle. Celui-ci remanie la constitution à son avantage, ce qui lui permet de mettre fin au conflit en 1962, et l'Algérie accède enfin à l'indépendance. De nombreux colons français depuis longtemps installés en Afrique du Nord, qu'on appelle les « pieds-noirs », doivent prendre le chemin de l'exil. Ils quittent une terre qu'ils considéraient comme leur patrie.

Quantité de nouvelles entités nationales émergent ainsi à l'échelle du globe. Cependant, ces États peu industrialisés, qui ne disposent que de leurs matières premières comme monnaie d'échange, obtiennent une faible part de la richesse mondiale. Ce contexte explique leur déchirement entre deux systèmes de valeurs : le capitalisme, représenté par les États-Unis, et le communisme, incarné par l'URSS.

LES ÉCRIVAINS COLONIAUX : Comment intègrent-ils l'influence de l'existentialisme ?

Cette crise des valeurs fait surgir de nouvelles voix, venues des colonies pour réfuter le mythe de la supériorité occidentale. Au fil des ans, la contradiction devient de plus en plus flagrante entre la « mission civilisatrice » de ceux qui proclament les valeurs de « liberté, égalité, fraternité » et les conditions de vie inhumaines imposées aux populations indigènes des colonies. Ainsi, les remous internes des pays d'Europe fournissent à quelques jeunes Africains et Antillais ayant accédé à l'éducation supérieure l'occasion d'exprimer des revendications et un mécontentement refoulés depuis des siècles. Plusieurs mouvements de contestation littéraires voient alors le jour, faisant apparaître sur la scène internationale une littérature dynamique qui n'a cessé de s'épanouir depuis.

Dans les années 1920, le mouvement indigéniste d'Haïti sera le premier à réunir les écrivains dénonçant les préjugés racistes, l'assimilation culturelle et les valeurs bourgeoises occidentales. La littérature et la politique devraient plutôt s'inspirer des expériences de vie de la majorité, estiment-ils, et valoriser la vie paysanne, l'héritage africain, la culture populaire et les croyances indigènes en tant que sources de l'identité antillaise. Cette prise de conscience s'étend à l'ensemble des colonies françaises lorsque les intellectuels noirs fondent à Paris le mouvement de la négritude, qui s'élève à son tour contre la dépersonnalisation produite par des siècles d'esclavagisme, d'oppression et de dénigrement des cultures non occidentales. Les écrivains de la négritude s'expriment de préférence par la poésie et, comme l'avant-garde européenne, proclament les méfaits du rationalisme, du matérialisme bourgeois et du prétendu progrès technologique.

Cependant, tout en dénonçant le non-sens de la vie des opprimés, ces contestataires ne cèdent pas à l'angoisse existentielle; ils réclament l'émancipation politique et culturelle pour les peuples colonisés et le retour à des valeurs essentielles. Ainsi, si leurs œuvres cherchent d'abord à redonner aux opprimés leur dignité humaine en faisant valoir la grandeur de la civilisation négro-africaine, elles rappellent en même temps l'importance, pour l'humanité entière, de cultiver l'imaginaire (la créativité), la sensibilité, la fraternité, le respect de la nature et de la vie humaine, et le dialogue avec les mondes invisibles.

Lors de la Seconde Guerre mondiale, les colonies avaient contribué à « l'effort de guerre ». Le rapatriement des troupes coloniales entraîne toutefois des effets imprévus; témoins de la barbarie européenne, les soldats indigènes renforceront les mouvements de contestation. Une abondante littérature en prose naît alors sous la plume des écrivains maghrébins, africains et antillais qui espèrent, comme certains de leurs contemporains français, que l'écriture leur permettra d'agir sur la réalité. Ces romans de la révolte ont souvent recours aux techniques du réalisme mais, à la manière des œuvres existentialistes, ils tendent aussi à mettre en scène des intrigues conçues pour faire passer clairement leurs messages revendicateurs. Le questionnement des intellectuels européens ouvre la voie aux écrivains des pays sous le joug français, qui s'emparent de la langue du colonisateur pour ajouter leurs voix au concert des désillusionnés.

LES ÉCRIVAINS QUÉBÉCOIS : Comment réagissent-ils à l'existentialisme ?

Le Québec partage avec les anciennes colonies françaises le désir d'affirmation nationale, raison pour laquelle il se montre réceptif au discours anticolonialiste. Il se démarque toutefois par la situation particulière qui est la sienne : menacé d'assimilation par la majorité anglophone, il voit les échanges culturels avec la France comme un moyen de préserver son identité. Dans l'après-guerre, les écrivains québécois se montrent particulièrement perméables aux idées contestataires en provenance de la mère patrie. À la manière de Mauriac et de Bernanos, le romancier André Langevin dénonce l'apathie sclérosante des petites villes de province. Gérard Bessette, quant à lui, s'inspire plutôt de Camus pour créer avec *Le libraire* une figure d'antihéros qui se moque de la soumission de l'élite locale. Par ailleurs, la philosophie va bientôt pénétrer dans les cégeps, ces institutions expressément mises sur pied au Québec pour favoriser la démocratisation de l'éducation et pour combler le retard de la province sur le Canada anglais en ce qui regarde cet aspect. L'existentialisme comme le marxisme exerceront alors une grande influence sur les premières fournées de diplômés.

ANGOISSE ET LIBERTÉ : Comment les œuvres littéraires représentent-elles les mentalités de cette époque marquée par la guerre ?

La Seconde Guerre mondiale a fait plus de 60 millions de victimes (plus ou moins deux fois la population actuelle du Canada). Des villes entières, bombardées par l'aviation, ont été complètement rasées. Des armes sophistiquées comme le radar ont permis de poursuivre les attaques aériennes durant la nuit ; d'autres, puissamment meurtrières, comme la bombe atomique, ont laissé des séquelles irréparables. Au moment de l'armistice, l'horrible réalité des camps de concentration, avec l'accumulation de cadavres décharnés, s'étale à la une des journaux.

La libération mène aussi aux règlements de compte, mais les hommes ne sont pas seuls au banc des accusés ; les valeurs de l'ordre, de la famille et de la patrie, dont se réclamait par exemple le régime pétainiste, sont aussi mises en cause. Dans les rues, la violence contre les profiteurs de guerre reprend de plus belle. On dénonce et on traque les collaborateurs. On tond le crâne des femmes soupçonnées d'avoir frayé avec l'ennemi. La rancœur fait basculer la raison. Pas moyen d'échapper au cauchemar que sont devenues les villes avec leurs immeubles dévastés, leurs rues délabrées et leur lot de sans-abri. Les cimetières, où s'alignent à perte de vue des croix toutes pareilles, renvoient l'homme à l'anonymat. Dans ce contexte, la tentation est forte de faire le procès de Dieu : comment un créateur a-t-il pu abandonner ainsi ses créatures ? Au lendemain de la guerre, cette question rend suspecte toute certitude et a pour conséquence d'engendrer l'angoisse.

Dans un monde où s'installe le doute sur l'existence de Dieu, quel sens faut-il donner à la destinée humaine ? Le seul fait de remettre en question les concepts de la grâce divine, de l'âme humaine, de l'enfer et du paradis sème le trouble dans les esprits. Les écrivains catholiques n'échappent pas à ce climat de scepticisme, qui prend dans leurs œuvres une tonalité douloureuse. Ils présentent des personnages torturés qui semblent toujours vouloir se soustraire à une faute secrète. Quant aux écrivains associés à l'existentialisme, ils poussent l'homme vers l'héroïsme (Malraux), l'engagement (Sartre), ou la solidarité (Camus) pour lui redonner sa dignité. Ainsi, les œuvres existentialistes donnent quelquefois l'impression de servir de prétexte à un enseignement philosophique ou moral. En fait, l'état de crise planétaire porte à prendre parti, à assumer

Pablo Picasso, *Guernica*, 1937.

des choix politiques. Écrire, c'est agir sur la réalité. Écrire, c'est renoncer au fatalisme pour affirmer sa liberté.

Avec les existentialistes, tout est pensé en terme de libération : libération de la morale religieuse ; libération de l'austérité bourgeoise, qui vient avec le culte du travail et le sens de l'épargne ; libération de l'amour, qu'on veut désormais ouvrir aux expériences multiples, aux relations nécessaires ou contingentes ; libération des peuples du colonialisme ou du mercantilisme. Toute cette génération d'écrivains philosophes est rebutée par tout ce qui a couleur de déterminisme. Ils critiquent le christianisme, qui voit l'homme comme une créature façonnée par Dieu et qui doit lui être entièrement soumise pour assurer sa rédemption ; ils condamnent le déterminisme d'une société dominée par la bourgeoisie, qui tire profit de son pouvoir pour assigner aux autres classes un statut, un salaire et des conditions de vie. Sartre s'en prend même à Freud, ce qui est aussi une façon pour lui de prendre ses distances par rapport au surréalisme ; il lui reproche sa conception trop simpliste, trop compartimentée et trop sclérosante du psychisme. Sartre poussera si loin ce souci de liberté qu'il se montrera critique envers sa propre philosophie, l'existentialisme, se présentant comme un intellectuel toujours prêt à se remettre en question, à s'ouvrir à d'autres points de vue pour engager la discussion. Ce qui ne l'empêchera nullement d'être aussi un homme de conviction, disposé à marcher en première ligne dans les manifestations ou à monter sur la tribune pour défendre les causes qui lui tiennent à cœur.

L'EXISTENTIALISME : Comment une philosophie se transforme-t-elle en mode de vie ?

Les existentialistes manifestent aussi leur goût de la liberté dans leur façon de vivre. Jean-Paul Sartre forme avec Simone de Beauvoir un couple anticonformiste. Tous les deux se considèrent comme des égaux qui décident, en quelque sorte, de signer un pacte de liberté amoureuse. En marge de leur relation, chacun assume ses passions et ses coups de cœur, qui ne remettent pas en question leur grande complicité intellectuelle mais aussi affective. Le couple est au centre d'une vie sociale qui se déploie sur la place publique : ils fréquentent avec leurs nombreux amis les cafés, les boîtes de nuit, applaudissent les musiciens de jazz. Ils finissent par inspirer un mode de vie qui se caractérise par son ouverture à la culture américaine : ils apprécient avant tout la musique des Noirs américains, lisent les romanciers innovateurs (Dos Passos, Hemingway et la *lost generation*), se passionnent pour le cinéma hollywoodien et adoptent une mode décontractée. En fait, les existentialistes apparaissent comme de véritables agents de démocratisation de la culture. D'ailleurs, ils sont partout : ils fondent une revue, *Les temps modernes* (hommage à Chaplin), où figurent les plus prestigieuses signatures de l'époque ; ils publient dans la presse populaire (ce que fait aussi Mauriac, l'éminence grise du catholicisme), préfacent des livres, donnent des conférences, écrivent des scénarios de films (Sartre est un mordu du grand écran) et composent même des chansons.

Au printemps de 1946, Jean-Paul Sartre rencontre Boris Vian, qui le séduira par sa grande connaissance de la culture américaine et du jazz. Il lui confiera dans la même année une chronique dans la revue *Les temps modernes* qui s'intitulera « Chroniques du menteur ». On voit ici Boris Vian jouant de la trompette lors de la « nuit de l'existentialisme » à Toulouse, en 1949.

L'HUMANISME CHRÉTIEN ET L'EXISTENTIALISME

Comment décrire ces courants de pensée ?

Les écrivains de cette époque, qu'ils se réclament de l'humanisme chrétien ou de l'existentialisme, privilégient la prose maniable et fluide comme véhicule de leurs idées. Toutefois, les romanciers rattachés à l'humanisme chrétien ne sont pas aussi novateurs ou contestataires que les existentialistes, leurs contemporains. La liberté luit dans la tête mais le corps est entravé. L'amour est plutôt amer ou même meurtrier. Comme chez les existentialistes, l'angoisse est plus souvent qu'autrement au bout de la route, et leur foi ne semble pas les réconforter : les personnages qui évoluent dans leurs romans sont écrasés par leur milieu, généralement dépeint comme moralisateur et conformiste. Souvent prisonniers d'un secret ou de désirs inavouables, ils ne trouvent aucune ressource pour soulager leur douleur, rien pour résoudre leur conflit intérieur. Dans plusieurs des œuvres des humanistes chrétiens, le passé et les traditions pèsent lourd sur les protagonistes ; ils n'arrivent pas à s'engager au service d'une cause ou à agir pour changer le présent et améliorer l'avenir. La thématique est donc surtout centrée sur la faute et la culpabilité. La tonalité des récits est surtout pessimiste ; les paysages se noient dans une luminosité grisâtre ; dans les quelques villes de province où se passe l'action, le commérage est un trait de mentalité répandu qui étouffe toute tentative d'émancipation. Ces romanciers souhaitent en général s'inscrire dans la continuité littéraire ; à peine infléchissent-ils le réalisme dans la voie de l'analyse psychologique. Ils s'ingénient à traduire les tensions internes de l'individu, à plonger dans sa conscience, à exprimer ses tourments, tout en tenant compte de ses origines sociales et de son combat avec les lois qui régissent son milieu. En somme, on peut dire qu'ils tentent de réconcilier Gide et Proust avec Balzac et Zola.

Les existentialistes, de leur côté, veulent renouveler le genre romanesque en remettant en question l'héritage réaliste, mais les résultats ne sont pas toujours à la mesure de leurs désirs. Ils refusent d'entretenir l'illusion d'un univers cohérent et unifié. Pour eux, la réalité est incertaine, fuyante ou à multiples facettes, et il leur faut trouver de nouvelles techniques narratives pour en rendre compte. Ils s'inspirent notamment de la littérature étrangère et du cinéma pour structurer le roman selon d'autres possibilités que la linéarité réaliste. Ainsi, les événements sont souvent organisés pour traduire la simultanéité de leur occurrence : ce mode de narration est emprunté à l'écrivain américain John Dos Passos. Le jazz influence aussi le rythme de leur écriture, dorénavant plus syncopée, en rupture avec la syntaxe classique portée vers l'équilibre.

Les existentialistes se distancient aussi de l'héritage symboliste ou surréaliste : l'amour, thème central du surréalisme, se transforme en concept philosophique. La poésie est délaissée. Le psychisme est affaire personnelle. Sartre se veut avant tout lucide, et c'est un apôtre de la transparence jusque dans sa vie privée. Il décrit sans pudeur ses ébats sexuels ; Simone de Beauvoir étale sans aucune concession tous les détails de la déchéance physique de son compagnon de route dans son livre *La cérémonie des adieux*.

Ces deux groupes d'écrivains, l'un croyant, l'autre agnostique, communient pourtant dans une même inquiétude en abordant l'idée de transcendance. Et si Dieu n'existait pas ? Le seul fait de poser la question contribue à ébranler les certitudes, si bien que le romancier qui prie pour changer le monde est quelquefois bien proche de celui qui se porte à la défense de la liberté de conscience.

Alberto Giacometti, *Grande femme III*, 1960.
Figurine. Détail d'une exposition au Musée Berggruen de Berlin.

M
p. 275
p. 278

Quelles caractéristiques leur attribuer qui puissent aider à l'analyse des œuvres ?

Les traits suivants résument les caractéristiques de cette génération d'écrivains qui abordent l'écriture sous l'angle de l'engagement et du militantisme. Ces caractéristiques s'appliquent en particulier au récit et au théâtre, genres qui ont prédominé dans leur production.

Les traits distinctifs

1 La philosophie dans la fiction

Les romanciers réalistes du XIXe siècle cherchaient à raconter une histoire qui puisse être avant tout vraisemblable et, si possible, captivante. À partir de 1930, l'intrigue va devenir intrinsèquement liée au message de l'œuvre. Ainsi, les écrivains catholiques visent l'édification du lecteur : les personnages sont en butte à leurs penchants inavouables et cherchent douloureusement la voie de la rédemption. C'est le cas du curé de campagne de Georges Bernanos qui veut échapper à la médiocrité ambiante en retournant aux sources du christianisme. C'est en exerçant sa liberté qu'il dérange, ce qui rapproche l'auteur des existentialistes. Ceux-ci illustrent dans leurs œuvres une conception philosophique de l'existence. Meursault, dans *L'étranger* d'Albert Camus, est indifférent à la morale sociale ; il découvre finalement, après avoir commis un crime, que l'univers prend son sens dans la beauté, que le corps trouve son épanouissement dans la sensualité. Ces romans illustrent par ailleurs une tendance assez répandue, soit celle d'exclure les personnages féminins du récit ou d'en faire des rouages plutôt secondaires. Leurs protagonistes, qui sont souvent des intellectuels, accordent en effet peu de place à l'amour, trop pris qu'ils sont par leur intense méditation philosophique.

Plusieurs essais, fortement imprégnés de réflexions philosophiques, jalonnent la production existentialiste et éclairent les intentions que poursuivent les écrivains dans leurs récits. Dans *L'être et le néant*, Jean-Paul Sartre reconnaît que l'être humain a pour principale caractéristique d'être conscient de son existence ; il est le seul dans l'univers connu à s'interroger sur la direction qu'il veut donner à sa vie et le seul à pouvoir faire usage de sa liberté dans ses engagements. L'homme qui se soustrait à cette nécessité d'action fait preuve de mauvaise foi, il nie en quelque sorte sa spécificité. Cette vision philosophique dirigeait déjà le cheminement du personnage d'Antoine Roquentin qui, dans *La nausée*, affirmait son athéisme au terme d'un récit qui est aussi une longue réflexion sur le sens de l'existence. Albert Camus fait également alterner l'écriture philosophique et l'écriture fictive, tout en pratiquant, comme Sartre, le journalisme. Toutefois, son œuvre est imprégnée de lyrisme, et ses personnages imposent

une présence charnelle tangible alors que ceux de Sartre sont plus cérébraux.

Au théâtre, les personnages sur scène, proches cousins des héros romanesques, concrétisent ce même type de préoccupation et condensent souvent la réflexion en formules-chocs. Par exemple, Sartre, dans sa pièce *Huis clos*, fait dire au personnage de Garcin la célèbre phrase « l'enfer, c'est les autres » pour expliquer à quel point le regard des autres, souvent désobligeant, marque la conscience de soi. Le théâtre existentialiste donne en effet priorité au langage pour exposer la problématique de la pièce. La relation aux autres est par nature cérébrale : les émotions, les jeux de regards, les déplacements sur scène sont réduits. Le corps est presque absent : la gestuelle participe faiblement à la signification générale. Le dénouement laisse peu de place à l'ambiguïté. L'écriture est aussi épurée que la mise en scène, qui sera généralement sobre, sinon austère.

2 L'innovation dans la structure textuelle

Chez les écrivains réalistes, le recours à un point de vue unique, celui du narrateur avec focalisation omnisciente, permettait de renforcer l'illusion d'un fonctionnement logique de l'univers. Les écrivains existentialistes, qui entrevoient la réalité comme vide de sens, ne croient ni à un créateur tout-puissant ni à une création harmonieuse. Ils choisissent donc, par conséquent, de faire éclater la réalité, de la fractionner, de la morceler, sous la poussée de multiples procédés. Ainsi Sartre, grand lecteur de romanciers américains, emprunte à ces derniers la technique du simultanéisme : pourquoi tout ordonner chronologiquement alors que, dans le monde, des événements sans liens entre eux se produisent synchroniquement ? Dans *L'étranger*, Camus reprend deux fois la narration de certains actes de Meursault, mais comme le contexte n'est plus le même – avant et après le crime –, ces actes se chargent d'une nouvelle signification. D'autres écrivains, prenant pour modèle le romancier irlandais James Joyce, tentent de faire entendre la voix de la conscience par le monologue intérieur, moyen qui s'ajoute donc aux autres façons de rapporter le dialogue, de façon directe ou indirecte. Par ailleurs, des passages à caractère référentiel ou argumentatif s'insèrent dans les récits tout en ralentissant la progression de l'intrigue. Ils contribuent à la tonalité grave de ces textes, autre trait caractéristique de cette littérature portée vers la rigueur.

Au théâtre, les existentialistes témoignent généralement d'un plus grand souci d'originalité que leurs contemporains, les écrivains catholiques. François Mauriac et Julien Green ont bien composé des pièces de théâtre, mais on ne les joue guère aujourd'hui, peut-être justement parce qu'elles se conforment trop aux traditions. Par contre, on monte encore la pièce *Huis clos* de Sartre, qui débute de façon inédite, en mettant en relation des personnages qui, hier encore, étaient des inconnus les uns pour les autres; ils apprendront à se connaître en cours d'action, alors qu'en général, une pièce implique un vécu antérieur. Camus, de son côté, fait en quelque sorte l'inverse dans sa pièce *Le malentendu* : ses personnages devraient se connaître, puisqu'ils sont membres de la même famille, mais le fils refuse de divulguer son identité à sa mère et à sa sœur qui finissent par le tuer. De son côté, Jean Genet, dans sa pièce *Les bonnes*, rompt partiellement avec la vraisemblance, critère pratiquement considéré comme inattaquable dans la représentation théâtrale : les deux servantes qui miment sur scène le comportement de leur patronne et fomentent son assassinat s'expriment dans une langue recherchée, similaire à celle de leur maîtresse, ce qui contredit les observations des linguistes concernant les écarts de langue entre classes sociales.

Plusieurs de ces pièces donnent une impression de renouveau au public de l'époque parce qu'elles se démarquent du théâtre de boulevard, toujours en vogue. Leur caractère innovateur paraîtra toutefois bien timide en regard de la contestation beaucoup plus radicale de dramaturges comme Eugène Ionesco ou Samuel Beckett. Avec eux, l'absurde sera partout sur scène. On y célébrera l'union du tragique et du farfelu, pour réussir la fusion de l'existentialisme et du surréalisme.

3 La thématique de l'angoisse, du malaise existentiel, de la liberté et de l'engagement

Les écrivains du XIXe siècle croyaient en Dieu ou en la science : dans un cas comme dans l'autre, ils pensaient trouver des réponses à leurs questions. La Deuxième Guerre mondiale a ébranlé cette certitude; on en vient même à penser que toute solution risque d'entraîner de nouveaux périls, qu'il ne s'agit que d'attendre pour sombrer dans la tragédie inextricable. Ce fatalisme, que les écrivains cherchent à combattre, se traduit dans leurs œuvres par une tendance marquée à présenter des personnages en situation de captivité : Meursault, dans *L'étranger*, est incarcéré le temps de son procès; dans *La peste*, c'est toute une ville qu'on met en quarantaine pour éviter la propagation de la terrible maladie qui donne son titre au roman; dans *Huis clos*, les personnages sont confinés à un lieu fermé qui représente l'enfer. Et les petites villes de province, où François Mauriac et Julien Green situent souvent leurs intrigues, semblent ployer sous le poids d'une morale étriquée. On s'y emploie à espionner le voisin, à traquer la moindre anomalie par rapport à la norme communément acceptée.

Les héros de roman étouffent sous les contraintes mais veulent aussi s'en libérer. Certains romanciers catholiques qui, dans la vraie vie, assument ou dissimulent leur homosexualité, présentent des personnages souvent habités par la hantise du péché; leur ressentiment, qui les gruge de l'intérieur, les pousse même à la violence. Plusieurs de leurs romans dénoncent d'ailleurs le carcan imposé par un clergé trop rigide et par des familles bourgeoises intransigeantes.

Les existentialistes participent à ce pessimisme généralisé par l'emploi de concepts susceptibles de détruire toute illusion sur la nature humaine, par exemple les concepts d'absurde et de néant (le monde est privé de sens); d'aliénation (l'être humain se laisse endoctriner) et de mauvaise foi (le refus de l'engagement, la soumission au contexte ambiant). Les titres de leurs œuvres traduisent souvent un sentiment d'angoisse, de malaise existentiel : de Sartre, *La nausée*, *Le mur*, *Les mains sales*; de Camus, *L'étranger*, *La chute*, *La peste*, *Le malentendu*; de Simone de Beauvoir, *Le sang des autres*, *Tous les hommes sont mortels*. Néanmoins, ces mêmes écrivains se font aussi les chantres de l'affranchissement des individus et des collectivités, et cela dans tous les domaines.

4 Un style plus familier empreint de clarté

Les romanciers réalistes présentaient généralement comme universelle la langue soutenue des bourgeois, dans laquelle s'expriment tous leurs personnages, y compris ceux qui sont d'humble extraction. Cette nouvelle génération de romanciers donne une nouvelle orientation au style en employant des mots et des expressions de tous les registres linguistiques. Les dialogues seront ainsi transcrits dans une langue qui reflète le milieu d'origine du locuteur. Louis-Ferdinand Céline poussera plus loin cette logique en se servant de l'argot – mais un argot stylisé, personnalisé – pour composer en entier ses romans. En définitive, on constate que les styles varient au gré des personnalités : la tonalité épique des romans de Malraux et de Saint-Exupéry contraste avec le lyrisme sobre de Camus ou la logorrhée provocatrice de Céline.

Contrairement aux surréalistes, on ne cherche pas volontairement à faire surgir des images de l'inconscient et encore moins à rompre avec la logique. Les écrivains de cette génération favorisent au contraire le retour à une écriture transparente : ils emploient un langage qui permet de mieux comprendre la société qui leur est contemporaine, mais il n'en reste pas moins vrai que leur vision, nourrie par la connaissance des grands philosophes, est plus complexe que celle des écrivains réalistes et que, par le fait même, elle exige de la part du lecteur un plus grand effort d'interprétation. Dans ces œuvres où importe la logique, chaque mot semble pesé, mesuré, comme si l'écrivain était engagé dans une polémique à remporter contre des adversaires.

Enfin, la rhétorique traduit également des rapports au monde différenciés : ainsi, chez Mauriac, les pins séculaires évoquent l'enracinement, mais il arrive que les personnages veuillent se dégager de l'ombre qu'ils projettent; chez Céline, le monde en putréfaction dégage de sales odeurs; chez Sartre, on remarque un dégoût pour toutes les matières gluantes et dégoulinantes; chez Camus, la mer permet l'évasion et est source de réconfort alors que le soleil peut à la fois réchauffer, accabler, et même pousser au crime. Ainsi, la rhétorique traduit toujours confusément quelque chose de l'inconscient qui échappe à la maîtrise de la raison.

Les caractéristiques du récit et du théâtre – humanisme chrétien et existentialisme

Histoire

Mettre l'intrigue au service des idées.

Personnages

- Personnages cérébraux ou portés à la réflexion.
- Antihéros représentatifs d'une humanité médiocre.
- Faible représentation des personnages féminins.

Intrigue

- Analyse du sens de l'existence qui influence les actes posés par les protagonistes.
- Espace clos ou étouffant.
- Vision subjective de l'écoulement du temps.

Structure

Renouveler l'organisation textuelle.

- Exploration de modes narratifs mieux adaptés à une vision complexe de la réalité ; influence marquée des romanciers américains.
- Emploi fréquent du monologue intérieur.
- Interpénétration du récit par l'essai.
- Remise en question du critère de vraisemblance.
- Esprit d'innovation qui touche certaines composantes plutôt que la globalité de la pièce de théâtre.

Thématique

Exprimer l'angoisse devant un monde absurde.

- Concepts de conscience, de liberté, d'engagement, de mauvaise foi et autres.
- Rapport d'étrangeté au monde et doute systématique.
- Incommunicabilité ; malaise existentiel.
- Faute et culpabilité (humanisme chrétien).

Style et procédés d'écriture

Traduire la complexité de la réalité.

- Écriture qui adopte une orientation philosophique.
- Figures de style qui concrétisent le message ou traduisent la psyché ou les valeurs profondes de l'écrivain.
- Ouverture à tous les registres linguistiques ; dialogue dans une langue qui traduit l'origine sociale.
- Texte souvent étayé de formules-chocs qui éclairent la pensée de l'auteur.
- Au théâtre, tendance à la sobriété autant dans le jeu des comédiens que dans la scénographie ; accent porté sur le discours et non sur la gestuelle.

L'affreuse lucidité

Où en étais-je ? Oui, tu te demandes pourquoi cette soudaine furie d'écrire, « furie » est bien le mot. Tu peux en juger sur mon écriture, sur ces lettres courbées dans le même sens comme les pins par le vent d'ouest. Écoute : je t'ai parlé d'abord d'une vengeance longtemps méditée et à laquelle je renonce. Mais il y a quelque chose en
5 toi, quelque chose de toi dont je veux triompher, c'est de ton silence. Oh ! Comprends-moi : tu as la langue bien pendue, tu peux discuter des heures avec Cazau au sujet de la volaille ou du potager. Avec les enfants, même les plus petits, tu jacasses et bêtifies des journées entières. Ah ! Ces repas d'où je sortais la tête vide, rongé par mes affaires, par mes soucis dont je ne pouvais parler à personne... Surtout, à partir de l'affaire
10 Villenave, quand je suis devenu brusquement un grand avocat d'assises, comme disent les journaux. Plus j'étais enclin à croire à mon importance, plus tu me donnais le sentiment de mon néant... Mais non, ce n'est pas encore de cela qu'il s'agit, c'est d'une autre sorte de silence que je veux me venger : le silence où tu t'obstinais touchant notre ménage, notre désaccord profond. Que de fois, au théâtre, ou lisant un
15 roman, je me suis demandé s'il existe, dans la vie, des amantes ou des épouses qui font des « scènes », qui s'expliquent à cœur ouvert, qui trouvent du soulagement à s'expliquer.

Pendant ces quarante années où nous avons souffert flanc à flanc, tu as trouvé la force d'éviter toute parole un peu profonde, tu as toujours tourné court.

J'ai cru longtemps à un système, à un parti pris dont la raison m'échappait,
20 jusqu'au jour où j'ai compris que, tout simplement, cela ne t'intéressait pas. J'étais tellement en dehors de tes préoccupations que tu te dérobais, non par terreur, mais par ennui. Tu étais habile à flairer le vent, tu me voyais venir de loin ; et si je te prenais par surprise, tu trouvais de faciles défaites, ou bien tu me tapotais la joue, tu m'embrassais et prenais la porte.

25 Sans doute pourrais-je craindre que tu déchires cette lettre après en avoir lu les premières lignes. Mais non, car depuis quelques mois je t'étonne, je t'intrigue. Aussi peu que tu m'observes, comment n'aurais-tu pas noté un changement dans mon humeur ? Oui, cette fois-ci, j'ai confiance que tu ne te déroberas pas. Je veux que tu saches, je veux que vous sachiez, toi, ton fils, ta fille, ton gendre, tes petits-enfants,
30 quel était cet homme qui vivait seul en face de votre groupe serré, cet avocat surmené qu'il fallait ménager car il détenait la bourse, mais qui soufflait dans une autre planète. Quelle planète ? Tu n'as jamais voulu y aller voir. Rassure-toi : il ne s'agit plus ici de mon éloge funèbre écrit d'avance par moi-même, que d'un réquisitoire contre vous. Le trait dominant de ma nature et qui aurait frappé toute autre femme
35 que toi, c'est une lucidité affreuse.

François Mauriac, *Le nœud de vipères,* 1932.

François Mauriac
(1885-1970)

Le ressentiment

Enfant malingre et ultrasensible, François Mauriac naît dans un milieu marqué par la morale austère du jansénisme, où la piété est de rigueur. Le décès de son père, alors qu'il est encore très jeune, le marque profondément. Héritier d'une longue lignée de propriétaires terriens, il rachète la pineraie ancestrale qui lui tient tant à cœur après avoir fondé une famille. Cette bourgeoisie provinciale, confite dans l'épargne et les bons principes, dont lui-même est issu, il la représentera dans son célèbre roman *Thérèse Desqueyroux,* adapté au cinéma par Claude Miller, en 2012. L'héroïne, qui donne son titre au roman, se présente plus ou moins comme un double féminin du romancier : comme lui, elle refoule ses désirs homosexuels et opte pour la voie prescrite par son entourage.

Redoutable polémiste, Mauriac se fait un devoir de servir le christianisme et de se porter à la défense de celui qui incarne pour lui la grandeur de la France : Charles de Gaulle. Ses romans, toutefois, s'écartent des intentions qu'il avoue ouvertement et révèlent plutôt la part secrète de l'auteur. Ses personnages, saisis en pleine crise existentielle et rongés par la culpabilité, sont incapables de communiquer avec leurs proches.

Pour le bourgeois puritain qu'est Mauriac, entamer une démarche vers l'autre s'assimile pratiquement au péché. C'est une dépense d'énergie dangereuse susceptible de mener à la débauche. Aussi paraît-il significatif que ses héros, sédentaires et économes, se réfugient dans le passé pour échapper à une société qui les oppresse et les empêche de s'élever vers Dieu. Tout cela fait de Mauriac l'écrivain de la confrontation du présent avec le passé.

Le nœud de vipères se présente comme le roman du ressentiment qui précède le pardon. Le protagoniste, amer et rancunier, adresse à sa femme une longue lettre qui livre un compte rendu acerbe de sa vie de couple. Le décès de son épouse, qui intervient en cours de rédaction, le pousse à mieux comprendre la dynamique familiale et à s'ouvrir à l'amour.

Atelier d'analyse

Exploration

1. Étudiez le contexte d'énonciation de l'extrait en répondant aux questions suivantes.
   a. Qui est le locuteur de la lettre ? Relevez deux marques de sa présence dans le texte.
   b. Qui est la destinataire de la lettre ? Quelle est sa relation avec le locuteur ?
   c. Peut-on dire qu'en cours de lettre, c'est finalement à toute la famille que s'adressent les propos du locuteur ? Donnez-en une preuve.
   d. Quel est le temps de la narration ? Donnez deux preuves à l'appui de votre réponse.

2. Quels reproches le narrateur adresse-t-il à sa femme ? Quel portrait se dégage de cet homme à la suite de la lecture de cet extrait ?

3. Quelle phrase, fondée sur une antithèse, exprime le mieux l'acrimonie du narrateur envers sa femme ?

4. Le mot « silence » apparaît à trois reprises dans le texte. Cette répétition est-elle gratuite ou contribue-t-elle à la signification du texte ?

5. Pourquoi le lecteur est-il en droit de penser qu'il entre une part de subjectivité, et peut-être même de sentiment paranoïaque, dans l'évaluation que fait le narrateur de sa vie de couple ?

6. Est-il possible que le recours à l'écriture illustre en fait l'incapacité du personnage à communiquer par voie orale avec sa femme ? Nuancez votre réponse.

Rédaction

7. **Sujet :** On a appliqué le terme de « réalisme subjectif » à l'écriture de Mauriac. Commentez cette appréciation.

   Consignes :
   • Pour vous aider dans votre réflexion, faites un retour sur les caractéristiques du courant réaliste :
   – Il valorise l'observation de la société.
   – Il met l'accent sur les thèmes du pouvoir et de l'argent (même dans les relations amoureuses).
   – Il cherche à rendre la fiction vraisemblable.
   – Il privilégie le narrateur omniscient parce que ce mode de narration favorise la cohérence du texte.
   • Étudiez les aspects retenus par Mauriac et ceux qu'il a écartés, et comment il a introduit la subjectivité dans le texte. Élaborez vos idées, notamment en retournant vérifier la théorie sur le réalisme ou en faisant quelques recherches sur François Mauriac.

8. **Deuxième sujet :** Étudiez la représentation de la famille dans cet extrait.

   Plan suggéré : Élaborez successivement sur la représentation du père, celle de l'épouse et celle de la famille.

La meurtrissure

L'enfant se retourna vers sa mère.

– Viens ici quand je t'appelle, fit Mme Grosgeorge de sa voix égale. N'apprendras-tu jamais à obéir promptement ?

André fit un violent effort sur lui-même et, descendant de sa chaise, se dirigea vers le
5 coin du salon où sa mère l'attendait, immobile comme une statue. Il était petit, vêtu d'un jersey bleu foncé qui serrait son buste étroit et ses bras sans force. Ses jambes nues sortaient d'une culotte de serge beaucoup trop large. En marchant, il traînait les pieds comme s'il avait à cœur de rebrousser la laine rouge et violet du tapis.

– Combien de fois t'ai-je dit de ne pas traîner les pieds ? demanda Mme Grosgeorge
10 lorsqu'il fut devant elle. Viens plus près.

Elle avait posé les deux mains sur les bras du dagobert et considérait l'enfant qui fuyait son regard et se mordait les lèvres.

– Avant de te punir, dit-elle doucement, il est juste de t'expliquer pourquoi je suis obligée de le faire. D'abord, tu as très mal lu ta page d'histoire. Tu n'articules pas. Et
15 puis tu n'essayes pas de comprendre et de retenir ce que tu lis. Résultat : tu es aussi ignorant après qu'avant, tu perds ton temps et tu gaspilles l'argent de ton père. Ensuite, tu ne veux pas te corriger de l'habitude de rebrousser le tapis en marchant. Ne pleure pas, c'est inutile. Lève la tête et regarde-moi.

En disant ces mots, elle serra un peu les dents et planta ses yeux dans ceux de son fils.
20 Puis, les coudes au corps, elle leva l'avant-bras droit, le rejetant en arrière aussi loin qu'il lui était possible. Dans cette position elle demeura une seconde sans qu'un muscle de son corps bronchât et, tout à coup, après s'être insensiblement tournée vers la droite, comme pour prendre un peu d'élan, elle frappa l'enfant au visage avec la force et la brutalité d'une machine. Il frémit, haletant d'effroi, et se mit à hurler. Cependant, sa
25 mère ne le quittait pas des yeux ; elle semblait ne pas entendre ses cris et observait à présent la joue où l'empreinte rose de sa main pâlissait peu à peu. Quelque chose d'étrange s'était glissé dans les prunelles noires de cette femme, une expression d'avidité et de plaisir qui transfigurait son vieux et joli visage et lui prêtait comme un regain de jeunesse. En ce moment, son esprit était si absorbé par ce qu'elle voyait que
30 rien n'existait plus pour elle en dehors de la meurtrissure infligée par ses doigts. Quelqu'un eût crié « Au feu ! » derrière elle qu'elle n'eût peut-être pas tourné la tête.

Guéret contemplait cette scène avec une horreur qui l'empêchait de faire un mouvement. L'envie le prit de saisir l'enfant dans ses bras, mais la seule pensée d'un projet aussi audacieux lui parut énorme. Il y avait dans toute la personne de
35 Mme Grosgeorge une telle force et une telle volonté, le vice lui donnait à cette minute une autorité si puissante, que Guéret ne trouva pas en lui de la braver ouvertement, pas plus qu'il n'eût osé ravir sa proie à une bête sauvage, et il demeura muet, contemplant malgré lui l'enfant qui baissait la tête et reculait à pas indécis devant le regard épouvantable dont le suivait sa mère.

40 Quelques secondes s'écoulèrent dans un silence que troublaient seuls les gémissements du petit garçon, puis, tout à coup, comme si un charme se rompait et lui rendait la liberté, Mme Grosgeorge tressaillit et leva les yeux sur le professeur.

– Eh bien, dit-elle sèchement, il est plus de onze heures, monsieur Guéret, je ne vois pas ce qui peut vous retenir.

45 Elle se leva en disant ces mots et se dirigea vers la porte. Il était encore au même endroit et, comme elle passait devant lui, il put remarquer la délicatesse de ce ferme et gracieux profil ; la joue était avivée par une émotion dont rien ne paraissait autrement ; derrière l'oreille, un peu au-dessous d'une mèche de cheveux gris, une des baleines qui soutenaient le col montant entrait légèrement dans la chair
50 blanche de la nuque et y creusait une fossette. Il éprouva soudain un sentiment

Julien Green (1900-1998)

L'éducation austère

Né à Paris de parents américains, Julien Green réside en France la plus grande partie de sa vie, ne retournant aux États-Unis qu'épisodiquement, soit pour compléter ses études universitaires ou pour faire son service militaire durant la guerre. Éduqué par sa mère dans un protestantisme puritain, il se convertit au catholicisme à l'âge adulte, décision qui oriente sa thématique romanesque. L'écrivain doit aussi sa réputation à son journal, qui couvre pratiquement tout le xxe siècle, et qui permet, par l'imagination, de pénétrer les cercles littéraires parisiens.

Excellent conteur, Julien Green n'hésite pas à dérouter son lecteur par des univers romanesques très diversifiés, tout en conservant un style d'une grande sobriété classique. L'extrait suivant est tiré du roman *Léviathan,* qui clôt une trilogie comprenant en outre les œuvres *Mont Cinère* et *Adrienne Mesurat,* œuvres qui le révèlent au public à partir de 1926. Les premières pages nous plongent dans le drame de Guéret, malheureux en mariage mais aussi dans son travail comme tuteur pour une famille riche, ironiquement nommée les «Grosgeorge». Cet antihéros concentre en lui les attributs d'un milieu médiocre,

confus où l'admiration se mêlait au dégoût, et, saisissant son livre et ses papiers, il suivit Mme Grosgeorge dans l'antichambre.

Lorsqu'il fut au jardin, un instant plus tard, il se rendit compte que dans son trouble il avait oublié de lui dire au revoir.

Julien Green, *Léviathan*, 1929.

hypocrite et mesquin. La scène retenue ici se situe après une leçon de Guéret au fils prénommé André, à laquelle a assisté la mère. Insatisfaite des résultats, celle-ci sermonne d'abord le professeur avant de punir son fils.

Atelier d'analyse

Exploration

1. Pourquoi a-t-on l'impression dès le départ que la mère s'adresse à son enfant comme à un animal de compagnie ?

2. Comment la description d'André traduit-elle son enfance malheureuse ?

3. Analysez le comportement de la mère en répondant aux questions suivantes.
   a. En quoi l'adverbe « doucement » et l'attribut « juste » paraissent-ils détonner dans le contexte ?
   b. Quels passages traduisent habilement la violence bien planifiée de la mère ?
   c. Quels autres passages traduisent sa perversité ?

4. En guise de bilan, décrivez en trois phrases cette relation mère-fils.

5. Témoin de cette scène, Guéret se comporte-t-il en lâche ? Nuancez votre réponse.

6. Selon vous, l'auteur exerce-t-il son ironie dans les observations suivantes ?
   a. « [...] il [Guéret] put remarquer la délicatesse de ce ferme et gracieux profil ; »
   b. « [...] une des baleines qui soutenaient le col montant entrait légèrement dans la chair blanche de la nuque et y creusait une fossette. »

7. Pourquoi peut-on dire que cette scène révèle particulièrement bien la finesse d'observation et le grand talent d'écrivain de Julien Green ?

Rédaction

8. **Sujet :** Montrez que cette scène est, d'une certaine façon, une attaque directe au mythe de l'amour maternel.

   Consigne : Tenez compte du plan suivant pour orienter votre développement (qui peut être modifié selon les besoins).
   - Observez les apparences de la mère, présentée d'abord comme normale.
   - Commentez ensuite la perversité sous-jacente à son comportement.
   - Décrivez ensuite l'image du fils brisé (conséquence de la dureté maternelle).

9. Analysez le thème de l'autorité abusive.

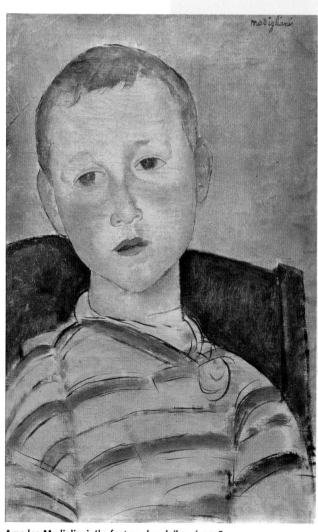

Amedeo Modigliani, *L'enfant au chandail rayé*, 1918.

Une paroisse dévorée par l'ennui

Ma paroisse est dévorée par l'ennui, voilà le mot. Comme tant d'autres paroisses! L'ennui les dévore sous nos yeux et nous n'y pouvons rien. Quelque jour peut-être la contagion nous gagnera, nous découvrirons en nous ce cancer. On peut vivre très longtemps avec ça.

5 L'idée m'est venue hier sur la route. Il tombait une de ces pluies fines qu'on avale à pleins poumons, qui vous descendent jusqu'au ventre. De la côte de Saint-Vaast, le village m'est apparu brusquement, si tassé, si misérable sous le ciel hideux de novembre. L'eau fumait sur lui de toutes parts, et il avait l'air de s'être couché là, dans l'herbe ruisselante, comme une pauvre bête épuisée. Que c'est petit, un village! Et ce
10 village était ma paroisse. C'était ma paroisse, mais je ne pouvais rien pour elle, je la regardais tristement s'enfoncer dans la nuit, disparaître... Quelques moments encore, et je ne la verrais plus. Jamais je n'avais senti si cruellement sa solitude et la mienne. Je pensais à ces bestiaux que j'entendais tousser dans le brouillard et que le petit vacher, revenant de l'école, son cartable sous le bras, mènerait tout à l'heure à travers les
15 pâtures trempées, vers l'étable chaude, odorante... Et lui, le village, il semblait attendre aussi – sans grand espoir – après tant d'autres nuits passées dans la boue, un maître à suivre vers quelque improbable, quelque inimaginable asile.

Oh! je sais bien que ce sont des idées folles, que je ne puis même pas prendre tout à fait au sérieux, des rêves... Les villages ne se lèvent pas à la voix d'un petit écolier,
20 comme les bêtes. N'importe! Hier soir, je crois qu'un saint l'eût appelé.

Je me disais donc que le monde est dévoré par l'ennui. Naturellement, il faut un peu réfléchir pour se rendre compte, ça ne se saisit pas tout de suite. C'est une espèce de poussière. Vous allez et venez sans la voir, vous la respirez, vous la mangez, vous la buvez, et elle est si fine, si ténue qu'elle ne craque même pas sous la dent. Mais que vous vous arrê-
25 tiez une seconde, la voilà qui recouvre votre visage, vos mains. Vous devez vous agiter sans cesse pour secouer cette pluie de cendres. Alors, le monde s'agite beaucoup.

On dira peut-être que le monde est depuis longtemps familiarisé avec l'ennui, que l'ennui est la véritable condition de l'homme. Possible que la semence en fût répandue partout et qu'elle germât çà et là, sur un terrain favorable. Mais je me demande si
30 les hommes ont jamais connu cette contagion de l'ennui, cette lèpre? Un désespoir avorté, une forme turpide du désespoir, qui est sans doute comme la fermentation d'un christianisme décomposé.

Georges Bernanos, *Le journal d'un curé de campagne*, 1936.

Georges Bernanos (1888-1948)

L'épopée du surnaturel

D'humble extraction, Georges Bernanos fait d'abord l'expérience de la précarité en cherchant à faire vivre une famille de six enfants avec un revenu de petit salarié. Très croyant, il apparaît bientôt comme un chevalier surgi du temps des croisades, qui porte l'étendard d'un Christ plus perturbateur que rédempteur. Cet homme de convictions ne transige aucunement avec ses idéaux. Jusqu'à sa mort, il pourfend les politiciens au pouvoir qui sacrifient la dignité humaine aux nécessités du mercantilisme; il dénonce les intellectuels de gauche qui font, selon lui, entrave au changement. Les personnages de ses romans lui ressemblent : engagés contre leur gré dans une épopée du surnaturel, ces héros trop ardents ne trouvent leur salut que dans la fuite ou le suicide, alors que le romancier est un éternel exilé, incapable de se fixer dans aucun pays ni n'adhérer à aucun parti.

Cet extrait, tiré du *Journal d'un curé de campagne*, permet de saisir les affinités de Bernanos avec les existentialistes, en particulier Camus. Son personnage de jeune prêtre catholique, figure emblématique de son œuvre, porte un regard désabusé sur le monde.

Atelier d'analyse

Exploration

1. Quelle figure de style semble orienter toute la signification du texte? Justifiez votre choix.

2. Comment Bernanos traduit-il, sur le plan de l'image et du lexique, l'ennui qui règne dans sa paroisse? Montrez, entre autres, que le texte est traversé par l'idée de la contagion, terme qui apparaît dans le premier et le dernier paragraphe.

3. Après avoir dressé le champ lexical du corps et des termes qui se rapportent aux sens, montrez comment cet extrait illustre le fait que le surnaturel est toujours également charnel chez Bernanos.

4. Quel choix de narrateur Bernanos fait-il dans ce récit? En quoi ce choix permet-il au lecteur de se faire une idée de la personnalité du jeune curé, personnage principal du récit?

5. Étudiez la rhétorique du texte en y relevant les figures d'analogie. Expliquez en quoi ces images permettent de rendre plus tangible la présence de ce village.

Rédaction

6. Classé parmi les écrivains catholiques, Bernanos possède plusieurs affinités avec les existentialistes. Démontrez-le.

Le romancier de la provocation

Enfant unique issu d'une famille de petits commerçants, Louis-Ferdinand Céline, de son vrai nom Louis-Ferdinand Destouches, s'enrôle dans l'armée au moment de la Première Guerre, dont il sort décoré pour fait d'armes héroïque. Écrivain d'abord encensé par la critique, Céline finira par se mettre à dos tout le milieu intellectuel à cause de la virulence de son antisémitisme. Malgré ses propos racistes, Céline n'en reste pas moins considéré aujourd'hui comme un des romanciers majeurs du siècle.

Ce provocateur désespéré, ou encore ce cabotin génial selon les points de vue, propose avec son premier roman, *Voyage au bout de la nuit,* une épopée burlesque du vice et de la déchéance, qui choque et fascine à la fois par son style : la langue de Céline, qui mêle argot et propos ordurier, constitue un véritable attentat contre l'esthétique littéraire. La phrase télescope l'ordre syntaxique tout comme la narration bouscule la chronologie.

Le personnage principal du roman, Bardamu, est une sorte de héros picaresque qui se déplace d'un continent à l'autre pour illustrer, par ses aventures, les deux thèmes du roman, c'est-à-dire que le monde est un merdier et que l'homme est un dégénéré.

Trajet matinal en banlieue

En banlieue, c'est surtout par les tramways que la vie vous arrive le matin. Il en passait des pleins paquets avec des pleines bordées d'ahuris bringuebalant, dès le petit jour, par le boulevard Minotaure, qui descendaient vers le boulot.

Les jeunes semblaient même comme contents de s'y rendre au boulot. Ils accélé-
5 raient le trafic, se cramponnaient aux marchepieds, ces mignons, en rigolant. Faut voir ça. Mais quand on connaît depuis vingt ans la cabine téléphonique du bistrot, par exemple, si sale qu'on la prend toujours pour les chiottes, l'envie vous passe de plaisanter avec les choses sérieuses et avec Rancy en particulier. On se rend alors compte où qu'on vous a mis. Les maisons vous possèdent, toutes pisseuses qu'elles
10 sont, plates façades, leur cœur est au propriétaire. Lui on ne le voit jamais. Il n'oserait pas se montrer. Il envoie son gérant, la vache. On dit pourtant dans le quartier qu'il est bien aimable le proprio quand on le rencontre. Ça n'engage à rien.

La lumière du ciel à Rancy, c'est la même qu'à Detroit, du jus de fumée qui trempe la plaine depuis Levallois. Un rebut de bâtisses tenues par des gadoues noires au sol.
15 Les cheminées, des petites et des hautes, ça fait pareil de loin qu'au bord de la mer les gros piquets dans la vase. Là-dedans, c'est nous.

Faut avoir le courage des crabes aussi, à Rancy, surtout quand on prend de l'âge et qu'on est bien certain d'en sortir jamais plus. Au bout du tramway voici le pont poisseux qui se lance au-dessus de la Seine, ce gros égout qui montre tout. Au long des
20 berges, le dimanche et la nuit les gens grimpent sur les tas pour faire pipi. Les hommes ça les rend méditatifs de se sentir devant l'eau qui passe. Ils urinent avec un sentiment d'éternité, comme des marins. Les femmes, ça ne médite jamais. Seine ou pas. Au matin donc le tramway emporte sa foule se faire comprimer dans le métro. On dirait à les voir tous s'enfuir de ce côté-là, qu'il leur est arrivé une catastrophe du côté
25 d'Argenteuil, que c'est leur pays qui brûle. Après chaque aurore, ça les prend, ils s'accrochent par grappes aux portières, aux rambardes. Grande déroute. C'est pourtant qu'un patron qu'ils vont chercher dans Paris, celui qui vous sauve de crever de faim, ils ont énormément peur de le perdre, les lâches. Il vous la fait transpirer pourtant sa pitance. On en pue pendant dix ans, vingt ans et davantage. C'est pas donné.
30 Et on s'engueule dans le tramway déjà un bon coup pour se faire la bouche. Les femmes sont plus râleuses encore que des moutards. Pour un billet en resquille, elles feraient stopper toute la ligne. C'est vrai qu'il y en a déjà qui sont saoules parmi les passagères, surtout celles qui descendent au marché vers Saint-Ouen, les demi-bourgeoises. «Combien les carottes?» qu'elles demandent bien avant d'y arriver
35 pour faire voir qu'elles ont de quoi.

Louis-Ferdinand Céline, *Voyage au bout de la nuit,* 1932.

Atelier d'analyse
Exploration

1. Cette scène grouille de figurants, décrits individuellement ou en groupes. Énumérez-les en relevant les caractéristiques qui leur sont rattachées.

2. Relevez une personnification, deux comparaisons et trois métaphores, et expliquez en quoi elles contribuent à la signification du texte.

3. Relevez quelques exemples qui illustrent l'influence de la langue orale sur le style de Céline.

4. « Le monde est un merdier. » Montrez comment cette image étend ses ramifications dans tout le texte.

5. Comment Céline s'y prend-il pour créer un style reconnaissable à « sa petite musique », selon ses propres mots ? Considérez la syntaxe, le registre de langue, le temps de narration et certains procédés stylistiques, notamment les répétitions et les énumérations.

Rédaction

6. Louis-Ferdinand Céline, antisémite, misogyne et misanthrope, est tout de même perçu comme un des grands écrivains du XXe siècle. En vous appuyant sur cet extrait, expliquez ce paradoxe.

May, la guerrière

Couché pour tenter d'affaiblir sa fatigue, Kyo attendait. Il n'avait pas allumé; il ne bougeait pas. Ce n'était pas lui qui songeait à l'insurrection, c'était l'insurrection, vivante dans tant de cerveaux comme le sommeil dans tant d'autres, qui pesait sur lui au point qu'il n'était plus qu'inquiétude et attente. Moins de quatre cents fusils en
5 tout. Victoire, – ou fusillade, avec quelques perfectionnements. Demain. Non : tout à l'heure. Question de rapidité : désarmer partout la police et, avec les cinq cents Mauser, armer les groupes de combat avant que les soldats du train blindé gouvernemental entrassent en action. L'insurrection devait commencer à une heure – la grève générale, donc, à midi – et il fallait que la plus grande partie des groupes de combat
10 fût armée avant cinq heures. [...] Victoire ou défaite, le destin du monde, cette nuit, hésitait près d'ici. À moins que le Kuomintang, Shanghaï prise, n'essayât d'écraser ses alliés communistes... Il sursauta : la porte du jardin s'ouvrait. Le souvenir recouvrit l'inquiétude : sa femme ? Il écoutait : la porte de la maison se referma. May entra. Son manteau de cuir bleu, d'une coupe presque militaire, accentuait ce qu'il y avait de
15 viril dans sa marche et même dans son visage, – bouche large, nez court, pommettes marquées des Allemandes du Nord.

– C'est bien pour tout à l'heure, Kyo ?

– Oui.

Elle était médecin de l'un des hôpitaux chinois, mais elle venait de la section des
20 femmes révolutionnaires dont elle dirigeait l'hôpital clandestin :

– Toujours la même chose, tu sais : je quitte une gosse de dix-huit ans qui a essayé de se suicider avec une lame de rasoir de sûreté dans le palanquin du mariage. On la forçait à épouser une brute respectable... On l'a apportée avec sa robe rouge de mariée, toute pleine de sang. La mère derrière, une petite ombre rabougrie qui sanglo-
25 tait, naturellement... Quand je lui ai dit que la gosse ne mourrait pas, elle m'a dit : « Pauvre petite ! Elle avait pourtant eu presque la chance de mourir... » La chance... Ça en dit plus long que nos discours sur l'état des femmes ici...

Allemande mais née à Shanghaï, docteur de Heidelberg et de Paris, elle parlait le français sans accent. Elle jeta son béret sur le lit. Ses cheveux ondulés étaient rejetés
30 en arrière, pour qu'il fût plus facile de les coiffer. Il eut envie de les caresser. Le front très dégagé, lui aussi, avait quelque chose de masculin, mais depuis qu'elle avait cessé de parler elle se féminisait – Kyo ne la quittait pas des yeux – à la fois parce que l'abandon de la volonté adoucissait ses traits, que la fatigue les détendait, et qu'elle était sans béret. Ce visage vivait par sa bouche sensuelle et par ses yeux très grands,
35 transparents, et assez clairs pour que l'intensité du regard ne semblât pas être donnée par la prunelle, mais par l'ombre du front dans les orbites allongées.

André Malraux, *La condition humaine*, 1933.

André Malraux (1901-1976)

La condition humaine

Élevé par trois femmes, sa mère, sa grand-mère et sa tante, atteint du syndrome de Gilles de la Tourette, André Malraux est hanté toute sa vie par la figure absente du père. Il quitte l'école à 17 ans par volonté de tout apprendre par lui-même afin de mieux impressionner le milieu littéraire et artistique qu'il fréquente. Entraîné par son esprit d'aventure vers des pays secoués par la violence politique, il s'adonne à des activités illicites comme le trafic d'antiquités et fable sur ses exploits pour alimenter son mythe personnel. Il constate aussi les abus du colonialisme, qui traduisent selon lui la décadence de la civilisation européenne. Il attribuera d'ailleurs cette prise de conscience à ses héros romanesques. Homme de gauche, Malraux se range pourtant du côté de Charles De Gaulle à la fin de la guerre et devient ministre de la Culture sous son gouvernement. Sa vision désabusée du monde moderne en fait un précurseur de l'existentialisme.

En 1933, il obtient le prix Goncourt pour *La condition humaine*, roman sur la révolution chinoise qui met face à face le Kuomintang, un parti nationaliste soutenu par l'Occident, et le

Parti communiste, dirigé par Mao Tsé-Toung. Dans l'extrait retenu, le couple au centre du récit, Kyo et sa compagne May, s'insurge contre des coutumes qui maintiennent en place le système d'exploitation dont les femmes sont victimes.

La comparaison de May, une femme du XXᵉ siècle, avec Antonia, une héroïne romantique du XIXᵉ siècle créée par Alexandre Dumas, met en relief des différences importantes dans l'évolution des femmes d'un siècle à l'autre. Alexandre Dumas, l'auteur du roman *La femme au collier de velours* dont est tiré ce portrait, ressemble par ailleurs sous plusieurs traits à André Malraux. Comme lui, c'est un homme avide d'aventures, porté vers la mégalomanie : enrichi par la publication de ses romans à grand succès, il se fait construire un extravagant château où il accueille royalement ses amis, mode de vie qui finira par entraîner sa faillite. Aux yeux de plusieurs, il demeure avant tout le créateur de personnages inoubliables comme le mousquetaire D'Artagnan et le comte de Monte-Cristo.

Antonia, l'angélique

Antonia avait dix-sept ans à peine ; elle était de taille moyenne, plutôt grande que petite, mais si mince sans maigreur, si flexible sans faiblesse, que toutes les comparaisons de lis se balançant sur leur tige, de palmier se courbant au vent, eussent été insuffisantes pour peindre cette *morbidezza* italienne, seul mot de la langue exprimant
5 à peu près l'idée de douce langueur qui s'éveillait à son aspect. [...] Ainsi, avec la finesse de peau des femmes du Nord, elle avait la matité de peaux des femmes du Midi ; ainsi ses cheveux blonds, épais et légers à la fois, flottant au moindre vent, comme une vapeur dorée, ombrageaient des yeux et des sourcils de velours noir. [...] Aussi, lorsque Antonia parlait allemand, la douceur de la belle langue où, comme dit Dante,
10 résonne le si, venait adoucir la rudesse de l'accent germanique [...].

Mais ce n'était pas seulement au physique que se faisait remarquer cette fusion ; Antonia était au moral un type merveilleux et rare de ce que peuvent réunir de poésie opposée le soleil de l'Italie et les brumes de l'Allemagne. On eût dit à la fois une muse et une fée, la Lorelei de la ballade et la Béatrice de *La divine comédie*.
15 [...]

La jeune fille s'avança lentement ; deux larmes brillaient à sa paupière ; et, faisant trois pas vers Hoffmann, elle lui tendit la main.

Puis, avec un accent de chaste familiarité, et comme si elle eût connu le jeune homme depuis dix ans :
20 — Bonjour, frère, dit-elle.
[...]

Quant à Hoffmann, il ne savait s'il veillait ou dormait, s'il était sur la terre ou au ciel, si c'était une femme qui venait à lui, ou un ange qui lui apparaissait.

Alexandre Dumas, *La femme au collier de velours*, 1851.

Atelier de comparaison

Exploration

La condition humaine

1. Comment Malraux fait-il ressentir l'état de tension dans lequel se trouve Kyo, le héros du roman ?

2. Dans quels passages le narrateur fait-il sentir à quel point la condition des femmes est dramatique en Chine ?

3. Analysez par quels moyens variés Malraux accélère le rythme de la narration.

4. En quoi ce rythme saccadé contribue-t-il à la signification de l'extrait ?

5. Faites le portrait de May en vous attachant aux aspects suivants :
   a. l'aspect physique ;
   c. l'aspect social ;
   b. l'aspect psychologique ;
   d. l'aspect idéologique (ses valeurs).

La femme au collier de velours

6. Faites le portrait d'Antonia, héroïne romantique du roman d'Alexandre Dumas, *La femme au collier de velours*, en tenant compte des aspects énumérés précédemment.

Comparaison

7. À l'aide d'un tableau, dressez un bilan des similitudes et des différences entre les deux descriptions.

Rédaction

8. Comparez les personnages féminins des romans de Malraux et Dumas et expliquez en quoi cette comparaison permet de constater une évolution de la femme dans la société.

La gratuité du monde

Ce moment fut extraordinaire. J'étais là, immobile et glacé, plongé dans une extase horrible. Mais, au sein même de cette extase quelque chose de neuf venait d'apparaître : je comprenais la Nausée, je la possédais. À vrai dire je ne me formulais pas mes découvertes. Mais je crois qu'à présent, il me serait facile de les mettre en mots. L'es-
5 sentiel c'est la contingence. Je veux dire que, par définition, l'existence n'est pas la nécessité. Exister, c'est *être là*, simplement ; les existants apparaissent, se laissent *rencontrer*, mais on ne peut jamais les *déduire*. Il y a des gens, je crois, qui ont compris ça. Or aucun être nécessaire ne peut expliquer l'existence : la contingence n'est pas un faux-semblant, une apparence qu'on peut dissiper ; c'est l'absolu, par conséquent la
10 gratuité parfaite. Tout est gratuit, ce jardin, cette ville et moi-même. Quand il arrive qu'on s'en rende compte, ça vous tourne le cœur et tout se met à flotter, comme l'autre soir, au *Rendez-vous des Cheminots* : voilà la Nausée ; voilà ce que les Salauds – ceux du Coteau Vert et les autres – essaient de se cacher avec leur idée de droit. Mais quel pauvre mensonge : personne n'a de droit ; ils sont entièrement gratuits, comme
15 les autres hommes, ils n'arrivent pas à ne pas se sentir de trop. Et en eux-mêmes, secrètement, ils *sont trop*, c'est-à-dire amorphes et vagues, tristes.

[...]

Tout était plein, tout en acte, il n'y avait pas de temps faible, tout, même le plus imperceptible sursaut, était fait avec de l'existence. Et tous ces existants qui s'affai-
20 raient autour de l'arbre ne venaient de nulle part et n'allaient nulle part. Tout d'un coup ils existaient et ensuite, tout d'un coup, ils n'existaient plus : l'existence est sans mémoire ; des disparus, elle ne garde rien – pas même un souvenir. L'existence partout, à l'infini, de trop, toujours et partout ; l'existence – qui n'est jamais bornée que par l'existence. Je me laissai aller sur le banc, étourdi, assommé par cette profusion
25 d'êtres sans origine : partout des éclosions, des épanouissements, mes oreilles bourdonnaient d'existence, ma chair elle-même palpitait et s'entrouvrait, s'abandonnait au bourgeonnement universel, c'était répugnant. « Mais pourquoi, pensai-je, pourquoi tant d'existences, puisqu'elles se ressemblent toutes ? » À quoi bon tant d'arbres tous pareils ? Tant d'existences manquées et obstinément recommencées et de nou-
30 veau manquées – comme les efforts maladroits d'un insecte tombé sur le dos ? (J'étais

Paul Klee, *L'homme marqué*, 1935.

Jean-Paul Sartre (1905-1980)

Essence et existence

Enfant unique, Jean-Paul Sartre se retrouve, 15 mois après sa naissance, orphelin de père. Sa mère retourne vivre auprès de ses parents, et c'est l'impressionnant grand-père qui prend en charge la formation de son petit-fils. Choyé et cajolé par tous, celui qu'on surnomme Poulou passe la plus grande partie de ses loisirs à lire les grands classiques que lui recommande son grand-père. Le remariage de sa mère met fin à cette période dorée. À l'âge de 10 ans, Jean-Paul Sartre entre alors à l'école publique et apprend à se constituer une carapace pour se protéger des moqueries de ses camarades. Chaleureux et brillant, il séduit les femmes, mais sa rencontre avec Simone de Beauvoir représentera l'événement déterminant de sa vie. Cette compagne, qui partage les mêmes ambitions que lui, accepte le pacte amoureux qu'il lui propose : leur relation sera prioritaire, mais ils pourront se permettre l'un et l'autre des amours « contingentes ». Toujours sous l'œil critique de cette incomparable lectrice, il construit une œuvre en s'affranchissant de l'influence d'écrivains qu'il admire, philosophes ou littéraires. Il consacrera d'ailleurs à certains d'entre eux – Flaubert, Baudelaire (et aussi Genet, son contemporain) – des ouvrages critiques qui font date en littérature. Lui-même se libère de ces modèles par la lecture, notamment, de romanciers américains de sa génération et construit une œuvre qui marquera son temps.

L'extrait retenu est tiré de *La nausée,* qui s'impose rapidement comme le roman phare de l'existentialisme. Antoine Roquentin, personnage plus ou moins autobiographique au cœur du récit, découvre au terme de sa méditation la portée réelle de cette « nausée » existentielle qui le tourmente et il réévalue du même coup son rapport au monde et à lui-même.

un de ces efforts.) Cette abondance-là ne faisait pas l'effet de la générosité, au contraire. Elle était morne, souffreteuse, embarrassée d'elle-même. Ces arbres, ces grands corps gauches... Je me mis à rire parce que je pensais tout d'un coup aux prin-
35 temps formidables qu'on décrit dans les livres, pleins de craquements, d'éclatements, d'éclosions géantes. Il y avait des imbéciles qui venaient vous parler de volonté de puissance et de lutte pour la vie. Ils n'avaient donc jamais regardé une bête ni un arbre ? Ce platane, avec ses plaques de pelade, ce chêne à moitié pourri, on aurait voulu me les faire prendre pour de jeunes forces âpres qui jaillissent vers le ciel. Et cette racine ? Il aurait sans doute fallu que je me la représente comme une griffe vo-
40 race, déchirant la terre, lui arrachant sa nourriture ?

Impossible de voir les choses de cette façon-là. Des mollesses, des faiblesses, oui. Les arbres flottaient. Un jaillissement vers le ciel ? Un affalement plutôt ; à chaque instant je m'attendais à voir les troncs se rider comme des verges lasses, se recroqueviller et choir sur le sol en un tas noir et mou avec des plis. *Ils n'avaient pas envie* d'exis-
45 ter, seulement ils ne pouvaient pas s'en empêcher ; voilà. Alors ils faisaient toutes leurs petites cuisines, doucement, sans entrain ; la sève montait lentement dans les vaisseaux, à contrecœur, et les racines s'enfonçaient lentement dans la terre. Mais ils semblaient à chaque instant sur le point de tout planter là et de s'anéantir. Las et vieux, ils continuaient d'exister, de mauvaise grâce, simplement parce qu'ils étaient
50 trop faibles pour mourir, parce que la mort ne pouvait leur venir que de l'extérieur : il n'y a que les airs de musique pour porter fièrement leur propre mort en soi comme une nécessité interne ; seulement ils n'existent pas. Tout existant naît sans raison, se prolonge par faiblesse et meurt par rencontre. Je me laissai aller en arrière et je fermai les paupières. Mais les images, aussitôt alertées, bondirent et vinrent remplir d'exis-
55 tences mes yeux clos : l'existence est un plein que l'homme ne peut quitter.

Jean-Paul Sartre, *La nausée, 1938.*

Atelier d'analyse

Exploration

1. Analysez le premier paragraphe de l'extrait en répondant aux questions suivantes.
    a. Quelles marques permettent de déduire qu'Antoine Roquentin assume le rôle de narrateur ?
    b. Pourquoi le lecteur est-il déjà en mesure de déduire que ce héros-narrateur semble avoir des préoccupations proches de celles de Sartre ?
    c. Expliquez comment le lexique fortement antithétique des premières lignes traduit la perplexité du narrateur.

2. Quelle phrase indique que cette argumentation est en fait une réponse à des interlocuteurs absents ?

3. Le premier paragraphe est à la fois philosophique et argumentatif. Apportez trois preuves à l'appui de cette affirmation.

4. Relevez quelques phrases qui tendent à réfuter l'idée de Dieu ou encore celle de la vie éternelle.

5. Sartre s'érige ici contre le fait de représenter la nature comme belle et bienfaisante. Démontrez-le.

6. « Ma chair [...] s'abandonnait au bourgeonnement universel, c'était répugnant. » Montrez que la rhétorique fait en effet écho à cette répugnance dans la suite du texte.

Rédaction

7. Expliquez en quoi ce passage permet de mieux saisir la portée philosophique du titre.

8. Est-il approprié d'affirmer que ce passage met en lumière le caractère autobiographique de l'œuvre ?

Pris au piège

INÈS. Eh bien, Garcin ? Nous voici nus comme des vers ; y voyez-vous plus clair ?

GARCIN. Je ne sais pas. Peut-être un peu plus clair. (*Timidement.*) Est-ce que nous ne pourrions pas essayer de nous aider les uns les autres ?

INÈS. Je n'ai pas besoin d'aide.

5 GARCIN. Inès, ils ont embrouillé tous les fils. Si vous faites le moindre geste, si vous levez la main pour vous éventer, Estelle et moi nous sentons la secousse. Aucun de nous ne peut se sauver seul ; il faut que nous nous perdions ensemble ou que nous nous tirions d'affaire ensemble. Choisissez. (*Un temps.*) Qu'est-ce qu'il y a ?

INÈS. Ils l'ont louée. Les fenêtres sont grandes ouvertes, un homme est assis sur mon
10 lit. Ils l'ont louée ! ils l'ont louée ! Entrez, entrez, ne vous gênez pas. C'est une femme. Elle va vers lui et lui met les mains sur les épaules... Qu'est-ce qu'ils attendent pour allumer, on n'y voit plus ; est-ce qu'ils vont s'embrasser ? Cette chambre est à moi ! Elle est à moi ! Et pourquoi n'allument-ils pas ? Je ne peux plus les voir. Qu'est-ce qu'ils chuchotent ? Est-ce qu'il va la caresser sur *mon* lit ? Elle lui dit qu'il est midi
15 et qu'il fait grand soleil. Alors, c'est que je deviens aveugle. (*Un temps.*) Fini. Plus rien : je ne vois plus, je n'entends plus. Eh bien, je suppose que j'en ai fini avec la terre. Plus d'alibi. (*Elle frissonne.*) Je me sens vide. À présent, je suis tout à fait morte. Tout entière ici. (*Un temps.*) Vous disiez ? Vous parliez de m'aider, je crois ?

GARCIN. Oui.

20 INÈS. À quoi ?

GARCIN. À déjouer leurs ruses.

INÈS. Et moi, en échange ?

GARCIN. Vous m'aiderez. Il faudrait peu de chose, Inès : tout juste un peu de bonne volonté.

25 INÈS. De la bonne volonté... Où voulez-vous que j'en prenne ? Je suis pourrie.

GARCIN. Et moi ? (*Un temps.*) Tout de même, si nous essayions ?

INÈS. Je suis sèche. Je ne peux ni recevoir ni donner ; comment voulez-vous que je vous aide ? Une branche morte, le feu va s'y mettre. (*Un temps ; elle regarde Estelle qui a la tête dans ses mains.*) Florence était blonde.

30 GARCIN. Est-ce que vous savez que cette petite sera votre bourreau ?

INÈS. Peut-être bien que je m'en doute.

GARCIN. C'est par elle qu'ils vous auront. En ce qui me concerne, je... je... je ne lui prête aucune attention. Si de votre côté...

INÈS. Quoi ?

35 GARCIN. C'est un piège. Ils vous guettent pour savoir si vous vous y laisserez prendre.

INÈS. Je sais. Et *vous*, vous êtes un piège. Croyez-vous qu'ils n'ont pas prévu vos paroles ? Et qu'il ne s'y cache pas des trappes que nous ne pouvons pas voir ? Tout est piège. Mais qu'est-ce que cela me fait ? Moi aussi, je suis un piège. Un piège pour elle. C'est peut-être moi qui l'attraperai.

40 GARCIN. Vous n'attraperez rien du tout. Nous nous courrons après comme des chevaux de bois, sans jamais nous rejoindre : vous pouvez croire qu'ils ont tout arrangé. Laissez tomber, Inès. Ouvrez les mains, lâchez prise. Sinon vous ferez votre malheur.

Jean-Paul Sartre (1905-1980)

L'enfer, c'est les autres

Défenseur des libertés, Sartre veut se faire entendre sur toutes les tribunes et illustrer par son comportement les idées qu'il prône concernant l'engagement de l'écrivain dans son siècle. Il donne des conférences très courues et se plie de bonne grâce aux entrevues ; il crée une revue, *Les temps modernes,* qui réunit une équipe éditoriale de prestige ; il participe à des marches, à des manifestations. Sa pensée est toujours en mouvement, car il est ouvert à la polémique et accepte de remettre en question sa philosophie, attitude qui ira jusqu'à dérouter son entourage dans les dernières années de sa vie. Après un lent déclin, que décrit Simone de Beauvoir dans *La cérémonie des adieux,* Sartre décède en 1980 ; il sera salué par les Français comme la conscience de son siècle.

Son théâtre participe de cette volonté de conscientiser le spectateur aux grands débats sociaux, tout en adoptant une perspective bien définie élaborée dans *L'être et le néant,* son essai philosophique qui constitue le fondement de son œuvre. La pièce *Huis clos,* dont est tiré l'extrait retenu ici, est représentative de l'œuvre de Sartre : les personnages, issus de la bourgeoisie ou des milieux intellectuels, se heurtent les uns aux autres dans un espace clos qui représente l'enfer. C'est d'ailleurs une des originalités de la pièce d'ouvrir le rideau sur des personnages qui ne se connaissent pas, déjà décédés, et qui vont se remémorer leur vie sur terre. Tous dissimulent une honte secrète qui les ronge et qui est d'autant plus douloureuse qu'ils arrivent mal à échapper au regard scrutateur de leurs compagnons d'infortune, situation qui illustre d'ailleurs le concept de mauvaise foi. Fidèles à l'esthétique existentialiste, les comédiens jouent sur scène sobrement, traduisant le malaise existentiel de ces héros déchus. Les didascalies font peu appel aux mimiques ou aux gestes. Tout tient dans les mots.

L'extrait se situe à la scène v, alors que Garcin, le journaliste de gauche, Estelle, la mondaine aguicheuse ainsi qu'Inès, la lesbienne amère, revoient des scènes de leur passé tout en constatant qu'ils sont désormais les uns pour les autres des pièges faits pour rendre invivable l'enfer où ils se retrouvent.

INÈS. Est-ce que j'ai une tête à lâcher prise ? Je sais ce qui m'attend. Je vais brûler, je brûle et je sais qu'il n'y aura pas de fin ; je sais tout : croyez-vous que je lâcherai prise ?
45 Je l'aurai, elle vous verra par mes yeux, comme Florence voyait l'autre. Qu'est-ce que vous venez me parler de votre malheur : je vous dis que je sais tout et je ne peux même pas avoir pitié de moi. Un piège, ha ! un piège. Naturellement je suis prise au piège. Et puis après ? Tant mieux, s'ils sont contents.

GARCIN, *la prenant par l'épaule.* Moi, je peux avoir pitié de vous. Regardez-moi : nous
50 sommes nus. Nus jusqu'aux os et je vous connais jusqu'au cœur. C'est un lien : croyez-vous que je voudrais vous faire du mal ? Je ne regrette rien, je ne me plains pas ; moi aussi, je suis sec. Mais de vous, je peux avoir pitié.

INÈS, *qui s'est laissé faire pendant qu'il parlait, se secoue.* Ne me touchez pas. Je déteste qu'on me touche. Et gardez votre pitié. Allons ! Garcin, il y a aussi beaucoup de pièges
55 pour vous, dans cette chambre. Pour vous. Préparés pour vous. Vous feriez mieux de vous occuper de vos affaires. *(Un temps.)* Si vous nous laissez tout à fait tranquilles, la petite et moi, je ferai en sorte de ne pas vous nuire.

GARCIN, *la regarde un moment, puis hausse les épaules.* C'est bon.

Jean-Paul Sartre, *Huis clos,* 1944.

Atelier d'analyse

Exploration

1. Dressez les portraits de Garcin et Inès tels qu'ils se dégagent de leurs réparties.

2. L'extrait présente un épisode de retour dans le passé. Résumez-le.

3. Quels indices fournit Sartre pour nous faire savoir qu'Inès ne vit plus sur terre ?

4. Relevez deux courtes phrases mises en parallèle par lesquelles Inès se décrit elle-même.

5. Comment Sartre s'y prend-il pour signaler que chacun représente pour l'autre une menace ?

6. Sartre fait un usage très sobre des figures de style. Relevez deux métaphores, une comparaison et une métonymie, et expliquez, s'il y a lieu, leur contribution à la signification du texte.

7. Parmi les thèmes existentialistes de l'angoisse, de l'aliénation, de la liberté et de l'engagement, déterminez lequel est surtout mis en valeur dans cet extrait et justifiez votre choix.

Rédaction

8. « L'enfer, c'est les autres. » En quoi l'extrait ci-dessus fournit-il une illustration de cette formule-choc ?

Huis clos, avec Tania Balachova, Gaby Sylvia et Michel Vitold, monté au théâtre Edouard-VII, à Paris, en 1948.

La lutte de Rieux

Tarrou se carra un peu dans son fauteuil et avança la tête vers la lumière.

« Croyez-vous en Dieu, Docteur ? »

La question était encore posée naturellement. Mais cette fois, Rieux hésita.

« Non, mais qu'est-ce que cela veut dire ? Je suis dans la nuit, et j'essaie d'y voir clair. Il
5 y a longtemps que j'ai cessé de trouver ça original.

— N'est-ce pas ce qui vous sépare de Paneloux ?

— Je ne crois pas. Paneloux est un homme d'études. Il n'a pas vu assez mourir et c'est
pourquoi il parle au nom d'une vérité. Mais le moindre prêtre de campagne qui admi-
nistre ses paroissiens et qui a entendu la respiration d'un mourant pense comme
10 moi. Il soignerait la misère avant de vouloir en démontrer l'excellence. »

Rieux se leva, son visage était maintenant dans l'ombre.

« Laissons cela, dit-il, puisque vous ne voulez pas répondre. »

Tarrou sourit sans bouger de son fauteuil.

« Puis-je répondre par une question ? »

15 À son tour le docteur sourit :

« Vous aimez le mystère, dit-il. Allons-y.

— Voilà, dit Tarrou. Pourquoi vous-même montrez-vous tant de dévouement puisque
vous ne croyez pas en Dieu ? Votre réponse m'aidera peut-être à répondre moi-même. »

Sans sortir de l'ombre, le docteur dit qu'il avait déjà répondu, que s'il croyait en un
20 Dieu tout-puissant, il cesserait de guérir les hommes, lui laissant alors ce soin. Mais
que personne au monde, non, pas même Paneloux qui croyait y croire, ne croyait en
un Dieu de cette sorte, puisque personne ne s'abandonnait totalement et qu'en cela
du moins, lui, Rieux, croyait être sur le chemin de la vérité, en luttant contre la création telle qu'elle était.

25 « Ah ! dit Tarrou, c'est donc l'idée que vous vous faites de votre métier ?

— À peu près », répondit le docteur en revenant dans la lumière.

Tarrou siffla doucement et le docteur le regarda.

« Oui, dit-il, vous vous dites qu'il y faut de l'orgueil. Mais je n'ai que l'orgueil qu'il faut,
croyez-moi. Je ne sais pas ce qui m'attend ni ce qui viendra après tout ceci. Pour le
30 moment il y a des malades et il faut les guérir. Ensuite, ils réfléchiront et moi aussi.
Mais le plus pressé est de les guérir. Je les défends comme je peux, voilà tout.

— Contre qui ? »

Rieux se tourna vers la fenêtre. Il devinait au loin la mer à une condensation plus
obscure de l'horizon. Il éprouvait seulement sa fatigue et luttait en même temps
35 contre un désir soudain et déraisonnable de se livrer un peu plus à cet homme singulier, mais qu'il sentait fraternel.

« Je n'en sais rien, Tarrou, je vous jure que je n'en sais rien. Quand je suis entré dans ce
métier, je l'ai fait abstraitement, en quelque sorte, parce que j'en avais besoin, parce
que c'était une situation comme les autres, une de celles que les jeunes gens se pro-
40 posent. Peut-être aussi parce que c'était particulièrement difficile pour un fils
d'ouvrier comme moi. Et puis il a fallu voir mourir. Savez-vous qu'il y a des gens qui

Albert Camus (1913-1960)

L'engagement

Né dans un milieu très pauvre, orphelin de père en bas âge, élevé par une mère pratiquement analphabète, Albert Camus est sauvé de l'accablement que provoque la misère par le climat de son pays natal, l'Algérie. C'est d'ailleurs dans sa ville natale d'Alger que ce Méridional dans l'âme publie ses premiers textes à caractère autobiographique, *L'envers et l'endroit* et *Noces*. Il y fonde sa propre troupe de théâtre, qui lui permet de faire ses premières tentatives d'écriture dramatique et l'expérience de la mise en scène. Cet amoureux de la plage et du soleil sait à la fois traduire le doute métaphysique de l'homme et son goût du bonheur.

Exilé en France au début de la Seconde Guerre, il s'intègre au groupe des existentialistes. Séducteur invétéré, il multiplie les aventures amoureuses tout en cherchant à préserver son mariage et sa famille. Peu après avoir été honoré du prix Nobel de littérature, il meurt dans un accident de la route.

Après avoir présenté un héros solitaire prisonnier de sa révolte dans *L'étranger*, Camus cherche dans *La peste* à formuler une morale de la solidarité humaine en réponse à l'angoisse de l'homme.

Dans la ville d'Oran, située sur la côte africaine bordée par la Méditerranée, les rats, et bientôt les humains, meurent en grand nombre. Le mystère plane sur ces quartiers hier encore vibrants de mouvement jusqu'à ce qu'on découvre que la cause est un mal qu'on croyait disparu, la peste. Faut-il fuir ? Faut-il lutter ? Dans l'extrait, Tarrou, étranger installé à Oran, fait réfléchir Rieux, médecin et athée, sur le sens de la vie.

refusent de mourir ? Avez-vous jamais entendu une femme crier : "Jamais !" au moment de mourir ? Moi, oui. Et je me suis aperçu alors que je ne pouvais pas m'y habituer. J'étais jeune alors et mon dégoût croyait s'adresser à l'ordre même du monde.
45 Depuis, je suis devenu plus modeste. Simplement, je ne suis toujours pas habitué à voir mourir. Je ne sais rien de plus. Mais après tout... »

Rieux se tut et se rassit. Il se sentait la bouche sèche.

« Après tout ? dit doucement Tarrou.

— Après tout..., reprit le docteur, et il hésita encore, regardant Tarrou avec attention,
50 c'est une chose qu'un homme comme vous peut comprendre, n'est-ce pas, mais puisque l'ordre du monde est réglé par la mort, peut-être vaut-il mieux pour Dieu qu'on ne croie pas en lui et qu'on lutte de toutes ses forces contre la mort, sans lever les yeux vers ce ciel où il se tait.

— Oui, approuva Tarrou, je peux comprendre. Mais vos victoires seront toujours pro-
55 visoires, voilà tout. »

Rieux parut s'assombrir.

« Toujours, je le sais. Ce n'est pas une raison pour cesser de lutter. »

Albert Camus, *La peste,* 1947.

Atelier d'analyse

Exploration

1. Ce texte présente-t-il des difficultés de lecture du point de vue du lexique ? Si oui, effectuez les recherches nécessaires dans le dictionnaire.

2. Dans les romans existentialistes, le débat d'idées occupe une place prépondérante. Démontrez-le en dégageant les thèmes de la discussion entre Tarrou et Rieux.

3. Montrez comment Camus souligne le mouvement des idées en s'appuyant sur un jeu d'ombre et de lumière.

4. Les vérités sont relatives, incertaines, fluctuantes. Expliquez en quoi l'extrait traduit cet état de chose.

5. Les textes des romanciers existentialistes ne sont pas dépourvus d'observations psychologiques ou sociologiques. Relevez celles qui sont présentes dans l'extrait et discutez de leur utilité.

6. Analysez les personnages en répondant aux questions suivantes.
   a. Comment peut-on définir le rôle que joue Tarrou dans cette scène ?
   b. Camus évite de faire de Rieux un super-héros et cherche plutôt à illustrer son humilité et sa lucidité. Démontrez-le.
   c. Comment peut-on qualifier, en gros, la relation entre les deux hommes ?

7. Expliquez par quels moyens Camus rend les dialogues naturels.

Rédaction

8. Faites l'analyse du personnage de Rieux et montrez qu'on peut le percevoir comme un porte-parole de l'auteur.

9. Analysez les composantes suivantes de l'extrait :
   • les personnages ;
   • la thématique ;
   • le style.

Le mot absent

MARIA, *regardant autour d'elle.* C'est ici ?

JAN. Oui, c'est ici. J'ai pris cette porte, il y a vingt ans. Ma sœur était une petite fille. Elle jouait dans ce coin. Ma mère n'est pas venue m'embrasser. Je croyais alors que cela m'était égal.

5 MARIA. Jan, je ne puis croire qu'elles ne t'aient pas reconnu tout à l'heure. Une mère reconnaît toujours son fils.

JAN. Il y a vingt ans qu'elle ne m'a vu. J'étais un adolescent, presque un jeune garçon. Ma mère a vieilli, sa vue a baissé. C'est à peine si moi-même je l'ai reconnue.

MARIA, *avec impatience.* Je sais, tu es entré, tu as dit : « Bonjour », tu t'es assis. Tu ne re-
10 connaissais rien.

JAN. Ma mémoire n'était pas juste. Elles m'ont accueilli sans un mot. Elles m'ont servi la bière que je demandais. Elles me regardaient, elles ne me voyaient pas. Tout était plus difficile que je ne l'avais cru.

MARIA. Tu sais bien que ce n'était pas difficile et qu'il suffisait de parler. Dans ces cas-
15 là, on dit : « C'est moi », et tout rentre dans l'ordre.

JAN. Oui, mais j'étais plein d'imaginations. Et moi qui attendais un peu le repas du prodigue, on m'a donné de la bière contre mon argent. J'étais ému, je n'ai pas pu parler.

MARIA. Il aurait suffi d'un mot.

20 JAN. Je ne l'ai pas trouvé. Mais quoi, je ne suis pas si pressé. Je suis venu ici apporter ma fortune et, si je le puis, du bonheur. Quand j'ai appris la mort de mon père, j'ai compris que j'avais des responsabilités envers elles deux et, l'ayant compris, je fais ce qu'il faut. Mais je suppose que ce n'est pas si facile qu'on le dit de rentrer chez soi et qu'il faut un peu de temps pour faire un fils d'un étranger.

25 MARIA. Mais pourquoi n'avoir pas annoncé ton arrivée ? Il y a des cas où l'on est bien obligé de faire comme tout le monde. Quand on veut être reconnu, on se nomme, c'est l'évidence même. On finit par tout brouiller en prenant l'air de ce qu'on n'est pas. Comment ne serais-tu pas traité en étranger dans une maison où tu te présentes comme un étranger ? Non, non, tout cela n'est pas sain.

30 JAN. Allons, Maria, ce n'est pas si grave. Et puis quoi, cela sert mes projets. Je vais profiter de l'occasion, les voir un peu de l'extérieur. J'apercevrai mieux ce qui les rendra heureuses. Ensuite, j'inventerai les moyens de me faire reconnaître. Il suffit en somme de trouver ses mots.

MARIA. Il n'y a qu'un moyen. C'est de faire ce que ferait le premier venu, de dire : « Me
35 voilà », c'est de laisser parler son cœur.

JAN. Le cœur n'est pas si simple.

MARIA. Mais il n'use que de mots simples. Et ce n'était pas bien difficile de dire : « Je suis votre fils, voici ma femme. J'ai vécu avec elle dans un pays que nous aimions, devant la mer et le soleil. Mais je n'étais pas assez heureux et aujourd'hui j'ai besoin de vous. »

40 JAN. Ne sois pas injuste, Maria. Je n'ai pas besoin d'elles, mais j'ai compris qu'elles devaient avoir besoin de moi et qu'un homme n'était jamais seul.

Un temps. Maria se détourne.

Albert Camus, *Le malentendu,* 1944.

Albert Camus (1913-1960)

L'énigme des silences et des mots

Camus a très tôt exercé le métier de journaliste, qui lui permet de gagner sa vie tout en témoignant des grands enjeux de son époque. Il a dénoncé toutes les formes de totalitarisme et s'est méfié de tous les extrémismes. Comme essayiste, il a voulu répondre à la tentation du suicide par la valorisation de la révolte devant l'absurdité du monde. Comme romancier, il s'est penché sur le sentiment d'indifférence aux règles sociales, mais il a aussi créé des personnages engagés, qui veulent servir le bien-être de l'humanité. Comme dramaturge, Albert Camus illustre la réaction de l'être humain devant une réalité dénuée de sens. Il cherche à distinguer le *sentiment* de l'absurde, que tout un chacun peut ressentir, de la *philosophie* de l'absurde, qui se veut une réflexion sur le fait que l'existence soit concevable sans Dieu. Il se refuse toutefois à assumer le rôle de maître à penser : allergique à toute littérature de démonstration, il récuse le concept de l'œuvre à thèse. Cherchant à restituer l'ambiguïté de l'expérience humaine, il ne perd jamais de vue la forme littéraire, dont il a un perpétuel souci.

Le malentendu est une pièce énigmatique sur les thèmes de la mémoire et de l'incommunicabilité qui semble annoncer le théâtre de la génération suivante. Un homme retrouve sa mère et sa sœur après une longue absence, mais celles-ci ne le reconnaissent pas et l'assassinent, comme elles le font avec tous leurs clients qu'elles dépouillent de leurs biens. Or, en se présentant à elles en étranger, Jan n'a-t-il pas choisi, ne serait-ce qu'inconsciemment, de se poser en victime ? Sa femme Maria formule des doutes à ce sujet.

Atelier d'analyse

Exploration

1. Analysez la relation des deux époux en répondant aux questions suivantes.
   a. Formulez en vos mots la conception que se fait l'épouse d'un comportement filial « normal ».
   b. Quels arguments Jan lui oppose-t-il ?
   c. Quels traits de personnalité de Jan et de Maria se dégagent de cet échange ?

2. En quoi cette discussion illustre-t-elle le thème du langage ? Montrez que Camus sent bien que les mots ne suffisent pas toujours dans la vie.

3. Comment Camus réussit-il à rendre inquiétants les personnages de la mère et de la fille ?

4. Cette scène baigne dans une atmosphère de non-dit qui lui donne un caractère mystérieux. Partagez-vous ce point de vue ? Expliquez votre réponse.

5. En quoi la dernière répartie de Jan traduit-elle un point de vue moral ? En quoi la didascalie finale traduit-elle la réponse de Maria, ce qu'elle peut penser ?

6. Camus a dû quitter l'Algérie, son pays natal, pour émigrer en France. Cette information contribue-t-elle à éclairer le texte ? Peut-on dire qu'un fils parti vivre dans un autre pays, adoptant une autre culture et s'exprimant peut-être dans une autre langue peut devenir comme un étranger pour la famille demeurée sur place ? Expliquez votre réponse.

Rédaction

7. **Sujet :** Justifiez le titre de la pièce en vous basant sur cet extrait.

   Consigne : En vous appuyant sur les types de malentendus illustrés (malentendu causé par le passage du temps ; malentendu langagier ; malentendu amoureux), concevez le plan du développement.

Louise Laprade et Robert Lalonde dans la pièce
Le malentendu, mise en scène par René Richard Cyr
au Théâtre du nouveau monde en 1993.

La robe rouge

CLAIRE. Taisez-vous, idiote! Ma robe!

SOLANGE, *elle cherche dans l'armoire, écartant quelques robes.* La robe rouge. Madame mettra la robe rouge.

CLAIRE. J'ai dit la blanche, à paillettes.

5 SOLANGE, *dure.* Madame portera ce soir la robe de velours écarlate.

CLAIRE, *naïvement.* Ah? Pourquoi?

SOLANGE, *froidement.* Il m'est impossible d'oublier la poitrine de Madame sous le drapé de velours. Quand Madame soupire et parle à Monsieur de mon dévouement! Une toilette noire servirait mieux votre veuvage.

10 CLAIRE. Comment?

SOLANGE. Dois-je préciser?

CLAIRE. Ah! tu veux parler... Parfait. Menace-moi. Insulte ta maîtresse. Solange, tu veux parler, n'est-ce pas, des malheurs de Monsieur. Sotte. Ce n'est pas l'instant de le rappeler, mais de cette indication je vais tirer un parti magnifique. Tu souris? Tu 15 en doutes?

Le dire ainsi : Tu souris = tu en doutes.

SOLANGE. Ce n'est pas le moment d'exhumer...

CLAIRE. Mon infamie? Mon infamie! D'exhumer! Quel mot!

SOLANGE. Madame!

20 CLAIRE. Je vois où tu veux en venir. J'écoute bourdonner déjà tes accusations, depuis le début tu m'injuries, tu cherches l'instant de me cracher à la face.

SOLANGE, *pitoyable.* Madame, Madame, nous n'en sommes pas encore là. Si Monsieur...

CLAIRE. Si Monsieur est en prison, c'est grâce à moi, ose le dire! Ose! Tu as ton franc-parler, parle. J'agis en dessous, camouflée par mes fleurs, mais tu ne peux rien 25 contre moi.

SOLANGE. Le moindre mot vous paraît une menace. Que Madame se souvienne que je suis la bonne.

CLAIRE. Pour avoir dénoncé Monsieur à la police, avoir accepté de le vendre, je vais être à ta merci? Et pourtant j'aurais fait pire. Mieux. Crois-tu que je n'aie pas souffert? 30 Claire, j'ai forcé ma main, tu entends, je l'ai forcée, lentement, fermement, sans erreur, sans ratures, à tracer cette lettre qui devait envoyer mon amant au bagne. Et toi, plutôt que me soutenir, tu me nargues? Tu parles de veuvage! Monsieur n'est pas mort, Claire. Monsieur, de bagne en bagne, sera conduit jusqu'à la Guyane peut-être, et moi, sa maîtresse, folle de douleur, je l'accompagnerai. Je serai du convoi. Je partagerai sa 35 gloire. Tu parles de veuvage. La robe blanche est le deuil des reines, Claire, tu l'ignores. Tu me refuses la robe blanche!

SOLANGE, *froidement.* Madame portera la robe rouge.

CLAIRE, *simplement.* Bien (*Sévère.*) Passez-moi la robe. Oh! je suis bien seule et sans amitié. Je vois dans ton œil que tu me hais.

Jean Genet (1910-1986)

L'apologie de la subversion

Dès sa naissance à Paris, sa mère l'abandonne à l'Assistance publique : Jean Genet sera élevé par une famille de paysans. Enfant à problèmes, il est faussement accusé de vol et mis en maison de correction; il décide d'assumer son délit et de se faire délinquant. Il vivra de petits larcins, errant en France et en Espagne. Son premier roman, *Le condamné à mort* (1942), circule sous le manteau et son talent est décelé par des écrivains connus, notamment Jean Cocteau et Jean-Paul Sartre. Subversif jusqu'à sa mort en 1986, Jean Genet, ouvertement homosexuel, est toutefois devenu à ce moment un dramaturge à l'audience internationale, applaudi partout pour son lyrisme provocant.

L'œuvre de Genet, qui a pour cible l'hypocrisie sociale, est inspirée de son expérience des bas-fonds. Associées, souvent à tort, au courant de l'antithéâtre, ses pièces d'un lyrisme provocant le rendront célèbre. Dans *Les bonnes*, Genet renouvelle l'emploi d'un procédé dramatique connu, celui du déguisement. À tour de rôle, Claire et Solange se mettent dans la peau de leur maîtresse, jeu qui leur permet d'exprimer leur ressentiment. Dans l'extrait, c'est au tour de Claire de passer la robe de sa maîtresse et d'humilier Solange.

40 SOLANGE. Je vous aime.

CLAIRE. Comme on aime sa maîtresse, sans doute. Tu m'aimes et me respectes. Et tu attends ma donation, le codicille en ta faveur...

SOLANGE. Je ferais l'impossible...

CLAIRE, *ironique.* Je sais. Tu me jetterais au feu. (*Solange aide Claire à mettre la robe.*)
45 Agrafez. Tirez moins fort. N'essayez pas de me ligoter. (*Solange s'agenouille aux pieds de Claire et arrange les plis de la robe.*) Évitez de me frôler. Reculez-vous. Vous sentez le fauve. De quelle infecte soupente où la nuit les valets vous visitent rapportez-vous ces odeurs ? La soupente ! La chambre des bonnes ! La mansarde ! (*Avec grâce.*) C'est pour mémoire que je parle de l'odeur des mansardes, Claire. Là... (*Elle désigne un point*
50 *de la chambre.*) Là, les deux lits de fer séparés par la table de nuit. Là, la commode en pitchpin avec le petit autel à la Sainte Vierge. C'est exact, n'est-ce pas ?

SOLANGE. Nous sommes malheureuses. J'en pleurerais.

CLAIRE. C'est exact. Passons sur nos dévotions à la Sainte Vierge en plâtre, sur nos agenouillements. Nous ne parlerons même pas de fleurs en papier... (*Elle rit.*) En pa-
55 pier ! Et la branche de buis bénit ! (*Elle montre les fleurs de la chambre.*) Regarde ces corolles ouvertes en mon honneur ! Je suis une Vierge plus belle, Claire.

SOLANGE. Taisez-vous...

CLAIRE. Et là, la fameuse lucarne, par où le laitier demi-nu saute jusqu'à votre lit !

SOLANGE. Madame s'égare, Madame...

60 CLAIRE. Vos mains ! N'égarez pas vos mains. Vous l'ai-je assez murmuré ! elles empestent l'évier.

SOLANGE. La chute !

CLAIRE. Hein ?

SOLANGE, *arrangeant la robe.* La chute. J'arrange votre chute d'amour.

65 CLAIRE. Écartez-vous, frôleuse !

> *Elle donne à Solange sur la tempe un coup de talon Louis XV. Solange accroupie vacille et recule.*

SOLANGE. Voleuse, moi ?

CLAIRE. Je dis frôleuse. Si vous tenez à pleurnicher, que ce soit dans votre mansarde.
70 Je n'accepte ici, dans ma chambre, que des larmes nobles. Le bas de ma robe, certain jour, en sera constellé, mais de larmes précieuses. Disposez la traîne., traînée !

SOLANGE. Madame s'emporte !

CLAIRE. Dans ses bras parfumés, le diable m'emporte. Il me soulève, je décolle, je pars... (*Elle frappe le sol du talon.*)... et je reste. Le collier ? Mais dépêche-toi, nous
75 n'aurons pas le temps. Si la robe est trop longue, fais un ourlet avec des épingles de nourrice.

> *Solange se relève et va pour prendre le collier dans un écrin, mais Claire la devance et s'empare du bijou. Ses doigts ayant frôlé ceux de Solange, horrifiée, Claire recule.*

80 Tenez vos mains loin des miennes, votre contact est immonde. Dépêchez-vous.

Georges Braque, *Le duo*, 1937.

SOLANGE. Il ne faut pas exagérer. Vos yeux s'allument. Vous atteignez la rive.

CLAIRE. Vous dites ?

SOLANGE. Les limites. Les bornes. Madame. Il faut garder vos distances.

CLAIRE. Quel langage, ma fille. Claire ? tu te venges, n'est-ce pas ? Tu sens approcher
85 l'instant où tu quittes ton rôle...

SOLANGE. Madame me comprend à merveille. Madame me devine.

CLAIRE. Tu sens approcher l'instant où tu ne seras plus la bonne. Tu vas te venger. Tu
t'apprêtes ? Tu aiguises tes ongles ? La haine te réveille ? Claire n'oublie pas. Claire, tu
m'écoutes ? Mais Claire, tu ne m'écoutes pas ?

90 SOLANGE, *distraite*. Je vous écoute.

CLAIRE. Par moi, par moi seule, la bonne existe. Par mes cris et par mes gestes.

SOLANGE. Je vous écoute.

CLAIRE, *elle hurle*. C'est grâce à moi que tu es, et tu me nargues ! Tu ne peux savoir
comme il est pénible d'être Madame, Claire, d'être le prétexte à vos simagrées ! Il me
95 suffirait de si peu et tu n'existerais plus. Mais je suis bonne, je suis belle et je te défie.
Mon désespoir d'amante m'embellit encore !

SOLANGE, *méprisante.* Votre amant !

CLAIRE. Mon malheureux amant sert encore ma noblesse, ma fille. Je grandis davantage pour te réduire et t'exalter. Fais appel à toutes tes ruses. Il est temps !

100 SOLANGE, *froidement.* Assez ! Dépêchez-vous. Vous êtes prête ?

CLAIRE. Et toi ?

SOLANGE, *doucement d'abord.* Je suis prête, j'en ai assez d'être un objet de dégoût. Moi aussi, je vous hais...

CLAIRE. Doucement, mon petit, doucement...

105   *Elle tape doucement l'épaule de Solange pour l'inciter au calme.*

SOLANGE. Je vous hais ! Je vous méprise. Vous ne m'intimidez plus. Réveillez le souvenir de votre amant, qu'il vous protège. Je vous hais ! Je hais votre poitrine pleine de souffles embaumés. Votre poitrine... d'ivoire ! Vos cuisses... d'or ! Vos pieds... d'ambre ! (*Elle crache sur la robe rouge.*) Je vous hais !

Jean Genet, *Les bonnes,* 1947.

Atelier d'analyse

Exploration

1. Analysez l'ironie des réparties de Claire en répondant aux questions suivantes.
   a. Claire, jouant la maîtresse, formule un préjugé de classe à l'effet que les gens de basse condition puent. Démontrez-le.
   b. La religiosité populaire est-elle aussi une autre cible de son humour ?
   c. Quelle(s) allusion(s) trouve-t-on à la sexualité des bonnes ?
   d. Que révèlent ces réparties de la relation de la maîtresse avec ses bonnes, de ses valeurs ?

2. Peut-on penser que Solange fait aussi preuve d'ironie quand elle répond « La chute. J'arrange votre chute d'amour. » ? Expliquez votre réponse.

3. Étudiez la rhétorique dans la suite de la scène en répondant aux questions suivantes.
   a. Relevez des jeux de mots par homophonie.
   b. Relevez des énumérations.
   c. Relevez une antithèse.
   d. En quoi ces procédés ajoutent-ils à l'humour grinçant de l'extrait ?

4. Comment Genet s'y prend-il pour donner un rythme enlevant à ce passage ?

5. Comment les didascalies contribuent-elles à la signification globale ?

Rédaction

6. Analysez comment est représenté le thème du pouvoir dans cet extrait.

M
p. 283

Quelle orientation les existentialistes donnent-ils à ce genre ?

Imprégnés de philosophie, qui influence jusqu'à leur façon de vivre, les existentialistes insufflent une grande rigueur à tous les genres littéraires, et plus particulièrement à l'essai, véhicule privilégié des idées en littérature. Les textes sont d'une facture exigeante, car les auteurs jonglent avec des termes abstraits : la contingence (l'existence humaine est considérée comme gratuite), l'essence (la nature de l'homme n'est pas programmée, car il crée sa propre identité par son engagement social), la transcendance (l'aspiration au dépassement prend sa source dans l'homme et se justifie par lui, non par une divinité supérieure). Les essais ne sont pas seulement à saveur philosophique ; ils touchent les domaines de la politique, de la sociologie et de la critique littéraire.

Capable d'un haut degré d'abstraction mais aussi soucieux de vulgarisation, Jean-Paul Sartre travaille à la fois à construire une œuvre philosophique de haut niveau et à rendre accessible l'existentialisme, auquel son nom est rattaché. Il rejette notamment la morale religieuse, affirme son athéisme, et avance l'idée qui est au cœur de sa réflexion, soit celle que l'homme se construit par ses actes. L'être humain, en effet, ne devrait plus justifier son immobilisme en se servant de vieilles excuses, par exemple celle de l'hérédité : « je suis né lâche, je laisse aux autres le soin de changer le cours des événements » ; ou celle qui veut qu'on se retranche derrière son origine sociale pour confier à plus privilégié que soi le sort du monde. La responsabilité pour tout individu de se constituer sujet en dehors des vieux cadres sécurisants crée l'angoisse, qu'il doit assumer. Il importe, aux yeux de Sartre, de fonder une nouvelle morale pour affronter l'avenir : « l'homme, sans aucun appui

et sans aucun secours, est condamné à chaque instant à inventer l'homme » (*L'existentialisme est un humanisme*, 1946). L'être humain doit ainsi donner un sens à sa liberté par l'engagement social, sans nécessairement se plier aux attentes de son milieu. Sartre démontre également une grande profondeur et une grande justesse dans l'analyse littéraire, entre autres dans son essai intitulé *Qu'est-ce que la littérature ?*

L'affirmation de la liberté et le rejet de tout déterminisme trouvent leur expression la plus extrême dans *Le deuxième sexe*, de Simone de Beauvoir. En posant comme postulat qu'on ne naît pas femme mais qu'on le devient, l'auteure remet en question l'argument qui veut que la nature féminine soit à la naissance différente de celle de l'homme, ce qui expliquerait son infériorité sociale. De son point de vue, la femme est conditionnée par les valeurs et les modèles que lui impose une société dominée par les hommes. De plus, les lois consacrent l'inégalité. Changeons-les, et il n'y aura plus trace d'écart entre les sexes. Enfin, Simone de Beauvoir produit aussi une œuvre de mémorialiste et de romancière qui permet de mieux comprendre les enjeux essentiels de son époque.

Albert Camus, qui pratique lui aussi tous les genres littéraires (sauf la poésie) avec un lyrisme distinctif, représente d'abord dans ses premiers essais un univers où règne la contradiction, où l'homme doit affronter la question du suicide : vaut-il la peine de vivre ? Dans *L'homme révolté*, il rejette toute forme de fatalisme, toute idée de soumission au malheur sous prétexte que le salut éternel viendra récompenser cette attitude. Aux yeux de Camus, la révolte est salutaire : elle implique l'action militante, la solidarité humaine, mais aussi la quête du bonheur. L'homme doit s'ingénier à améliorer les conditions de vie sur terre, son seul et unique royaume.

Manifestation du Front national du spectacle en mémoire des victimes du nazisme, le 16 octobre 1944.
À gauche : Jean-Paul Sartre ; au centre : Julien Berteau ; à droite, derrière la femme au chapeau : le compositeur Roger Désormière.

La fonction de l'écrivain

Par la variété de son œuvre, par son implication dans les débats publics et par le caractère mobilisateur de ses propos, Jean-Paul Sartre s'impose comme l'intellectuel le plus prestigieux de sa génération, qu'on ne peut comparer qu'à Voltaire ou à Victor Hugo aux siècles précédents. Revendiquant, dans sa vie comme dans sa philosophie, la plus absolue liberté en dehors de toute compromission, il est l'écrivain qui exprime le plus clairement les défis qui se posent à l'homme après l'écroulement des valeurs traditionnelles. Toujours situé à l'extrême gauche de l'échiquier politique, Sartre participe, avec sa complice Simone de Beauvoir, aux grands débats idéologiques de son siècle sur la question juive et sur le colonialisme, en particulier au moment des guerres d'Algérie et du Vietnam. Compagnon de route critique du Parti communiste, il rompt avec lui au moment du soulèvement de la Hongrie. Il donne sa caution au mouvement contestataire de mai 68. En 1964, on lui accorde le prix Nobel de littérature ; il le refuse parce qu'il associe cette récompense à

La littérature

Nul n'est censé ignorer la loi parce qu'il y a un code et que la loi est chose écrite : après cela, libre à vous de l'enfreindre, mais vous savez les risques que vous courez. Pareillement la fonction de l'écrivain est de faire en sorte que nul ne puisse ignorer le monde et que nul ne puisse s'en dire innocent. Et comme il s'est une fois engagé dans
5 l'univers du langage, il ne peut plus jamais feindre qu'il ne sache pas parler : si vous entrez dans l'univers des significations, il n'y a plus rien à faire pour en sortir ; qu'on laisse les mots s'organiser en liberté, ils feront des phrases et chaque phrase contient le langage tout entier et renvoie à tout l'univers ; le silence même se définit par rapport aux mots, comme la pause, en musique, reçoit son sens des groupes de notes qui
10 l'entourent. Ce silence est un moment du langage ; se taire ce n'est pas être muet, c'est refuser de parler, donc parler encore. Si donc un écrivain a choisi de se taire sur un aspect quelconque du monde, ou selon une locution qui dit bien ce qu'elle veut dire : de le *passer sous silence*, on est en droit de lui poser une troisième question : pourquoi as-tu parlé de ceci plutôt que de cela et – puisque tu parles pour changer – pourquoi veux-
15 tu changer ceci plutôt que cela ?

Tout cela n'empêche point qu'il y ait la manière d'écrire. On n'est pas écrivain pour avoir choisi de dire certaines choses mais pour avoir choisi de les dire d'une certaine façon. Et le style, bien sûr, fait la valeur de la prose. Mais il doit passer inaperçu. Puisque les mots sont transparents et que le regard les traverse, il serait ab-
20 surde de glisser parmi eux des vitres dépolies. La beauté n'est ici qu'une force douce et insensible. Sur un tableau elle éclate d'abord, dans un livre elle se cache, elle agit par persuasion comme le charme d'une voix ou d'un visage, elle ne contraint pas, elle incline sans qu'on s'en doute et l'on croit céder aux arguments quand on est sollicité par un charme qu'on ne voit pas. L'étiquette de la messe n'est pas la foi, elle y dispose ;
25 l'harmonie des mots, leur beauté, l'équilibre des phrases *disposent* les passions du lecteur sans qu'il y prenne garde, les ordonnent comme la messe, comme la musique, comme une danse ; s'il vient à les considérer par eux-mêmes, il perd le sens, il ne reste que des balancements ennuyeux. Dans la prose, le plaisir esthétique n'est pur que s'il vient par-dessus le marché. On rougit de rappeler des idées si simples, mais il semble
30 aujourd'hui qu'on les ait oubliées. Viendrait-on sans cela nous dire que nous méditons l'assassinat de la littérature ou, plus simplement, que l'engagement nuit à l'art d'écrire ? Si la contamination d'une certaine prose par la poésie n'avait brouillé les idées de nos critiques, songeraient-ils à nous attaquer sur la forme quand nous n'avons jamais parlé que du fond ? Sur la forme il n'y a rien à dire par avance et nous
35 n'avons rien dit : chacun invente la sienne et on juge après coup. Il est vrai que les sujets proposent le style : mais ils ne le commandent pas ; il n'y en a pas qui se rangent *a priori* en dehors de l'art littéraire. Quoi de plus engagé, de plus ennuyeux que le propos d'attaquer la Société de Jésus ? Pascal en a fait *Les Provinciales*. En un mot, il s'agit de savoir de quoi l'on veut écrire : des papillons ou de la condition des Juifs. Et
40 quand on le sait, il reste à décider comment on en écrira. Souvent les deux choix ne font qu'un, mais jamais, chez les bons auteurs, le second ne précède le premier. Je sais que Giraudoux disait : « La seule affaire c'est de trouver son style, l'idée vient après. » Mais il avait tort : l'idée n'est pas venue. Que si l'on considère les sujets comme des problèmes toujours ouverts, comme des sollicitations, des attentes, on comprendra
45 que l'art ne perd rien à l'engagement ; au contraire ; de même que la physique soumet aux mathématiciens des problèmes nouveaux qui les obligent à produire un symbolisme neuf, de même les exigences toujours neuves du social ou de la métaphysique engagent l'artiste à trouver une langue neuve et des techniques nouvelles. Si nous n'écrivons plus comme au XVIIe siècle, c'est bien que la langue de Racine et de Saint-

50 Évremond ne se prête pas à parler des locomotives ou du prolétariat. Après cela, les puristes nous interdiront peut-être d'écrire sur les locomotives. Mais l'art n'a jamais été du côté des puristes.

Jean-Paul Sartre, *Qu'est-ce que la littérature ?*, 1948.

Atelier d'analyse

Exploration

1. Expliquez en vos mots les idées suivantes de Sartre.
   a. « Pareillement la fonction de l'écrivain est de faire en sorte que nul ne puisse ignorer le monde et que nul ne s'en puisse dire innocent. »
   b. « Se taire ce n'est pas être muet, c'est refuser de parler, donc parler encore. »

2. Situez la position de Sartre par rapport à la notion de « style » en tenant compte des questions suivantes.
   a. Sartre trouve-t-il que la manière d'écrire importe peu chez un écrivain, en autant qu'il ait quelque chose à dire ?
   b. Selon lui, l'écrivain doit-il se transformer en virtuose pour impressionner le lecteur ?
   c. Le sujet sur lequel s'exprime un écrivain impose en quelque sorte le style. Cette affirmation conviendrait-elle à Sartre ?

3. Déterminez quelle figure de style Sartre utilise dans les passages suivants, que vous reformulerez en vos mots (reportez-vous au contexte si nécessaire).
   a. « [...] qu'on laisse les mots s'organiser en liberté, ils feront des phrases et chaque phrase contient le langage tout entier [...] »
   b. « [...] le silence même se définit par rapport aux mots, comme la pause en musique [...] »
   c. « Sur un tableau elle [la beauté] éclate d'abord, dans un livre elle se cache [...] »
   d. « Viendrait-on sans cela nous dire que nous méditons l'assassinat de la littérature [...] ? »
   e. « Que si l'on considère les sujets comme des problèmes toujours ouverts, comme des sollicitations, des attentes [...] »

4. Finalement, quel doit être le but de l'écrivain par rapport au lecteur ?

5. Commentez la dernière phrase du texte : « Mais l'art n'a jamais été du côté des puristes. »

Rédaction

6. **Sujet :** Est-il possible, selon Sartre, de concilier engagement et art d'écrire ? Nuancez votre réponse.

   Consigne : Consacrez un paragraphe à la thématique de l'engagement, un deuxième à celui de l'art d'écrire et un troisième à votre prise de position.

7. En vous appuyant sur cet extrait, mais aussi sur la théorie en lien avec les courants littéraires, expliquez en quoi cette conception du rôle de l'écrivain diffère de celle des surréalistes.

un arrivisme bourgeois qu'il condamne.

Dans son essai intitulé *Qu'est-ce que la littérature ?*, Sartre s'interroge sur ce qui distingue la littérature des autres arts, puis sur le rôle de l'écrivain dans la société et le type de relation qui s'établit entre lui et son lecteur. Sartre remarque qu'on ne peut demander à un peintre ou à un musicien d'engager son art au service d'une cause, alors que cela va de soi pour un écrivain car il se sert de la langue, un code fait pour communiquer. Dans cet extrait, il approfondit la notion d'engagement : les mots sont chargés de signification et, par la force des choses, ils ne peuvent être innocemment employés, ils engagent toujours le locuteur.

La condition féminine

Simone de Beauvoir naît dans une famille de la bourgeoisie parisienne bientôt déclassée par la faillite du père. La situation économique chancelante de la famille réduit forcément ses chances de trouver un bon parti, mais elle se montre elle-même peu intéressée à entrer dans le moule féminin traditionnel. Elle entend gagner sa vie par ses propres moyens, aussi conçoit-elle très jeune le projet d'enseigner et d'écrire. Rebelle aux règles de son milieu, dotée d'un goût de vivre à la mesure de sa grande intelligence, elle séduit Jean-Paul Sartre et forme avec lui un couple uni par la complicité intellectuelle et les ambitions littéraires – ce qui ne l'empêche aucunement d'expérimenter en cours de route d'autres unions masculines et féminines. Curieuse et dotée d'une grande énergie, elle multiplie les voyages dans le monde et s'adonne à la randonnée pédestre, allant jusqu'à parcourir 40 kilomètres par jour. Généreuse et loyale, il lui arrive fréquemment de préfacer des livres ou d'écrire des articles pour se porter à la défense de ses amis ou pour soutenir leur travail.

Philosophe, romancière et mémorialiste, elle devient une figure de proue du féminisme lors de la

Mon prince viendra

Elle apprend que pour être heureuse il faut être aimée ; pour être aimée, il faut attendre l'amour. La femme c'est la Belle au bois dormant, Peau d'Âne, Cendrillon, Blanche Neige, celle qui reçoit et subit. Dans les chansons, dans les contes, on voit le jeune homme partir aventureusement à la recherche de la femme ; il pourfend des
5 dragons, il combat des géants ; elle est enfermée dans une tour, un palais, un jardin, une caverne, enchaînée à un rocher, captive, endormie : elle attend. *Un jour mon prince viendra... Some day he'll come along, the man I love...* les refrains populaires lui insufflent des rêves de patience et d'espoir. La suprême nécessité pour la femme, c'est de charmer un cœur masculin ; même intrépides, aventureuses, c'est la récompense à la-
10 quelle toutes les héroïnes aspirent ; et le plus souvent il ne leur est demandé d'autre vertu que leur beauté. On comprend que le souci de son apparence physique puisse devenir pour la fillette une véritable obsession ; princesses ou bergères, il faut toujours être jolie pour conquérir l'amour et le bonheur ; la laideur est cruellement associée à la méchanceté et on ne sait trop quand on voit les malheurs qui fondent sur les
15 laides si ce sont leurs crimes ou leur disgrâce que le destin punit. Souvent les jeunes beautés promises à un glorieux avenir commencent par apparaître dans un rôle de victime ; les histoires de Geneviève de Brabant, de Grisélidis, ne sont pas aussi innocentes qu'il semble ; amour et souffrance s'y entrelacent d'une manière troublante ; c'est en tombant au fond de l'abjection que la femme s'assure les plus délicieux
20 triomphes ; qu'il s'agisse de Dieu ou d'un homme la fillette apprend qu'en consentant aux plus profondes démissions elle deviendra toute-puissante : elle se complaît à un masochisme qui lui promet de suprêmes conquêtes. Sainte Blandine, blanche et sanglante entre les griffes des lions, Blanche Neige gisant comme une morte dans un cercueil de verre, la Belle endormie, Atala évanouie, toute une cohorte de tendres
25 héroïnes meurtries, passives, blessées, agenouillées, humiliées, enseignent à leur jeune sœur le fascinant prestige de la beauté martyrisée, abandonnée, résignée. Il n'est pas étonnant, tandis que son frère joue au héros, que la fillette joue si volontiers à la martyre : les païens la jettent aux lions, Barbe-Bleue la traîne par les cheveux, le roi son époux l'exile au fond des forêts ; elle se résigne, elle souffre, elle meurt et son
30 front se nimbe de gloire.

« N'étant encore que toute petite fille, je souhaitais attirer la tendresse des hommes, les inquiéter, être sauvée par eux, mourir entre tous les bras », écrit Mme de Noailles. On trouve un remarquable exemple de ces rêveries masochistes dans *La Voile noire* de Marie Le Hardouin.

35   À 7 ans, de je ne sais quel côte, je fabriquais mon premier homme. Il était grand, mince, extrêmement jeune, vêtu d'un costume de satin noir aux longues manches traînant jusqu'à terre. Ses beaux cheveux blonds roulaient en lourdes boucles sur ses épaules... Je l'appelais Edmond... Puis un jour vint où je lui donnai deux frères... Ces trois frères : Edmond, Charles et Cédric, tous trois vêtus de satin noir, tous les trois
40   blonds et svelte, me firent connaître d'étranges béatitudes. Leurs pieds chaussés de soie étaient si beaux et leurs mains si fragiles que toutes sortes de mouvements me montaient à l'âme...

Simone de Beauvoir, *Le deuxième sexe,* 1949.

Atelier d'analyse

Exploration

1. « La femme c'est la Belle au bois dormant ». Montrez comment cette comparaison de départ est expliquée et illustrée dans l'extrait.

2. Faites l'inventaire des différences que décrit Simone de Beauvoir entre la représentation des hommes et des femmes dans les contes et les chansons populaires.

3. On associe la femme à la « victime ». Dressez le champ lexical de ce terme dans l'extrait.

4. L'énumération est le procédé stylistique qui domine dans cet extrait. Démontrez-le en relevant au moins trois exemples et expliquez en quoi ils contribuent à la signification de l'extrait.

5. Après avoir relevé deux exemples d'antithèses, expliquez en quoi cette figure contribue fortement à la logique du texte.

6. Est-il vrai que la littérature (enfantine ou autre) peut contribuer à l'aliénation des femmes ? Est-ce le point de vue de Simone de Beauvoir ? Est-ce le vôtre ? Discutez de cette affirmation en vous appuyant, entre autres, sur l'extrait.

publication de son essai, *Le deuxième sexe*. Elle y observe tous les aspects de la condition féminine, de la réalité sociologique aux représentations mythiques et littéraires. Le passage retenu ici invite à se méfier des modèles d'héroïnes que propose la littérature, fut-elle enfantine, parce qu'ils contribuent, par les voies de l'imaginaire, à l'aliénation dont sont victimes les femmes.

Rédaction

7. L'extrait retenu illustrerait la thèse de Simone de Beauvoir présentée dans les premières lignes de son essai (reproduites ici en partie) :

> *On ne naît pas femme, on le devient. Aucun destin biologique, psychique, économique ne définit la figure que revêt au sein de la société la femelle humaine ; c'est l'ensemble de la civilisation qui élabore ce produit intermédiaire entre le mâle et le castrat qu'on qualifie de féminin. [...]*

> *Jusqu'à douze ans, la fillette est aussi robuste que ses frères, elle manifeste les mêmes capacités intellectuelles ; il n'y a aucun domaine où il lui soit interdit de rivaliser avec eux. Si, bien avant la puberté, et parfois même dès sa toute petite enfance, elle nous apparaît déjà comme sexuellement spécifiée, ce n'est pas que de mystérieux instincts immédiatement la vouent à la passivité, à la coquetterie, à la maternité : c'est que l'intervention d'autrui dans la vie de l'enfant est presque originelle et que dès ses premières années sa vocation lui est impérieusement insufflée.*

Expliquez les liens entre les deux passages ; discutez de la pertinence du point de vue ; questionnez l'actualité des propos.

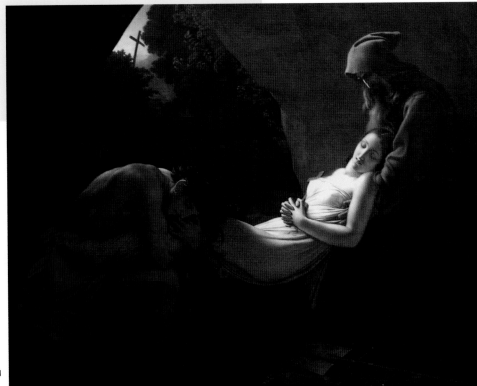

Anne-Louis Girodet de Roussy Trioson,
Funérailles d'Atala, 1808.
La scène représentée dans ce tableau est tirée du roman *Atala*, de Chateaubriand, publié en 1801.

LA POÉSIE DANS LA MARGE

M
p. 280

Quelle est l'importance de ce genre ?

Au xxᵉ siècle, le surréalisme aura été le dernier courant littéraire à privilégier la poésie comme mode d'expression. Durant la guerre, plusieurs poètes surréalistes, qui se sont distanciés d'André Breton, produisent une poésie engagée en faveur de la Résistance. Paul Éluard et Louis Aragon adhèrent au Parti communiste, perçu comme l'organe le plus apte à défendre les intérêts des travailleurs. Le premier s'en détachera assez tôt alors que le deuxième y restera fidèle. Leur poésie, toutefois, même placée au service d'une cause, conserve une part d'abstraction qui permet à tout lecteur de se l'approprier dans une optique renouvelée.

Les existentialistes, qui donnent priorité aux débats d'idées, vont contribuer à la marginalisation de la poésie, qui se prête mal à de pareilles intentions. Pour un poète, les mots sont des unités sonores et graphiques en même temps qu'ils sont des unités porteuses de sens. Le poème est à la jonction du sens, du rythme et de l'image. Par sa nature même, la poésie ne peut ainsi servir qu'exceptionnellement la réflexion philosophique. En cette ère très portée sur la polémique, les recueils de poèmes en sont réduits à une diffusion limitée. Heureusement, les lois tacites régissant l'institution littéraire ne reposent pas que sur les chiffres de vente ; les poètes occupent donc, durant cette période où les idées ont préséance, une place à part, mais toujours essentielle, en marge des grands débats sociaux.

Consacrant leur talent au domaine de l'écriture plus intime, les poètes se penchent sur trois thèmes privilégiés : la situation de l'homme dans le monde, le regard qu'il porte sur les choses et la présence concrète de celles-ci dans son existence. Ils laissent de côté les recherches formelles pour explorer ces thématiques en misant plutôt sur l'image, comme le fait René Char, ou sur un style plus descriptif, comme le fait Francis Ponge qui initie ce qu'on peut appeler une « poésie de constat ». Les poètes issus des colonies entonnent une forme de poésie engagée en faveur de l'indépendance nationale.

Du point de vue de la disposition sur la page, la poésie de constat conserve les acquis des explorations surréalistes : la typographie et la façon qu'ont les mots d'occuper la page jouent un rôle de premier plan, sans toutefois avoir pour but de déstabiliser le lecteur. Les « blancs » se comparent aux silences qui, à l'oral, entrecoupent les moments de parole : à ce titre, ils possèdent une signification propre. En cela, les poètes plus jeunes doivent beaucoup à leur prédécesseur, Francis Ponge. Par le moyen du langage, celui-ci semble photographier les objets de façon à révéler à la fois leur singularité et l'impression ressentie par celui qui tient l'appareil. Ainsi, la poésie, comme le théâtre, favorise la fusion avec les arts visuels par ses préoccupations liées au regard tout en s'apparentant aux partitions musicales contemporaines, qui marient les sons concrets, les bruits, les silences, les chuchotements ou les instrumentations débridées.

Paul Klee, *La clé cassée*, 1938.

Les mûres

Aux buissons typographiques constitués par le poème sur une route qui ne mène hors des choses ni à l'esprit, certains fruits sont formés d'une agglomération de sphères qu'une goutte d'encre remplit.

*

Noirs, roses et kakis ensemble sur la grappe, ils offrent plutôt le spectacle d'une fa-
5 mille rogue à ses âges divers, qu'une tentation très vive à la cueillette.

Vue la disproportion des pépins à la pulpe les oiseaux les apprécient peu, si peu de chose au fond leur reste quand du bec à l'anus ils en sont traversés.

*

Mais le poète au cours de sa promenade professionnelle, en prend de la graine à raison : « Ainsi donc, se dit-il, réussissent en grand nombre les efforts patients d'une
10 fleur très fragile quoique par un rébarbatif enchevêtrement de ronces défendue. Sans beaucoup d'autres qualités, – *mûres*, parfaitement elles sont mûres – comme aussi ce poème est fait. »

Francis Ponge, *Le parti pris des choses,* 1942.

Atelier d'analyse

Exploration

1. Montrez comment Ponge invite le lecteur à se déplacer sur deux espaces, dont l'un est la méta-phore de l'autre.

2. Comment Ponge s'y prend-il pour faire ressortir le caractère un peu « rébarbatif » des mûres, non seulement par le choix des mots, mais aussi par les liens homophoniques (sonorités semblables) entre eux ?

3. Relevez les traits d'humour qui émaillent ce court poème, puis expliquez son caractère singulier.

Rédaction

4. En un paragraphe bien structuré, expliquez l'originalité de la démarche de Ponge telle qu'elle ressort à la lecture de ce poème.

**Francis Ponge
(1899-1988)**

Le goût des choses

Francis Ponge est considéré par Sartre comme le poète de l'existentialisme, parce qu'il cherche à traduire par le langage la présence des objets et qu'en même temps il laisse percevoir l'incapacité des mots à rendre pleinement compte du monde, qui demeure toujours partiellement impénétrable. Francis Ponge prend aussi plaisir à utiliser les mots pour tisser des liens sémantiques sur une trame d'échos homophoniques. Tel l'artisan, Ponge n'oublie jamais le but de son activité, qui est d'amener le lecteur à capter la singularité de chaque chose. D'entrée de jeu, sa poésie est visuelle, puis elle sollicite tous les sens : elle invite à palper l'objet, à le humer et à le savourer. Toutefois, au moment même où il élit sa cible, le regard de Ponge ne cesse d'être panoramique : la description s'entremêle de métaphores cosmogoniques.

Le poème en prose « Les mûres », tiré du recueil *Le parti pris des choses*, illustre en outre comment Ponge rappelle, non sans humour, les « efforts patients » qu'exige la « promenade professionnelle » du poète dans ses allers-retours de l'esprit à la chose.

René Char (1907-1988)

L'urgence d'écrire

D'origine modeste, René Char fait plusieurs petits métiers pour gagner sa vie puis quitte sa province natale pour monter à Paris et se joindre au groupe surréaliste. Au moment de la guerre, il s'investit dans la Résistance et publiera ensuite les *Feuillets d'Hypnos,* qui reflètent avec honnêteté la réalité du maquis. Plusieurs grandes amitiés jalonnent son parcours, parmi lesquelles celle de Paul Éluard, qui sera témoin de son premier mariage, et celle d'Albert Camus, dont il est proche par les aspirations et la vision de la vie. René Char partage en effet avec l'écrivain venu d'Alger une même thématique, celle de la liberté et de la révolte. Ces thèmes, René Char ne les explique pas : il les évoque dans un style hautement métaphorique qui condense les significations en formules télescopées.

Commune présence

Tu es pressé d'écrire,
Comme si tu étais en retard sur la vie.
S'il en est ainsi fais cortège à tes sources.
Hâte-toi.
5 Hâte-toi de transmettre
Ta part de merveilleux de rébellion de bienfaisance.
Effectivement tu es en retard sur la vie,
La vie inexprimable,
La seule en fin de compte à laquelle tu acceptes de t'unir,
10 Celle qui t'est refusée chaque jour par les êtres et par les choses,
Dont tu obtiens péniblement de-ci de-là quelques fragments décharnés
Au bout de combats sans merci.
Hors d'elle, tout n'est qu'agonie soumise, fin grossière.
Si tu rencontres la mort durant ton labeur,
15 Reçois-là comme la nuque en sueur trouve bon le mouchoir aride,
En t'inclinant.
Si tu veux rire,
Offre ta soumission,
Jamais tes armes.
20 Tu as été créé pour des moments peu communs.
Modifie-toi, disparais sans regret
Au gré de la rigueur suave.
Quartier suivant quartier la liquidation du monde se poursuit
Sans interruption,
25 Sans égarement.

Essaime la poussière
Nul ne décèlera votre union.

René Char, *Le marteau sans maître,* 1934.

Atelier d'analyse

Exploration

1. Pourquoi peut-on déduire que le pronom « tu » renvoie en fait au poète lui-même ?

2. Pourquoi s'adresse-t-il ce poème ? Quelles obligations se donne-t-il ?

3. Quels thèmes s'entrelacent dans le poème et lui donne un ton de gravité ?

4. Pourquoi l'emploi de l'impératif contribue-t-il à créer un état d'urgence ?

5. Est-il juste d'affirmer que le poème balance entre optimisme et pessimisme ?

Rédaction

6. Expliquez en un paragraphe bien structuré quelle vision de la vie et de l'écriture se dégage de ce poème.

Au guélowâr

Guélowâr!

Nous t'avons écouté, nous t'avons entendu avec les oreilles de notre cœur.

Lumineuse, ta voix a éclaté dans la nuit de notre prison

Comme celle du Seigneur de la brousse, et quel frisson a parcouru l'onde de notre
5 échine courbe!

Nous sommes des petits d'oiseaux tombés du nid, des corps privés d'espoir et qui se fanent

Des fauves aux griffes rognées, des soldats désarmés, des hommes nus.

Et nous voilà tout gourds et gauches comme des aveugles sans mains.

Les plus purs d'entre nous sont morts : ils n'ont pu avaler le pain de honte.

10 Et nous voilà pris dans les rets, livrés à la barbarie des civilisés

Exterminés comme des phacochères. Gloire aux tanks et gloire aux avions!

Nous avons cherché un appui, qui croulait comme le sable des dunes

Des chefs, et ils étaient absents, des compagnons, ils ne nous reconnaissaient plus

Et nous ne reconnaissions plus la France.

15 Dans la nuit nous avons crié notre détresse. Pas une voix n'a répondu.

Les princes de l'Église se sont tus, les hommes d'État ont clamé la magnanimité
des hyènes

« Il s'agit bien du nègre! il s'agit bien de l'homme! non! quand il s'agit de l'Europe. »

Guélowâr!

20 Ta voix nous dit l'honneur l'espoir et le combat, et ses ailes s'agitent dans notre poitrine

Ta voix nous dit la République, que nous dresserons la Cité dans le jour bleu

Dans l'égalité des peuples fraternels. Et nous nous répondons : « Présent, ô Guélowâr! »

Léopold Sédar Senghor, *Hosties noires*, 1948.

Léopold Sédar Senghor (1906-2001)

Le poète de la négritude

Poète et essayiste, Léopold Sédar Senghor est un des membres fondateurs du mouvement de la négritude. Président du Sénégal de 1960 à 1980, il demeure le plus célèbre des poètes africains. Toute son œuvre affirme l'importance du retour aux sources de la civilisation négro-africaine, mais elle comprend aussi des poèmes d'amour et de longues élégies dédiées à la mémoire des personnalités et des amis qui ont marqué sa vie. Ses poèmes cherchent en outre à restituer les rythmes africains, suggérant même des instruments d'accompagnement tels la kora ou le khalam. C'est une façon de témoigner du métissage culturel, dont il est également le principal défenseur.

Le poème « Au guélowâr » est tiré du recueil *Hosties noires*, qui regroupe des textes inspirés de l'expérience des prisonniers de guerre noirs (dont Senghor lui-même, de 1940 à 1942). Se sentant trahi par la France, le poète se tourne ici vers le « guélowâr » (c'est-à-dire le noble guerrier, descendant des conquérants de l'ethnie mandingue) pour retrouver l'espoir.

Atelier d'analyse

Exploration

1. Étudiez la thématique du texte en répondant aux questions suivantes.
   a. En disant « nous », le poète parle ici au nom des soldats noirs qui ont combattu en Europe. Que reprochent-ils à la France, l'ancienne mère-patrie?
   b. Quels mots disent l'abandon, le sentiment d'être diminué?
   c. Quels passages expriment l'ironie de Senghor à l'endroit de la France?
   d. Quel passage comporte une critique adressée aux autorités?
   e. Quel passage évoque les valeurs de la Révolution française?

2. Étudiez la rhétorique du texte en répondant aux questions suivantes.
   a. Quelle comparaison exprime très fortement le dénuement des soldats noirs?
   b. Quel oxymore exprime la déception face à la culture européenne?
   c. Quel parallélisme exprime la démission des autorités comme celle des anciens camarades?
   d. Quelle(s) personnification(s) se trouve(nt) essentielle(s) à la signification du texte?

3. Qu'incarne ici le guélowâr? Qu'est-ce que Senghor souhaite pour l'avenir des peuples noirs?

Rédaction

4. Montrez que ce poème dit la nécessité de l'espoir et du combat.

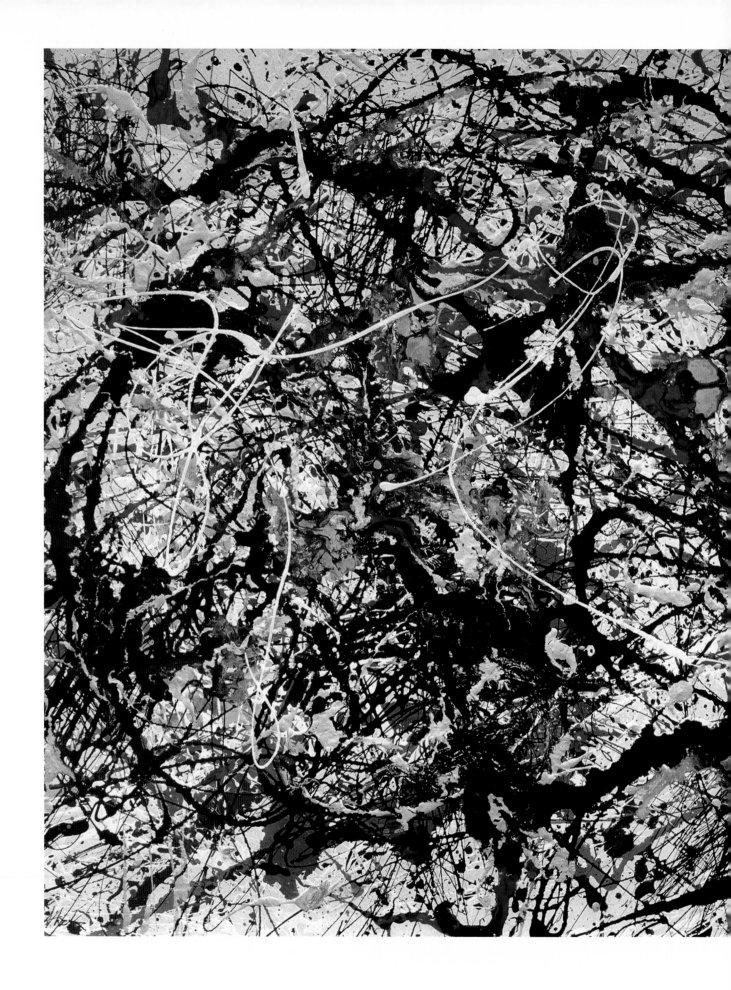

Jackson Pollock, *Number 34*, 1949.

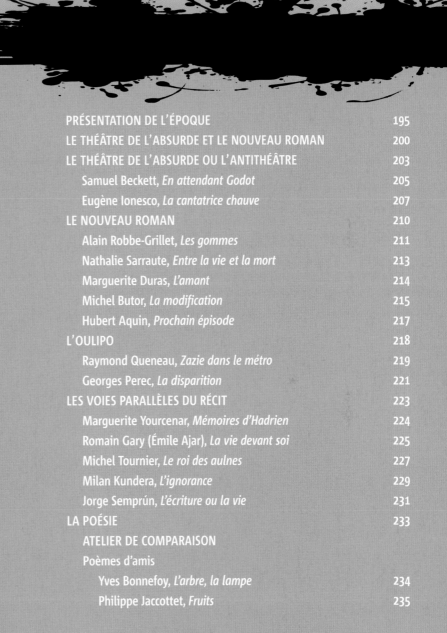

CHAPITRE 5

Le renouveau global
Antiréalisme et voies parallèles

Repères chronologiques

	Événements politiques	Arts, littérature et sciences
1945	Fin de la Seconde Guerre mondiale	
1946	Établissement du Rideau de fer entre l'Europe de l'Est et l'Europe de l'Ouest ; début de la guerre froide	
1947	Indépendance de l'Inde	Camus, *La peste* Genet, *Les bonnes* Vian, *L'écume des jours* Attribution du prix Nobel de littérature à Gide
1948	Proclamation de l'État d'Israël Création de deux Allemagnes Déclaration universelle des droits de l'homme de l'ONU	Sartre, *Qu'est-ce que la littérature* Senghor, *Hosties noires* Fondation, à Amsterdam, du groupe de peintres COBRA
1949		De Beauvoir, *Le deuxième sexe* Début du développement des ordinateurs
1950		Ionesco, *La cantatrice chauve* Invention du transistor
1951		Yourcenar, *Mémoires d'Hadrien*
1952		Hemingway, *Le vieil homme et la mer* Beckett, *En attendant Godot*
1953		Robbe-Grillet, *Les gommes*
1954		Attribution du prix Nobel de littérature à Hemingway Première greffe d'organe (rein) Pilule contraceptive orale
1955	Fin de la guerre d'Indochine Début de l'insurrection en Algérie	Naissance du pop art
1957	Création de la Communauté économique européenne Prise du pouvoir par François Duvalier en Haïti	Attribution du prix Nobel de littérature à Camus Lancement par l'URSS du *Spoutnik 1*, premier satellite artificiel Butor, *La modification*
1958	Instauration de la Vᵉ République par De Gaulle	Ionesco, *Rhinocéros* Duras, *Moderato cantabile*
1959		Queneau, *Zazie dans le métro* Début de la « nouvelle vague » du cinéma français : Chabrol, *Le beau Serge* et Truffaut, *Les quatre cents coups* Garcìa Márquez, *Cent ans de solitude*
1960	Élection du président John F. Kennedy aux États-Unis Début d'un grand mouvement de décolonisation en Afrique Élection de Léopold Sédar Senghor comme premier président du Sénégal	Duras, *Hiroshima mon amour*
1961	Construction du mur de Berlin	Robbe-Grillet et Resnais, *L'année dernière à Marienbad* Gagarine, premier cosmonaute dans l'espace (URSS)
1962	Indépendance de l'Algérie Crise des missiles à Cuba : le monde au bord d'une guerre atomique	Claude Lévi-Strauss, *La pensée sauvage* Formation du groupe anglais de musique pop, les Beatles Truffaut, *Jules et Jim*
1963	Assassinat du président John F. Kennedy aux États-Unis	
1964		Refus du prix Nobel de littérature par Sartre
1967		Première greffe cardiaque Jaccottet, *Airs*
1968	Assassinat de Martin Luther King aux États-Unis Mai 68 : agitation étudiante sans précédent en France	Sarraute, *Entre la vie et la mort* Yourcenar, *L'œuvre au noir*
1969		Les premiers hommes à marcher sur la Lune : N. Armstrong et E. Aldrin lors de la mission américaine *Apollo XI* Perec, *La disparition*
1970		Tournier, *Le roi des aulnes*
1975	Fin de la guerre du Vietnam	Gary (Ajar), *La vie devant soi*
1979		Warhol, *Rétrospective multicolore*

PRÉSENTATION DE L'ÉPOQUE

ANTITHÉÂTRE, NOUVEAU ROMAN, OULIPO :
En quoi la littérature des années 1950 à 1980 constitue-t-elle un renouveau global ? Quelles formes prend-elle ?

Au tournant des années 1950, deux pièces font scandale et marquent une profonde rupture avec la tradition théâtrale tout en faisant paraître bien timides les quelques innovations des existentialistes. *La cantatrice chauve* et *En attendant Godot* reposent sur une action qui tourne en rond et sur des personnages fantoches qui s'échangent des réparties vides de sens, comme pour occuper le temps. Leurs deux auteurs, Eugène Ionesco et Samuel Beckett, qui sont les plus prestigieux représentants de l'antithéâtre – aussi appelé « théâtre de l'absurde » ou « théâtre de la dérision » – partagent, étrangement, une même caractéristique : tous les deux immigrants, ils construisent une œuvre en français, une langue seconde pour chacun d'eux. De fait, la communication, ou plutôt ses nombreuses fractures, est au centre de leur thématique.

Durant cette même période paraît *Les gommes* (1953), de Robbe-Grillet : ce roman se démarque par le nouveau rôle attribué au lecteur, dorénavant invité à interagir avec l'œuvre, à poser des hypothèses pour résoudre une énigme qui se dérobe de toutes parts. La publication, quelque temps après, de l'essai de Nathalie Sarraute intitulé *L'ère du soupçon* précise les intentions de ceux que l'on regroupera sous l'étiquette de « nouveaux romanciers », soit notamment Marguerite Duras, Michel Butor et Claude Simon (prix Nobel 1985), qui s'ajoutent aux deux précédents déjà mentionnés. Désormais, le non-dit, l'implicite, les zones d'ombre, tout ce qui se rapproche du « rien » plutôt que du « plein », du silence plutôt que de l'éloquence, tout ce qui, finalement, se trouve dans l'interligne d'un texte ou dans ses points de suspension, stimule la créativité des romanciers.

En 1969, un roman de George Perec, *La disparition*, surprend le lecteur avec un procédé insolite, soit la non-utilisation de la lettre « e » dans le texte d'un roman qui fait tout de même plus de 300 pages. Il n'est pas le seul écrivain à s'imposer des contraintes de rédaction, puisque c'est là un des principes de base du groupe Oulipo. Raymond Queneau, co-fondateur (avec François Le Lionnais) de l'**Ou***vroir* **de li***ttérature* **po***tentielle*, avait également étonné quelques années plus tôt en créant le personnage de Zazie, une enfant délurée venue en visite chez son oncle qui exerce le métier de danseur travesti. Avec *Zazie dans le métro* (1959), Queneau compose en quelque sorte un antiroman, puisque l'événement annoncé par le titre n'a pas lieu et que la trame narrative va en s'éparpillant, frôlant même un fantasque

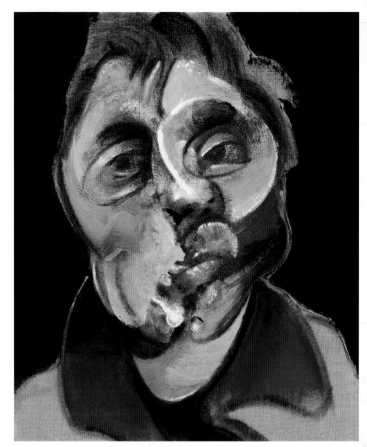

Francis Bacon, *Autoportrait*, 1969.

désordre. L'auteur s'amuse au passage à démontrer qu'on n'écrit pas comme on parle, que la conformité de l'écriture à la langue orale n'est qu'un leurre.

Les écrivains de ces différents courants ont pour trait commun leur antiréalisme : ils s'insurgent contre une conception de la littérature qui perdure depuis Balzac et Zola, notamment fondée sur les critères de vraisemblance de l'histoire et de cohérence de la narration. Cette façon d'écrire ne convient plus dans un monde éclaté, où les événements se bousculent et se superposent, dans un monde où l'être humain a perdu ses repères. Au-delà de leur affiliation particulière, ils partagent ce constat qui les porte à réformer radicalement les formes littéraires.

D'autres romanciers poursuivent l'aventure littéraire en marge de ces avant-gardes, soit en se montrant plus soucieux de continuité ou en s'inventant une démarche qui leur convient, tout en intégrant souvent à leurs œuvres des procédés mis au point par leurs contemporains. On retiendra ici les noms de Marguerite Yourcenar, Julien Gracq, Romain Gary, Michel Tournier, Jorge Semprún et Milan Kundera.

Au xxe siècle, la poésie a connu son heure de gloire avec le surréalisme, qui a indubitablement libéré les esprits tout en intensifiant la rupture avec la tradition. Elle a par la suite poursuivi son chemin plus discrètement, tout en stimulant, elle aussi, l'exploration de nouveaux thèmes et de nouvelles formes d'expression. En marge des écoles, les poètes Philippe Jaccottet et Yves Bonnefoy illustrent ici ce cheminement.

L'HISTOIRE : Quels événements sont susceptibles d'avoir marqué les écrivains de cette génération ?

Il est troublant de constater que la majorité des représentants de l'antithéâtre, du nouveau roman ou de l'Oulipo sont de la même génération que les existentialistes tant est grand l'écart dans leur pratique de l'écriture. Sartre est né en 1905, Simone de Beauvoir en 1908 et Albert Camus en 1913 ; Beckett, Ionesco, Queneau, et Nathalie Sarraute sont tous nés avant 1910 et Marguerite Duras, à peine quatre ans plus tard. Les uns et les autres ont donc connu les affres de la Seconde Guerre mondiale : les bombardements nocturnes, les rafles des Juifs, les crimes contre les populations civiles. Le drame a rejoint plusieurs d'entre eux dans leur vie personnelle : engagés dans la Résistance, Beckett et Sarraute perdent la trace de camarades dont on apprendra plus tard qu'ils ont été torturés puis envoyés en camps de concentration. Marguerite Duras retrouvera son mari, Robert Antelme, atteint du typhus et presque à l'agonie, après la libération par les Alliés du camp de Dachau. Elle-même est en quelque sorte une victime collatérale du colonialisme : sa mère, victime d'une escroquerie, a englouti la fortune familiale en Indochine, alors colonie française, dans l'achat de terres infertiles.

Ainsi, le pessimisme qui assombrit la littérature de cette époque, le sentiment de vide et d'absurdité que les existentialistes ressentaient aussi, est grandement lié au climat trouble de l'après-guerre. Les conflits s'enlisent alors que se multiplient les motifs d'affrontement idéologique.

Commencée en 1946, la guerre d'indépendance de l'Indochine, ancienne colonie française renommée Viêtnam, ne prendra fin qu'en 1973 avec la défaite des États-Unis, qui avaient pris le relais de la France pour combattre les avancées du communisme. Ce conflit, fortement médiatisé, fera lever un vent de contestation aux États-Unis. Les baby-boomers, nés dans l'après-guerre, refusent de prendre part à ce qu'ils perçoivent comme une entreprise de destruction massive au nom d'un impérialisme qu'ils récusent. Cet affrontement s'inscrit en effet dans un contexte de guerre froide entre les États-Unis et l'URSS, qui cherchent à étendre leur zone d'influence en convertissant le plus grand nombre de pays à leur système de pensée – le libéralisme économique d'un côté et le communisme de l'autre. Cette rivalité entraîne de nombreuses crises politiques, dont la guerre de Corée (1950-1953), celle du canal de Suez (1956) et les crises du mur de Berlin (1961) et des missiles de Cuba (1962), pour n'en nommer que quelques-unes. À chaque fois, l'humanité plonge dans l'angoisse d'une déflagration nucléaire. Cet antagonisme sert d'ailleurs de justification à une course aux armements, ceux-ci s'avérant toujours plus sophistiqués, plus coûteux et plus meurtriers.

De son côté, la France éprouve des difficultés à s'extirper des gangues du passé. La guerre d'Algérie ne prend fin qu'en 1962 avec la reconnaissance de l'indépendance de l'ancienne colonie. Toutefois, le traité de paix ne tient aucunement compte des milliers de pieds-noirs qui devront quitter leur patrie en abandonnant leurs biens. Le Général

Roy Lichtenstein, *Whaam !*, 1963.

Mai, affiche de Mai 1968.

de Gaulle, qui a été ramené au pouvoir pour régler ce conflit qui s'éternisait, est aussi une figure politique inéluctablement associée à la Deuxième Guerre mondiale. Les Français lui sont bien sûr reconnaissants de s'être battu sur la scène internationale pour maintenir la France au rang des grandes puissances et d'avoir soutenu la mise sur pied de la Communauté économique européenne (association de pays européens qui favorise la libre circulation des biens ainsi que la conciliation politique), l'ancêtre de l'Union européenne. Ils conviennent aussi que le gouvernement gaulliste a su favoriser la reprise économique (aidé par le plan Marshall) et a permis une spectaculaire remontée de leur niveau de vie. Mais il n'en reste pas moins vrai que ce grand homme incarne une forme d'autoritarisme très peu conciliable avec les désirs d'émancipation d'une jeunesse frondeuse, qui fera éclater sa colère au moment de Mai 68.

LES MENTALITÉS : Pourquoi évoque-t-on l'idée d'un véritable basculement des valeurs durant les années 1950 à 1980 ?

De la lutte des classes au duel des sexes, puis au combat des générations, on assiste en fait tout au long de cette période à un durcissement idéologique suivi d'un grand mouvement de libération à la fois morale et politique. À force de grèves et de manifestations, les ouvriers améliorent leurs conditions de vie. Ils jouissent maintenant d'un large éven-

tail de protections sociales. Ils ont réduit leur horaire de travail journalier, ce qui leur laisse du temps pour les loisirs. Mieux rémunérés, ils peuvent se procurer ces merveilleux appareils mis au point par les Américains – réfrigérateurs, cuisinières électriques, aspirateurs – qui facilitent les tâches ménagères. Ils peuvent même ambitionner de s'acheter une voiture – une modeste petite deux chevaux plutôt que la rutilante américaine –, qui leur permet une liberté de mouvement hier encore impensable.

Sous l'impulsion du mouvement féministe, les femmes aussi revendiquent leurs droits : l'accès au marché du travail permet d'échapper à la dépendance financière ; la parité salariale concrétise l'égalité des sexes tant réclamée ; la représentation politique oriente la législation qui doit tenir compte des aspirations féminines.

Les femmes seront bientôt suivies par leurs enfants, qui voudront au moment de Mai 68 se débarrasser de tous les reliquats d'une culture autoritaire et patriotarde qui a engendré tant de guerres. Ils ne veulent plus qu'on invoque le respect de la hiérarchie pour les soumettre à un ordre arbitraire ; ils ne veulent plus se plier à un code de bonnes manières qui transforme l'individu en polichinelle bien dressé ; ils ne veulent plus que soit valorisé le travail au détriment du plaisir. Ils ne veulent plus qu'on « interdise pour interdire », comme le laisse entendre un slogan célèbre de Mai 68 ; ils s'objectent aux cadres statiques, aux règles inutiles, aux contraintes fastidieuses.

Cette libération des mentalités est aussi favorisée par un ensemble de facteurs, certains plus déterminants que d'autres. Ainsi, la télévision, qui pénètre dans les foyers, rend l'information accessible à tous ; elle démocratise la culture et réduit l'écart entre la métropole et les régions. L'invention de nouvelles méthodes contraceptives, parmi lesquelles la pilule anticonceptionnelle, atténue la peur des grossesses inopportunes et contribue à la liberté sexuelle. Rapidement, l'usage des drogues, cantonné jusqu'alors à des groupes marginaux, s'étend à toute une jeunesse qui fait exploser sa soif de vivre lors de mémorables festivals de musique rock comme celui de Woodstock. *Peace and Love* devient le mot d'ordre de ces garçons et de ces filles, qui semblent désormais se confondre en un seul sexe puisqu'ils portent les mêmes bijoux, les mêmes vêtements, les mêmes cheveux longs. La tolérance poussera bientôt à admettre l'homosexualité, longtemps considérée comme taboue.

LA CULTURE : Peut-on parler d'une américanisation des goûts et du mode de vie ?

Au cours de la décennie des années 1960 et 1970, les enfants nés dans l'après-guerre tirent profit de l'extraordinaire essor économique qu'entraîne l'intense production industrielle. L'acquisition de biens devient accessible à un plus grand nombre en même temps que se répand l'idée d'un bonheur fondé sur la consommation. La réaction des intellectuels se teinte d'ambivalence. Ce matérialisme inquiète : il témoigne de l'attraction culturelle des Américains, qui savent répandre dans le monde des images de bonheur. Ce mode de vie, certes attrayant mais qu'on juge artificiel (voire quelquefois vulgaire), aurait comme odieuse conséquence d'éloigner l'être humain de sa spiritualité. Ainsi, on fustige d'un côté l'impérialisme du géant américain, mais de l'autre, on se montre réceptif à sa littérature et à sa musique. Les romans américains sont lus et commentés. Dans les boîtes de nuit de Saint-Germain-des-Prés, le quartier « in » de l'époque, on accourt pour écouter les musiciens de jazz ou pour danser sur des rythmes endiablés de rock-and-roll. Les réalisateurs de ce qu'il est convenu d'appeler la « nouvelle vague française », dont font partie Jean-Luc Godard et François Truffaut, sont fascinés par le cinéma d'Hollywood. Et le jean, ce mythique vêtement fait de denim, devient pour toute une jeunesse l'emblème de l'égalité et de la décontraction.

La période de l'après-guerre témoigne en fait de la perte d'influence de la vieille Europe, qui cède désormais la place à l'Amérique. Elle signale le fait que la science, qui a rendu possible la dévastation du territoire, fournit aussi les moyens de faciliter la reconstruction et d'inventer l'avenir. Cette idée de progrès qui prend sa source dans la pulsion de mort est l'ultime paradoxe de cette tranche d'histoire. C'est aussi là l'ultime preuve d'un monde absurde.

L'ART : Ce domaine est-il également touché par le phénomène de l'américanisation ?

La plupart des grands peintres ayant contribué à maintenir Paris comme la capitale de l'art au XXᵉ siècle sont maintenant âgés sinon décédés. Matisse est mort en 1954, Picasso le suivra quelque 20 ans plus tard, puis ce sera Miró et Dalí avant les années 1990. Parmi les peintres de cette génération, Francis Bacon (décédé en 1992) est probablement celui qui illustre le mieux, par ses personnages visqueux et tordus, la déréliction de l'individu si bien transposée au théâtre par Beckett.

D'autres artistes, rattachés au surréalisme, qui ont fui la France au moment de la capitulation pour s'installer à New York, vont propulser l'art américain dans l'exploration de nouvelles approches qui bousculeront les anciens points de repères. C'est notamment le cas de Marcel Duchamp avec ses ready-made, des objets courants désignés arbitrairement par l'artiste comme des œuvres d'art, et de peintres comme Yves Tanguy, qui a fait le choix de l'abstraction, ou de Max Ernst, qui n'a de cesse d'inventer de nouvelles façons de créer. Plusieurs artistes tiennent enfin à affirmer l'importance de la couleur en peignant des monochromes, c'est-à-dire des toiles d'une seule couleur. D'autres artistes simplifient à l'extrême les formes sculptées. Yves Klein, le peintre français, fait quant à lui le choix de se donner une signature reconnaissable entre toutes en ne retenant qu'une seule couleur pour peindre, qu'il identifie comme étant l'IKB, l'International Klein Blue. Par leur volonté de faire table rase du passé, de ne plus se plier aux conventions picturales ou littéraires, les artistes de ces décennies mouvementées partagent, de chaque côté de l'Atlantique, un même esprit jusqu'au-boutiste.

Encore influencés par l'Europe, ce sont d'abord des représentants de l'expressionnisme abstrait, De Kooning, Motherwell, Still, Rothko et les autres, qui vont illustrer la vitalité de l'art à New York, ce nouveau foyer de création où pullulent les galeries et les riches mécènes. C'est toutefois finalement à Jackson Pollock que revient le mérite de donner le coup d'envoi à ce mouvement de transgression. Il rompt avec la peinture de chevalet, voulant faire participer tout le corps à la composition du tableau par le procédé du « dripping », une sorte d'éclaboussement pulsionnel sur une surface généralement posée à l'horizontale. Il annonce le déferlement du pop art. Celui-ci surgit d'abord en Angleterre

Andy Warhol, *Rétrospective multicolore*, 1979.

et est accompagné de tout un mouvement de défoulement collectif pour larguer un code des bonnes manières d'un extrême puritanisme. Les groupes de musique pop comme les Beatles et les Rolling Stones donnent le ton à la mode : minijupe pour les filles, qui portent aussi à l'occasion, comme les garçons, le jean à patte d'éléphant et la tunique en toile indienne garantie 100 % coton et pure teinture végétale.

Le pop art séduit ensuite l'Amérique, fière d'étaler sa puissance et sa gloire alors qu'on fait le deuil outre-mer de l'ancienne magnificence d'une civilisation malade d'elle-même. Dans ce courant artistique se range une grande variété d'artistes, d'Andy Warhol à Robert Rauschenberg, de Roy Lichtenstein à Tom Wesselmann. Par son exubérance ludique qui puise dans les domaines de la publicité et du spectacle, le pop art peut paraître de prime abord assez loin du pessimisme littéraire des années de l'après-guerre en Europe. Mais en y regardant de plus près, on constate que la grande inventivité qu'on attribue aux artistes de ce courant se retrouve également chez Beckett et Ionesco, qui font de multiples emprunts au music-hall, à la pantomime et aux arts du cirque.

LA LITTÉRATURE DES ANNÉES 1950 À 1980 : Les écrivains de cette période partagent-ils une même perception de l'écriture ?

Tel que le révèlent leurs biographies, plusieurs des écrivains qui connaissent la notoriété durant cette période ont fait l'expérience de l'immigration dans leur vie personnelle. Samuel Beckett, Irlandais d'origine, s'établit à Paris alors qu'il a passé le cap de la trentaine. Né en Roumanie, Ionesco devient bilingue par la force des circonstances, apprenant le français par sa mère qui réside à Paris et le roumain par son père demeuré à Bucarest. Nathalie Sarraute comme Marguerite Duras sont cosmopolites dans leur parcours, la première née en Russie de parents juifs, la seconde élevée en Indochine et née de parents français. Marguerite Yourcenar est naturalisée américaine. Romain Gary, alias Émile Ajar, s'appelle Roman Kacew à sa naissance en Pologne. Jorge Semprún, espagnol, immigre en France pour échapper au régime de Franco; Milan Kundera quitte la Tchécoslovaquie pour échapper à la répression communiste.

Le trajet personnel de ces écrivains s'apparente à la destinée de nombreux immigrants qui s'installent en France durant ces années. Les uns et les autres contribuent à ouvrir les esprits aux réalités d'ailleurs et à mondialiser la culture. Les écrivains transplantés en France traduisent une impression d'étrangeté au monde (terme emprunté à Camus), souvent par des moyens qui sont en rupture avec l'héritage littéraire. Certains vont expliquer ou illustrer leur difficulté à comprendre la société où ils pénètrent, alors que d'autres vont exprimer dans leur œuvre l'opacité du monde, un monde qui demeure toujours extérieur à la

souffrance humaine. Ils ont incarné cette impression d'étrangeté autant dans la forme que dans le contenu de leurs pièces ou de leurs récits. Leur but est de déstabiliser le lecteur ou le spectateur, de le priver de boussole ainsi que de points de repères.

Leur statut d'immigrants mais aussi leur expérience de traducteur, métier que plusieurs d'entre eux pratiquent comme gagne-pain, les rendent sensibles aux limitations inhérentes à toute langue. En arabe, on trouve par exemple plusieurs vocables pour nommer le chameau, et dans les langues nordiques, une aussi grande variété lexicale permet de nommer la neige sous toutes ses formes. Ces différences dans la façon de nommer la réalité expliquent pourquoi le passage d'un système linguistique à l'autre est semé d'obstacles.

Cette approche de la langue perçue comme un système, on la doit notamment au linguiste Ferdinand de Saussure dont le *Cours de linguistique générale* a été publié en 1916. Ce livre est à l'origine de tout un mouvement de pensée, le structuralisme, qui exerce son influence jusqu'en littérature et en analyse littéraire. Ainsi, cette conscience de la forme, toujours mise en avant par les nouveaux romanciers, traduit cette influence. Un texte, ce n'est pas seulement un message, c'est aussi une structure. Écrire, c'est à la fois s'exprimer et mettre en forme.

Les écrivains de ces décennies adoptent une attitude différente de leurs prédécesseurs existentialistes face au thème de l'absurde : ils ne proposent aucunement d'y remédier par l'engagement ou la révolte. On ne les verra pas marcher sous les banderoles, scander des mots d'ordre aux premières lignes des manifestations ou dénoncer les turpitudes sociales sur toutes les estrades; ils n'empruntent pas la voie du militantisme. Il peut leur arriver de signer une pétition ou d'adhérer à une cause, mais ils préfèrent généralement la voie de la discrétion. Ils se comportent en quelque sorte en professionnels de l'écriture : quand on les questionne sur les maux de la société, ils renvoient leur interlocuteur à leurs textes. Là se trouve exprimé l'essentiel de leur pensée. La plupart refusent les entrevues, protègent jalousement leur vie privée et vivent en marge des coteries littéraires.

Certains d'entre eux n'hésitent pas à franchir la frontière vers d'autres arts, notamment le cinéma, en tant que scénaristes ou réalisateurs, comme ce fut le cas pour Marguerite Duras et Alain Robbe-Grillet. La plupart reconnaissent l'influence de la musique, de la peinture ou du cinéma sur leurs œuvres. Ainsi, Beckett confie avoir composé ses pièces comme des partitions musicales, alors que les romans de Marguerite Duras font entendre un lancinant refrain. Jacques Réda semble écrire caméra au poing lorsqu'il déambule dans l'espace urbain; Philippe Jaccottet peint des paysages miniatures qui baignent dans la lumière.

Comment se caractérise la littérature de l'après-guerre ?

Les écrivains de l'après-guerre ont assisté en quelque sorte à l'écroulement de la civilisation européenne. Ils perçoivent l'absurde comme une condition inhérente à la vie humaine. Pour eux, les choses sont incertaines et les vérités sont relatives. Ils souhaitent traduire cet état des choses par des formes nouvelles. Ils ne veulent plus marcher dans les pas de leurs prédécesseurs. En fait, ils sont animés d'un désir irrépressible de jeter par-dessus bord les oripeaux de la littérature antérieure à leur époque pour tout recommencer sur de nouvelles bases. Cependant, en y regardant de plus près, on constate forcément des filiations, notamment avec l'esprit de rébellion dadaïste, avec la liberté d'exploration des surréalistes et avec la thématique de l'absurde héritée des existentialistes.

Les traits communs

1 La dépersonnalisation des personnages

Les écrivains de l'antithéâtre et du nouveau roman, dont plusieurs ont fait l'expérience dans leur propre vie d'une identité mouvante, privent leurs personnages de caractéristiques pouvant les individualiser ou les situer dans l'échelle sociale. En fait, leurs protagonistes ressemblent à ces ombres aux contours indéfinis qui se diluent dans le brouillard, tels que les représentent souvent les peintres de l'expressionnisme abstrait. Ces antihéros sont en quelque sorte dépouillés de toute appartenance et de toute singularité : ils sont affublés de noms insignifiants (Winnie et Willy dans *Oh les beaux jours* de Beckett) ou ne sont désignés que par des initiales (par exemple, E. G. répond à A. T.) ou des nombres (par exemple, Pers. 1 répond à Pers. 2). Bourgeois prisonniers de leurs automatismes ou vagabonds vulnérables, ils ne comprennent pas ce qui leur arrive ni ne savent quel sort on leur réserve ; ils tournent en rond et à vide dans un espace anonyme. Comme pour écouler le temps, ils échangent des propos décousus, d'une vaine hostilité, ou s'inventent de faux rendez-vous pour tromper leur ennui. L'existence humaine se conçoit comme l'attente inutile de quelqu'un ou de quelque chose qui ne survient jamais.

Nathalie Sarraute, comme d'autres romanciers, débusquent les non-dits, mais sans chercher à préciser les contours psychologiques de ses créatures fictives : on ne connaît presque rien de leurs antécédents, de leurs idées politiques, de leurs liens amoureux. Les réparties laissent soupçonner le trouble intérieur, les conflits latents, les peurs enfouies, mais renferment aussi une part de flou, d'indicible, concrétisé par les points de suspension dans le texte. D'autres, comme Marguerite Duras, évoquent une douleur ineffable qui empoigne le personnage corps et âmes confondus et qui serait comme antérieure au langage.

2 L'enlisement de l'intrigue

Dramaturges et romanciers rejettent le principe de causalité qui donne l'impression, dans les romans empruntant à l'esthétique balzacienne, que l'univers répond à un ordre logique et que l'être humain en est le rouage essentiel. Dans les antipièces, l'intrigue tend à s'éparpiller, à être amputée de ses causes ; dans les nouveaux récits, elle emprunte le sentier de la digression pour se perdre en mille considérations ou encore elle se noie dans la description. Comme un serpent qui se mord la queue, l'intrigue peut se terminer là où elle avait commencé, répétant au dénouement la scène initiale. Les quêtes personnelles n'aboutissent pas ; les enquêtes se brouillent, dirigées par des détectives incapables de distinguer le vrai du faux.

L'individu accumule les gestes inutiles pour finalement être renvoyé à sa solitude. Aucune péripétie ne brise le cercle de son tourment. Abandonné à son sort, il n'entrevoit pas d'issue au bout du tunnel, comme si aucun dénouement n'était à prévoir.

Au théâtre et dans le roman, les auteurs cherchent à échapper au déroulement linéaire traditionnel. On multiplie les digressions, on mélange tous les genres dans une même œuvre. Le texte est organisé soit de façon symétrique, avec des scènes qui se font écho d'un acte ou d'une séquence à l'autre, soit de façon circulaire, avec plusieurs versions de la même anecdote. Le tout illustre le travail de la mémoire, cette faculté infidèle qui modifie le passé pour satisfaire aux exigences du présent.

On refuse donc de suivre la courbe habituelle du récit : installer une problématique au point de départ, faire monter le suspense et résoudre la crise en fin de parcours. On délaisse tout autant les énigmes à caractère psychologique, qui entremêlent secrets et mystères pour se terminer par une grande révélation qui éclaire l'ensemble du récit. Les événements ne font pas progresser l'action qui, bien au contraire, stagne ou s'embourbe, ou encore vont vers l'avant pour ensuite reculer ou se désarticuler. D'un certain point de vue, on peut penser que ces écrivains donnent un juste aperçu de l'existence humaine, qui pourrait se définir comme un long temps vide, privé de justification et sans issue, qu'on remplit de mots et de gestes inutiles.

3 La thématique de l'absurde s'incarne dans le fond et la forme

La plupart de ces auteurs perçoivent l'absurde comme une condition inhérente à la vie elle-même. L'être humain semble projeté dans l'univers, sans raison et sans but ; aucune compensation n'est prévue à sa souffrance. Aucun

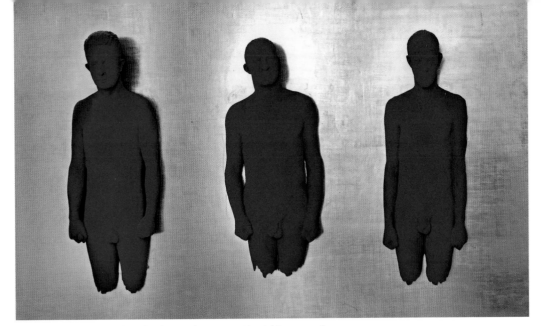

Yves Klein, *Portrait relief de Claude Pascal Arman et Martial Raysse,* 1962.

paradis ne lui servira de refuge pour l'éternité. C'est peu dire que le Créateur ignore le bien-être de ses créatures : la preuve en est qu'on ne compte plus, au xxᵉ siècle, les cataclysmes, catastrophes et traumatismes de tout ordre. Toutefois, au contraire des existentialistes qui s'engagent à redonner sens à l'aventure humaine, ces écrivains tentent d'illustrer une attitude d'irrésolution ou de désorientation, un sentiment d'engloutissement dans les milles petits riens d'un fade quotidien. Le désenchantement s'exacerbe en une attitude de « ras-le-bol antitout », qui s'accompagne d'une fascination pour le vide. Le dérisoire entraîne la dérision ; le sarcasme accompagne le malentendu.

Tout contribue à accabler le personnage, moins fait pour représenter l'être humain dans son individualité que pour incarner la condition humaine. Désormais, on ne philosophe plus sur la vie comme c'était le cas dans les œuvres des existentialistes. Les dialogues traduisent surtout l'inaptitude à communiquer ; les mots et les gestes servent à combler le vide existentiel. Les personnages n'arrivent pas à résoudre des énigmes qui se diluent dans l'indicible. Ils fuient la réalité, la contournent ou se laissent happer par la folie collective.

4 Une écriture de silence plutôt que d'éloquence

Beaucoup d'écrivains pratiquent une écriture lacunaire, comme si le récit se trouait, comme si le lecteur se trouvait devant un exposé qui oblitère les faits essentiels nécessaires à la compréhension du texte, comme dans *Les gommes* de Robbe-Grillet. Le style se trouve souvent dépouillé de tout artifice littéraire : on répugne à toute forme de virtuosité, on oppose une grande résistance à la figure de style, on se méfie de l'émotion, on fait dans le style froid, dans la neutralité. On semble prendre goût au négligeable, à tout ce qui importe peu mais remplit le vide, comme c'est le cas pour les personnages de Beckett. Ou, au contraire, on se laisse emporter dans la démesure : on crie, on gesticule sur scène, on bascule dans l'hystérie totale comme dans la scène finale de *La cantatrice chauve.*

Ces écrivains pratiquent fréquemment une forme d'ironie qui porte l'empreinte de l'indifférence et qui nivelle tout dans l'insignifiance. Le silence se glisse dans les réparties, réduites à des locutions affirmatives minimales. Les points de suspension laissent flotter dans le vide les conversations, comme chez Nathalie Sarraute. À l'inverse, certaines réparties dérivent vers la logorrhée ininterrompue, avec des phrases qui s'engendrent les unes les autres, sans aucune pause que viendrait signaler la ponctuation. Ce procédé, appelé *stream of consciousness* (flux de conscience), a été abondamment pratiqué par les écrivains britanniques James Joyce et Virginia Woolf. Proche du monologue intérieur, il entraîne le lecteur dans une vague déferlante de mots, comme si la conscience déballait son contenu, hors de toute contrainte.

Au théâtre, le monologue dialogique implique la présence d'un interlocuteur, mais toute rétroaction lui est refusée. Le langage se déchaîne et s'assimile à un bruit vociférant. La conversation accumule les saillies illogiques ; le spectateur rit en grinçant des dents car l'humour insolite a quelque chose d'inquiétant. Les personnages semblent quelquefois régresser jusqu'à un état primitif, et le dénouement frôle, chez Ionesco, l'hystérie collective. Le tragique semble se gonfler démesurément, atteignant une forme de paroxysme qui ne peut que retomber à plat.

L'influence d'André Gide se reconnaît finalement dans le recours fréquent à la mise en abyme, procédé par lequel on intègre dans la fiction une réflexion sur l'écriture. Le lecteur est invité à conserver une distance critique par rapport à ce qui lui est raconté. La communication, le fait d'écrire et de créer deviennent en soi sujets de réflexion.

Les caractéristiques du théâtre de l'absurde et du nouveau roman

Dépersonnalisation des personnages	• Personnages dépersonnalisés, réduits à l'anonymat ou à l'état de marionnettes désarticulées. Antihéros qui semblent se dissoudre à mesure qu'avance l'intrigue. • Sentiment d'absence d'issue.
Enlisement de l'intrigue	• Intrigues qui tournent en rond, événements répétitifs donnant l'image d'un monde chaotique. • Renonciation au schéma habituel de l'intrigue qui comprend l'exposé d'un problème, le nœud de l'action et une réponse au dénouement. • Attente d'événements qui ne se produisent pas ou qui ne donnent pas les résultats attendus. • Absence de progression (de suspense) avec un dénouement signalant que tout ne fait que toujours recommencer, que tout est toujours pareil ou que rien n'est soluble.
Thématique de l'absurde	• Thématique de l'absurde, traduisant l'idée que l'aventure humaine se joue en pure perte. L'absurde exerce un impact décisif sur la mise en scène. • Thème de l'angoisse, sentiment de non-communication entre les êtres humains se traduisant par des dialogues décousus, incohérents. • Thématique de la souffrance et de la solitude.
Une écriture de silence plutôt que d'éloquence	**Théâtre** • Désarticulation du langage au point de se réduire uniquement au son. • Tendance volontaire au verbiage et à la cacophonie. • Utilisation ou même invention de procédés comiques, de jeux de mots. • Inventivité et créativité fantaisistes impliquant l'emprunt de certains procédés au surréalisme. • Progression tragi-comique de l'action. **Roman** • Style volontairement neutre. • Conversation truffée de moments d'hésitation. • Emploi fréquent d'une catégorie de monologue intérieur : le *stream of consciousness,* ou flux de conscience (discours ininterrompu de la conscience souvent sans ponctuation). • Mise en abyme et écriture réflexive.

LE THÉÂTRE DE L'ABSURDE OU L'ANTITHÉÂTRE

M
p. 278

Que retiennent ces nouveaux dramaturges de l'expérience de leurs prédécesseurs ? En quoi innovent-ils ?

L'héritage existentialiste et dadaïste

Le théâtre de l'absurde est parent de l'existentialisme par la thématique qu'il aborde : les intrigues font ressortir l'angoisse devant un monde qui ne fournit pas de justification à l'existence humaine. La parole n'arrive plus à sortir les personnages de leur solitude. Dieu est-il le grand absent de ce théâtre ? En fait, ce que le spectateur ressent fortement, c'est le rejet de toute idée de transcendance. On renonce aussi aux bienfaits d'une littérature militante. On ne veut plus, comme Sartre, Beauvoir et Camus, prendre d'assaut l'espace public et clamer ses opinions sur toutes les tribunes.

Ces écrivains ont aussi une dette envers Alfred Jarry, Maurice Maeterlinck et le dadaïsme. Leurs personnages échappent à toute tentative de description psychologique. Souvent réduits à l'état de pantins désarticulés, ils égrènent le temps comme ils occupent la scène, en donnant l'impression d'aller nulle part.

Paradoxalement, ces créateurs, si profondément nihilistes, sont animés d'un grand désir d'expérimentation, ce qui les rapproche des surréalistes. Le discours théâtral revêt de nouvelles formes. Le monologue dialogique, parmi d'autres moyens, permet de saisir le désarroi de personnages qui semblent converser alors qu'en réalité, ils soliloquent. On exploite toutes les possibilités du corps : celui-ci supplée au langage, dépouillé de sa fonction première. En fait, les mots font écran : on échange la monnaie mais on ne livre pas la marchandise, car on conserve pour soi les secrets, les désirs, les motivations profondes, les déceptions intimes. Cela transforme le jeu des comédiens : souvent, les gestes et les mimiques révèlent plus que ne le fait la réplique. Et dans certains cas, ils la contredisent.

L'originalité de leur contribution

Les critiques ont rattaché plusieurs étiquettes à l'entreprise de Beckett et Ionesco (auxquels s'ajoute Adamov) et chacune en fait ressortir un aspect particulier. En superposant ces dénominations, on peut arriver à cerner l'originalité globale de leur dramaturgie.

Un théâtre de l'absurde

L'appellation « théâtre de l'absurde » souligne le lien avec l'existentialisme, surtout sur le plan de la conception de la vie. Toutefois, Beckett et Ionesco ne discourent pas philosophiquement sur l'absurde. Leur intention consiste plutôt à construire des pièces qui se présentent comme des illustrations du thème de l'absurde, faisant en sorte qu'elles soient dénuées de sens. Les personnages de Sartre et Camus étaient souvent des intellectuels devenus porte-paroles de leurs concepteurs ; ceux de Beckett et Ionesco sont plutôt carrément de pauvres types. Sartre multiplie les formules-chocs dans ses réparties, alors que les dialogues de Beckett et Ionesco font dans l'insignifiance volontaire.

Un théâtre de la dérision

Certains critiques ont ajouté à celles-ci une autre désignation, celle de « théâtre de la dérision ». Ces dramaturges, en effet, semblent ne plus croire à rien et se moquer de tout. Ils ne prennent guère au sérieux la sagesse millénaire de cet *homo sapiens* qui n'est jamais parvenu, au XXe siècle, à résoudre de façon satisfaisante aucune crise.

Un antithéâtre

D'autres critiques ont ajouté à cette liste la dénomination d'« antithéâtre », qui met l'accent sur le rejet des conventions remontant parfois à l'époque classique et même au-delà. Le tableau comparatif de la page suivante permet de saisir la radicalité de cette contestation.

Un nouveau théâtre

Finalement, on a aussi parlé de « nouveau théâtre », insistant plutôt sur le phénomène de régénération, plus ou moins équivalent à celui promulgué par le groupe des nouveaux romanciers concernant le récit. Avec ces dramaturges, il n'est pas exagéré de parler d'une véritable révolution qui a pour but de désarçonner le récepteur, conditionné par une longue tradition fondée sur la crédibilité de l'action et sur la cohérence du spectacle. Le théâtre de l'absurde, de son côté, ne cesse de susciter l'intérêt de metteurs en scène dynamiques et de séduire un public de plus en plus réceptif.

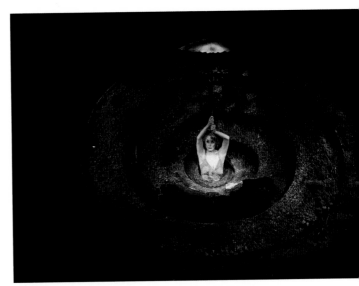

Felicity Kendal dans *Oh les beaux jours* de Samuel Beckett, présenté au Art theater (Londres), 2003.

Ce que rejettent les dramaturges de l'antithéâtre	Ce que choisissent les dramaturges de l'antithéâtre
• Des titres significatifs (qui font allusion à la signification de la pièce).	• Des titres trompeurs (*En attendant Godot* : Godot ne vient jamais ; *La cantatrice chauve* : ni cantatrice ni chauve dans la pièce).
• Des personnages à l'identité bien cernée, avec une situation sociale et un caractère définis.	• Des êtres anonymes ou marginaux, soit des clochards chez Beckett ou des pantins désarticulés ou des bourgeois caricaturaux chez Ionesco.
• Des répliques suivies qui informent sur l'intrigue et la font avancer.	• Des répliques décousues, incohérentes, souvent cacophoniques, qui donnent le sentiment que le langage est vide de sens.
• Des monologues qui donnent accès à la vie intérieure.	• Des monologues dialogiques qui plongent personnage et spectateur dans le désarroi.
• Des didascalies discrètes, qui se limitent à informer le metteur en scène et le comédien.	• Des didascalies qui foisonnent ; le rapport au texte s'inverse : les didascalies sont quelquefois plus précises et plus élaborées que les réparties.
• L'obligation de soutenir l'intérêt du spectateur par un « suspense » avec épisodes enlevants, intrigue bien ficelée, coups de théâtre, etc.	• Des gestes qui contredisent les paroles ; des objets qui ne jouent pas leur rôle (chez Ionesco, l'horloge n'indique pas le temps correctement).
• Des événements qui se succèdent dans un ordre linéaire et causal, répondant à une vision logique du déroulement.	• Des événements dénués de sens, présentés dans un ordre souvent répétitif, qui donne au spectateur l'impression de tourner en rond.
• Des thèmes liés aux préoccupations de l'époque ou aux valeurs du spectateur, ou à des valeurs universalistes.	• Choix d'un thème prédominant, celui de l'absurde, qui envahit la scène et transforme le langage scénique.
• Une acceptation des critères de vraisemblance et de cohérence.	• Un langage qui se désarticule, jusqu'à se réduire à des sons ; les mimiques et les gestes suppléent difficilement aux déficiences du discours.

Faut-il penser ?

Long silence.

VLADIMIR. Dis quelque chose !

ESTRAGON. Je cherche.

Long silence.

5 VLADIMIR (*angoissé*). Dis n'importe quoi !

ESTRAGON. Qu'est-ce qu'on fait maintenant ?

VLADIMIR. On attend Godot.

ESTRAGON. C'est vrai.

Silence.

10 VLADIMIR. Ce que c'est difficile !

ESTRAGON. Si tu chantais ?

VLADIMIR. Non non. (*Il cherche.*) On n'a qu'à recommencer.

ESTRAGON. Ça ne me semble pas bien difficile, en effet.

VLADIMIR. C'est le départ qui est difficile.

15 ESTRAGON. On peut partir de n'importe quoi.

VLADIMIR. Oui, mais il faut se décider.

ESTRAGON. C'est vrai.

Silence.

VLADIMIR. Aide-moi !

20 ESTRAGON. Je cherche.

Silence.

VLADIMIR. Quand on cherche on entend.

ESTRAGON. C'est vrai.

VLADIMIR. Ça empêche de trouver.

25 ESTRAGON. Voilà.

VLADIMIR. Ça empêche de penser.

ESTRAGON. On pense quand même.

VLADIMIR. Mais non, c'est impossible.

ESTRAGON. C'est ça, contredisons-nous.

30 VLADIMIR. Impossible.

ESTRAGON. Tu crois ?

VLADIMIR. Nous ne risquons plus de penser.

ESTRAGON. Alors de quoi nous plaignons-nous ?

VLADIMIR. Ce n'est pas le pire, de penser.

35 ESTRAGON. Bien sûr, bien sûr, mais c'est déjà ça.

VLADIMIR. Comment, c'est déjà ça ?

ESTRAGON. C'est ça, posons-nous des questions.

VLADIMIR. Qu'est-ce que tu veux dire, c'est déjà ça ?

ESTRAGON. C'est déjà ça en moins.

40 VLADIMIR. Évidemment.

Samuel Beckett
(1906-1989)

Celui qui ne viendra pas

Homme de grande culture, polyglotte, féru de philosophie, de musique et de peinture, Samuel Beckett, prix Nobel de la littérature en 1969, est né en Irlande et est décédé en France, son pays d'élection. Il compose une œuvre en anglais et en français qui tire sa densité de son dépouillement. Illustrant l'influence du grand romancier irlandais James Joyce, ses premiers recueils de poèmes et de récits, composés dans sa langue maternelle et publiés à Dublin, sont d'une exigeante érudition et ne semblent s'adresser qu'à un lectorat élitaire. La notoriété ne viendra qu'avec ses pièces de théâtre – en premier lieu *En attendant Godot* – qui font scandale en raison de leurs principaux thèmes : la destruction, la négation, la paralysie du corps et du langage. Les intrigues minimalistes et sombres traduisent le climat délétère de l'après-guerre. La marche vers le néant est inexorable. Aucun apaisement n'est possible dans ce monde concentrique où circulent des personnages démunis, misérables, tous prisonniers d'une relation de couple qui les avilit. Leur angoisse s'exprime en de longs monologues fragmentés, qui dérivent hors de toute communication.

Dans sa pièce la plus connue, *En attendant Godot,* deux clochards trompent leur ennui en espérant l'arrivée d'un certain Godot – dont on a dit qu'il s'agissait de Dieu (*God* en anglais) – qui ne viendra jamais ; ils s'inventent des histoires, font des pitreries, s'amusent à discuter, donnant l'impression que l'homme ne vit que pour tuer le temps.

ESTRAGON. Alors ? Si on s'estimait heureux ?

VLADIMIR. Ce qui est terrible, c'est d'avoir pensé.

ESTRAGON. Mais cela nous est-il jamais arrivé ?

VLADIMIR. D'où viennent tous ces cadavres ?

45 ESTRAGON. Ces ossements.

VLADIMIR. Voilà.

ESTRAGON. Évidemment.

VLADIMIR. On a dû penser un peu.

ESTRAGON. Tout à fait au commencement.

50 VLADIMIR. Un charnier, un charnier.

ESTRAGON. Il n'y a qu'à ne pas regarder.

VLADIMIR. Ça tire l'œil.

ESTRAGON. C'est vrai.

VLADIMIR. Malgré qu'on en ait.

55 ESTRAGON. Comment ?

VLADIMIR. Malgré qu'on en ait.

ESTRAGON. Il faudrait se tourner résolument vers la nature.

VLADIMIR. Nous avons essayé.

ESTRAGON. C'est vrai.

Samuel Beckett, *En attendant Godot,* 1952.

Atelier d'analyse

Exploration

1. Faites un bref résumé de la scène.

2. Étudiez les personnages en répondant aux questions suivantes.
   a. Peut-on considérer Estragon et Vladimir comme des antihéros ?
   b. Par quels moyens Beckett traduit-il l'angoisse qu'éprouve Vladimir ?
   c. L'attitude d'Estragon se distingue subtilement de celle de son compagnon : caractérisez-la.
   d. Les critiques de théâtre ont observé que ces deux personnages illustraient l'influence de l'art du cirque sur Samuel Beckett. Partagez-vous cette opinion ? Donnez des preuves à l'appui de votre point de vue.

3. Démontrez que les répliques illustrent le fait que l'action tourne en rond, qu'elle ne progresse pas.

4. Beckett a vécu la guerre. Comment ce thème se manifeste-t-il dans l'extrait et quel peut être son effet sur la tonalité de la pièce ?

5. Analysez le style de Beckett en répondant aux questions suivantes.
   a. Relevez des exemples d'humour noir.
   b. Pourquoi peut-on qualifier ce style de minimaliste ?
   c. Peut-on dire que l'absurde se situe autant dans le fond que dans la forme ?

Rédaction

6. **Sujet :** Quelle conception du théâtre (action, personnages et écriture) se dégage de cette scène ?
   Consigne : Inspirez-vous de la formulation du sujet pour planifier votre développement.

Monsieur et Madame Smith

Intérieur bourgeois anglais, avec des fauteuils anglais. Soirée anglaise. M. Smith, Anglais, dans son fauteuil et ses pantoufles anglais, fume sa pipe anglaise et lit un journal anglais, près d'un feu anglais. Il a des lunettes anglaises, une petite moustache grise, anglaise. À côté de lui, dans un autre fauteuil anglais, Mme Smith, Anglaise, raccommode des chaussettes anglaises.
5 *Un long moment de silence anglais. La pendule anglaise frappe dix-sept coups anglais.*

Mme Smith. Tiens, il est neuf heures. Nous avons mangé de la soupe, du poisson, des pommes de terre au lard, de la salade anglaise. Les enfants ont bu de l'eau anglaise. Nous avons bien mangé, ce soir. C'est parce que nous habitons dans les environs de Londres et que notre nom est Smith.

10 M. Smith, *continuant sa lecture, fait claquer sa langue.*

Mme Smith. Les pommes de terre sont très bonnes avec le lard, l'huile de la salade n'était pas rance. L'huile de l'épicier du coin est de bien meilleure qualité que l'huile de l'épicier d'en face, elle est même meilleure que l'huile de l'épicier du bas de la côte. Mais je ne veux pas dire que leur huile à eux soit mauvaise.

15 M. Smith, *continuant sa lecture, fait claquer sa langue.*

Mme Smith. Pourtant, c'est toujours l'huile de l'épicier du coin qui est la meilleure...

M. Smith, *continuant sa lecture, fait claquer sa langue.*

Mme Smith. Mary a bien cuit les pommes de terre, cette fois-ci. La dernière fois elle ne les avait pas bien fait cuire. Je ne les aime que lorsqu'elles sont bien cuites.

20 M. Smith, *continuant sa lecture, fait claquer sa langue.*

Mme Smith. Le poisson était frais. Je m'en suis léché les babines. J'en ai pris deux fois. Non, trois fois. Ça me fait aller aux cabinets. Toi aussi tu en as pris trois fois. Cependant, la troisième fois tu en as pris moins que les deux premières fois, tandis que moi j'en ai pris beaucoup plus. J'ai mieux mangé que toi, ce soir. Comment ça se fait?
25 D'habitude, c'est toi qui manges le plus. Ce n'est pas l'appétit qui te manque.

M. Smith, *fait claquer sa langue.*

Mme Smith. Cependant, la soupe était peut-être un peu trop salée. Elle avait plus de sel que toi. Ha! ha! ha! Elle avait aussi trop de poireaux et pas assez d'oignons. Je regrette de ne pas avoir conseillé à Mary d'y ajouter un peu d'anis étoilé. La prochaine fois, je
30 saurai m'y prendre.

M. Smith, *continuant sa lecture, fait claquer sa langue.*

[...]

Mme Smith. Mrs Parker connaît un épicier roumain, nommé Popesco Rosenfeld, qui vient d'arriver de Constantinople. C'est un grand spécialiste en yaourt. Il est diplômé
35 de l'école des fabricants de yaourt d'Andrinople. J'irai demain lui acheter une grande marmite de yaourt roumain folklorique. On n'a pas souvent des choses pareilles ici, dans les environs de Londres.

M. Smith, *continuant sa lecture, fait claquer sa langue.*

Mme Smith. Le yaourt est excellent pour l'estomac, les reins, l'appendicite et l'apo-
40 théose. C'est ce que m'a dit le docteur Mackenzie-King qui soigne les enfants de nos voisins, les Johns. C'est un bon médecin. On peut avoir confiance en lui. Il ne recommande jamais d'autres médicaments que ceux dont il a fait l'expérience sur lui-

Eugène Ionesco
(1909-1994)

La tragi-comédie de l'absurde

Né en Roumanie, Eugène Ionesco partage les premières années de sa vie entre son pays d'origine et la France, où il s'établit finalement à demeure et où il décède. Son affinité avec Alfred Jarry et les surréalistes s'exprime par sa tendance à faire basculer l'absurde dans le dérisoire et l'humour dans la parodie. En faisant adopter à ses personnages des comportements mécaniques et en multipliant les automatismes de langage, Ionesco rend provocante sa caricature de la bourgeoisie. Certaines pièces comme *Le roi se meurt* dressent un portrait sombre de la condition humaine : l'homme, condamné à mourir, voudrait que s'engouffre avec lui le royaume qu'il a construit. Dans *Rhinocéros*, Ionesco s'en prend à l'absence d'esprit critique de l'être humain, qui se laisse embobiner par les régimes totalitaires.

La cantatrice chauve, qui ne se passe nullement dans le milieu de l'opéra comme pourrait le laisser croire son titre, met en scène des couples qui prétendent échanger sur des vérités fondamentales alors que leur conversation est truffée de banalités. Cette pièce, qui adopte d'abord un ton caricatural proche du boulevard, se termine dans le délire le plus débridé, le langage sombrant dans la cacophonie. Cette dé-construction linguistique reflète l'effondrement de la réalité.

même. Avant de faire opérer Parker, c'est lui d'abord qui s'est fait opérer du foie, sans être aucunement malade.

45 M. Smith. Mais alors comment se fait-il que le docteur s'en soit tiré et que Parker en soit mort ?

Mme Smith. Parce que l'opération a réussi chez le docteur et n'a pas réussi chez Parker.

M. Smith. Alors Mackenzie n'est pas un bon docteur. L'opération aurait dû réussir chez tous les deux ou alors tous les deux auraient dû succomber.

50 Mme Smith. Pourquoi ?

M. Smith. Un médecin consciencieux doit mourir avec le malade s'ils ne peuvent pas guérir ensemble. Le commandant d'un bateau périt avec le bateau, dans les vagues. Il ne lui survit pas.

Mme Smith. On ne peut comparer un malade à un bateau.

55 M. Smith. Pourquoi pas ? Le bateau a aussi ses maladies ; d'ailleurs ton docteur est aussi sain qu'un vaisseau ; voilà pourquoi encore il devait périr en même temps que le malade comme le docteur et son bateau.

Mme Smith. Ah ! Je n'y avais pas pensé... C'est peut-être juste... et alors, quelle conclu-sion en tires-tu ?

60 M. Smith. C'est que tous les docteurs ne sont que des charlatans. Et tous les malades aussi. Seule la marine est honnête en Angleterre.

Mme Smith. Mais pas les marins.

M. Smith. Naturellement.

Eugène Ionesco, *La cantatrice chauve*, 1950.

Atelier d'analyse

Exploration

1. Résumez l'extrait en quelques phrases et cherchez dans le dictionnaire les mots qui en favo-riseraient la compréhension.

2. Une scène d'exposition doit informer sur les personnages et sur les principales composantes de l'intrigue (le problème à résoudre). En quoi cette scène déroge-t-elle à ce rôle ?

3. Étudiez les personnages en répondant aux questions suivantes.
   a. En quoi apparaissent-ils, dès cette première scène, comme des antihéros ?
   b. Comment Ionesco s'y prend-il pour faire ressortir leur côté mécanique, leur aspect de pantin ?
   c. Pourquoi peut-on dire qu'ils sont à l'opposé des personnages existentialistes ?

4. L'utilisation que fait Ionesco du langage donne un caractère provocateur à l'extrait. En expliquant leur contribution au sens de la pièce, relevez :
   a. des didascalies qui s'écartent du rôle qui leur revient habituellement (informer metteur en scène et comédiens) ;
   b. des réparties qui semblent vides de sens ;
   c. des emplois de mots incorrects ;
   d. des passages qui se veulent humoristiques et des jeux de mots ;
   e. des passages qui présentent des entorses à la logique.

5. Analysez la construction de la scène en répondant aux questions suivantes.
   a. Montrez que les réparties ne font pas progresser l'intrigue.
   b. Donnez des preuves du fait que le temps se détraque dans la pièce.

6. Est-il juste d'affirmer que l'humour, dans ce début de pièce, repose aussi sur une parodie des mœurs bourgeoises ?

7. En guise de conclusion partielle, énumérez cinq aspects qui contribuent au comique de la scène (illustrez-les s'il le faut par des citations).

8. Dans son travail de dramaturge, Ionesco a été inspiré par le vaudeville (pièces faciles qui caricaturent la vie de couples bourgeois) et en particulier par les comédies de Georges Feydeau. Comparez la didascalie ci-dessous, qui sert d'ouverture à la pièce *Occupe-toi d'Amélie*, de Feydeau, avec celle de Ionesco en tenant compte des aspects suivants :
   a. la conception du décor ;
   b. le rapport à l'espace ;
   c. la vision de la bourgeoisie ;
   d. l'intention du dramaturge par rapport au metteur en scène ;
   e. l'effet sur le lecteur ou le spectateur.

Chez Amélie Pochet – Le salon

Premier plan, fenêtre à quatre vantaux et formant légèrement bow-window[1]. *Deuxième plan, un pan de mur. Au fond, à gauche, face au public, la porte donnant sur le vestibule. Toujours au fond, occupant le milieu de la scène, une glace sans tain qui permet de distinguer la pièce contiguë. On aperçoit, par cette glace, l'envers de la cheminée voisine ainsi que sa garniture. – À droite, en pan coupé, grande baie sans porte donnant dans la chambre d'Amélie. Au fond, contre la glace sans tain, un piano demi-queue, le clavier tourné vers la gauche. Sur le piano, une boîte de cigares, un bougeoir, une boîte d'allumettes ; ceci sur la partie gauche du piano. Sur la partie droite, un gramophone et des disques ; dans le cintre du piano, une petite table-rognon[2] ou un petit guéridon. Sur cette table, un service à liqueurs. Contre le piano, dans la partie qui est entre le clavier et le cintre, une chaise. Devant le clavier du piano, une banquette. À droite, au milieu de la scène, placé de biais, un canapé de taille moyenne. À gauche, en scène, une table à jeu, avec cartes à jouer, cendriers, trois verres de liqueur, une bouteille de chartreuse, une tasse de café. Une chaise au-dessus de la table, face au public ; une chaise de l'autre côté, dos au public, et une autre chaise à droite de ladite table. Petit meuble d'appui contre le pan de mur immédiatement après la fenêtre. Autres meubles, bibelots, tableaux, plantes, objets d'art ad libitum. Bouton de sonnette électrique au-dessus du piano, contre le mur, près de la baie.*

1. *Bow-window* : sorte de fenêtre en saillie, sur un mur ou une façade.
2. Table-rognon : table courbe et échancrée, en forme de graine de haricot.

Georges Feydeau, *Occupe-toi d'Amélie*, 1908.

Rédaction

9. **Sujet :** Peut-on considérer que le théâtre de Ionesco est antiréaliste ? Appuyez-vous sur cette scène pour illustrer vos arguments.

   Consigne : Tenez compte des composantes de toute pièce de théâtre, en particulier les personnages, l'action et l'écriture.

10. **Deuxième sujet :** Analysez la représentation du thème de l'absurde dans cette scène.

   Consigne : Tenez compte des composantes de la pièce de théâtre.

Richard Hamilton, *Just what is it that makes today's homes so different, so appealing ?*, 1956.

M
p. 275

Comment les explorations des nouveaux romanciers font-ils évoluer le genre narratif ?

C'est sous la bannière des Éditions de Minuit que se regroupent la plupart des représentants du nouveau roman, qui ont pour caractéristique commune leur contestation du réalisme. Dans leur optique, la représentation du monde modulée par Balzac est fausse et dépassée. Dans une vie humaine, les événements s'enchaînent par hasard, ne sont fondées sur aucune logique ni dirigées par aucune finalité.

Alain Robbe-Grillet (1922-2008), qui se présente comme l'élément fédérateur de ces romanciers hors norme, s'est aussi constitué à l'occasion leur porte-parole, souvent même contre leur gré. Il a été quelque temps conseiller littéraire d'une petite maison d'édition tenue à bout de bras par un éditeur, Jérome Lindon, qui a eu la témérité, contre toute attente, de les publier. C'est là que lui-même fait paraître, en 1963, une série d'articles au titre révélateur, *Pour un nouveau roman*, qui apporte des réponses aux réactions que suscite son œuvre. Bien qu'il se défende, dès la première phrase, d'être un théoricien du roman, il n'en reste pas moins vrai qu'il explique clairement les motifs qui le poussent à ne plus écrire de romans de style balzacien.

Il affirme, entre autres, que les procédés narratifs utilisés par tous les adhérents au réalisme font croire que le monde est stable et cohérent, alors que tout cela n'est que pure convention.

Dans cette optique, il faut ébranler la conviction que la vérité naît des mots. Aussi doit-on se méfier de ces dialogues trop évidents qui emprisonnent l'émotion. Pourquoi ne pas mettre au point des façons originales de traduire l'univers intérieur ? C'est à Nathalie Sarraute que revient le mérite de formuler le plus clairement cette problématique du langage : tout locuteur conserve en lui une part secrète et ne révèle pas tout de ses sentiments ou de ses idées en parlant. S'inspirant de Marcel Proust et de Virginia Woolf, Sarraute infléchit la narration de façon qu'elle capte les impressions les plus infimes. Elle nomme « tropisme » – un terme emprunté à la biologie – ces malaises ou exaltations fugitives, à peine perceptibles, qui forment la trame invisible de l'existence. Elle-même traduit souvent par l'emploi de points de suspension l'indicible ou le secret. Plusieurs nouveaux romanciers s'inscrivent dans cette mouvance, chacun conservant toutefois son style distinctif.

Sartre ne s'y est pas trompé : il a été le premier à qualifier d'antiromans ces récits qui contestent de façon insolente les normes établies. Sans compromis, de manière plus radicale que Camus, ces écrivains expriment le rapport d'étrangeté qu'entretient l'homme avec lui-même et avec le monde.

Les nouveaux romanciers proposent une nouvelle approche qui transpose dans le genre narratif plusieurs des caractéristiques imputées à l'antithéâtre. Le personnage perd son identité et semble se fondre dans l'anonymat. Sa réalité intérieure se dissout dans les interstices du texte. Le lecteur doit s'aventurer à poser des hypothèses, à deviner ce qui n'est pas exprimé directement par le recours au langage. Les énigmes demeurent souvent irrésolues. L'écriture semble ambitionner à la plus grande neutralité (sauf chez Duras). Le lecteur ressent une impression de fuite en avant, éperdue et inutile. Toutes les structures convenues sont menacées d'éclatement : on peut multiplier les points de vue narratifs, emboîter des récits ou les faire alterner, on peut réduire le personnage à une voix qui se confie, ou volontairement perdre le lecteur, ou encore solliciter son aide pour démêler l'intrigue. On peut aussi poser un regard critique sur la fiction en cours même de récit.

Le roman réaliste	Le nouveau roman
• Le romancier crée un personnage aux traits bien définis.	• Le romancier crée une personnalité floue, un être indécis, proche de l'anonymat.
• Le romancier instruit le lecteur de la dynamique sociale.	• Le romancier laisse piétiner le récit ou se contredire les faits, en y glissant des moments de silence et d'absence.
• Le romancier réaliste enchaîne logiquement les épisodes pour faciliter la compréhension du récit.	• Le nouveau romancier laisse des trous dans l'intrigue pour forcer la participation du lecteur.
• Le dénouement présente une solution à la problématique exposée.	• Le dénouement se présente sous forme de fin ouverte qui force la participation du lecteur.

L'homme à l'imperméable

Hier soir un homme en imperméable a détraqué quelque chose à la grille d'entrée. On voyait mal à cause de la nuit qui venait. Il s'est arrêté à la limite des fusains, il a sorti de sa poche un petit objet qui pouvait être une pince, ou une lime, et il a passé le bras vivement entre les deux derniers barreaux pour atteindre le haut de la porte, à l'intérieur... Ça n'a pas duré une demi-minute : il a retiré la main aussitôt et continué sa route, du même pas nonchalant.

Puisque cette dame assure ne rien savoir, Wallas se dispose à prendre congé d'elle. Il aurait évidemment été bien extraordinaire qu'elle se fût trouvée à sa fenêtre juste au bon moment. Même, à la réflexion, ce « bon moment » a-t-il existé ? Il est assez improbable que les meurtriers soient venus là, en plein jour, prendre tranquillement leurs dispositions d'attaque – repérer les lieux, fabriquer une fausse clef, ou faire des tranchées dans le jardin pour couper la ligne téléphonique.

Ce qu'il faut, avant tout, c'est entendre ce Dr Juard. Ensuite seulement, si aucune piste ne se présente de ce côté-là et si le commissaire n'a rien appris de neuf, on pourra interroger d'autres locataires de l'immeuble. On ne doit pas négliger la plus petite chance. En attendant, on va demander à Mme Bax de ne pas démentir auprès de son concierge la légende qui a servi de prétexte.

Pour prolonger un peu cette trêve avant de reprendre ses pérégrinations, Wallas pose encore deux ou trois questions ; il suggère différents bruits qui ont pu frapper l'oreille de la jeune femme, à son insu : un coup de revolver, des pas précipités sur le gravier, une porte qui claque, un moteur d'automobile... Mais elle secoue la tête, et dit avec son drôle de sourire :

– N'y mettez pas trop de détails : vous finirez par me faire croire que j'ai assisté à tout le drame.

Hier soir un homme en imperméable a fait quelque chose à la porte et depuis ce matin on n'entend plus, quand elle s'ouvre, le grésillement de la sonnerie automatique. Hier, un homme... Sans doute va-t-elle finir par livrer son secret. Elle ne sait d'ailleurs pas exactement ce qui la retient.

Wallas, qui depuis le début de l'entretien cherche comment lui demander poliment si elle est restée beaucoup à sa fenêtre ces derniers jours, se lève enfin.

– Vous permettez ?

Il s'approche de la croisée. C'est bien dans cette pièce qu'il a vu bouger le rideau. Il reconstitue maintenant l'image qui, à l'endroit et de si près, ne lui semblait plus la même. Il soulève le tissu pour mieux voir.

Sous cet angle nouveau le pavillon lui apparaît, au milieu de son jardin méticuleux, comme isolé par l'objectif d'un instrument d'optique. Son regard plonge vers les hautes cheminées, la toiture en ardoise – qui, dans cette région, donne une note de préciosité – la façade de brique coquettement encadrée par des chaînes d'encoignure en pierre de taille, que rappellent, au-dessus des fenêtres, des linteaux en saillie, l'arc de la porte et les quatre marches du perron. D'en bas l'on ne peut apprécier si pleinement l'harmonie des proportions, la rigueur – la nécessité, dirait-on – de l'ensemble, dont la simplicité est à peine troublée – ou, au contraire, mise en valeur ? – par les ferronneries compliquées des balcons. Wallas essaye de débrouiller quelque dessin dans ces courbes entremêlées, quand il entend derrière lui la voix doucement ennuyée qui déclare, comme une chose insignifiante et sans rapport avec le sujet :

– Hier soir, un homme en imperméable...

Alain Robbe-Grillet, *Les gommes,* 1953.

Alain Robbe-Grillet (1922-2008)

Le narrateur voyeur

Venu à la littérature après une formation en science, Alain Robbe-Grillet se consacre bientôt au cinéma. Le regard joue en effet un rôle primordial dans son œuvre. Le narrateur s'y comporte en voyeur (titre de l'un de ses romans), scrutant un monde impénétrable où les objets sont omniprésents, mais comme fermés sur eux-mêmes, sans fournir aucun indice pour la compréhension du monde. Prenant plaisir à décloisonner les genres, Robbe-Grillet s'inspire de la paralittérature, plus particulièrement du roman policier, pour susciter le mystère dans ses intrigues. Celles-ci s'articulent autour d'événements dont on ne sait jamais s'ils ont véritablement eu lieu, puisqu'ils ne sont pas racontés, étant en quelque sorte rejetés hors du récit.

Dans *Les gommes,* le lecteur accompagne le détective Wallas dans ses investigations. Il découvre avec lui combien peu fiable se révèle tout témoignage qui repose sur la mémoire, faculté qui efface l'événement peut-être plus qu'elle ne le retient. Le titre du roman (faisant référence à la gomme à effacer) ne fournit-il pas une piste d'interprétation au lecteur, lui-même devenu enquêteur en cours de récit ?

Atelier d'analyse

Exploration

1. Deux personnages sont en présence dans cet extrait. Que sait-on à leur sujet ?

2. Dans cette enquête, tout baigne dans un climat d'incertitude. Repérez cinq passages du texte qui confirment cette impression.

3. Est-il juste d'affirmer que le texte illustre les thèmes du regard et de la mémoire ?

4. Quel effet la répétition des mots « Hier soir un homme en imperméable » produit-elle dans l'extrait ?

5. « Wallas essaye de débrouiller quelque dessin dans ces courbes entremêlées [...]». En quoi cette phrase contribue-t-elle comme par accident au sens du texte ?

6. Quels aspects du roman policier sont ici présents ?

7. L'extrait donne-t-il à déduire que l'enquête piétine ou qu'elle avance ?

Rédaction

8. **Sujet :** En quoi ce texte se rattache-il au nouveau roman tout en rompant avec l'existentialisme ?

   Consigne : Relisez la théorie en lien avec ces deux courants avant de planifier votre travail.

Jean Hélion, *L'homme à la joue rouge,* 1943.

Balbutiements

Seul, replié sur lui-même, il ne fait rien. Vraiment rien. Rien à quoi le mot faire puisse s'appliquer. Flottant pendant des heures, se retournant, se gorgeant, dégorgeant en balbutiements informes, en borborygmes. Oubliant jusqu'au sens de certaines expressions comme par exemple « perdre la face ». Il n'a plus de face depuis
5 longtemps. Des années s'écoulent. La longueur de toute une vie. De plusieurs vies. Il a perdu la notion du temps. Par moments, tant l'abandon où il se trouve est grand, tant est forte la sensation de solitude, de silence, tandis que passent à travers lui comme des effluves, des relents, qu'il en vient à se dire que personne probablement, s'étant laissé déporter si loin, n'en est revenu, puisque personne n'a jamais raconté
10 une telle expérience. C'est ce que doivent dans les tout derniers instants se dire les mourants. S'ils le supportent avec tant de docilité c'est qu'ils sont sans doute comme lui dans un état de torpeur et submergés déjà d'indifférence.

De la substance molle aux fades relents cela a filtré comme une vapeur, une buée... elle se condense... les gouttelettes des mots s'élèvent en un fin jet, se poussant les
15 unes les autres, et retombent. D'autres montent et encore d'autres... Maintenant le dernier jet est retombé. Il n'y a plus rien.

Il faut absolument que cela recommence. Se laisser couler de nouveau... se laisser flotter, replié sur soi-même, au gré des plus faibles remous... Attendre que s'ébauchent dans l'épaisseur de la vase ces déroulements tâtonnants, ces repliements jusqu'à ce
20 que de là de nouveau quelque chose se dégage...

Là, il lui semble qu'il perçoit... on dirait qu'il y a là comme un battement, une pulsation... Cela s'arrête, reprend plus fort, s'arrête de nouveau et recommence... C'est comme le petit bruit intermittent, obstiné, le grattement, le grignotement léger qui révèle à celui qui l'écoute tout tendu dans le silence de la nuit une présence vivante...
25 Cela grandit, se déploie... Cela a la vigueur, la fraîcheur intacte des jeunes pousses, des premières herbes, cela croît avec la même violence contenue, propulsant devant soi des mots... Ils s'attirent les uns les autres... Leur mince jet lentement s'étire... L'impulsion tout à coup devient plus forte, c'est une brève éruption, les mots irrésistiblement dévalent, et puis tout se calme.

Nathalie Sarraute, *Entre la vie et la mort,* 1968.

Nathalie Sarraute (1900-1999)

Les intrigues secrètes

D'origine russe, Nathalie Sarraute, de son vrai nom Natalia Tcherniak, arrive en France à l'âge de deux ans, au moment de la séparation de ses parents. Très tôt, elle fait l'expérience du bilinguisme, découvrant que le lien entre les mots et les choses est arbitraire, puisque ces dernières sont désignées par des sons très différents d'une langue à l'autre. Plus tard, la lecture de romans réalistes la laisse insatisfaite : les dialogues demeurent superficiels, la description de l'être humain est incomplète. La lecture de Proust est une révélation : sous le couvert de l'analyse psychologique, cet auteur parvient à exprimer les minuscules drames de la vie intérieure. « Et c'est cela qui m'intéresse : atteindre quelque chose qui se dérobe », affirmera-t-elle. Aussi choisit-elle d'explorer cette veine en profondeur. Elle ira même jusqu'à sacrifier le personnage pour accorder toute son attention à ces conflits qui semblent passer inaperçus aux yeux des autres, et qui pourtant les devinent...

Dans cet extrait de *Entre la vie et la mort,* l'écriture se met donc à l'écoute de ces petits riens qui constituent pour l'auteure l'essence de l'être.

Atelier d'analyse

Exploration

1. Comment l'attrait pour le néant de l'existence se manifeste-t-il dans cet extrait ?

2. Effectuez le repérage des figures de style avec exemples à l'appui. Laquelle domine dans ce texte ? Relevez-en plusieurs exemples et commenter l'effet produit dans le récit.

3. Les trois autres paragraphes semblent illustrer le retour à la vie et au mouvement. Partagez-vous ce point de vue ? Donnez des preuves à l'appui de votre réponse.

4. En quoi la ponctuation contribue-t-elle au sens du texte ?

5. Ce texte montre-t-il la dépersonnalisation du personnage (voir théorie) ?

6. Peut-on dire que le texte illustre le procédé du *stream of consciousness,* ou flux de conscience (une catégorie du monologue intérieur) ?

Rédaction

7. Expliquez comment le texte suggère une description de la vie psychique.

8. Montrez qu'il pourrait tout aussi bien suggérer une illustration de la venue à l'écriture.

**Marguerite Duras
(1914-1996)**

Le récit de l'indicible

De son enfance passée en Indochine dans une atmosphère d'amertume et de déchirement, Marguerite Duras fait émerger des personnages repliés sur leur mystère. Son père meurt quatre ans après sa naissance. Pour assurer la subsistance de ses trois enfants, sa mère achète une concession qui s'avère incultivable, et la famille porte le poids de cet échec. Largement autobiographique, l'œuvre de Duras traduit le caractère éphémère des choses et la vulnérabilité des êtres. Les dialogues sont ponctués de cris et de pleurs, mais aussi de silences, car l'indicible et l'insaisissable sont ici plus importants que le peu de signification que livrent les mots. L'amour, fulgurant et passionné, est vécu dans la peur constante du départ de l'autre ; la révolte s'avoue impuissante à renouveler un monde condamné à la dissolution.

Marguerite Duras accède à la célébrité grâce à son roman *L'amant* (prix Goncourt 1984). Des événements énigmatiques présents dans toute l'œuvre antérieure, comme la rencontre avec l'amant chinois, resurgissent dans ce récit fortement autobiographique. La première page de *L'amant* donne au récit sa tonalité particulière, entre secret et confidence.

Le visage dévasté

Un jour, j'étais âgée déjà, dans le hall d'un lieu public, un homme est venu vers moi. Il s'est fait connaître et il m'a dit : « Je vous connais depuis toujours. Tout le monde dit que vous étiez belle lorsque vous étiez jeune, je suis venu pour vous dire que pour moi je vous trouve plus belle maintenant que lorsque vous étiez jeune, j'aimais moins votre
5 visage de jeune femme que celui que vous avez maintenant, dévasté. »

Je pense souvent à cette image que je suis seule à voir encore et dont je n'ai jamais parlé. Elle est toujours là dans le même silence, émerveillante. C'est entre toutes celle qui me plaît de moi-même, celle où je me reconnais, où je m'enchante.

Très vite dans ma vie il a été trop tard. À dix-huit ans il était déjà trop tard. Entre dix-
10 huit ans et vingt-cinq ans mon visage est parti dans une direction imprévue. À dix-huit ans j'ai vieilli. Je ne sais pas si c'est tout le monde, je n'ai jamais demandé. Il me semble qu'on m'a parlé de cette poussée du temps qui vous frappe quelquefois alors qu'on traverse les âges les plus jeunes, les plus célébrés de la vie. Ce vieillissement a été brutal. Je l'ai vu gagner mes traits un à un, changer le rapport qu'il y avait entre eux, faire les yeux
15 plus grands, le regard plus triste, la bouche plus définitive, marquer le front de cassures profondes. Au contraire d'en être effrayée j'ai vu s'opérer ce vieillissement de mon visage avec l'intérêt que j'aurais pris par exemple au déroulement d'une lecture. Je savais aussi que je ne me trompais pas, qu'un jour il se ralentirait et qu'il prendrait son cours normal. Les gens qui m'avaient connu à dix-sept ans lors de mon voyage en France ont
20 été impressionnés quand ils m'ont revue, deux ans après, à dix-neuf ans. Ce visage-là, nouveau, je l'ai gardé. Il a été mon visage. Il a vieilli encore bien sûr, mais relativement moins qu'il n'aurait dû. J'ai un visage lacéré de rides sèches et profondes, à la peau cassée. Il ne s'est pas affaissé comme certains visages à traits fins, il a gardé les mêmes contours mais sa matière est détruite. J'ai un visage détruit.
25 Que je vous dise encore, j'ai quinze ans et demi.

C'est le passage d'un bac sur le Mékong.

L'image dure pendant toute la traversée du fleuve.

J'ai quinze ans et demi, il n'y a pas de saisons dans ce pays-là, nous sommes dans une saison unique, chaude, monotone, nous sommes dans la longue zone chaude de
30 la terre, pas de printemps, pas de renouveau.

Marguerite Duras, *L'amant,* 1984.

Atelier d'analyse

Exploration

1. Le récit baigne au début dans un climat énigmatique fait d'imprécision. Partagez-vous cette impression ? Justifiez votre réponse.

2. Quel choix de narrateur Marguerite Duras fait-elle ? Par ce moyen, qu'apprend-on sur le personnage qui s'exprime ici ?

3. Dressez le champ lexical de la violence et de la dévastation. Quelle vision du vieillissement cela traduit-il ?

4. Les écrivains du nouveau roman ont rompu avec la linéarité du récit, soit les liens de cause à conséquence. Montrez que ce court extrait permet de vérifier cette affirmation.

5. Comment l'influence de la langue orale s'exerce-t-elle sur le style de Duras ?

Rédaction

6. Ce roman opère un changement dans le récit à caractère autobiographique en accordant la priorité à l'émotion plutôt qu'à la description des événements. Commentez cette affirmation.

Le secret

Car vous l'aviez dans votre serviette, cet indicateur à couverture bleue que vous tenez entre vos mains, que vos yeux regardent toujours mais où ils ne distinguent plus rien pour l'instant, et après le dîner, juste avant de vous coucher seul dans le grand lit sans Henriette qui ne vous a rejoint que lorsque vous dormiez déjà, vous l'avez rangé
5 dans votre valise au-dessus de ce peu de linge propre que vous avez emporté.

Il était comme le talisman, la clé, le gage de votre issue, d'une arrivée dans une Rome lumineuse, de cette cure de jouvence dont le caractère clandestin accentue l'aspect magique, de ce trajet qui va depuis ce cadavre de femme continuant illusoirement des gestes utiles, depuis ce cadavre inquisiteur que vous n'avez si longtemps
10 hésité à quitter que parce qu'il y a les enfants dont chaque jour une vague de plus vous sépare, de telle sorte qu'ils sont là comme des statues de cire d'eux-mêmes, cachant de plus en plus leur vie que vous avez de moins en moins envie de connaître et de partager, depuis cette Henriette avec laquelle il vous est impossible de divorcer parce qu'elle ne s'y résoudrait jamais, parce que, avec votre position, vous voulez évi-
15 ter tout scandale (la maison Scabelli, italienne, calotine, tartuffe, verrait la chose d'un très mauvais œil), depuis ce boulot auquel vous êtes enchaîné et qui vous entraînerait aux fonds asphyxiés de cet océan d'ennui, de démission, de routines usantes et ennuageantes, d'inconscience où elle se traîne, si vous n'aviez pas ce salut, Cécile, si vous n'aviez pas cette gorgée d'air, ce surcroit de forces, cette main secourable qui se
20 tend vers vous messagère des régions heureuses et claires, depuis cette lourde ombre tracassière dont vous allez pouvoir enfin vous séparer de fait, jusqu'à cette magicienne qui par la grâce d'un seul de ses regards vous délivre de toute cette horrible caricature d'existence, vous rend à vous-même dans un bienfaisant oubli de ces meubles, de ces repas, de ce corps tôt fané, de cette famille harassante,
25 le gage de cette décision enfin prise de rompre, de vous libérer de tout ce harnais de vains scrupules, de toute cette lâcheté paralysante, d'enseigner à vos enfants aussi cette liberté, cette audace, de cette décision qui a illuminé de son reflet, qui vous a permis de traverser sans y succomber, sans renoncer à tout, sans vous perdre à jamais, toute cette semaine de chiffres, de règlements et de signatures, cette semaine de
30 pluie, de cris et de malentendus,
le gage de ce voyage secret pour Henriette, parce que, si vous lui aviez bien dit à elle que vous alliez à Rome, vous lui aviez caché vos raisons véritables, secret pour Henriette qui ne sait que trop bien pourtant qu'il y a derrière ce changement d'horaire un secret, votre secret, dont elle sait bien qu'il a nom Cécile, de telle sorte que
35 l'on ne peut pas dire vraiment que vous la trompiez sur ce point, de telle sorte que vos mensonges à son égard ne sont pas complètement des mensonges, ne pouvaient être complètement des mensonges puisqu'ils sont malgré tout (on a le droit de les considérer sous cet angle) une étape nécessaire vers la clarification de vos rapports, vers la sincérité entre vous si profondément obscurcie pour l'instant, vers sa délivrance à
40 elle aussi dans sa séparation d'avec vous, vers sa libération à elle aussi dans une certaine faible mesure,
secret parce que l'on ignore, avenue de l'Opéra, votre destination, parce que nul courrier ne pourra vous y rejoindre, alors que d'habitude, lorsque vous arrivez à l'hôtel Quirinal, déjà des lettres et des télégrammes vous y attendent, si bien que, pour la
45 première fois depuis des années, ces quelques jours de vacances seront une véritable détente comme au temps où vous n'aviez pas encore vos responsabilités actuelles, où vous n'aviez pas encore vraiment réussi,
secret parce que chez Scabelli, sur le Corso, personne ne sait que vous serez à Rome de samedi matin à lundi soir, et que personne ne doit s'en apercevoir quand vous y
50 serez, ce qui vous obligera à prendre quelques précautions de peur de risquer d'être reconnu par quelqu'un de ces employés si complaisants, si empressés, si familiers,

Michel Butor
(1926-2016)

Le lecteur interpellé

Longtemps professeur de littérature à l'étranger, notamment en Égypte et aux États-Unis, Michel Butor est probablement le plus iconoclaste des nouveaux romanciers, aimant entremêler les genres littéraires et ouvrir le récit aux autres arts comme la musique et la peinture. Savamment construit, son roman intitulé *La modification* doit son pouvoir de séduction au jeu des réminiscences et des répétitions qui scandent le texte, lui donnant l'aspect d'un long poème incantatoire. Le récit interpelle directement le lecteur par le choix d'un narrateur inusité qui monologue en se vouvoyant. Ce procédé, qui tient partiellement du *stream of consciousness* emprunté à James Joyce et Virginia Woolf, a pour effet de transformer la lecture, de la rendre plus interactive, comme l'illustre l'extrait suivant tiré des premières pages du roman.

Le personnage principal, cadre pour la maison Scabelli, s'apprête à quitter définitivement sa femme Henriette et ses enfants pour s'installer à Rome avec sa maîtresse. Il consulte l'indicateur à couverture bleue qui lui donne l'horaire des trains. Durant le voyage, son projet se modifie, donnant l'une des justifications au titre, l'autre étant l'altération significative que subit le mode narratif.

secret même pour Cécile en ce moment puisque vous ne l'avez pas prévenue de votre arrivée, voulant jouir de sa surprise.

Mais elle, ce secret, elle le partagera totalement, et cette rencontre à laquelle elle 55 ne s'attend pas sera l'épée qui tranchera enfin le nœud de tous les liens qui vous empêtraient tous les deux, qui vous maintenaient éloignés l'un de l'autre si douloureusement.

Dans la nuit, un crissement de freins sur la place du Panthéon vous a réveillé, et après avoir allumé la lampe à votre droite, montée sur bougeoir Empire, vous avez 60 considéré la malheureuse Henriette dormant sur l'autre bord du lit, ses cheveux déjà un peu gris étalés sur le traversin, la bouche entrouverte séparée de vous par une infranchissable rivière de lin.

Au-delà de la fenêtre, entre la jeune femme et l'ecclésiastique, se succèdent des pylônes de haute tension le long d'une route où roule un énorme camion d'essence à 65 remorque, s'approchant de la voie qui fait un virage serré au-dessus des champs après un pont sous lequel il s'engage. L'homme qui est en face de vous le voit peut-être maintenant de l'autre côté du corridor où se succèdent pour vos yeux d'autres pylônes de haute tension sur des vallonnements de plus en plus prononcés.

Michel Butor, *La modification*, 1957.

Atelier d'analyse

Exploration

1. Dans cet extrait, deux femmes s'opposent par les valeurs, les images et les sensations associées à chacune d'elles. Répartissez ces différences dans un tableau sur deux colonnes.

2. Effectuez le repérage des figures de style. Lesquelles dominent ? En quoi ces procédés stylistiques traduisent-ils l'état mental du narrateur ?

3. Démontrez que l'idée du « secret » traverse le texte de façon obsédante.

4. La libération se dessine dans le texte comme une trajectoire. Relevez les termes qui ont un caractère spatial.

5. En quoi ce texte se démarque-t-il du réalisme de tradition balzacienne ? Tenez compte des aspects suivants :
   a. le contexte d'énonciation et la narration ;
   b. l'organisation des paragraphes ;
   c. la thématique et le style.

6. Quelle est l'impression du lecteur à la fin de cet extrait ? Le narrateur quittera-t-il l'épouse pour l'amante ? Justifiez votre réponse.

Rédaction

7. **Sujet :** Montrez que tout est fait dans ce texte pour favoriser l'accès à la conscience du narrateur.

   Consigne : Tenez compte de la situation d'énonciation (liée au choix de narrateur) ; du procédé de monologue intérieur qui influe sur la perception de la thématique.

Feinte et contre-feinte

C'est pénible cette conversation dont je fais les frais : je meuble, je dis n'importe quoi, je déroule la bobine, j'enchaîne et je tisse mon suaire avec du fil à retordre. Là, vraiment, j'exagère en lui racontant que je fais une dépression nerveuse et en me composant une physionomie de défoncé. Et toute cette histoire de difficultés finan-
5 cières, cette allusion à dormir debout à mes deux enfants et à ma femme que j'aurais abandonnés, décidément je lui raconte des sornettes... Il ne bouge toujours pas. S'il ne m'a pas giflé, c'est peut-être qu'il mord, ma foi. Au fond, j'ai peut-être donné un bon numéro. Je joue le tout pour le tout : je continue dans l'invraisemblable...

– Depuis tout à l'heure, je crâne ; j'essaie de tenir tête et de jouer la comédie. Cette
10 histoire de poursuite armée et d'espionnage est une farce sinistre. La vérité est plus simple : j'ai abandonné ma femme et mes deux enfants, il y a deux semaines... Je n'avais plus la force de continuer à vivre : j'ai perdu la raison... En fait, j'étais acculé au désastre, couvert de dettes et je n'étais plus capable de rien entreprendre, plus capable de rentrer chez moi. J'ai été pris de panique : je suis parti, j'ai fui comme un lâche... Avec le pistolet,
15 je voulais réussir un hold-up, rafler quelques milliers de francs suisses. Je suis entré dans plusieurs banques en serrant mon arme sous mon bras, mais je n'ai jamais été capable de m'en servir. J'ai eu peur. Hier soir, je marchais dans Genève – je ne me souviens plus où d'ailleurs ; je cherchais un endroit désert... pour me suicider ! (Tout va bien : H. de Heutz n'a pas encore bronché.) Je veux en finir. Je ne veux plus vivre...

20 – Ouais. C'est difficile à avaler...

– Vous n'êtes pas obligé de me croire. Au point où j'en suis, tout m'est égal.

– Si vous tenez absolument à vous tuer, c'est votre affaire... Mais je m'explique mal, quand il vous prend une pareille envie, pourquoi vous vous mettez à suivre un homme en pleine nuit et que vous ne le quittez pas d'une semelle...

25 – Mais je ne vous ai pas suivi ; je ne vous connais même pas... C'est pour cela que je suis ici. Je comprends maintenant... De toute façon, ma vie est finie, alors faites ce que vous voulez de moi. Vous m'avez pris pour un espion : faites ce que vous avez à faire en pareil cas. Tuez-moi, je vous le demande...

Hubert Aquin, *Prochain épisode*, 1965.

Atelier d'analyse

Exploration

1. Relevez dans le texte les phrases ou les expressions qui traduisent l'impuissance ou l'échec.

2. Quelle catégorie grammaticale (verbe, nom ou adjectif) domine dans cet extrait ? Laquelle en est presque absente (à quelques exceptions près) ? Quel est l'effet visé par ce choix ?

3. Les points de suspension sont fréquemment utilisés dans cet extrait. Comment contribuent-ils à la signification du texte ?

4. Aquin cherche à recréer une atmosphère de roman policier. Quels éléments propres à ce genre sont présents dans cet extrait ?

5. Que faut-il conclure de cet extrait ? Où est la vérité ? Selon vous, le narrateur a-t-il véritablement cherché à se tuer ou joue-t-il la comédie du désespoir ?

6. Quel choix de narrateur Aquin fait-il ? S'agit-il d'un bon choix, selon vous ? Expliquez votre réponse.

7. Comparez cet extrait avec celui de Robbe-Grillet (voir page 211) et relevez les ressemblances et les différences.

Rédaction

8. Expliquez comment l'extrait illustre l'influence du nouveau roman sur Hubert Aquin.

Hubert Aquin
(1929-1977)

L'identité collective québécoise

Intellectuel engagé dans un Québec en quête de son identité collective, Hubert Aquin transpose la thématique de la liberté en des œuvres d'une grande complexité. Issu d'un milieu modeste, il fait des études en France avant de revenir travailler comme réalisateur de radio et animateur à la télévision tout en militant pour l'indépendance du Québec. Révolté par l'esprit de compromission des milieux intellectuels qu'il fréquente, et probablement vidé par une production littéraire intensive, Aquin, en quelque sorte acculé à un constat d'impuissance, se suicide. Il laisse derrière lui sa conjointe et leur fils.

L'extrait retenu est tiré du premier roman de Hubert Aquin, *Prochain épisode*, un récit de facture très « nouveau roman » composé alors qu'il est interné à l'institut psychiatrique Albert-Prévost. L'auteur fait référence à cet épisode réel, tout en feignant de nier certains faits, ce qui contribue à déstabiliser le lecteur qui ne sait où se trouve la vérité.

L'OULIPO

M
p. 275

Quelle influence peuvent exercer les chiffres sur les mots ?

Dans les années 1960, un ancien membre du surréalisme devenu célèbre, Raymond Queneau, se joint à François Le Lionnais pour donner son impulsion à un groupe désigné par l'acronyme «Oulipo» pour OUvroir de LIttérature POtentielle. L'OuLiPo se fonde sur le principe qu'il n'y a de création que celle qui est volontaire, ce qui constitue une réaction au surréalisme. Ce courant considérait le hasard comme un facteur susceptible d'engendrer le déversement automatique de l'écriture, hors du contrôle de la raison. Toujours dans cette optique, le hasard provoquait la magie de rencontres insolites à la source de l'inspiration. Queneau invoque au contraire la longue tradition du formalisme littéraire, celui des grands rhétoriqueurs du XVe siècle (parmi lesquels Clément Marot), celui de la tragédie classique soumise à la métrique de l'alexandrin, ou encore la pérennité du sonnet obéissant à des règles n'ayant aucunement nui à sa popularité.

En fait, Queneau, l'un des deux fondateurs de l'Oulipo, porte encore les stigmates de son excommunication du surréalisme par André Breton. Il refuse que le groupe soit soumis à quelque autorité que ce soit, et veut que les participants – d'horizons et de nationalités variés – soient déclarés membres à vie sans possibilité de démission ou d'exclusion. Son influence sur le groupe s'étend également à la vision de l'écriture. Il a une longueur d'avance sur les autres participants, puisqu'il s'intéresse depuis longtemps aux liens entre mathématiques et littérature, qu'il a déjà produit les *Exercices de style* en jouant avec le procédé de permutation. Cette œuvre présente 99 variations stylistiques sur le même récit et résulte en fait de l'application d'une double contrainte d'écriture : produire un certain nombre de versions (99) qui pastichent des styles littéraires déjà connus.

Cette idée de se servir de contraintes pour favoriser l'émergence du texte sera donc le fondement de l'esthétique oulipienne. Les oulipiens vont consacrer leurs efforts à mettre à jour ces contraintes et travailler à illustrer leur potentiel littéraire. Cependant, ce qui les intéresse ultimement, en fait, c'est de bouleverser le langage, d'induire une musicalité bizarre, puisque le beau est toujours bizarre, comme on le sait depuis Baudelaire. Ils veulent que sorte de l'impasse un lexique tenu captif de l'usage courant ; ils veulent bousculer la syntaxe mais tout autant les lieux communs qu'elle véhicule. En agissant ainsi, ils comptent bien perturber les habitudes, les attentes, les conditionnements du lecteur.

Les oulipiens explorent aussi d'autres procédés : la parodie, en se moquant par exemple du style méticuleusement descriptif des nouveaux romanciers ; le plagiat, en composant par exemple un roman uniquement à partir de phrases puisées dans des œuvres déjà publiées ; la combinatoire, en recréant par exemple des adverbes à partir de ceux qui existent déjà. Ou encore en composant un poème avec le plus petit nombre de mots possibles.

Ces expérimentations tiennent du jeu, ce qui rapproche les oulipiens des surréalistes, en particulier de poètes comme Robert Desnos, adepte de contrepèteries (permutation de sons dans une phrase). Les oulipiens produisent en effet des énoncés désopilants qui, dans certains cas, ressemblent aux phrases obtenues par la méthode du cadavre exquis. Toutefois, les œuvres plus ambitieuses révèlent une profonde érudition, se chargent de signification, concernant notamment la communication, la relation écrivain/lecteur, mais aussi la condition humaine.

Considérons quelques contraintes, avec de courts exemples à l'appui, et l'effet attendu chez le lecteur.

Contrainte	Exemple	Effet
Multiplier les emplois de mots empruntés à une autre langue, ici l'arabe.	« L'air macabre sous son burnous et sa chéchia de coton azur, l'amiral, laissant derrière lui boutres, caïques et felouques, ne pénétra pas seul dans l'arsenal. » Marcel Bénabou, *Le sorbet de l'amiral*, 2006.	Signaler que le concept de « pureté » de la langue est un leurre. Intervenir sur les sons, qui influent sur la musicalité d'une langue.
Se limiter à l'emploi de substantifs féminins.	« Une bobine bleue a roulé, s'est défaite, comme sous la griffe attentive d'une chatte. La boîte à couture, copie d'une antique malle corsaire, vernie, s'adosse à la bibliothèque. » Régine Detambel, *La modéliste*, 1990.	Créer un effet musical fondé sur un écart à la norme très légèrement perceptible.
Soustraire le « e » muet, considéré comme son distinctif du français.	« Mais sous nos solutions transparaissait toujours l'illusion d'un savoir total qui n'appartint jamais à aucun parmi nous, ni aux protagons, ni au scrivain, ni à moi qui fus son loyal proconsul [...] » Georges Perec, *La disparition*, 1969.	Élargir le lexique, « défamiliariser » la langue.

Les papouilles zozées

Ltipstu et Zazie reprit son discours en ces termes :

— Papa, il était donc tout seul à la maison, tout seul qu'il attendait, il attendait rien de spécial, il attendait tout de même, et il était tout seul, ou plutôt il se croyait tout seul, attendez, vous allez comprendre. Je rentre donc, faut dire qu'il était noir comme 5 une vache, papa, il commence donc à m'embrasser ce qu'était normal puisque c'était mon papa, mais voilà qu'il se met à me faire des papouilles zozées, alors je dis ah non parce que je comprenais où c'est qu'il voulait en arriver le salaud, mais quand je lui ai dit ah non ça jamais, lui il saute sur la porte et il la ferme à clé et il met la clé dans sa poche et il roule les yeux en faisant ah ah ah tout à fait comme au cinéma, c'était du 10 tonnerre. Tu y passeras à la casserole qu'il déclamait, tu y passeras à la casserole, il bavait même un peu quand il proférait ces immondes menaces et finalement immbondit dssus. J'ai pas de mal à l'éviter. Comme il était rétamé, il se fout la gueule par terre. Isrelève. Ircommence à me courser, enfin bref, une vraie corrida. Et voilà qu'il finit par m'attraper. Et les papouilles zozées de recommencer. Mais, à ce moment, la 15 porte s'ouvre tout doucement, parce qu'il faut vous dire que maman elle lui avait dit comme ça, je sors, je vais acheter des spaghetti et des côtes de porc, mais c'était pas vrai, c'était pour le feinter, elle s'était planquée dans la buanderie où c'est que c'est qu'elle avait garé la hache et elle s'était ramenée en douce et naturellement elle avait avec elle son trousseau de clés. Pas bête la guêpe, hein ?

20 — Eh oui, dit le type.

— Alors donc elle ouvre la porte en douce et elle entre tout tranquillement, papa lui il pensait à autre chose le pauvre mec, il faisait pas attention quoi, et c'est comme ça qu'il a eu le crâne fendu. Faut reconnaître, maman elle avait mis la bonne mesure. C'était pas beau à voir. Dégueulasse même. De quoi mdonner des complexes. Et c'est 25 comme ça qu'elle a été acquittée. J'ai eu beau dire que c'était Georges qui lui avait refilé la hache, ça n'a rien fait, ils ont dit que quand on a un mari qu'est un salaud de skalibre, y a qu'une chose à faire, qu'à lbousiller. Jvous ai dit, même qu'on l'a félicitée. Un comble, vous trouvez pas ?

— Les gens... dit le type... (geste).

30 — Après, elle a râlé contre moi, elle m'a dit, sacrée connarde, qu'est-ce que t'avais besoin de raconter cette histoire de hache ? Bin quoi jlui ai répondu, c'était pas la vérité ? Sacrée connarde, qu'elle a répété et elle voulait me dérouiller, dans la joie générale. Mais Georges l'a calmée et puis elle était si fière d'avoir été applaudie par des gens qu'elle connaissait pas qu'elle pouvait plus penser à autre chose. Pendant un 35 bout de temps, en tout cas.

— Et après ? demande le type.

— Bin après c'est Georges qui s'est mis à tourner autour de moi. Alors maman a dit comme ça qu'elle pouvait tout de même pas les tuer tous quand même, ça finirait par avoir l'air drôle, alors elle l'a foutu à la porte, elle s'est privée de son jules à cause de 40 moi. C'est pas bien, ça ? C'est pas une bonne mère ?

Raymond Queneau, *Zazie dans le métro,* 1959.

Raymond Queneau (1903-1976)

L'humour mystificateur

Homme d'une grande érudition, Raymond Queneau s'intéresse notamment aux mathématiques et aux sciences, et porte un grand intérêt au principe de permutation (le remplacement de chiffres ou de mots à intervalles réguliers). Refusant de se prendre au sérieux, il élabore en effet une œuvre romanesque et poétique caractérisée par l'humour et l'angoisse, et dont l'écriture semble tendue entre deux extrêmes. D'une part, ses récits font preuve d'une apparente simplicité par l'utilisation de la langue parlée, l'abondance d'expressions populaires et argotiques, et par la narration de situations quotidiennes. D'autre part, l'auteur joue de façon habile avec les structures du récit et l'orthographe des mots. Ainsi, la vie de Raymond Queneau oscille entre le sérieux et la fantaisie : directeur de la prestigieuse collection *La pléiade* aux éditions Gallimard, compositeur de chansons populaires, l'écrivain est aussi l'un des fondateurs du groupe Oulipo, association de lurons qui se donnent comme but de soumettre la création artistique à des contraintes. En peu de mots, la formule suivante le décrit très bien : « Le plus savant des mystificateurs, le plus gai des érudits. » (Jean d'Ormesson)

En dépit de son titre, *Zazie dans le métro* raconte la visite à Paris d'une petite fille dégourdie qui veut à tout prix prendre le métro, mais qui en sera empêchée par une succession d'événements hors de son contrôle. Dans ce chapitre, Zazie raconte sa vie à un « type » qu'elle a rencontré dans la rue. Le premier mot du texte laisse deviner le ton désopilant du roman, *ltipstu* se voulant la transcription écrite de l'expression « le type se tue » telle qu'elle est généralement prononcée à l'oral. À la grande surprise de l'auteur lui-même, le roman fut un grand succès de librairie, d'ailleurs adapté plus tard au théâtre et au cinéma.

Atelier d'analyse

Exploration

1. Le premier mot de l'extrait donne le ton au texte : « ltipstu ». Quel effet produit-il sur la tonalité du texte ? En quoi ce choix contribue-t-il à déstabiliser le lecteur ?

2. Comment Queneau tente-t-il de traduire dans le récit de Zazie les incohérences et les fréquentes contradictions du discours oral ?

3. Quelles actions faites par le père dans le passé sont-elles rapportées par Zazie ? En quoi l'attitude de Zazie paraît-elle inaccoutumée dans ce contexte ? Cela contribue-t-il à créer un effet comique ?

4. Faut-il croire le récit de Zazie ? Se peut-il qu'elle ait puisé cette histoire dans un mélodrame télévisé ? En quoi les réponses de son interlocuteur étonnent-elles dans le contexte ?

5. Montrez que l'intervention de la mère s'inscrit dans la tonalité générale du texte.

6. Quelle description du personnage de Zazie peut-on faire à la suite de la lecture de l'extrait ? Peut-on dire que Zazie porte bien le prénom que lui a donné Queneau ?

7. Comparez ce portrait de jeune adolescente avec les portraits de femmes qui se trouvent dans l'atelier comparatif de *Nadja*, de Breton (voir chapitre 3, page 145). Lequel des quatre personnages féminins vous paraît le plus moderne ?

Rédaction

8. **Sujet :** En vous appuyant sur l'extrait, expliquez ce qui a pu contribuer à faire de *Zazie dans le métro* un succès de librairie.

Consigne : Tenez compte de la personnalité fantaisiste de Zazie, du caractère farfelu de ce qu'elle raconte et de la langue qui est la sienne.

Willem De Kooning,
Police Gazette, 1955.

L'instant du point final

— Ainsi donc, dit la Squaw, voici sonnant l'instant du *Finis Coronat Opus*? Voici la
fin du roman? Voici son point final?

Oui, affirma Aloysius Swann, voici parcouru jusqu'au bout, jusqu'au fin mot, l'insinuant circuit labyrinthal où nous marchions d'un pas somnambulant. Chacun,
5 parmi nous, offrit sa contribution, sa participation. Chacun, s'avançant plus loin
dans l'obscur du non-dit, a ourdi jusqu'à sa saturation, la configuration d'un discours
qui, au fur qu'il grandissait, n'abolissait l'hasard du jadis qu'au prix d'un futur appa-
raissant sans solution, à l'instar d'un fanal n'illuminant qu'un trop court instant la
portion d'un parcours, lors n'offrant au fuyard qu'un jalon minimal, fil d'Ariana tou-
10 jours rompu, n'autorisant qu'un pas à la fois. Franz Kafka l'a dit avant nous : il y a un
but, mais il n'y a aucun parcours; nous nommons parcours nos dubitations.

Nous avancions pourtant, nous nous rapprochions à tout instant du point final,
car il fallait qu'il y ait un point final. Parfois, nous avons cru savoir : il y avait toujours
un « ça » pour garantir un « Quoi ? », un « jadis », un « aujourd'hui », un « toujours »,
15 justifiant un « Quand ? », un « car » donnant la raison d'un « Pourquoi ? ».

Mais sous nos solutions transparaissait toujours l'illusion d'un savoir total qui
n'appartint jamais à aucun parmi nous, ni aux protagons, ni au scrivain, ni à moi
qui fus son loyal proconsul, nous condamnant ainsi à discourir sans fin, nourrissant
la narration, ourdissant son fil idiot, grossissant son vain charabia, sans jamais
20 aboutir à l'insultant point cardinal, l'horizon, l'infini où tout paraissait s'unir, où
paraissait s'offrir la solution,

mais nous approchant, d'un pas, d'un micron,
d'un angström, du fatal instant, où,
n'ayant plus pour nous l'ambigu concours d'un
25 discours qui, tout à la fois, nous unissait, nous
constituait, nous trahissait,
la mort,
la mort aux doigts d'airain,
la mort aux doigts gourds,
30 la mort où va s'abîmant l'inscription,
la mort qui, à jamais, garantit l'immatriculation d'un
Album qu'un histrion un jour a cru pouvoir noircir,
la mort nous a dit la fin du roman.

Georges Perec, *La disparition*, 1969.

Georges Perec
(1936-1982)

Le défi hallucinant

Georges Perec tente de guérir par l'écriture les plaies laissées par les événements insupportables qui jalonnent son enfance : ses deux parents, juifs polonais immigrés en France, meurent à la guerre, le père comme soldat en 1940, la mère, selon toute probabilité, dans un camp de concentration. L'écriture, mais aussi les psychanalyses qu'il entreprend, lui permet alors de s'ancrer à la vie : il assemble les mots pour recomposer son histoire personnelle qui se perd dans les méandres de sa mémoire et de son inconscient. En tant que membre de l'Oulipo, il accorde un grand rôle aux contraintes formelles : elles sont les leviers qui permettent d'inventer pour chaque livre une manière neuve de raconter. Et c'est ce qui fait effectivement de Perec un écrivain inclassable aux yeux de la critique.

Le roman *La disparition* fascine d'ailleurs par la témérité du défi que s'impose Perec : comment concevoir un récit sans recourir à la lettre « e », essentielle en français ? En cours de lecture, le caractère tragique qui s'attache au titre se révèle peu à peu : les êtres humains sont condamnés à disparaître... On ne connaît aucun revenant à ce jeu fatal, celui de la vie.

Atelier d'analyse

Exploration

1. Cette fin de roman tisse un réseau d'allusions à la mort, qui met un terme au récit que constitue toute vie. Commentez cette affirmation en répondant aux questions suivantes.
   a. « L'insinuant circuit labyrinthal » : expliquez en quoi cette métaphore contribue à la signification de ce dénouement.
   b. Relevez toutes les expressions qui expriment l'idée de fin.
   c. Expliquez en quoi les procédés d'énumération qui se conjuguent aux répétitions contribuent à la tonalité tragique de la méditation.

2. Par la force des choses, le procédé employé par Perec oblige le lecteur à réfléchir sur les caractéristiques du français comme langue. Commentez cette affirmation en répondant aux questions suivantes.
   a. Le procédé d'élimination de la voyelle « e » oblige Perec à employer des mots rares ou à faire quelques entorses à la langue. Démontrez-le en donnant des exemples.
   b. Est-il vrai que ce procédé a pour effet de bousculer le rythme de la langue ? Expliquez le phénomène avec exemples à l'appui. Cela engendre-t-il des difficultés de lecture ?

3. Expliquez comment Perec s'y prend pour faire en sorte que cette fin de récit se transforme en poème. Pourquoi ce choix paraît-il judicieux ?

4. Expliquez en quoi le dénouement éclaire le titre du roman.

5. Dégagez les interprétations multiples qu'on peut prêter à la phrase suivante : « Nous avancions pourtant, nous nous rapprochions à tout instant du point final, car il fallait qu'il y ait un point final. »

Rédaction

6. **Sujet :** En vous appuyant sur cet extrait, expliquez en quoi sa tonalité grave désarçonne quand on pense que le roman *La disparition* a été conçu à l'origine pour répondre à un défi ludique.

   Consignes : Inspirez-vous du plan suivant pour orienter votre développement.
   - Décrivez la nature du défi en établissant des liens avec l'Oulipo.
   - Expliquez l'influence du défi sur le texte lui-même.
   - Dégagez ensuite les interprétations multiples du titre qui contribuent à la tonalité grave du dénouement.

Juan Miró, *Bleu II,* 1961.

LES VOIES PARALLÈLES DU RÉCIT

M
p. 275

En quoi les écrivains en marge des courants déjà décrits représentent-ils leur époque ?

À l'instar de Jorge Semprún, plusieurs écrivains s'appuient sur des faits historiques ayant bouleversé leur vie pour construire une œuvre romanesque. La Seconde Guerre mondiale a relayé en arrière-plan la guerre civile espagnole (1936-1939), qui a fait s'entretuer des compatriotes et porter à l'exil des familles entières, comme celle de Semprún lui-même. L'insurrection militaire conduite par le général Franco a rendu possible le renversement d'un gouvernement républicain élu démocratiquement. Le coup d'État a engendré un des conflits les plus meurtriers, avec plus d'un million de victimes, poussant sur les routes un demi-million d'exilés tout en laissant l'économie du pays exsangue. L'affrontement a en outre servi de banc d'essai aux armements plus tard employés lors de la Seconde Guerre. En outre, Franco a mis sur pied un régime totalitaire qui ne va s'écrouler qu'après sa mort en 1975 et dont vont s'inspirer Hitler, Staline et plusieurs autres dictateurs partout dans le monde.

Semprún va donc faire œuvre de mémoire en témoignant de cet événement, mais aussi d'autres qui ont ébranlé sa vie et celles de milliers d'hommes. La Résistance, l'expérience des camps de concentration, l'adhésion au communisme, puis la désillusion qui a suivi, tout cela se retrouve dans ses récits qui conjuguent la chronique d'une vie à celle d'une époque. Il n'y a quelquefois que l'art ou la littérature pour servir d'exutoire à la souffrance ou pour crier la révolte. Picasso a peint *Guernica*. D'autres ont écrit des romans pour figer l'horreur et espérer qu'elle ne se reproduise plus.

Si l'idéologie marxiste a soutenu en Occident plusieurs rêves de libération et d'égalité, elle a engendré en Europe de l'Est des gouvernements autoritaires et répressifs. Sous la pression des soviétiques, plusieurs pays comme la Tchécoslovaquie ont adopté la dictature prolétarienne, un modèle de régime politique déjà implanté en Russie. Plusieurs intellectuels, parmi lesquels Milan Kundera, ont d'abord adhéré avec enthousiasme au communisme avant de déchanter. En 1956, alors que s'ouvre une ère de déstalinisation, ils ont marché avec les manifestants, ils ont scandé les slogans réclamant plus de liberté. Ils ont cru en la possibilité d'un « socialisme à visage humain » jusqu'à ce que l'armée russe envahisse la Tchécoslovaquie et détruise cet espoir de réforme.

En 1975, se retrouvant sans emploi, doublement accablé par le harassement bureaucratique et par la censure (ses œuvres sont retirées du marché), privé en somme de raison de vivre et de créer, Kundera se résigne à immigrer en France. Dans un premier temps, il poursuit l'écriture de

Jean Dubuffet, *Tissu d'épisodes*, 1976.

son œuvre en tchèque, sa langue maternelle. Insatisfait de la traduction française de ses romans, il décide ensuite de reprendre le travail à zéro et donne l'assurance que la version revue et corrigée par lui répond à ses exigences, notamment en matière de style. Dans cette foulée, il décide de passer au français et *La lenteur* ouvre le cycle des romans composés dans sa langue d'adoption.

Écrivain d'envergure et homme de culture, profondément allergique à tout étalage autobiographique ou autofictionnel, Kundera s'inscrit dans l'époque par son souci d'expérimentation formelle et son refus du réalisme. Ses personnages n'incarnent pas des types comme chez Balzac, mais plutôt des thèmes, ou même des attitudes face à la vie (légèreté versus lourdeur dans *L'insoutenable légèreté de l'être*). L'exil et toute forme de mise en retrait de l'individu par rapport à sa société sollicitent également son attention.

Kundera fait aussi alterner fiction et commentaire d'analyse dans ses romans, illustrant à sa façon la mise en abyme, procédé qu'il fait remonter à Diderot. Car Kundera se présente aussi comme un fin connaisseur du Siècle des Lumières, période qui « éclaire », c'est bien le cas de le dire, sa démarche romanesque. Dans ce sens, il annonce la postmodernité qui cultive fréquemment l'art de la référence.

Enfin, d'autres écrivains vont explorer et parcourir en solitaires des territoires qui conservent l'empreinte de leurs pas. Marguerite Yourcenar conjugue thématique moderne avec fiction historique. Romain Gary ironise sur les illusions de l'assimilation culturelle. Michel Tournier propose une réinterprétation des mythes, dont il révèle en quelque sorte le potentiel amoral.

Une vision moderne du roman historique

Première femme à être admise à l'Académie française, Marguerite Yourcenar, de son vrai nom De Crayencour, se retrouve orpheline de mère à sa naissance. Toute sa jeunesse, elle suit son père dans ses nombreux déplacements et reçoit de lui une éducation humaniste. Dès l'âge de 16 ans, elle éprouve le désir de devenir écrivaine et de nourrir son imaginaire de voyages et de culture classique. Vers la fin des années 1930, elle tombe amoureuse d'une universitaire américaine et la suit aux États-Unis. Elle enseigne dans des collèges américains, mais renoue rapidement avec son projet d'écriture lorsqu'elle retrouve ses notes de jeunesse sur Hadrien, empereur romain du début de notre ère.

Mémoires d'Hadrien est un roman qui présente comme paradoxe de traduire une thématique moderne, notamment les amours homosexuels, dans une facture très classique. L'œuvre, qui tient à la fois de la chronique historique et du bilan existentiel, connaît un immense succès grâce à la vaste érudition qui l'imprègne. Cet extrait expose la vive douleur qui s'empare de l'empereur Hadrien à la mort d'Antinoüs, son jeune amant.

Le styx

La remontée du fleuve continua, mais je naviguai sur le Styx. Dans les camps de prisonniers, sur les bords du Danube, j'avais vu jadis des misérables couchés contre un mur s'y frapper continuellement le front d'un mouvement sauvage, insensé et doux, en répétant sans cesse le même nom. Dans les caves du Colisée, on m'avait montré des lions qui
5 dépérissaient parce qu'on leur avait enlevé le chien avec qui on les avait accoutumés à vivre. Je rassemblai mes pensées : Antinoüs était mort. Enfant, j'avais hurlé sur le cadavre de Marullinus déchiqueté par les corneilles, mais comme hurle la nuit un animal privé de raison. Mon père était mort, mais un orphelin de douze ans n'avait remarqué que le désordre de la maison, les pleurs de sa mère, et sa propre terreur; il n'avait rien su des affres
10 que le mourant avait traversées. Ma mère était morte beaucoup plus tard, vers l'époque de ma mission en Pannonie; je ne me rappelais pas exactement à quelle date. [...] Durant les guerres daces, j'avais perdu des camarades que j'avais cru ardemment aimer; mais nous étions jeunes, la vie et la mort étaient également enivrantes et faciles. Antinoüs était mort. Je me souvenais de lieux communs fréquemment entendus : on meurt à tout âge;
15 ceux qui meurent jeunes sont aimés des dieux. J'avais moi-même participé à cet infâme abus de mots; j'avais parlé de mourir de sommeil, de mourir d'ennui. J'avais employé le mot agonie, le mot deuil, le mot perte. Antinoüs était mort.

L'Amour, le plus sage des dieux... Mais l'amour n'était pas responsable de cette négligence, de ces duretés, de cette indifférence mêlée à la passion comme le sable à l'or
20 charrié par un fleuve, de ce grossier aveuglement d'homme trop heureux, et qui vieillit. Avais-je pu être si épaissement satisfait? Antinoüs était mort. Loin d'aimer trop, comme sans doute Servianus à ce moment le prétendait à Rome, je n'avais pas assez aimé pour obliger cet enfant à vivre. Chabrias, qui, en sa qualité d'initié orphique, considérait le suicide comme un crime, insistait sur le côté sacrificiel de cette
25 fin; j'éprouvais moi-même une espèce d'horrible joie à me dire que cette mort était un don. Mais j'étais seul à mesurer combien d'âcreté fermente au fond de la douceur, quelle part de désespoir se cache dans l'abnégation, quelle haine se mélange à l'amour. Un être insulté me jetait à la face cette preuve de dévouement; un enfant inquiet de tout perdre avait trouvé ce moyen de m'attacher à jamais à lui. S'il avait
30 espéré me protéger par ce sacrifice, il avait dû se croire bien peu aimé pour ne pas sentir que le pire des maux serait de l'avoir perdu.

Marguerite Yourcenar, *Mémoires d'Hadrien*, 1951.

Atelier d'analyse

Exploration

1. Faites un travail de recherche pour situer les lieux géographiques et les personnages historiques évoqués dans cet extrait.

2. Répertoriez les figures de style et distinguez parmi elles celles qui éclairent le sens du texte ou qui sont susceptibles d'atteindre plus particulièrement le lecteur.

3. Expliquez l'importance des thèmes de l'amour et de la mort, et montrez qu'ils sont étroitement entrelacés dans l'extrait.

4. En quoi la narration subjective contribue-t-elle à rapprocher Hadrien du lecteur actuel?

Rédaction

5. **Sujet :** Analysez la représentation de l'amour dans cet extrait.

   Consignes : Inspirez-vous du plan suivant pour orienter votre développement.
   - Décrivez le contexte historique en arrière-fond de cette histoire (c'est un choix qui influe sur la représentation de l'amour).
   - Expliquez le moment tragique qui fait prendre conscience à Hadrien de son attachement à Antinoüs.
   - Montrez que le texte est aussi porteur d'un message en lien avec la thématique de l'homosexualité.

Momo

Le docteur Katz était tout pâle et ça lui allait bien avec sa jolie barbe blanche et ses yeux qui étaient cardiaques et je me suis arrêté parce que s'il mourait, il n'aurait encore rien entendu de ce qu'un jour j'allais leur dire. Mais il avait les genoux qui commençaient à céder et je l'ai aidé à se rasseoir sur la marche mais sans lui pardonner ni
5 rien ni personne. Il a porté la main à son cœur et il m'a regardé comme s'il était le caissier d'une banque et qu'il me suppliait de ne pas le tuer. Mais j'ai seulement croisé les bras sur ma poitrine et je me sentais comme un peuple qui a le droit sacré de disposer de lui-même.

— Mon petit Momo, mon petit Momo...
10 — Il y a pas de petit Momo. C'est oui ou c'est merde ?
— Je n'ai pas le droit de faire ça...
— Vous voulez pas l'avorter ?
— Ce n'est pas possible, l'euthanasie est sévèrement punie...

Il me faisait marrer. Moi je voudrais bien savoir qu'est-ce qui n'est pas sévèrement
15 puni, surtout quand il n'y a rien à punir.

— Il faut la mettre à l'hôpital, c'est une chose humanitaire...
— Est-ce qu'ils me prendront à l'hôpital avec elle ?

Ça l'a un peu rassuré et il a même souri.

— Tu es un bon petit, Momo. Non, mais tu pourras lui faire des visites. Seulement,
20 bientôt, elle ne te reconnaîtra plus...

Il a essayé de parler d'autre chose.

— Et à propos, qu'est-ce que tu vas devenir, Momo ? Tu ne peux pas vivre seul.
— Vous en faites pas pour moi. Je connais des tas de putes, à Pigalle. J'ai déjà reçu plusieurs propositions.
25 Le docteur Katz a ouvert la bouche, il m'a regardé, il a avalé et puis il a soupiré, comme ils le font tous. Moi je réfléchissais. Il fallait gagner du temps, c'est toujours la chose à faire.

— Écoutez, docteur Katz, n'appelez pas l'hôpital. Donnez-moi encore quelques jours. Peut-être qu'elle va mourir toute seule. Et puis, il faut que je m'arrange. Sans ça,
30 ils vont me verser à l'Assistance.

Il a soupiré encore. Ce mec-là, chaque fois qu'il respirait, c'était pour soupirer. J'en avais ma claque des mecs qui soupirent.

Il m'a regardé, mais autrement.

— Tu n'as jamais été un enfant comme les autres, Momo. Et tu ne seras jamais un
35 homme comme les autres, j'ai toujours su ça.

— Merci, docteur Katz. C'est gentil de me dire ça.
— Je le pense vraiment. Tu seras toujours très différent.

J'ai réfléchi un moment.

— C'est peut-être parce que j'ai eu un père psychiatrique.
40 Le docteur Katz parut malade, tellement il avait l'air pas bien.

— Pas du tout, Momo. Ce n'est pas du tout ce que j'ai voulu dire. Tu es encore trop jeune pour comprendre, mais...

— On est jamais trop jeune pour rien, docteur, croyez-en ma vieille expérience.

Il parut étonné.
45 — Où as-tu appris cette expression ?
— C'est mon ami Monsieur Hamil qui dit toujours ça.
— Ah bon. Tu es un garçon très intelligent, très sensible, trop sensible même. J'ai souvent dit à Madame Rosa que tu ne seras jamais comme tout le monde. Quelquefois, ça fait des grands poètes, des écrivains, et quelquefois...
50 Il soupira.

Romain Gary
(1914-1980)

Le récit du jeune immigrant

De son vrai nom Roman Kacew, Romain Gary est né en Russie de père inconnu. Il immigre en France, pays qui symbolise, aux yeux de sa mère, l'idéal et la liberté. Il répond aux ambitions que caresse la mère pour son fils grâce à ses exploits militaires au cours de la Seconde Guerre et par une carrière fulgurante de diplomate. Écrivant des romans en parallèle, il reçoit le prix Goncourt pour *Les Racines du ciel* en 1956. En 1963, il épouse en secondes noces l'actrice Jean Seberg, qui se suicide en 1979, un an avant que lui-même mette fin à ses jours en se tirant une balle dans la tête. Un document posthume révèle que l'écrivain utilisait aussi le pseudonyme d'Émile Ajar, faisant de lui l'auteur réel d'une œuvre constituée de quatre romans d'un lyrisme provocateur et déconcertant se situant très loin du réalisme à caractère humaniste des œuvres signées Gary. Or, *La Vie devant soi*, un roman signé Ajar, a remporté le prix Goncourt en 1975, ce qui fait de ce romancier le seul parmi ses pairs à avoir reçu cette reconnaissance à deux reprises.

Dans la littérature actuelle, un grand nombre de romans s'inspirent de *La Vie devant soi*. Quelquefois composés dans une langue hybride et présentant un dénouement optimiste, ces récits mettent en scène des couples fondés sur des liens affectifs improbables, par exemple *Monsieur Ibrahim et les fleurs du Coran* (2001), d'Éric-Emmanuel Schmitt, ou *L'enfant multiple* (1989), d'Andrée Chédid.

Dans l'extrait choisi, Momo, un jeune orphelin arabe, recueilli par Madame Rosa, une vieille prostituée d'origine juive, plaide auprès du médecin pour qu'il « avorte », c'est-à-dire qu'il tue par compassion cette vieille dame maintenant atteinte d'une maladie incurable. Le texte illustre par la même occasion la confusion linguistique dans laquelle se trouve Momo, celle-ci trahissant en fait sa confusion identitaire.

– ... et quelquefois, des révoltés. Mais rassure-toi, cela ne veut pas dire du tout que tu ne seras pas normal.

– J'espère bien que je ne serai jamais normal, docteur Katz, il n'y a que les salauds qui sont toujours normaux.

55 – Normaux.

– Je ferai tout pour ne pas être normal, docteur...

Il s'est levé et j'ai pensé que c'était le moment de lui demander quelque chose, car ça commençait à me turlupiner sérieusement.

– Dites-moi, docteur, vous êtes sûr que j'ai quatorze ans ? J'en ai pas vingt, trente 60 ou quelque chose d'encore plus ? D'abord on me dit dix, puis quatorze. J'aurais pas des fois beaucoup mieux ? Je suis pas un nain, putain de nom ? J'ai aucune envie d'être un nain, docteur, même s'ils sont normaux et différents.

Le docteur Katz sourit dans sa barbe et il était heureux de m'annoncer enfin une vraie bonne nouvelle.

65 – Non, tu n'es pas un nain, Momo, je t'en donne ma parole médicale. Tu as quatorze ans, mais Madame Rosa voulait te garder le plus longtemps possible, elle avait peur que tu la quittes, alors elle t'a fait croire que tu n'en avais que dix. J'aurais peut-être dû te le dire un peu plus tôt, mais...

Il sourit et ça l'a rendu encore plus triste.

70 – ... mais comme c'était une belle histoire d'amour, je n'ai rien dit. [...]

Émile Ajar (Romain Gary), *La vie devant soi,* 1975.

Atelier d'analyse

Exploration

1. Après avoir lu cet extrait, faites le portrait des deux personnages à partir de l'information fournie sur eux ou en vous appuyant sur leurs paroles et leur comportement.

2. Montrez de quelle façon le style est influencé par la voix narrative, celle d'un jeune immigrant peu scolarisé.

3. Analysez la tonalité provocatrice de l'extrait en répondant aux questions suivantes.
   a. En quoi la confusion entre avortement et euthanasie contribue-t-elle au sens du texte ?
   b. Comment les considérations sur la mort, mais aussi sur la vie, paraissent-elles choquantes ?

4. Que peut déduire le lecteur sur le milieu social où vit Momo mais aussi sur la société en général ?

5. Est-il juste d'affirmer que Romain Gary (alias Émile Ajar) se sert de ses personnages pour ironiser sur le thème de la normalité ?

6. Peut-on dire que ce texte peut avoir comme effet de pousser le lecteur à mieux comprendre la situation de l'immigrant ?

Rédaction

7. *La vie devant soi,* titre du roman de Romain Gary, pourrait aussi s'intituler *La mort devant soi.* Commentez cette affirmation.

La faim

Une fois de plus j'avais été jugé stupidement, car à peine mon service terminé tant bien que mal, mes dents, comme l'avait prophétisé Nestor, se sont mises à grandir, je veux dire, un appétit d'une exigence peu commune a commencé à me tenailler l'estomac.

5　　Au commencement, c'était toujours entre les repas que la fringale m'assaillait. Brusquement en plein atelier ou dans mon bureau, une sensation de vide me creusait le ventre, un tremblement me désemparait les mains et les genoux, une poussée de sueur me mouillait les tempes, la salive me giclait sous la langue. Il fallait que je mange, immédiatement, n'importe quoi, sans aucun délai. Les premières attaques de
10 ce genre me précipitèrent chez le boulanger le plus proche qui me voyait avec perplexité me bourrer la bouche de brioches et de croissants. Plus tard, l'hiver étant venu, j'avisai des bourriches d'huîtres qui formaient un étalage sentant le varech mouillé sur le trottoir d'un marchand de vin. C'était une innovation qui se justifiait par le vin blanc sec dont on accompagne les coquillages, et qui s'est généralisée de-
15 puis. Je me fis ouvrir deux douzaines de portugaises n° 0 qu'on me servit avec un verre de pouilly-fuissé. La volupté gloutonne avec laquelle j'enfonçai mes dents dans la mucosité glauque, salée, iodée, d'une fraîcheur d'embrun de ces petits corps qui s'abandonnent mous et amorphes à la possession orale dès qu'on les a détachés de leur habitacle nacré, fut l'une des révélations de ma vocation ogresse. Je compris que
20 j'obéirais d'autant mieux à mes aspirations alimentaires que j'approcherais davantage de l'idéal de la crudité absolue. Je fis un grand pas en avant le jour où j'appris que les sardines fraîches, que l'on mange habituellement frites ou sautées, peuvent aussi se consommer crues et froides pour peu qu'on ait aux cuisines la patience d'en gratter les écailles, car la peau se détache difficilement. Mais ma découverte majeure
25 dans ce domaine fut celle du « bifteck tartare », viande de cheval hachée que l'on mange crue avec un jaune d'œuf et un assaisonnement robuste associant le sel, le poivre et le vinaigre à l'ail, l'oignon, l'échalote et les câpres. Mais là aussi il y avait des progrès à accomplir dans la satisfaction d'une passion aussi rare. À force de discussion avec les serveurs du seul restaurant de Neuilly où l'on offrît ce plat cynique et
30 brutal, j'obtins qu'on supprimât l'un après l'autre tous les épices et condiments qui n'ont d'autre fonction que de voiler la franche nudité de la chair. Et comme je trouvais également à redire touchant la quantité, j'en suis vite venu à passer moi-même dans le moulin à viande des quartiers de filet que j'achetais dans une boucherie chevaline. J'ai compris ainsi l'attirance qu'ont toujours exercée sur moi ces étals et ces
35 crochets qui exposent aux regards la farouche et colossale nudité des bêtes écorchées, les blocs de chair rutilante, les foies visqueux et métalliques, les poumons rosâtres et spongieux, l'intimité vermeille que révèlent les cuisses énormes des génisses obscènement écartelées, et surtout cette odeur de graisse froide et de sang caillé qui flotte sur ce carnage.

40　　Cet aspect de mon âme que j'ai ainsi découvert ne m'inquiète pas le moins du monde. Quand je dis « j'aime la viande, j'aime le sang, j'aime la chair », c'est le verbe aimer qui importe seul. Je suis tout amour. J'aime manger de la viande parce que j'aime les bêtes. Je crois même que je pourrais égorger de mes mains, et manger avec un affectueux appétit, un animal que j'aurais élevé et qui aurait partagé ma vie. Je le
45 mangerais même avec un goût plus éclairé, plus approfondi que je ne fais d'une viande anonyme, impersonnelle. C'est ce que j'ai tenté vainement de faire comprendre à cette sotte de Mˡˡᵉ Toupie qui est végétarienne par horreur des abattoirs. Comment ne comprend-elle pas que si tout le monde faisait comme elle, la plupart des animaux domestiques disparaîtraient de nos paysages, ce qui serait bien triste ?
50 Ils disparaîtraient comme est en train de disparaître le cheval à mesure que l'automobile le libère de son esclavage.

Michel Tournier
(1924-2016)

L'ombre de la guerre

Né dans une famille parisienne aisée et cultivée, Michel Tournier est un enfant fragile et chétif, qui baigne très jeune dans une atmosphère de musique et de culture. Diplômé de philosophie, il délaisse l'enseignement au profit d'une carrière littéraire et, après quelques romans marquants, il siège à l'Académie Goncourt. Fasciné par l'Allemagne, il redonne vie à des légendes anciennes qui deviennent les assises d'une mythologie personnelle axée sur la quête d'identité. Dans *Vendredi ou les limbes du Pacifique* (1967), il réécrit l'histoire de Robinson Crusoë en mettant l'accent sur la relation de celui-ci avec son compagnon Vendredi. Dans *Le roi des aulnes*, il décrit le destin d'un ogre, Abel Tiffauges, voleur d'enfants sous l'occupation nazie.

Au demeurant la qualité de mon cœur serait attestée – s'il en était besoin – par un autre goût que j'ai, celui du lait. Ma gustation rendue à sa finesse originelle par la viande non cuite et non épicée, et qui sait découvrir des mondes de nuances sous la
55 fadeur apparente des crudités, a trouvé matière à s'exercer dans le lait qui est devenu assez vite mon unique boisson. Il faut aller loin dans Paris pour trouver une crémerie dont le lait n'ait pas été tué par les pratiques infâmes de pasteurisation et d'homogé-néisation! En vérité, il faudrait aller à la ferme, à la vache, à la source même de ce li-quide synonyme de vie, de tendresse, d'enfance, et sur lequel s'acharnent les
60 hygiénistes, puritains, flics et autres pisse-vinaigre! Moi, je veux un lait sur lequel flottent avec des remugles d'étable un poil et un fétu, signes d'authenticité.

Mes deux kilos de viande crue et mes cinq litres de lait quotidiens n'ont pas man-qué à la longue de modifier ma silhouette, et aussi mes relations avec mon corps. Aujourd'hui, si j'ai mon visage en grande aversion, je vis en bonne intelligence avec
65 mon corps. Bien que mon poids évolue autour des cent dix kilos, j'ai toujours des jambes proportionnellement longues et sèches. C'est que toute ma force s'est amas-sée dans mes hanches larges et mon dos bosselé. Mes muscles dorsaux forment au-tour de mes omoplates une double besace qui semble d'un poids accablant. Dans mes postures et allures habituelles j'ai toujours l'air de plier sous le seul poids de mon
70 échine. En vérité je soulève comme une plume quand il le faut l'avant ou l'arrière d'une Rosengart ou d'une Simca-V.

Michel Tournier, *Le roi des aulnes*, 1970.

Atelier d'analyse

Exploration

1. Dans le premier paragraphe :
   a. explorez le registre sensoriel de l'ogre en classant les termes et expressions relatifs à chaque sens ;
   b. relevez les expressions qui relèvent d'un humour « cynique et brutal » ;
   c. relevez quelques énumérations en expliquant leur fonction dans le texte ;
   d. démontrez que l'extrait suggère fortement le sadisme et la cruauté.

2. Commentez le caractère déstabilisant, dans ce contexte, des expressions « Cet aspect de mon âme » et « Je suis tout amour ».

3. L'ogre boit du lait, liquide « synonyme de vie et de tendresse ». Selon vous, est-ce un signe sup-plémentaire de sa perversité ?

4. Peut-on dire que Tournier rend inquiétants des personnages de conte pour enfant ?

5. Plusieurs analystes ont prétendu que cet ogre évoquait les horreurs du nazisme. Qu'en pensez-vous ?

Rédaction

6. Montrez que ce texte, qui illustre une subversion des valeurs (ou des mythes), crée un effet d'angoisse.

Le grand retour

« Qu'est-ce que tu fais encore ici ! » Sa voix n'était pas méchante, mais elle n'était pas gentille non plus ; Sylvie se fâchait.

« Et où devrais-je être ? demanda Irena.

– Chez toi !

5 – Tu veux dire qu'ici je ne suis plus chez moi ? »

Bien sûr, elle ne voulait pas la chasser de France, ni lui donner à penser qu'elle était une étrangère indésirable : « Tu sais ce que je veux dire !

– Oui, je le sais, mais est-ce que tu oublies que j'ai ici mon travail ? mon appartement ? mes enfants ?

10 – Écoute, je connais Gustaf. Il fera tout pour que tu puisses rentrer dans ton pays. Et tes filles, ne me raconte pas de blagues ! Elles ont déjà leur propre vie ! Mon Dieu, Irena, ce qui se passe chez vous est tellement fascinant ! Dans une situation pareille les choses s'arrangent toujours.

– Mais Sylvie ! Il n'y a pas que les choses pratiques, l'emploi, l'appartement. Je vis

15 ici depuis vingt ans. Ma vie est ici !

– C'est la révolution chez vous ! » Elle le dit sur un ton qui ne supportait pas la contestation. Puis elle se tut. Par ce silence, elle voulait dire à Irena qu'il ne faut pas déserter quand de grandes choses se passent.

« Mais si je rentre dans mon pays, nous ne nous verrons plus », dit Irena, pour

20 mettre son amie dans l'embarras.

Cette démagogie sentimentale fit long feu. La voix de Sylvie devint chaleureuse : « Ma chère, j'irai te voir ! C'est promis, c'est promis ! »

Elles étaient assises face à face au-dessus de deux tasses à café vides depuis longtemps. Irena vit des larmes d'émotion dans les yeux de Sylvie qui se pencha vers elle et

25 lui serra la main : « Ce sera ton grand retour. » Et encore une fois : « Ton grand retour. »

Répétés, les mots acquièrent une telle force que, dans son for intérieur, Irena les vit écrits avec des majuscules : Grand Retour. Elle ne se rebiffa plus : elle fut envoûtée par des images qui soudain émergèrent de vieilles lectures, de films, de sa propre mémoire et de celle peut-être de ses ancêtres : le fils perdu qui retrouve sa vieille mère ;

30 l'homme qui revient vers sa bien-aimée à laquelle le sort féroce l'a jadis arraché ; la maison natale que chacun porte en soi ; le sentier redécouvert où sont restés gravés les pas perdus de l'enfance ; Ulysse qui revoit son île après des années d'errance ; le retour, le retour, la grande magie du retour.

Le retour, en grec, se dit, *nostos*. *Algos* signifie souffrance. La nostalgie est donc la

35 souffrance causée par le désir inassouvi de retourner. Pour cette notion fondamentale, la majorité des Européens peuvent utiliser un mot d'origine grecque (*nostalgie*, *nostalgia*) puis d'autres mots ayant leurs racines dans la langue nationale : *añoranza*, disent les Espagnols ; *saudade*, disent les Portugais. Dans chaque langue, ces mots possèdent une nuance sémantique différente. Souvent, ils signifient seulement la tris-

40 tesse causée par l'impossibilité du retour au pays. Mal du pays. Mal du chez-soi. Ce qui, en anglais, se dit : *homesickness*. Ou en allemand : *Heimweh*. En hollandais : *heimwee*. Mais c'est une réduction spatiale de cette grande notion. L'une des plus anciennes langues européennes, l'islandais, distingue bien deux termes : *söknudur* : nostalgie dans son sens général ; et *heimfra* : mal du pays. Les Tchèques, à côté du mot nostalgie pris

45 du grec, ont pour cette notion leur propre substantif, *stesk*, et leur propre verbe ; la phrase d'amour tchèque la plus émouvante : *stýská se mi po tobě* : j'ai la nostalgie de toi ; je ne peux supporter la douleur de ton absence. En espagnol, *añoranza* vient du verbe *añorar* (avoir de la nostalgie) qui vient du catalan *enyorar*, dérivé, lui, du mot latin *ignorare* (ignorer). Sous cet éclairage étymologique, la nostalgie apparaît comme la

50 souffrance de l'ignorance. Tu es loin, et je ne sais pas ce que tu deviens. Mon pays est loin, et je ne sais pas ce qui s'y passe.

Milan Kundera, *L'ignorance*, 2000.

Milan Kundera (1929)

La nostalgie du lointain pays

Né en République Tchèque dans une famille de mélomanes, Milan Kundera commence sa carrière d'écrivain sous le régime communiste avant de perdre son emploi à cause de ses propos dissidents. Ses écrits sont interdits de publication, ce qui le décide à émigrer et à prendre ensuite la nationalité de son pays d'adoption, la France. Composé en tchèque, mais d'abord publié en traduction française, son roman *L'insoutenable légèreté de l'être* lui assure une notoriété mondiale. Même si Kundera présente des personnages qui vivent sous un régime totalitaire, son intention n'est pas la dénonciation idéologique ; en fait, il cherche à relativiser les vérités et les sentiments d'une humanité qu'il considère avec une distance ironique, loin de tout épanchement lyrique.

Constatant que les traductions de ses romans trahissent ses intentions et son style, Kundera décide de les revoir entièrement avant de décider de composer dorénavant dans la langue de l'exil. *L'ignorance* appartient à ce cycle des romans français. Avec une rare efficacité, les premières pages du roman présentent la problématique qui s'est posée à l'auteur lui-même : comme Ulysse, après des années d'errance, l'immigrant doit-il assouvir son désir de retour à la terre d'origine ? Dans cet extrait, Irena constate qu'elle n'a pas le choix, qu'on la renvoie en quelque sorte chez elle.

Atelier d'analyse

Exploration

1. « Qu'est-ce que tu fais encore ici ! » est la première phrase du roman.
   a. Expliquez le caractère brutal que peut prendre cette phrase lorsqu'elle s'adresse à un immigrant.
   b. Cette question se termine paradoxalement par un point d'exclamation : quelle est la nuance de signification introduite par cette ponctuation ?

2. Quels sont les arguments de chacune des deux femmes relativement à l'idée du retour au pays ?

3. Que peut-on déduire des caractères de Sylvie et d'Irena ?

4. La deuxième partie du texte relève plutôt de l'essai alors que la première relevait du récit : montrez les différences de l'une par rapport à l'autre.

5. Pourquoi le recours à des langues multiples s'avère-t-il particulièrement significatif dans cette deuxième partie ?

6. Kundera semble vouloir opposer « la grande magie du retour » à la tristesse causée par la grande « impossibilité du retour ». Dans un tableau sur deux colonnes, répartissez les arguments qui, selon vous, sont en faveur du retour de l'émigrant dans son pays, et ceux qui en montrent les désavantages.

Rédaction

7. Peut-on dire que ce texte porte sur le thème très actuel de la quête identitaire ?

Giorgio de Chirico, *Le retour d'Ulysse*, 1973.

La mort parle yiddish

— Tu entends ? a dit Albert dans un murmure.

Ce n'était pas une question, à vrai dire. Je ne pouvais pas ne pas entendre. J'entendais cette voix inhumaine, ce sanglot chantonné, ce râle étrangement rythmé, cette rhapsodie de l'au-delà.

5 Je me suis tourné vers l'extérieur : l'air tiède d'avril, le ciel bleu. J'ai aspiré une goulée de printemps.

— C'est quoi ? a demandé Albert, d'une voix blanche et basse.

— La mort, lui ai-je dit. Qui d'autre ?

Albert a eu un geste d'agacement.

10 C'était la mort qui chantonnait, sans doute, quelque part au milieu de l'amoncellement de cadavres. La vie de la mort, en somme, qui se faisait entendre. L'agonie de la mort, sa présence rayonnante et funèbrement loquace. Mais à quoi bon insister sur cette évidence ? Le geste d'Albert semblait dire cela. À quoi bon, en effet ?

Je me suis tu.

15 Le four crématoire ne fonctionnait plus depuis trois jours. Lorsque le comité international du camp et l'administration militaire américaine ont remis en marche les services essentiels de Buchenwald, afin de nourrir, soigner, habiller, regrouper les quelques dizaines de milliers de rescapés, personne n'avait pensé à faire fonctionner de nouveau le crématoire. C'était impensable, en effet. La fumée du crématoire devait 20 disparaitre à jamais : pas question qu'on la voie encore flotter sur le paysage. Mais si l'on ne partait plus en fumée, la mort n'avait pas cessé pour autant d'être à l'œuvre. La fin du crématoire n'était pas la fin de la mort. Celle-ci, simplement, avait cessé de nous survoler, épaisse ou légère, selon les cas. Elle n'était plus de la fumée, parfois presque immatérielle, cendre grise quasiment impalpable sur le paysage. La mort 25 redevenait charnelle, elle s'incarnait de nouveau dans les dizaines de corps décharnés, tourmentés, qui constituaient encore sa moisson quotidienne.

Pour éviter les risques d'épidémie, les autorités militaires américaines avaient décidé de procéder au rassemblement des cadavres, à leur identification et à leur sépulture dans des fosses communes. C'est précisément en vue de cette opération que 30 nous faisions Albert et moi, ce jour-là, une dernière tournée d'inspection dans le Petit Camp, avec l'espoir de trouver encore quelque survivant, trop faible pour s'être, de lui-même, joint à la vie collective reprise depuis la libération de Buchenwald.

Albert est devenu livide. Il a tendu l'oreille, m'a serré le bras à me faire mal, frénétique soudain.

35 — Yiddish ! s'est-il exclamé. Elle parle yiddish !

Ainsi, la mort parlait yiddish.

Albert était mieux placé que moi pour l'entendre, le déduire, plutôt, des sonorités gutturales, pour moi dépourvues de sens, de cette mélopée fantôme.

Somme toute, ça n'avait rien de surprenant que la mort parlât yiddish. Voilà une 40 langue qu'elle avait bien été forcée d'apprendre, ces dernières années. Si tant est qu'elle ne l'eût pas toujours sue.

Mais Albert m'a pris par le bras, qu'il serre très fort. Il m'entraîne de nouveau dans la baraque.

Nous faisons quelques pas dans le couloir central, nous nous arrêtons. Nous tendons 45 l'oreille, essayant de repérer l'endroit d'où provient la voix.

La respiration d'Albert est haletante.

— C'est la prière des morts, murmure-t-il.

Je hausse les épaules. Bien sûr que c'est un chant funèbre. Personne ne s'attend à ce que la mort nous serine des chansons drôles. Ni non plus des paroles d'amour.

50 Nous nous laissons guider par cette prière des morts. Parfois, nous sommes obligés d'attendre, immobiles, retenant notre souffle. La mort s'est tue, plus moyen de s'orienter

Jorge Semprún (1923-2011)

La chronique d'une époque

Écrivain d'origine espagnole ayant rédigé la plus grande partie de son œuvre en français, Jorge Semprún a aussi été scénariste pour de grands réalisateurs comme Costa-Gavras, notamment pour ses films à thématique politique *Z* et *L'aveu*. La vie de Semprún semble présenter un condensé des événements les plus significatifs, mais aussi, dans certains cas, les plus traumatisants, du XXe siècle. Sa famille est poussée à l'exil par la victoire de Franco ; lui-même rejoint la Résistance, est arrêté en 1943 et déporté à 19 ans au camp de concentration de Buchenwald, dont il sortira vivant au moment de la libération non sans avoir vu mourir plusieurs de ses camarades de détention. Inscrit au Parti communiste, fer de lance de l'opposition à Franco en Espagne, il deviendra ministre de la Culture du gouvernement socialiste de Felipe Gonzalez avant d'offrir sa démission.

Plusieurs fois récompensée, son œuvre s'articule autour des grands événements de sa vie et des thèmes de la quête de la dignité, du sens de l'action politique, tout cela se reliant à une réflexion sur l'histoire. L'extrait tiré de *L'écriture ou la vie* se rapporte aux derniers jours de

Semprún dans un camp de concentration déjà libéré par les Alliés. Pour raconter cette captivité, il lui aura fallu du temps, attendre que le traumatisme se soit cicatrisé. Trois personnages sont ici présents : le héros-narrateur (le récit est autobiographique), un jeune juif hongrois prénommé Albert et une voix surgie de nulle part. Notez que le yiddish est un dialecte judéo-allemand et le kaddish, un passage de la liturgie hébraïque.

vers la source de cette mélopée. Mais ça reprend toujours : inusable, la voix de la mort, immortelle.

Soudain, en tournant à tâtons dans une courte allée latérale, il me semble que nous touchons au but. La voix, déchirée, rauque, murmurée, est toute proche désormais.

Albert fonce vers le châlit d'où s'élève le râle chantonné.

Deux minutes plus tard, nous avons extrait d'un amoncellement de cadavres l'agonisant, par la bouche de qui la mort nous récite sa chanson. Sa prière, plutôt. Nous le transportons jusqu'au porche de la baraque, au soleil d'avril. Nous l'étendons sur un tas de haillons qu'Albert a rassemblés. L'homme garde les yeux fermés, mais il n'a pas cessé de chanter, d'une voix rauque, à peine perceptible.

Je n'ai jamais vu de figure humaine qui ressemble autant à celle du Crucifié. Non pas à celle d'un christ roman, sévère mais sereine, mais à la figure tourmentée des christs gothiques espagnols. Certes, le Christ en croix ne chantonne habituellement pas la prière des morts juive. C'est un détail : rien ne s'opposerait, je présume, d'un point de vue théologique, à ce que le Christ chante le kaddish.

Jorge Semprún, *L'écriture ou la vie*, 1994.

Atelier d'analyse

Exploration

1. Les premières lignes du texte semblent illustrer l'antithèse « la vie de la mort ». Démontrez-le.

2. Expliquez le sens de la phrase suivante : « Mais si on ne partait plus en fumée, la mort n'avait pas cessé pour autant d'être à l'œuvre. »

3. Quelle est la tâche attribuée aux deux jeunes garçons présents dans l'extrait ? Faites le portrait de chacun d'eux.

4. « Ainsi, la mort parlait yiddish. » Quelle figure de style emploie ici le narrateur ? Pourquoi s'y glisse-t-il une part de sombre ironie ?

5. Montrez que cette personnalisation de la voix se poursuit dans le texte et contribue à rendre la tonalité inquiétante.

6. Analysez le dernier paragraphe en répondant aux questions suivantes.
   a. Qui s'exprime dans ce paragraphe ? Semprún jeune ou l'auteur qui jette un regard sur sa vie antérieure ?
   b. Peut-on dire que ce paragraphe est porteur d'un message ou d'une morale ?

7. Pourquoi est-on en mesure de constater que le récit entrecroise deux tonalités, l'une comique, l'autre tragique ?

Rédaction

8. Pourquoi peut-on dire que ce récit aide à mieux comprendre le fréquent pessimisme des écrivains de l'après-guerre ?

LA POÉSIE

M
p. 280

Comment la poésie traduit-elle les préoccupations de ces années troubles ?

Les poètes appelés à construire une œuvre dans les années où s'efface l'influence du surréalisme n'ont d'autre choix que de marquer leur distance par rapport à la fulgurance de l'image, par rapport à cette fascination pour les rencontres imprévues de mots qui semblent donner au langage une aura magique.

Souvent très attentifs à la musicalité du langage, et exerçant une certaine méfiance par rapport à l'image qui a déjà trop envahi le champ de la poésie, les poètes de cette génération n'ont pas comme préoccupation première la remise en question de l'héritage de leurs prédécesseurs. Ils veulent souvent ré-habiter la poésie, et la leur est fortement marquée par le thème du territoire, celui de l'enracinement ou celui du parcours.

Philippe Jaccottet est un poète de l'effacement. Il pratique une poésie qui paraît réticente à révéler totalement l'émotion. Les mots semblent effleurer le paysage, ils se tiennent à l'orée du monde. Cette poésie de la modestie et de la nuance semble par moments proche parente de l'écriture tout en retenue de Nathalie Sarraute. Jaccottet a d'ailleurs ouvertement signifié son intérêt pour les recherches du nouveau roman.

Yves Bonnefoy est un poète du dialogue. Il aime établir des liens avec les autres arts pour que ses vers trouvent ailleurs un écho ou un prolongement. Il inscrit aussi sa poésie dans une problématique de remise en question du pouvoir des mots, qui servent souvent d'écran à l'émotion. Tout en dénonçant les duperies du langage, ce qui est bien dans l'air du temps, il s'évertue à jeter des ponts, à créer l'échange avec ce lecteur dont il requiert l'attention. Il cherche en fait à articuler un dialogue fondé sur l'espoir.

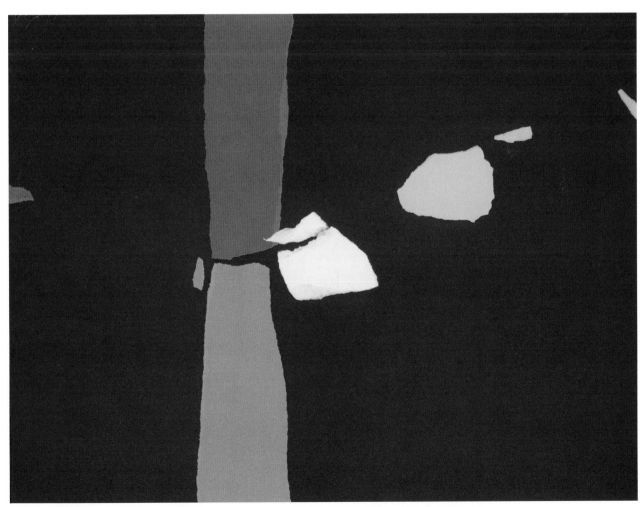

Nicolas de Staël, *Collage sur fond bleu*, 1953.

Poèmes d'amis

L'arbre, la lampe

L'arbre vieillit dans l'arbre, c'est l'été.
L'oiseau franchit le chant de l'oiseau et s'évade.
Le rouge de la robe illumine et disperse
Loin, au ciel, le charroi de l'antique douleur.

5 O fragile pays,
Comme la flamme d'une lampe que l'on porte,
Proche étant le sommeil dans la sève du monde,
Simple le battement de l'âme partagée.

Toi aussi tu aimes l'instant où la lumière des lampes
10 Se décolore et rêve dans le jour.
Tu sais que c'est l'obscur de ton cœur qui guérit,
La barque qui rejoint le rivage et tombe.

Yves Bonnefoy, *Poèmes (1947–1975)*, 1978.

La quête de la plénitude

Yves Bonnefoy est mathématicien de formation. Sa poésie est d'abord proche des œuvres des peintres et des poètes surréalistes d'après-guerre. Son intérêt se porte ensuite sur la réalité plus ordinaire et il se détourne des mathématiques au profit de la philosophie. Son premier recueil de poèmes est très remarqué et lui permet de se rapprocher de poètes contemporains pour fonder une revue. De plus, il mène une carrière prolifique de traducteur de l'anglais (William Shakespeare, William Butler Yeats, John Keats). Après avoir enseigné aux États-Unis, il est nommé titulaire de la chaire de poétique comparée au Collège de France.

Son œuvre se caractérise par un refus des grands concepts ainsi qu'à une quête de la plénitude, toutefois associée à la simplicité des choses ; elle illustre une recherche constante de ce qu'il appelle « le vrai lieu », espace à la fois réel et utopique.

Jackson Pollock, *White light* (détail), 1954.

Fruits

Dans les chambres des vergers
Ce sont des globes suspendus
Que la course du temps colore
Des lampes que le temps allume
5 Et dont la lumière est parfum
On respire sous chaque branche
Le fouet odorant de la hâte
Ce sont des perles parmi l'herbe
De nacre à mesure plus rose
10 Que les brumes sont moins lointaines
Des pendeloques plus pesantes
Que moins de linge elles ornent
Comme ils dorment longtemps
Sous les mille paupières vertes !
15 Et comme la chaleur
Par la hâte avivée
Leur fait le regard avide !

Philippe Jaccottet, *Airs*, 1967.

Philippe Jaccottet (1925)

L'attrait de la luminosité

Né en Suisse, Jaccottet fait des études de littérature à Lausanne et s'intéresse très jeune au grec ancien et aux poètes allemands. Dans les années 1950, il s'installe à Paris et épouse une peintre, avant de s'éloigner de la capitale pour se fixer à la campagne. Il mène une double carrière d'écrivain et de traducteur, et poursuivra pendant sa carrière l'objectif de faire connaître les poètes contemporains, parmi lesquels se trouve son ami Yves Bonnefoy.

Jaccottet est particulièrement sensible aux effets de luminosité, qu'il tente de rendre par les mots dans ses poèmes. Sa poésie réserve une place de premier plan à la confidence, à la discrétion des mots du quotidien, sur lesquels il s'interroge.

Atelier de comparaison

Exploration

1. Pour chaque poème :
   a. Dégagez les thèmes et expliquez vos choix en donnant des exemples.
   b. Répertoriez les figures de style et expliquez leur contribution à la sensorialité du poème.

Comparaison

2. Dressez un bilan des différences et des similitudes en tenant compte du sens, de l'image et du rythme.

Rédaction

3. Paysage, lumière et couleur sont-ils les trois mots-clés de ces deux poèmes ? Nuancez votre réponse.

Robert Combas, *Sans filet – Les Goulamas sont dans le trou,*
exposition à la Galerie Guy Pieters du 8 mai au 18 juin 2010.

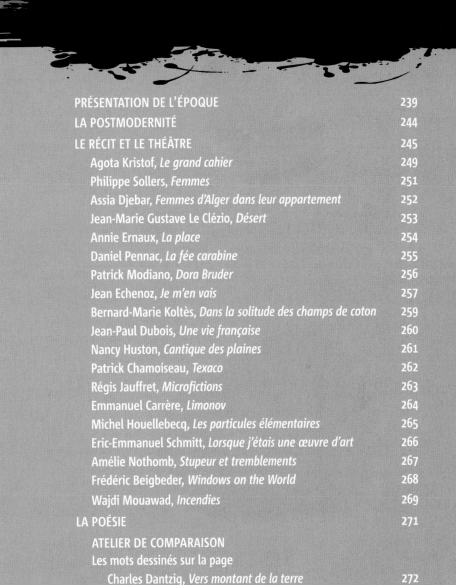

CHAPITRE **6** La littérature actuelle
Voix singulières et postmodernité

Repères chronologiques

	Événements politiques	Arts, littérature et sciences
1980	Début de la guerre entre l'Iran et l'Irak Premier référendum sur l'indépendance du Québec	Djebar, *Femmes d'Alger dans leur appartement* Le Clézio, *Désert*
1981	Élection d'un gouvernement socialiste en France : François Mitterrand à la présidence	Premier vol de la navette spatiale *Columbia*
1982		Lancement du Minitel en France
1983		Sollers, *Femmes* Ernaux, *La place*
1984		Kundera, *L'insoutenable Légèreté de l'être* Isolement du virus du sida
1986		Kristof, *Le grand cahier* Grave accident nucléaire à Tchernobyl, en Russie Lancement par les Russes de *Mir*, la première station spatiale
1987		Pennac, *La fée carabine* Koltès, *Dans la solitude des champs de coton*
1988		Recherches pour enrayer le sida
1989	Chute du mur de Berlin Printemps de Pékin : répression sur la place Tian'Anmen	
1990	Invasion du Koweit par l'Irak Chute des régimes socialistes en Europe de l'Est Réunification de l'Allemagne	
1991	Abolition des lois d'apartheid en Afrique du Sud Guerre du Golfe Guerre civile en Yougoslavie Dissolution de l'URSS	
1992	La Communauté européenne (CE) devient l'Union européenne (UE)	Chamoiseau, *Texaco* Début du réseau Internet accessible à tous
1993		Huston, *Cantique des plaines*
1994	Massacre des Tutsis par les Hutus au Rwanda	Premier clonage de cellules d'embryons humains
1995	Deuxième référendum sur l'indépendance du Québec	
1996	Lancement de la chaîne d'information internationale Al-Jazira	
1997		Modiano, *Dora Bruder*
1998		Houellebecq, *Les particules élémentaires* Mise en marché du Viagra
1999	Grande manifestation contre l'OMC à Seattle	Echenoz, *Je m'en vais* Nothomb, *Stupeur et tremblements*
2001	Attentats terroristes contre les tours du World Trade Center et le Pentagone Intervention de l'armée américaine en Afghanistan	Dantzig, *à quoi servent les avions*
2002	L'euro : monnaie unique en Europe	Schmitt, *Lorsque j'étais une œuvre d'art*
2003	Arrestation de Saddam Hussein	Beigbeder, *Windows on the World* Mouawad, *Incendies*
2004	Intervention de l'armée américaine en Irak Réélection de George W. Bush, président des États-Unis	Découverte d'eau sur Mars par le robot *Opportunity*, de la mission *Mars Exploration Rover* (MER)
2005	En France, échec du référendum sur la nouvelle constitution européenne Retrait des colons juifs de la bande de Gaza	Dubois, *Une vie française* Heissler, *Près d'eux, la nuit sous la neige*
2007	Élection de Nicolas Sarkozy en France	Jauffret, *Microfictions*
2008	Élection de Barack Obama aux États-Unis	
2011	Oussama Ben Laden abattu par l'armée américaine « Printemps arabe » : vaste mouvement de contestation dans plusieurs pays du Proche-Orient et du nord de l'Afrique Début de la guerre civile en Syrie	Carrère, *Limonov*
2012	Réélection d'un parti socialiste en France : François Hollande à la présidence « Printemps érable » : grève étudiante au Québec.	

PRÉSENTATION DE L'ÉPOQUE

LA LITTÉRATURE DES ANNÉES 1980 À AUJOURD'HUI : Quelles en sont les grandes orientations ?

Il n'est pas évident d'effectuer une sélection d'auteurs dans une littérature en devenir, alors même que les critères sur lesquels appuyer son jugement sont encore fluctuants. Il s'avère en somme plus facile de dégager quelques tendances et d'en retenir les représentants les plus notoires, sans prendre le risque d'évaluer leur chance de passer à la postérité. Tous s'inscrivent par ailleurs dans ce courant encore relativement indéfini qu'on appelle « postmodernité ». Cette appellation d'abord utilisée dans le domaine de l'architecture a fini par s'appliquer à toute la production artistique contemporaine.

Les écrivains qui tournent la page du siècle

Trois générations d'écrivains prennent leur distance par rapport à l'héritage lié à la Seconde Guerre mondiale ; ils tentent d'imprimer leur marque sur le roman, genre littéraire de prédilection. On retrouvera ainsi parmi les aînés Philippe Sollers, né avant 1940, qui s'éloigne dans ses dernières œuvres du structuralisme pour aller vers un récit plus accessible. La génération des baby-boomers est représentée par Patrick Modiano, qui explore les séquelles de la guerre dans un style qui constitue en soi une signature, alors que Daniel Pennac et d'autres semblent renouer avec le plaisir de raconter. La dernière génération témoigne d'événements et de tendances récentes, comme c'est le cas d'Amélie Nothomb ou de Frédéric Beigbeder dont le style porte l'empreinte de la publicité et qui puise son inspiration dans l'actualité. En parallèle, la poésie pousse toujours plus loin son exploration linguistique.

L'influence du féminisme

À partir de la publication de l'essai *Le deuxième sexe* (1949) de Simone de Beauvoir, les femmes mettent sur pied de nombreuses associations pour appuyer leurs revendications concernant l'accès à l'égalité avec les hommes. Sur la place publique, elles multiplient les manifestations ; en littérature, elles privilégient d'abord l'écriture militante avant de s'affirmer dans tous les genres. Réagissant au rationalisme, qui domine à leurs yeux le discours masculin, des auteures comme Annie Ernaux ou Nancy Huston privilégient l'exploration de nouvelles formes d'expression plus proches de l'émotion, de la sensibilité.

Les écrivains postcoloniaux

La plupart des anciennes colonies européennes accèdent à l'indépendance autour des années 1960. Certaines comme

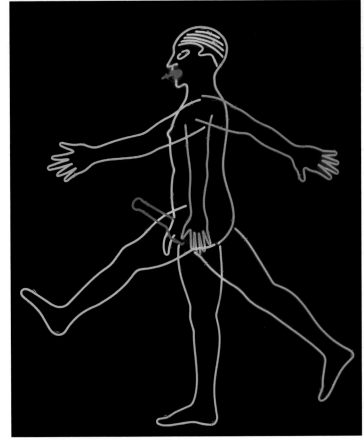

Bruce Nauman, *Marching man*, 1985.
Figure incontournable de l'art contemporain, Bruce Nauman utilise la spirale de néon dans les années 1980 pour questionner la condition de l'homme postmoderne.

le Maroc le font de façon pacifique, mais d'autres comme l'Algérie y arrivent après d'âpres luttes qui laissent de profondes cicatrices, tant du côté arabe que du côté français, comme en témoigne l'œuvre d'Assia Djebar. Plusieurs de ces pays aux économies vulnérables arrivent mal à se sortir du marasme politique, comme c'est le cas pour Haïti, frappé à répétition par des cataclysmes. La Martinique et la Guadeloupe, de leur côté, passent du statut de colonies à celui de départements français ultrapériphériques. Ce statut particulier entraîne son lot d'ambigüités identitaires. Comment peut-on être Français sans être Européen tout en étant Antillais ? Ou Haïtien et Québécois à la peau noire ? Patrick Chamoiseau soulève à sa façon ce genre de questions, comme le fait d'ailleurs au Québec Dany Laferrière.

LA SCÈNE INTERNATIONALE : Quels grands événements font la une des médias ?

La fin d'un monde bipolaire

Dans les années 1980, on assiste à la fin d'une époque marquée par l'antagonisme entre l'Ouest capitaliste, sous l'égide américaine, et l'Est communiste, sous la gouverne de l'URSS (Union des républiques socialistes soviétiques). L'Union soviétique s'engage dans un processus de réforme qui entraîne l'effondrement du régime communiste et qui, à plus long terme, conduit à une désagrégation progressive de l'Union des républiques socialistes soviétiques. Comme l'URSS n'a plus les moyens de soutenir un imposant arsenal de défense ni même de venir au secours de ses pays satellites aux économies déficitaires, elle se résigne à une réduction de son influence politique dans le monde. Avec la chute du mur de Berlin disparaît finalement un puissant symbole de la **guerre froide**, qui a failli mener le monde à la catastrophe nucléaire, faute de dialogue entre les deux superpuissances.

L'Allemagne, enfin réunifiée, joue désormais un rôle à la mesure de son poids démographique au sein de l'Union européenne (UE). Ce regroupement libre de pays, sans autre antécédent connu dans l'histoire du monde, vise le développement économique et social de ses adhérents, but qui n'est pas sans entraîner plusieurs défis. Ainsi, la candidature de la Turquie musulmane se trouve à l'origine d'une controverse sur les fondements de l'identité continentale. Les problèmes économiques des pays membres plus pauvres, par exemple la Grèce, sapent le climat de bonne entente et font ressortir les difficultés à établir des politiques communes.

L'émergence de nouvelles économies

Enfin, des pays comme la Chine, l'Inde , le Brésil, le Mexique et l'Afrique du sud ont procédé à une diversification de leur économie, ce qui a permis d'améliorer le niveau de vie de leur population. Moins dépendantes des grandes puissances, ces «économies émergentes», selon la terminologie employée pour les qualifier, arrivent désormais à faire entendre leur voix quand vient le temps d'intervenir pour régler des crises à l'échelle du globe ou encore d'établir des normes régissant le commerce ou les relations internationales.

Guerre froide : après la Seconde Guerre mondiale, période de grande rivalité à la fois idéologique, politique et économique entre les États-Unis et l'URSS, dans un climat de peur lié au risque des armes atomiques.

Conflit israélo-palestinien : hostilité entre les Israéliens de religion judaïque, et les Palestiniens, musulmans, qui revendiquent le même territoire ; ce conflit est né à la suite du déplacement des Juifs qui ont fui l'Europe après la Seconde Guerre mondiale.

Terrorisme : recours à des moyens d'action violents pour faire avancer une cause politique ou religieuse.

Mondialisation : ouverture des frontières qui favorise une globalisation de l'économie à l'échelle planétaire. Par extension, on parlera aussi de mondialisation dans les domaines des communications et de la culture.

Libéralisation de l'économie (néolibéralisme) : liberté du commerce et de l'entreprise, caractérisée par une intervention réduite de l'État.

Altermondialisme : résistance des groupes de pression à une vision uniquement néolibérale du développement mondial ; ces groupes proposent des options plus respectueuses de l'être humain et de son environnement.

Les points chauds du globe

Le Moyen-Orient constitue actuellement le point chaud de la planète : le **conflit israélo-palestinien** perdure ; les guerres du pétrole, notamment celle de l'Irak provoquée par les Américains sous de faux prétextes, suscitent des réactions extrémistes teintées de fanatisme religieux. Le Liban risque de s'agiter à nouveau alors que son voisin immédiat, la Syrie, est ravagé par une violente guerre civile. Prétextant vouloir instaurer la démocratie dans la région, les États-Unis protègent leurs intérêts et menacent de punir les «États-voyous», qualificatif utilisé par le président Bush au lendemain de l'attaque du 11 septembre 2001 pour désigner ces nations qui refusent de se plier à une orientation néolibérale de l'ordre mondial.

Ce sont toutefois les attaques contre le World Trade Center, revendiquées par Al Quaïda, une branche extrémiste se réclamant de l'islam, qui ont poussé les Américains à une chasse à l'homme épique qui a trouvé son aboutissement dans la capture et la liquidation de son inspirateur, Oussama Ben Laden. Cet événement n'a cependant pas mis fin au **terrorisme**, dont la cause se trouve non seulement dans l'extrémisme religieux de factions rebelles, mais aussi dans la misère endémique de populations maintenues dans l'ignorance et le chômage par des classes politiques corrompues.

Les enjeux d'aujourd'hui et de demain

Ainsi, les crises prolifèrent aux quatre coins du globe : hier la Bosnie, aujourd'hui l'Afrique qui s'embrase du nord au sud, et la Syrie, qui est mise à feu et à sang par un dictateur – un autre ! – complètement insoucieux de son peuple. Tous ces conflits se jouent sur une toile de fond commune, la **mondialisation**, qui ne jure que par une **libéralisation** extrême de l'économie au détriment d'une répartition équitable des richesses, cela sans égard à la sauvegarde de l'écosystème. De leur côté, les groupes **altermondialistes** privilégient une croissance à long terme, compatible avec les ressources naturelles disponibles. Est-ce pour répondre à ces inquiétudes que se créent des tribunaux ayant pour vocation de servir la cause d'une justice internationale ? Cette question de réglementation se pose comme l'un des enjeux primordiaux de l'avenir.

LA SOCIÉTÉ ACTUELLE : Quelles tendances la définissent ? Quels concepts permettent de mieux la décrire ?

La mondialisation est un concept essentiel pour mieux comprendre l'ère actuelle. Les écrivains d'aujourd'hui, dont l'œuvre est influencée par l'actualité internationale, creusent l'écart avec leurs prédécesseurs qui, jusqu'à la Seconde Guerre mondiale, reflétaient avant tout les tensions internes de la société française.

Andreas Gursky, *99 cents*, 1999.
Andreas Gursky est un photographe allemand reconnu pour ses incroyables photographies qui donnent le vertige. On peut y voir, entre autres, des foules humaines à perte de vue, de vastes décors urbains ou encore des amoncellements d'objets à l'infini. Vendue aux enchères pour plus de trois millions de dollars, cette œuvre illustre bien la profusion des produits, une profusion qui engendre la compulsion à l'achat dans les sociétés capitalistes.

Grâce aux médias, qui diffusent l'information partout dans le monde, les téléspectateurs d'ici et d'ailleurs sont simultanément tenus au courant des attentats du World Trade Center, de l'élection d'un président noir américain, des conflits en Irak ou en Syrie, des séismes au Japon, etc. Les réseaux sociaux qui se sont développés sur Internet leur permettent maintenant d'échanger en temps réel et de commenter l'actualité à mesure qu'elle se déroule, voire d'y participer; munis de téléphones intelligents, des citoyens s'improvisent journalistes de terrain et collaborent au récit de l'actualité.

L'ouverture des marchés rend possible la libre circulation des produits, des modes, mais aussi, dans une certaine mesure, celle des individus. Plusieurs voyagent, le tourisme étant devenu accessible à un plus grand nombre. D'autres immigrent pour améliorer leurs conditions de vie ou pour fuir la guerre qui sévit sur quelques points chauds de la planète, principalement au Moyen-Orient et en Afrique. Tous ces déplacements engendrent un brassage culturel qui entraîne son lot d'interrogations d'ordre identitaire: jusqu'où doit aller l'interpénétration des cultures? L'intégration à un pays d'accueil implique-t-elle l'assimilation, l'abandon de la langue et de la religion d'origine? Quels compromis faut-il accepter pour maintenir la paix sociale dans une société multiculturelle?

La réalité virtuelle définit aussi les aspirations de tout un chacun; elle projette des images de réussite sur tous les écrans. Dans une société de consommation, le bonheur est associé à l'accumulation de biens matériels: on veut jouir de tout, ici et maintenant; l'instant présent devient essentiel. Ainsi, à mesure que les objets s'usent ou se démodent, on les remplace. Le discours écologique sur le tarissement possible des ressources naturelles donne peut-être mauvaise conscience, mais ne ralentit guère la compulsion à l'achat. La beauté, retouchée à l'ordinateur, qui s'étale aux premières pages des revues, porte Monsieur et Madame Tout-le-monde à se comparer à ces modèles qui ont aussi profité des dernières avancées de la chirurgie

esthétique. Auparavant priorité était donnée au salut de l'âme; dorénavant le corps réclame toute l'attention.

Le sexe ne souffre d'aucun tabou, mais dans les décennies récentes, la propagation du sida est venue jeter une ombre sur la **libération sexuelle**. Les **sectes religieuses**, qui se multiplient en Occident, poussent également à réévaluer les principes d'ordre moral, à reconsidérer l'étanchéité des frontières entre croyance et superstition, et à porter un second regard sur le besoin de spiritualité chez l'être humain. Enfin, la présence massive d'immigrants qui témoignent de leur appartenance religieuse par des signes extérieurs porte la France, notamment, à réaffirmer sa ferme adhésion à la **laïcité** républicaine. Cette attitude ne règle cependant pas complètement l'épineux problème de l'intégration de ces mêmes immigrants à leur société d'accueil. En effet, le faible taux de natalité des pays occidentaux les oblige à combler leurs besoins en main-d'œuvre en se tournant vers l'extérieur, si bien que cette problématique du «vivre-ensemble» concerne toutes les sociétés cosmopolites.

LA RÉVOLUTION TECHNOLOGIQUE: Comment l'ordinateur et Internet renouvellent-ils la culture? Quels défis soulèvent-ils?

Élaborés aux États-Unis dans un contexte aux allures de science-fiction, celui de la «guerre des étoiles», les premiers ordinateurs, puissants et coûteux, devaient permettre de mieux cibler les bombardements en territoire ennemi. Servant aussi à des fins militaires, le réseau Arpanet est l'ancêtre du réseau Internet actuel. Rendu accessible aux particuliers et aux entreprises en 1990, cet ensemble

Libération sexuelle: relation au corps et à la sexualité qui se soustrait de plus en plus à la morale religieuse.

Secte religieuse: petit groupe d'adhérents à des principes religieux, en marge des grandes religions monothéistes.

Laïcité: neutralité des institutions de l'État dans un pays qui permet la liberté de conscience et la libre pratique des religions dans le privé.

Christo et Jeanne-Claude, *L'emballage du Reichstag*, 1995.

standardisé conçu pour favoriser le transfert de données bouleverse les méthodes de travail et les modes de communication. Invention aussi révolutionnaire que l'imprimerie à la fin du Moyen Âge, cette nouvelle technologie fascine par son potentiel infini d'applications, mais inquiète également parce qu'elle met en péril la vie privée et certains aspects de la culture antérieure. Autre objet fétiche de la décennie, le téléphone portable, maintenant devenu intelligent, confirme le caractère exponentiel des utilisations, même dans un avenir immédiat.

Ces nouvelles technologies, qui ont transformé les modes de vie occidentaux, ouvrent de nouvelles voies à la créativité. Les œuvres d'art deviennent interactives, les expositions, virtuelles. Les hypertextes littéraires ou encore la cyberpoésie, en sollicitant la participation des lecteurs, renouvellent complétement le rapport au texte et à l'auteur. Dorénavant, tous et chacun peuvent s'exprimer librement et interagir avec un lectorat planétaire. Par ailleurs, le Web rend possible le commerce à distance et donne un accès illimité à l'information. Aujourd'hui, tout s'effectue à un rythme accéléré : le partage d'idées via les réseaux sociaux, le cyberclavardage ou encore le courriel, le transfert d'images et de fichiers, les transactions boursières à l'échelle mondiale. Internet permet aussi la mise sur pied de plateformes d'échanges et met en ligne des services coopératifs. Plusieurs événements récents révèlent en outre l'efficacité des réseaux sociaux quand vient le temps de mobiliser les citoyens, de les amener à occuper l'espace public pour exprimer leur point de vue.

Toutefois, la mainmise américaine sur les principaux fournisseurs du réseau et l'absence de toute législation concrétisent la menace de l'espionnage systématisé et de la violation de la vie privée (faits notamment révélés par l'affaire Edward Snowden, un ancien informaticien de la CIA et de l'Agence nationale de sécurité qui a provoqué la fuite de documents confidentiels). Le réseautage social de type Facebook justifie également certaines craintes, puisque l'utilisateur ne jouit d'aucune protection concernant la réappropriation possible des données exposées.

Enfin, les nouvelles technologies soulèvent une multitude de questions et de défis. Sera-t-il possible, dans un avenir rapproché, de réduire le clivage entre les populations des pays riches et celles des pays pauvres inégalement pourvues d'ordinateurs ? Quelles répercussions ont-elles sur les apprentissages et les compétences sociales des enfants ? Comment peut-on fournir un accès équitable aux technologies ?

L'ART : Comment reflète-t-il l'état actuel du monde ?

Le monde de l'art reflète l'hybridation des cultures, que ce soit au cinéma ou dans la musique populaire. Souvent issus de groupes ethniques minoritaires, les jeunes réalisateurs, en Europe comme en Amérique, jettent un regard sans compromission sur les difficultés d'adaptation des immigrants – et même de leurs descendants –, alors que les musiciens n'hésitent pas à métisser les rythmes anglo-saxons, arabes et latino-américains.

L'art se décentralise et se diversifie. Un peu partout dans le monde se développent des centres de création qui valorisent l'imaginaire et les savoir-faire locaux. L'Europe rivalise à nouveau avec l'Amérique ; les avant-gardes se relaient les unes les autres pour occuper le devant de la scène. Dans l'esprit de la « trans-avant-garde » italienne et des néo-expressionnistes allemands, un mouvement prend son essor en France au début des années 1980 : la Figuration libre. Cette nouvelle génération de peintres, dont fait partie Robert Combas, contraste avec l'hermétisme de l'art des années 1970, entre autres l'art conceptuel et l'art minimal, par un style coloré, inspiré de la bande dessinée, de la science-fiction, de l'art brut, du graffiti et d'autres formes d'art de la rue. Aux États-Unis, cette nouvelle mouvance sera surtout associée à l'art du graffitti (le *bad painting*) comme en témoigne l'œuvre de Jean-Michel Basquiat.

Dans la foulée de Magritte, des artistes comme Joseph Kosuth interrogent les liens du langage avec l'art. On peut par exemple retrouver sur une toile un élargissement d'une définition de mot directement tirée du dictionnaire. Dans cette mouvance, des artistes comme Sophie Calle vont développer une approche narrative de l'art et mettrons en scène, dans des livres et des expositions, des événements de leur vie à l'aide de textes et de photos où s'entremêlent réalité et fiction. D'autres mouvements favorisent des installations, c'est-à-dire des créations qui interagissent avec leur environnement. Au Musée d'art moderne de New York, un ventilateur pendu à un long fil tourne en rond tel un pendule de Foucault dérisoire, dans une salle qui lui est entièrement consacrée, invitant le spectateur à tout relativiser, même la Terre elle-même qui tourne inexorablement sur son axe! À partir des années 1980, plusieurs artistes vont explorer – entre autres dans le cadre d'installations – le potentiel de la technologie, en expérimentant l'art vidéo, l'art informatique puis, par la suite, l'art numérique.

Dans la lignée de l'Américain Robert Smithson, qui avait construit en 1970 une large jetée en spirale à la surface d'un lac salé (*Spiral Jetty*), des artistes comme Christo et Jeanne-Claude refusent de se soumettre à la loi du commerce et font des installations spectaculaires en pleine nature (« l'art environnemental »). Ils emballent des monuments ou des entités géographiques qui deviennent provisoirement des œuvres d'art; après avoir encerclé les îles de la baie de Biscayne à Miami d'une ceinture en polypropylène rose fuchsia (1980-1983), ils recouvrent le Pont-Neuf, à Paris, d'un polyester jaune-ocre (1985), ou encore le Reichstag, à Berlin, d'un tissu argenté (1995). Jason deCaires Taylor, quant à lui, poussera même l'audace jusqu'à construire une œuvre sculpturale de plus de 400 personnages grandeur nature sous l'océan (*The Silent Evolution*, 2010). Enfin, dans un style encore plus radical, d'autres créateurs poussent la logique du happening à son extrême limite à la fin des années 1960; ils soumettent leur propre corps à des expérimentations et des transformations variées. Désigné « art corporel », ce courant a récemment trouvé un prolongement dans une nouvelle forme d'art, le « bio-art ». Les artistes se livrent à la culture de tissus vivants ou à des modifications génétiques ou morphologiques, et certains vont même jusqu'à expérimenter sur leur propre corps, tentant de démystifier ainsi les craintes inspirées par la technologie.

Loin d'être exhaustive, cette énumération ne donne qu'une idée approximative de la vitalité mais aussi du grand potentiel humoristique de l'art contemporain. Les artistes n'ont de cesse de bousculer les traditions, de jouer de multiples paradoxes tout en outrepassant les frontières entre ce qu'il était autrefois convenu d'appeler le « beau » et le « laid ». Ce qui renvoie bien à la réalité des sociétés postmodernes où se dissolvent les limites morales entre le bien et le mal, entre le vrai et le faux. L'art est aujourd'hui doté d'un potentiel de séduction décuplé puisqu'il est présent partout, qu'il envahit tous les espaces, celui du musée, des vitrines, de la rue et même de la nature. Il se veut une célébration tous azimuts de la faculté de l'être humain de refléter le monde, mais aussi de le recréer sinon même... de s'en moquer!

Sophie Calle, *Des journées entières sous le signe du B, du C, du W*, 1998. Dans *Léviathan*, l'auteur américain Paul Auster a créé le personnage de Maria, une artiste, à partir de la vie de Sophie Calle, qui s'est ensuite mise en scène « à la manière de Maria » dans la série de photographies *Double jeu* dont est issue cette œuvre.

L'ÉCRIVAIN AUJOURD'HUI : Comment s'adapte-t-il au contexte social ?

L'ère des grands maîtres à penser comme Sartre, qui intervenaient sur toutes les questions d'intérêt commun, semble révolue. L'écrivain contemporain préfère partager avec ses lecteurs une vision du monde personnelle tout en renouant, parfois, avec le plaisir de raconter. Il veut se rapprocher du lecteur par une écriture plus accessible, sans toutefois délaisser totalement l'expérimentation narrative. L'écrivain-conteur est donc de retour, et il n'hésite pas à emprunter au polar certaines de ses recettes pour créer le suspense.

Le pouvoir de l'argent aidant, la culture se transforme en industrie du spectacle et la littérature, comme les autres formes d'art, perd son caractère sacré. Le livre tend désormais à devenir un produit qui doit répondre aux lois du marché. Les écrivains doivent donc consacrer une part de leur temps à en faire la promotion. Voir son dernier opus trôné au centre de toutes les vitrines de librairies et le voir couronné « succès de l'année » jettent les bases de la notoriété de l'écrivain. Les salons du livre, nés dans les années 1970, poussent les auteurs à rencontrer directement leurs lecteurs. Interviewé et photographié, l'écrivain trouve avantage à cultiver sa popularité en allant parler de ses livres dans les émissions culturelles. La télévision, comme le cinéma, servent également la diffusion du livre en portant à l'écran des histoires tirées de romans. D'autre part, une lente évolution se dessine, puisque les chroniqueurs littéraires s'intéressent à des genres autrefois dévalués, comme le roman policier, la science-fiction et la bande dessinée.

LA POSTMODERNITÉ

Comment circonscrire cette tendance encore mal définie ?

D'abord utilisé en architecture, le terme de « postmodernité » a fait le saut en sociologie pour s'étendre ensuite au domaine des arts et de la littérature. Ce concept, encore objet de polémique entre spécialistes, demeure relativement indéfini ; ce serait toutefois réduire sa portée que d'en faire l'équivalent d'un courant littéraire. Comment en outre présumer de sa situation dans le temps alors que les historiens ne s'entendent pas sur la datation de la modernité qui lui est antérieure ? À la lecture des œuvres, il apparaît pourtant que certains traits confirment les observations des sociologues relatives aux valeurs en opposition entre l'époque moderne (celle de la naissance et du développement de l'industrialisation) et l'époque postmoderne (la période contemporaine). La littérature actuelle, des années 1980 à aujourd'hui, serait donc particulièrement susceptible d'illustrer les caractéristiques de la postmodernité énumérées dans la colonne de droite du tableau ci-dessous.

Modernité	Postmodernité
Dans un monde dominé par les grandes idéologies que sont le capitalisme et le communisme, l'idée de progrès est essentielle et on se tourne vers l'avenir.	Dans une société de consommation, l'hédonisme prédomine : on veut jouir de tout, ici et maintenant, et l'instant présent devient essentiel.
Dans une société où l'État-nation sert d'élément intégrateur, on élimine les disparités, on vise l'homogénéité, et les immigrants doivent s'intégrer à la majorité.	L'avènement de la Communauté européenne (CE), la mondialisation, les déplacements migratoires à l'échelle planétaire rendent l'identité problématique : on est en quête d'une identité qui n'est pas donnée d'avance et qui n'est plus de l'ordre de l'évidence.
Dans une société hiérarchisée, c'est une classe sociale qui impose ses valeurs et son mode de vie, soit la bourgeoisie, grâce au pouvoir que lui donne l'argent.	Dans une société multiculturelle plus éclatée, c'est une génération qui impose son style et ses goûts, grâce au pouvoir que donnent la jeunesse et la beauté.
Les êtres humains se regroupent en fonction d'une cause commune et d'un idéal lointain comme dans les grandes religions ou les grand partis politiques.	Les êtres humains ont le sentiment d'échapper à l'anonymat à l'intérieur de petites communautés ou de sectes.
La sexualité s'exerce en couple en fonction de la famille, base de la société.	La sexualité est plus libre, plus ouverte.
Le corps est important parce qu'il sert à la production (le fait de travailler) ou à la reproduction (le fait de faire des enfants).	Le corps est un produit dans le marché de la séduction : on le soigne, on le pare, on le répare pour pouvoir en jouir le plus longtemps possible.
Le but visé par les sociétés modernes est l'homogénéité et la catégorisation claire et précise, ce qui donne en littérature les règles et la division en genres littéraires.	Dans la société postmoderne, on observe un processus d'hybridation des cultures, des genres et des styles.
Le discours rationnel, c'est-à-dire l'écrit à caractère normatif, domine.	L'image impose sa domination (télévision, vidéo, cinéma, jeux vidéo) et, par ce fait, l'imaginaire crée sa propre norme.
L'artiste détermine le sens de son œuvre, il présente une vision du monde qui lui est personnelle et que le récepteur cherche à comprendre.	L'artiste crée des œuvres ouvertes, polysémiques par nature et plus éclatées. La relation à l'œuvre est interactive, ce qui donne lieu à de multiples interprétations de la part du récepteur.

LE RÉCIT ET LE THÉÂTRE

M
p. 275
p. 278

Quelles caractéristiques leur attribuer qui puissent aider à l'analyse des œuvres ?

La prédilection pour l'autobiographie et la biographie fictives (la première maintenant désignée sous le vocable d'« autofiction ») a marqué le récit des dernières décennies. Un thème y est récurrent, celui de la quête identitaire associée à l'ouverture sur le monde ; un goût pour le néant (nihilisme) subsiste, centré toutefois sur le drame individuel plutôt que collectif. Les écrivains aiment aussi mettre les artistes en représentation dans leurs œuvres ou encore s'inspirer de faits divers.

Au théâtre, la mise en scène est désormais considérée comme une des étapes du processus créatif. Les metteurs en scène proposent une « lecture » personnelle des pièces mises à l'affiche et disposent de moyens techniques variés pour enrichir la représentation. La tendance est au mariage de toutes les disciplines artistiques : l'opéra, la musique, la danse, les arts visuels, et même le cirque. La démarcation entre théâtre et spectacle tend à s'estomper, ce qui semble convenir à un auditoire où fusionnent les générations et les classes sociales.

Les traits distinctifs

1 La combinaison de la réalité et de la fiction qui entraîne l'émergence de genres nouveaux

Les frontières entre fiction et réalité deviennent plus floues, tout comme la séparation entre les genres. Le récit fictif et l'autobiographie tendent à se confondre dans un même texte maintenant gratifié d'une nouvelle appellation, l'« autofiction ». Cherchant à élucider ses origines et à cerner son identité, l'écrivain joue sur le registre des émotions tout en prenant goût au récit d'événements. Chez certains auteurs comme Annie Ernaux, l'autobiographie adopte le ton du secret tout en repoussant les limites de l'impudeur ; d'autres, comme Michel Houellebecq, choisissent au contraire le chemin du propos outrancier pour déstabiliser le lecteur et briser ses conditionnements. Le romancier place le lecteur dans une zone d'ambiguïté, le mettant devant des faits qui transgressent les lois de la morale, mais posant comme illégitime l'acte de juger.

La biographie romancée, dont *Limonov* d'Emmanuel Carrère est l'un des meilleurs exemples, semble aussi avoir la cote, tout comme le roman tiré d'un fait d'actualité, genre qu'a exploité Régis Jauffret avec *Claustria*, inspiré d'une macabre histoire s'étant passée en Autriche : celle d'un père qui a emprisonné pendant 24 ans sa fille dans un sous-sol sans susciter le moindre soupçon chez ses proches.

2 Le héros fragilisé

La voix du narrateur – qui est fréquemment une narratrice – se confond avec celle du protagoniste, souvent décrit comme un être fragilisé par les circonstances, incapable de changer le cours de sa destinée. Contrairement aux personnages du nouveau roman dont certains furent réduits à l'anonymat, les héros actuels retrouvent leur consistance psychologique et toute leur singularité. Ils ressentent le poids du quotidien, leur problème étant même d'y être trop souvent englués. Plusieurs semblent d'ailleurs vivre avec la tentation du suicide ou de la fuite, notamment dans une sexualité débridée.

L'amour, autrefois présenté comme salvateur par les surréalistes, a perdu son pouvoir de rédemption. Il est, plus souvent qu'à son tour, placé au banc des accusés, comme si on se trouvait dans un procès faisant suite à un divorce litigieux. La plupart des personnages conservent d'ailleurs un souvenir amer de l'expérience conjugale. Les rapports aux enfants semblent tout aussi problématiques : ou bien on les case chez la grand-mère ou ailleurs, ou bien on éprouve le sentiment de les avoir ratés, ou encore on se perçoit soi-même comme un être superflu, une sorte d'orphelin désenchanté face à une société accablante.

3 Une thématique postmoderne : la beauté, la quête identitaire, la culture

Dans les sociétés matérialistes d'aujourd'hui, le bonheur se consomme et se consume rapidement, puisqu'il ne semble être accessible qu'à la jeunesse à laquelle se rattache l'idée de beauté. Le corps est une préoccupation de tous les instants : il faut le préserver de la dégradation pour le maintenir sur le marché de la séduction. Ainsi constate-t-on une prolifération du discours relatif au physique, à la chair, à l'anatomie. Toutefois, comme la volupté est éphémère, elle n'arrive pas à faire oublier les ennuis routiniers. Le quotidien est plutôt perçu comme une toile d'araignée qui, à long terme, étouffe ou ratatine l'individu.

Un phénomène social important, l'immigration, soulève des questions liées à la quête identitaire. Auparavant, une personne se définissait par ses origines, par les valeurs morales héritées de sa famille, tout en étant plus largement conditionnée par son environnement social. Dans les sociétés pluralistes d'aujourd'hui, les références culturelles souvent antagonistes rendent complexe la constitution de la personnalité ; aussi voit-on des personnages déchirés entre les valeurs héritées de la culture d'origine et celles de leur terre d'accueil. Les dialogues, transcription de la parole vive, traduisent cette problématique identitaire, puisqu'on ne peut totalement effacer les mots appris dans l'enfance, au contact des parents; ces expressions, avec leur sonorité exotique, surgissent spontanément et expriment en quelque sorte la difficulté d'intégration. En même temps, tout ce processus insuffle une musicalité nouvelle à la langue. Celle-ci, d'ailleurs, s'ouvre à tous les registres : la langue soutenue côtoie l'argot; les mots créoles réchauffent la syntaxe française; même le franglais n'est plus frappé d'interdit!

Enfin, la littérature, comme l'art contemporain, pratique l'autoréférence. Emmanuel Carrère consacre à la vie d'un écrivain d'origine russe tout un roman, qui porte comme titre le nom de ce dissident bien connu en Russie : *Limonov*. De son côté, Jean Echenoz se permet de pénétrer les cercles artistiques en faisant de l'un de ses personnages un propriétaire de galerie (*Je m'en vais*) ou encore de discourir de musique en portant son intérêt sur Ravel (*Ravel*). D'autres glissent à loisir des allusions érudites au fil du récit ou pratiquent la déconstruction en composant à rebours d'une tradition littéraire établie; l'inverse, la voie de l'imitation, est tout aussi possible.

4 Le goût de raconter

Dans le but probable de reprendre contact avec le lecteur « ordinaire », celui qui est réputé aimer les histoires, l'écrivain renoue avec le plaisir de raconter. Daniel Pennac s'inscrit dans la tradition picaresque (de *picaro*, « aventurier espagnol ») en construisant des intrigues à rebondissements. D'autres s'inspirent d'Émile Ajar (Romain Gary) et écrivent des récits d'apprentissage (dans lesquels on apprend à devenir adulte) en choisissant comme héros des enfants ou de jeunes adultes en exil qui se réconcilient avec eux-mêmes grâce à une amitié inattendue mais bienfaitrice. Enfin, le grand succès de librairie, qui puise à même les recettes du roman sentimental, de la fresque historique ou scientifique, fait la fortune d'écrivains plus conformistes. Certains auteurs refusent par ailleurs de se plier aux diktats des cercles intellectuels parisiens et développent une œuvre en marge des modes, qui échappe à la reconnaissance médiatique.

Cependant, les recherches du nouveau roman ont laissé des traces, dont celle de l'interpénétration des genres : le récit intègre des passages poétiques, penche vers l'essai ou encore glisse vers la langue orale. Un auteur comme Frédéric Beigbeder construit un texte qui semble faire la synthèse de plusieurs expérimentations narratives antérieures, soit celle d'André Gide (la mise en abyme), celles d'André Breton (l'inclusion de photos, le mélange d'essai, de poésie, de récit dans *Nadja*) et jusqu'au nouveau roman (une sorte de sabotage de l'organisation chronologique). Enfin, chez d'autres écrivains comme Jean-Paul Dubois, les événements de la vie politique structurent le récit de la vie privée du narrateur. Dubois rend d'ailleurs hommage, en toute modestie, aux grands romanciers américains qui l'ont marqué, John Updike et Philip Roth.

5 L'intensité dans l'expression des émotions

Certaines influences qui s'exercent sur la postmodernité sont difficilement mesurables, d'autant plus qu'on s'ingénie quelquefois à les nier, ce qui est peut-être le cas du féminisme. Les textes écrits par les femmes dans la foulée de ce mouvement de revendication prenaient souvent la forme de témoignage alliant l'introspection, le commentaire réflexif et les incursions poétiques. Ces dernières visaient en outre à retrouver la spontanéité de la parole en contestant les structures réglementées de la langue, trop associées, du moins à leurs yeux, à la rationalité masculine. Les écrivains contemporains leur sont à coup sûr redevables d'avoir dérogé à certaines contraintes afin de laisser libre cours à l'émotion.

Plusieurs auteurs sont eux-mêmes, par leurs origines, représentatifs de l'hybridation des cultures. Lorsqu'ils font parler leurs personnages, ils intègrent des mots de leur langue d'origine ou brisent la syntaxe pour traduire le trouble identitaire. Cette tendance s'illustre chez des écrivains de toutes les générations et d'origines variées : on peut penser ici à Daniel Pennac ou à Patrick Chamoiseau. Des écrivains québécois comme Michel Tremblay traduisent ce même malaise en adoptant le « joual », sorte d'argot populaire qui illustre, de façon radicale, que le Québec s'est éloigné de la norme du français normatif fixée par Paris.

On constate donc qu'à l'image de la thématique, le style se déplace vers la marge. Certains ont une écriture très sobre, toute condensée, comme c'est le cas pour Agota Kristof, alors que d'autres, comme Nancy Huston, étirent la phrase, donnant l'impression de frôler le délire. Le rythme est saccadé, ou hachuré, comme s'il captait la pensée intérieure au moment où elle surgit. L'écrivain exprime en outre des peurs ou des fantasmes, les siennes ou celles des autres, avec des images excessives, quelquefois même pornographiques (par exemple chez Michel Houellebecq et Régis Jauffret). On peut aussi parler d'un retour au lyrisme noir, avec une prose qui emprunte ses procédés à la poésie ou qui retourne aux sources de la littérature fantastique pour donner un caractère de fable au récit (chez Pascal Bruckner et Marie Darrieussecq, entre autres).

Même les écrivains-conteurs adoptent une écriture haute en contrastes pour rivaliser avec des compétiteurs aussi féroces que le cinéma, la bande dessinée, les jeux vidéo. La rupture avec le bon goût classique est bel et bien consommée : la figure de style choque, la phrase déborde ou se résorbe.

Les caractéristiques du récit et du théâtre postmodernes

Histoire Traduire la quête d'un héros fragilisé par une société accablante.	**Personnages** • Héros vulnérable, fortement individualisé, souvent immigrant ou enfant d'émigrés. Homosexuel dans certains cas. • Héroïne typée, souvent narratrice, placée au centre du récit. **Intrigue** • Intrigue fondée sur des relations inattendues entre rivaux ou ennemis, ou enfants et vieillards. • Histoire individuelle racontée en lien avec l'histoire collective. • Récits d'apprentissage (le héros apprend à devenir adulte, par exemple). • Récits picaresques (à rebondissements). • Autofictions : l'écrivain se raconte sans garantir la véracité des événements rapportés.
Structure Soumettre le monde à la subjectivité du regard.	• Narration menée par un personnage qui confesse être l'une des incarnations de l'auteur. • Insertion de dialogues portés par des voix anonymes ; monologues intérieurs.
Thématique Traduire l'effarement de l'individu.	• Immigration, qui entraîne la quête identitaire. • Beauté physique ; érotisme et sexualité hors norme ; désillusion par rapport à l'amour, au couple, à la famille. • Poids du quotidien, fatigue existentielle ; impuissance à résoudre les problèmes courants. • Attitude nihiliste, soit le sentiment que la mort envahit tout et, dans certains cas, attraction pour le néant. • Culture (personnages d'écrivains et retour sur des mythes littéraires).
Style et procédés d'écriture Marquer sa singularité par le refus de toute norme.	• Mélange des genres : la fiction se fond dans la réalité ; l'essai et la poésie s'intègrent au récit. • Deux extrêmes sont représentés, soit le ton du secret qui coexiste avec l'étalage impudique. • Prédilection pour une tonalité pessimiste. • Langue qui s'ouvre à tous les registres et laisse pénétrer le lexique étranger. • Écriture traduisant le plaisir de raconter sans sacrifier le goût d'innover. • Pratique de l'autoréférence, de la citation, de l'érudition.

Méthode d'analyse transversale

Au terme d'un long parcours guidé visant l'acquisition de compétences en lecture et en analyse d'extraits, il est maintenant possible de franchir une nouvelle étape menant à une plus grande autonomie dans l'exercice de ces compétences. Dans ce chapitre, au lieu de présenter un questionnaire à la suite de chaque extrait, c'est une démarche plus générale qui est proposée. Celle-ci est conçue de telle sorte qu'elle puisse être adaptée à chacun des extraits.

Exploration des extraits (récit et théâtre)

Consignes :

- Compte tenu de la nature des textes proposés, il est possible qu'on ne puisse répondre à toutes les questions. Il faut apprendre à discriminer celles qui conviennent à la nature du texte et qui permettent de faire avancer l'analyse.

- Les réponses doivent comporter des citations ou des exemples pour appuyer les arguments.

- Pour vous aider à répondre aux questions, reportez-vous à la méthodologie, aux pages 275 à 279 et 284 à 291.

Histoire

1. Qui sont les personnages ? Quels rôles jouent-ils ?

2. Comment sont-ils décrits ? En tenant compte de leur comportement et de leurs paroles, que peut-on déduire sur leur physique, leur caractère, leur origine, leur milieu social, leurs valeurs et leurs croyances ?

3. Comment s'organise la dynamique relationnelle entre les personnages ? Utilisez notamment le schéma actantiel pour répondre (voir p. 275).

4. Quel est le contexte de l'intrigue (temps et lieux) ? Comment s'organisent les événements ? Quelle vision du monde cela traduit-il ? Utilisez notamment le schéma narratif pour répondre (voir p. 276).

5. Les personnages et l'intrigue correspondent-ils d'une manière ou d'une autre aux caractéristiques énumérées dans le tableau sur les caractéristiques du récit et du théâtre postmodernes (voir p. 247) ?

Structure ou narration

6. Qui raconte l'histoire ? De quel point de vue la scène est-elle observée ? Le choix du narrateur influe-t-il sur la perception du lecteur ? Dans le cas d'un narrateur représenté dans le texte, quels sont les informations essentielles qui nous permettent de mieux le comprendre comme personne ou de mieux apprécier ce qui lui arrive dans l'extrait ?

7. Dans le cas d'un récit, quelles formes de discours (direct, indirect, intérieur, etc.) sont utilisées dans l'extrait ? Comment cela oriente-t-il la perception du lecteur ?

8. Dans le cas d'une pièce de théâtre, comment les didascalies et les répliques nous renseignent-elles sur le comportement des personnages, et même sur ce qu'ils sont et ce qu'ils pensent ? Comment le dialogue fait-il progresser l'intrigue ?

9. L'auteur fait-il éclater les frontières entre les genres ? Entre les registres linguistiques ? Quel est l'effet visé ?

Thématique

10. Y a-t-il des champs lexicaux prédominants dans l'extrait ? Quels réseaux thématiques se dégagent du récit ou de la scène ? Comment se situent les personnages par rapport à ces thèmes ? A-t-on l'impression que l'un des personnages se fait le porte-parole des valeurs de l'auteur ?

11. Retrouve-t-on dans l'extrait un ou des thèmes énumérés dans le troisième encadré du tableau sur la postmodernité ?

Style et procédés d'écriture

12. Quel est le registre linguistique employé par le narrateur et les personnages ?

13. Observez le type de phrase retenu, les temps de verbe, la ponctuation. Quels sont les effets de ces choix sur la musicalité mais aussi sur la signification du texte ?

14. Répertoriez les procédés d'écriture employés par l'auteur. Comment ces procédés contribuent-ils au sens, à la tonalité du texte, à sa musicalité ?

15. Soyez sensible aux couleurs, aux formes, à l'évocation des odeurs, des sons, des saveurs, des sensations tactiles.

16. Restez attentifs au symbolisme d'ordre cosmique, à l'évocation de l'eau, de l'air, du feu, de la terre et ce qui est connoté par ces associations.

17. Quelle est la tonalité générale de l'extrait ?

18. Y a-t-il des marques d'humour ? Quel type d'humour ?

19. Le style illustre-t-il les caractéristiques de la postmodernité ?

Rédaction

Cette exploration vous prépare à développer un grand nombre de sujets ou d'hypothèses d'analyse.

Exemples :

- Montrez que les personnages incarnent des manières d'être contemporaines.

- Est-il juste d'affirmer que l'extrait illustre la thématique ou un des thèmes de la postmodernité ?

- Cet extrait traduit-il une vision d'une auteure féministe ou plutôt celle d'un écrivain postcolonial ?

- À quel type de récit cet extrait correspond-il ? Répond-il aux caractéristiques du récit d'apprentissage, du récit picaresque, de l'autofiction, de la biographie fictive ou du roman tiré d'un fait divers ?

- L'écriture de cet extrait traduit le plaisir de raconter sans sacrifier le goût d'innover. Commentez.

L'arrivée chez Grand-Mère

Nous arrivons de la Grande Ville. Nous avons voyagé toute la nuit. Notre Mère a les yeux rouges. Elle porte un grand carton et nous deux chacun une petite valise avec ses vêtements, plus le grand dictionnaire de notre Père que nous nous passons quand nous avons les bras fatigués.

5 Nous marchons longtemps. La maison de Grand-Mère est loin de la gare, à l'autre bout de la Petite Ville. Ici, il n'y a pas de tramway, ni d'autobus, ni de voitures. Seuls circulent quelques camions militaires.

Les passants sont peu nombreux, la ville est silencieuse. On peut entendre le bruit de nos pas ; nous marchons sans parler, notre Mère au milieu, entre nous deux.

10 Devant la porte du jardin de Grand-Mère, notre Mère dit :

— Attendez-moi ici.

Nous attendons un peu, puis nous entrons dans le jardin, nous contournons la maison, nous nous accroupissons sous une fenêtre d'où viennent des voix. La voix de notre Mère :

15 — Il n'y a plus rien à manger chez nous, ni pain, ni viande, ni légumes, ni lait. Rien. Je ne peux plus les nourrir.

Une autre voix dit :

— Alors, tu t'es souvenue de moi. Pendant dix ans, tu ne t'étais pas souvenue. Tu n'es pas venue, tu n'as pas écrit.

20 Notre Mère dit :

— Vous savez bien pourquoi. Mon père, je l'aimais, moi.

L'autre voix dit :

— Oui, et maintenant tu te rappelles que tu as aussi une mère. Tu arrives et tu me demandes de t'aider.

25 Notre Mère dit :

— Je ne demande rien pour moi. J'aimerais seulement que mes enfants survivent à cette guerre. La Grande Ville est bombardée jour et nuit, et il n'y a plus de nourriture. On évacue les enfants à la campagne, chez des parents ou chez des étrangers, n'importe où.

L'autre voix dit :

30 — Tu n'avais qu'à les envoyer chez des étrangers, n'importe où.

Notre Mère dit :

— Ce sont vos petits-fils.

— Mes petits-fils ? Je ne les connais même pas. Ils sont combien ?

— Deux. Deux garçons. Des jumeaux.

35 L'autre voix demande :

— Qu'est-ce que tu as fait des autres ?

Notre Mère demande :

— Quels autres ?

— Les chiennes mettent bas quatre ou cinq petits à la fois. On en garde un ou deux, 40 les autres, on les noie.

L'autre voix rit très fort. Notre Mère ne dit rien, et l'autre voix demande :

— Ils ont un père, au moins ? Tu n'es pas mariée, que je sache. Je n'ai pas été invitée à ton mariage.

— Je suis mariée. Leur père est au front. Je n'ai pas de nouvelles depuis six mois.

45 — Alors, tu peux déjà faire une croix dessus.

L'autre voix rit de nouveau, notre Mère pleure. Nous retournons devant la porte du jardin.

Notre Mère sort de la maison avec une vieille femme.

Notre Mère nous dit :

50 — Voici votre Grand-Mère. Vous resterez chez elle pendant un certain temps, jusqu'à la fin de la guerre.

Agota Kristof
(1935-2011)

L'âpreté de la guerre

En 1956, Agota Kristof quitte avec mari et enfant la Hongrie, son pays d'origine qui, après avoir été libérée des Allemands, est occupée par l'armée russe. Elle s'installe en Suisse et adopte comme langue d'écriture le français, qu'elle appelle sa « langue ennemie », probablement parce qu'il lui faut se battre avec les mots étrangers pour arriver à exprimer le drame qui sommeille en elle. Ainsi, la guerre qui l'a forcée à immigrer demeure le thème dominant d'une œuvre au style minimaliste, qui résulte probablement en partie de cette difficulté d'appropriation linguistique. *Le grand cahier*, qui établit la renommée de Kristof, est le premier récit d'une trilogie qui met en œuvre un processus inusité de déconstruction de l'œuvre par elle-même. Après *La preuve*, le roman intitulé *Le troisième mensonge* fait douter de l'existence de jumeaux, car il pourrait s'agir d'un double inventé par le narrateur.

Paru en 1986, *Le grand cahier* raconte en effet l'histoire de deux frères, Klaus et Lucas, que leur mère, constatant son incapacité à les nourrir, emmène chez leur grand-mère, femme cyniquement cruelle qui vit à la campagne. Cette scène est au cœur de l'extrait retenu ici. Laissés à eux-mêmes, ces enfants découvrent par la suite que le seul moyen de rester en vie et de ne pas sombrer dans le désespoir est de s'endurcir. Ils consignent leurs multiples apprentissages dans un « grand cahier », qui prendra la forme du roman que le lecteur tient entre ses mains.

Notre Grand-Mère dit :

– Ça peut durer longtemps. Mais je les ferai travailler, ne t'en fais pas. La nourriture n'est pas gratuite ici non plus.

55 Notre Mère dit :

– Je vous enverrai de l'argent. Dans les valises, il y a leurs vêtements. Et dans le carton, des draps et des couvertures. Soyez sages, mes petits. Je vous écrirai.

Elle nous embrasse et elle s'en va en pleurant.

Grand-Mère rit très fort et nous dit :

60 – Des draps, des couvertures! Chemise blanches et souliers laqués! Je vous apprendrai à vivre, moi!

Nous tirons la langue à notre Grand-Mère. Elle rit encore plus fort en se tapant sur les cuisses.

Agota Kristof, *Le grand cahier*, 1986.

Kees van Dongen, *Die Zigeunerin*, 1910.

Lecteur, accroche-toi

Lecteur, accroche-toi, ce livre est abrupt. Tu ne devrais pas t'ennuyer en chemin, remarque. Il y aura des détails, des couleurs, des scènes rapprochées, du méli-mélo, de l'hypnose, de la psychologie, des orgies. J'écris les Mémoires d'un navigateur sans précédent, le révélateur des époques... L'origine dévoilée ! Le secret sondé ! Le destin
5 radiographié ! La prétendue nature démasquée ! Le temple des erreurs, des illusions, des tensions, le meurtre enfoui, le fin fond des choses... Je me suis assez amusé et follement ennuyé dans ce cirque, depuis que j'y ai été fabriqué...

Le monde appartient aux femmes, il n'y a que des femmes, et depuis toujours elles le savent et elles ne le savent pas, elles ne peuvent pas le savoir vraiment, elles le sentent,
10 elles le pressentent, ça s'organise comme ça. Les hommes ? Écume, faux dirigeants, faux prêtres, penseurs approximatifs, insectes... Gestionnaires abusés... Muscles trompeurs, énergie substituée, déléguée... Je vais tenter de raconter comment et pourquoi. Si ma main me suit, si mon bras ne tombe pas de lui-même, si je ne meurs pas d'accablement en cours de route, si j'arrive surtout à me persuader que cette révélation s'adresse à
15 quelqu'un alors que je suis presque sûr qu'elle ne peut atteindre personne...

Règlements de comptes ? Mais oui ! Schizophrénie ? Comment donc ! Paranoïa ? Encore mieux ! La machine m'a rendue furieux ? D'accord ! Misogynie ? Le mot est faible. Misanthropie ? Vous plaisantez... On va aller plus loin, ici, dans ces pages, que toutes les célébrités de l'Antiquité, d'avant-hier, d'hier, d'aujourd'hui, de demain et
20 d'après-demain... Beaucoup plus loin en hauteur, en largeur, en profondeur, en horreur, – mais aussi en mélodie, en harmonie, en replis...

Qui je suis vraiment ? Peu importe. Mieux vaut rester dans l'ombre. Philosophe dans la chambre noire... J'ai demandé simplement à l'écrivain qui signera ce livre de discuter avec moi de certains points... Pourquoi je l'ai choisi, lui ? Parce qu'il était haï. Je me suis
25 renseigné, j'ai fait mon enquête, je voulais quelqu'un d'assez connu mais de franchement détesté... Un technicien du ressentiment éprouvé, de la source empoisonnée... J'ai mon idée là-dessus... Une théorie métaphysique... Vous verrez, vous verrez... Pourquoi en français ? Question de tradition... Les Français, certains Français, en savent davantage, finalement, sur le théâtre que j'ai l'intention de décrire... Curieux d'ailleurs...
30 Comme si c'était chez eux que s'était jouée au plus près la mise en place de la coulisse essentielle... Ça continue, d'ailleurs, en plus pauvre comme toutes choses aujourd'hui... Un côté mutant, un côté martien...

Je pars d'une constatation élémentaire. Si vous êtes là, les yeux ouverts sur ces lignes, c'est que vous êtes né. Né ou née ? Lui ou elle ? L'action commence. Vous êtes d'un sexe ou
35 d'un autre, du moins apparemment. Fallacieuse apparence ? Le *cose fallaci*... Vous ne savez pas exactement. Je dis bien : Exactement. Quoi qu'il en soit, vous êtes là. Et vous ne savez pas non plus pourquoi. Non, non, il ne s'agit pas de la vieille énigme éventée maman-papa depuis longtemps cassée par la science... Faulkner, encore lui, à Ben Wasson, printemps 1930 : « Désolé, mais je n'ai pas de photo. D'ailleurs, que je sache, je n'ai aucune in-
40 tention d'en avoir. Pour la biographie, ne dis rien aux emmerdeurs. Qu'est-ce que ça peut leur faire ? Dis-leur que je suis né d'un alligator et d'une esclave noire à la conférence de Genève il y a deux ans. Ou ce que tu voudras. » Averti, celui-là, ferme... Tout ce que je veux suggérer, c'est que vous êtes dans l'impossibilité d'évaluer votre sac... Est-ce que vous êtes dedans ? Là ? Dedans ? Dans votre corps ? Votre pensée dans un corps ? Une saison dans
45 l'enfer du corps, et hop, hors du corps ? Au néant ? « J'ai vu l'enfer des femmes là-bas », dit Rimbaud... Qu'est-ce qu'il a vu au juste ? To be ? Not to be ? L'enfer ? Nous allons redécouvrir l'enfer, ça fait partie du programme. Avec quelques douceurs en passant... Bien, d'où ça vient tout ça ? De maman ? MAMAN ? Dieu-maman ? Ah, celle-là ! Sous celui-là, celle-là ! La cellule universelle, la grande pile désormais à pilule, la bouche éternelle... Isis,
50 Artémis, Aphrodite, Diane, Hécate ! Cybèle ! Demeter ! Mater ! Athéna ! Géa ! Géova ! Le froncement, le pincement, l'épingle à nourrice, la pyramide, le triangle sacré, le delta !

Philippe Sollers, *Femmes*, 1983.

Philippe Sollers (1936)

« Qui je suis vraiment ? » la question qui s'infiltre partout...

De son vrai nom Philippe Joyaux, Sollers (pseudonyme tiré d'un mot latin qui signifie « tout en art ») fait ses premières armes en littérature en publiant une nouvelle à l'âge de 21 ans, suivi par un roman de facture classique. En 1960, il fonde la revue *Tel quel,* qui s'inscrit dans la lignée du structuralisme en empruntant à la linguistique son approche des textes et sa terminologie. Personnage médiatique qui aime jouer au libertin provocateur, il remet au goût du jour les écrivains maudits que sont le marquis de Sade, Georges Bataille et Antonin Artaud, et publie des textes critiques enclins à un certain hermétisme. Devenu un des intellectuels contemporains les plus influents en France, époux de Julia Kristeva, une féministe notoire, et amant de longue date de l'écrivaine Dominique Rolin, il compose de 1960 à 1980 une œuvre généralement dominée par un travail formel exigeant. La parution de *Femmes,* un roman plus accessible, sonnent le glas du structuralisme littéraire qui donne prépondérance dans la critique au fonctionnement des structures textuelles.

Dans cet extrait, qui ouvre *Femmes,* le narrateur s'interroge à la fois sur son projet et sur l'histoire de la littérature, en adoptant un ton à la fois lyrique et humoristique.

Assia Djebar
(1936-2015)

La voix de l'Algérie

Née à Cherchell en Algérie, Assia Djebar, à la fois romancière, nouvelliste, dramaturge, poète et cinéaste, vient d'une famille qui possède une longue tradition de résistance contre le conquérant français. Politiquement très engagée, elle traite, dans ses premiers romans, de la crise d'identité vécue par des personnages qui se trouvent à la frontière entre la culture française et la culture arabe. Par la suite, notamment avec *Les enfants du nouveau monde* (1962) et *L'amour, la fantasia* (1985), elle abordera plus directement le problème de la guerre d'Algérie et de ses conséquences, puisant à même ses propres souvenirs. Elle entre à l'Académie française en 2005.

Dans son recueil de nouvelles *Femmes d'Alger dans leur appartement* (1980), Assia Djebar fait entendre la voix des femmes algériennes, dans un style qui n'hésite pas à mélanger les genres, afin de dénoncer aussi bien le système colonial imposé par la France que les traditions qui condamnent les femmes au silence et à la réclusion.

La fille à marier

Elles étaient trois : une vieille qui devait être la mère du prétendant et qui, à mon arrivée, mit précipitamment ses lunettes ; deux autres femmes, assises côte à côte, et qui se ressemblaient. Hafça, qui était entrée derrière moi, s'assit à mes côtés. Je baissais les yeux.

5 Je connaissais mon rôle pour l'avoir déjà joué ; rester ainsi muette, paupières baissées et me laisser examiner avec patience jusqu'à la fin : c'était simple. Tout est simple, avant, pour une fille à marier.

Mère parlait. J'écoutais à peine. Je savais trop les thèmes qu'on allait développer : Mère parlait de notre triste condition de réfugiés ; ensuite, on échangerait les avis
10 pour savoir quand sonnerait la fin : « ... encore un ramadan à passer loin de son pays... peut-être était-ce le dernier... peut-être, si Dieu veut ! Il est vrai que l'on disait de même l'an dernier, et l'an d'avant... » [...] Puis on évoquerait la tristesse de l'exil, le cœur qui languit du pays... Et la peur de mourir loin de sa terre natale... Puis... mais que Dieu soit loué et qu'il soit exaucé !

15 Cette fois, cela dura un peu plus longtemps ; une heure peut-être ou plus. Jusqu'au moment où l'on apporta le café. J'écoutais alors à peine. Je songeais, moi aussi, mais à ma manière, à cet exil et à ces jours sombres.

Je pensais que tout avait changé, que le jour de mes premières fiançailles, nous étions dans ce long salon clair de notre maison, sur les collines d'Alger ; qu'il y avait
20 alors prospérité pour nous, prospérité et paix ; que Père riait, et qu'il remerciait Dieu de sa demeure pleine... Et moi, je n'étais pas comme aujourd'hui, l'âme grise, morne et cette idée de la mort palpitant faiblement en moi depuis le matin... Oui, je songeais que tout avait changé et que, pourtant, d'une certaine façon, tout restait pareil. On se préoccupait encore de me marier. [...] Et pourquoi donc ? répétais-je avec en moi,
25 comme de la fureur, ou son écho. Pour avoir les soucis qui eux ne changent pas en temps de paix comme en temps de guerre, pour me réveiller au milieu de la nuit et m'interroger sur ce qui dort au fond du cœur de l'homme qui partagerait ma couche... Pour enfanter et pour pleurer, car la vie ne vient jamais seule pour une femme, la mort est toujours derrière elle, furtive, rapide, et elle sourit aux mères... Oui, pourquoi
30 donc ? me dis-je.

Le café était servi maintenant. Mère faisait les invitations.

– Nous n'en boirons pas une gorgée, commençait la vieille, avant d'avoir obtenu votre parole pour votre fille.

– Oui, disait l'autre, mon frère nous a recommandé de ne pas revenir sans votre
35 promesse de la lui donner comme épouse.

J'écoutais Mère éviter de répondre, se faire prier hypocritement et de nouveau les inviter à boire. Aïcha se joignait à elle. Les femmes répétaient leur prière... C'était dans l'ordre.

Assia Djebar, *Femmes d'Alger dans leur appartement,* 1980.

Le tourbillon

Dans les cafés, il y a une musique qui n'arrête pas de battre, une musique lancinante et sauvage qui résonne sourdement dans la terre, qui vibre à travers le corps, dans le ventre, dans les tympans. C'est toujours la même musique qui sort des cafés et des bars, qui cogne avec la lumière des tubes de néon, avec les couleurs rouges, vertes,
5 orange, sur les murs, sur les tables, sur les visages peints de femmes.

Depuis combien de temps Lalla avance-t-elle au milieu de ces tourbillons, de cette musique ? Elle ne le sait plus. Des heures ; peut-être, des nuits entières, des nuits sans aucun jour pour les interrompre. Elle pense à l'étendue des plateaux de pierres, dans la nuit, aux monticules de cailloux tranchants comme des lames, aux sentiers des liè-
10 vres et des vipères sous la lune, et elle regarde autour d'elle, ici, comme si elle allait le voir apparaître. Le Hartani vêtu de son manteau de bure, aux yeux brillants dans son visage très noir, aux gestes longs et lents comme la démarche des antilopes. Mais il n'y a que cette avenue, et encore cette avenue, et ces carrefours plein de visages, d'yeux, de bouches, ces voix criardes, ces paroles, ces murmures. Ces bruits de mo-
15 teurs et de klaxons, ces lumières brutales. On ne voit pas le ciel, comme s'il y avait une taie blanche qui recouvrait la terre. Comment pourraient-ils venir jusqu'ici, le Hartani, et lui, le guerrier bleu du désert, Es Ser, le Secret, comme elle l'appelait autrefois ? Ils ne pourraient pas la voir à travers cette taie blanche, qui sépare cette ville du ciel. Ils ne pourraient pas la reconnaître, au milieu de tant de visages, de tant de corps,
20 avec toutes ces autos, ces camions, ces motocyclettes. Ils ne pourraient même pas entendre sa voix, ici, avec tous ces bruits de voix qui parlent dans toutes les langues, avec cette musique qui résonne, qui fait trembler le sol. C'est pour cela que Lalla ne les cherche plus, ne leur parle plus, comme s'ils avaient disparu pour toujours, comme s'ils étaient morts pour elle.

Jean-Marie Gustave Le Clézio, *Désert*, 1980.

Jean-Marie Gustave Le Clézio (1940)

Le choc des cultures

Se considérant de culture mauricienne et écrivant en français, Jean-Marie Gustave Le Clézio, prix Nobel de littérature 2008, est persuadé d'avoir des origines légendaires, raison pour laquelle il invente une destinée héroïque à deux de ses aïeuls. Son enfance est marquée par la guerre, puisqu'un camp de concentration est installé à proximité de chez lui jusqu'en 1944. Lors d'un périple pour rejoindre son père qui pratique la médecine de brousse au Nigeria, il en vient à associer le voyage à l'écriture. Son esprit d'explorateur le mène en Thaïlande, puis au Mexique et au Panama, où il découvre les mythes indiens dont il s'inspire pour critiquer le rationalisme occidental et la société de consommation. Dans son écriture, il se détache par ailleurs de l'influence marquante d'Albert Camus, puis de celle des nouveaux romanciers pour évoluer vers un style plus serein et limpide.

Son œuvre aborde la question du choc des cultures et privilégie la pureté du regard des enfants. Dans cet extrait de *Désert* (1980), la jeune Lalla sent affluer les souvenirs de son pays berbère au moment où elle entre en contact avec la France.

Jean-Michel Basquiat, *Sans titre*, 1981.

L'écart des classes sociales

Fille unique de commerçants normands de souche ouvrière, Annie Ernaux fait des études de lettres qui la conduisent à Rouen, où elle rencontre son mari, issu de la grande bourgeoisie. Elle délaisse alors ses propres ambitions professionnelles pour élever ses enfants. Elle termine plus tard ses études, ce qui lui permettra d'enseigner. L'obtention d'un diplôme de lettres creuse encore davantage le fossé qui la sépare de son milieu d'origine, fossé qui est à la source de son œuvre. Annie Ernaux s'efforce d'analyser la fracture sociale et émotive qui la sépare à la fois de ses parents et de la classe bourgeoise, à laquelle elle n'appartient que par défaut. Dans une écriture neutre, qui se refuse à la figure de style comme à toute virtuosité, elle dresse le portrait d'un individu, elle-même, qui synthétise en quelque sorte des traits culturels et sociaux d'une époque.

Dans *La place*, l'auteure rend un hommage troublant à son père récemment décédé, en retraçant quelques moments de sa vie.

Au plus près des mots

Elle était patronne à part entière, en blouse blanche. Lui gardait son bleu pour servir. Elle ne disait pas comme d'autres femmes « mon mari va me disputer si j'achète ça, si je vais là ». Elle lui faisait *la guerre* pour qu'il retourne à la messe, où il avait cessé d'aller au régiment, pour qu'il perde *ses mauvaises manières* (c'est-à-dire de
5 paysan ou d'ouvrier). Il lui laissait le soin des commandes et du chiffre d'affaires. C'était une femme qui pouvait aller partout, autrement dit, franchir les barrières sociales. Il l'admirait, mais il se moquait d'elle quand elle disait « j'ai un vent ».

Il est entré aux raffineries de pétrole Standard, dans l'estuaire de la Seine. Il faisait les quarts. Le jour, il n'arrivait pas à dormir à cause des clients. Il bouffissait, l'odeur de
10 pétrole ne partait jamais, c'était en lui et elle le nourrissait. Il ne mangeait plus. Il gagnait beaucoup et il y avait de l'avenir. On promettait aux ouvriers une cité de toute beauté, avec salle de bains et cabinets à l'intérieur, un jardin.

Dans la Vallée, les brouillards d'automne persistaient toute la journée. Aux fortes pluies, la rivière inondait la maison. Pour venir à bout des rats d'eau, il a acheté une
15 chienne à poil court qui leur brisait l'échine d'un coup de croc.

« Il y avait plus malheureux que nous. »

36, le souvenir d'un rêve, l'étonnement d'un pouvoir qu'il n'avait pas soupçonné, et la certitude résignée qu'ils ne pouvaient le conserver.

Le café-épicerie ne fermait jamais. Il passait à servir ses congés payés. La famille
20 rappliquait toujours, gobergée. Heureux qu'ils étaient d'offrir au beau-frère chaudronnier ou employé de chemin de fer le spectacle de la profusion. Dans leur dos, ils étaient traités de riches, l'injure.

Il ne buvait pas. Il cherchait à *tenir sa place*. Paraître plus commerçant qu'ouvrier. Aux raffineries, il est passé contremaître.
25 J'écris lentement. En m'efforçant de révéler la trame significative d'une vie dans un ensemble de faits et de choix, j'ai l'impression de perdre au fur et à mesure la figure particulière de mon père. L'épure tend à prendre toute la place, l'idée à courir toute seule. Si au contraire je laisse glisser les images du souvenir, je le revois tel qu'il était, son rire, sa démarche, il me conduit par la main à la foire et les manèges me
30 terrifient, tous les signes d'une condition partagée avec d'autres me deviennent indifférents. À chaque fois, je m'arrache du piège de l'individuel.

Naturellement, aucun bonheur d'écrire, dans cette entreprise où je me tiens au plus près des mots et des phrases entendues, les soulignant parfois par des italiques. Non pour indiquer un double sens au lecteur et lui offrir le plaisir d'une complicité,
35 que je refuse sous toutes ses formes, nostalgie, pathétique ou dérision. Simplement parce que ces mots et ces phrases disent les limites et la couleur du monde où vécut mon père, où j'ai vécu aussi. Et l'on n'y prenait jamais un mot pour un autre.

Annie Ernaux, *La place,* 1983.

Belleville

C'était l'hiver sur Belleville et il y avait cinq personnages. Six, en comptant la plaque de verglas. Sept, même, avec le chien qui avait accompagné le Petit à la boulangerie. Un chien épileptique, sa langue pendait sur le côté.

La plaque de verglas ressemblait à une carte d'Afrique et recouvrait toute la surface du carrefour que la vieille dame avait entrepris de traverser. Oui, sur la plaque de
5 verglas, il y avait une femme, très vieille, debout, chancelante. Elle glissait une charentaise devant l'autre avec une millimétrique prudence. Elle portait un cabas d'où dépassait un poireau de récupération, un vieux châle sur ses épaules et un appareil acoustique dans la saignée de son oreille. À force de progression reptante, ses charentaises l'avaient menée, disons, jusqu'au milieu du Sahara, sur la plaque à forme
10 d'Afrique. Il lui fallait encore se farcir tout le sud, les pays de l'apartheid et tout ça. À moins qu'elle ne coupât par l'Érythrée ou la Somalie, mais la mer Rouge était affreusement gelée dans le caniveau. Ces supputations gambadaient sous la brosse du blondinet à loden vert qui observait la vieille depuis son trottoir. Et il se trouvait une
15 assez jolie imagination, en l'occurrence, le blondinet. Soudain, le châle de la vieille se déploya comme une voilure de chauve-souris et tout s'immobilisa. Elle avait perdu l'équilibre ; elle venait de le retrouver. Déçu, le blondinet jura entre ses dents. Il avait toujours trouvé amusant de voir quelqu'un se casser la figure. Cela faisait partie du désordre de sa tête blonde. Pourtant, vue du dehors, impeccable, la petite tête. Pas un
20 poil plus haut que l'autre, à la surface drue de la brosse. Mais il n'aimait pas trop les vieux. Il les trouvait vaguement sales. Il les imaginait *par en dessous*, si on peut dire. Il était donc là à se demander si la vieille allait se rétamer ou non sur cette banquise africaine, quand il aperçut deux autres personnages sur le trottoir d'en face, qui n'étaient d'ailleurs pas sans rapport avec l'Afrique : des Arabes. Deux. Des Africains
25 du Nord, quoi, ou des Maghrébins, c'est selon. Le blondinet se demandait toujours comment les dénommer pour ne pas faire raciste. C'était très important avec les opinions qui étaient les siennes de ne pas faire raciste. Il était Frontalement National et ne s'en cachait pas. Mais justement, il ne voulait pas s'entendre dire qu'il l'était *parce que* raciste. Non, non, comme on le lui avait jadis appris en grammaire, il ne s'agissait
30 pas là d'un rapport de cause, mais de conséquence. Il était Frontalement National, le blondinet, *en sorte qu*'il avait eu à réfléchir objectivement sur les dangers de l'immigration sauvage ; et il avait conclu, en tout bon sens, qu'il fallait les virer vite fait, tous ces crouilles, rapport à la pureté du cheptel français d'abord, au chômage ensuite, et à la sécurité enfin. (Quand on a autant de bonnes raisons d'avoir une opinion saine,
35 on ne doit pas la laisser salir par des accusations de racisme.)

Bref, la vieille, la plaque en forme d'Afrique, les deux Arabes sur le trottoir d'en face, le Petit avec son chien épileptique, et le blondinet qui gamberge... Il s'appelait Vanini, il était inspecteur de police et c'était surtout les problèmes de Sécurité qui le travaillaient, lui. D'où sa présence ici et celle des autres inspecteurs en civil disséminés
40 nés dans Belleville. D'où la paire de menottes chromées bringuebalant sur sa fesse droite. D'où son arme de service, serrée dans son holster, sous son aisselle. D'où le poing américain dans sa poche et la bombe paralysante dans sa manche, apport personnel à l'arsenal réglementaire. Utiliser d'abord celle-ci pour pouvoir cogner tranquillement avec celui-là, un truc à lui, qui avait fait ses preuves. Parce qu'il y avait
45 tout de même le problème de l'Insécurité ! Les quatre vieilles dames égorgées à Belleville en moins d'un mois ne s'étaient pas ouvertes toutes seules en deux !

Violence...

Eh ! oui, violence...

Daniel Pennac, *La fée carabine,* 1987.

Daniel Pennac
(1944)

Le quartier des immigrants

Professeur dans un lycée de quartier défavorisé, Daniel Pennac (de son vrai nom Pennacchioni) obtient du succès avec la série des Malaussène, dont le premier volume, *Au bonheur des ogres,* paraît en 1984. D'abord publié aux Éditions Gallimard dans la collection « Série Noire », réservée au polar, Pennac passe à la collection la plus prestigieuse, ce qui est le signe qu'il plaît à un vaste auditoire, mais ce qui récompense aussi l'originalité de son écriture, où se mêlent une grande imagination de conteur et une fantaisie débridée. Il se tourne vers l'essai avec *Comme un roman,* où il parle de l'amour de la lecture qu'il tente d'inculquer à ses élèves. Il a aussi écrit pour les enfants et s'est aventuré du côté de la bande dessinée, en collaboration avec le dessinateur Tardi.

Dans un style qui cultive le pittoresque, Pennac s'en prend aux institutions qui écrasent l'individu ou le traitent en vulgaire anonyme. Avec un humour ravageur, il campe des personnages fortement typés et peint des mondes en marge de la société, comme dans l'extrait ci-contre qui ouvre *La fée carabine* (1987).

Le père fuyant

Né d'un père juif italien et d'une mère d'origine flamande, Patrick Modiano subit les déménagements incessants de ses parents. Souffrant de leur mésentente qui aboutit au départ définitif de son père, Modiano tente de percer le mystère de cet homme, qui mène des activités secrètes sous une fausse identité durant la Seconde Guerre mondiale. Pour compenser l'absence du père, Modiano dirige son affection vers son frère, qui meurt à 10 ans. Ces deux événements tragiques contribuent à faire de l'absence un des thèmes majeurs de son œuvre. Dans ses premiers romans, il évoque en outre le passé tout récent de l'Occupation, une période étroitement liée à la problématique de la judaïté en Europe, et donc à sa quête personnelle. Son œuvre concilie ainsi l'autobiographie fictive et la rétrospective historique.

Dans *Dora Bruder* (1997), le narrateur effectue d'incessantes recherches sur une jeune juive déportée en 1942, tentant de mettre à jour ce qu'elle a pu vivre (et qui restera à jamais caché); ce faisant, il découvre son véritable objectif qui est d'éclaircir l'existence énigmatique de son père.

La trace de l'existence

Au 2 boulevard du Palais, je m'apprêtais à franchir les grandes grilles et la cour principale, quand un planton m'a indiqué une autre entrée, un peu plus bas : celle qui donnait accès à la Sainte-Chapelle. Une queue de touristes attendait, entre les barrières, et j'ai voulu passer directement sous le porche, mais un autre planton, d'un
5 geste brutal, m'a signifié de faire la queue avec les autres.

Au bout d'un vestibule, le règlement exigeait que l'on sorte tous les objets en métal qui étaient dans vos poches. Je n'avais sur moi qu'un trousseau de clés. Je devais le poser sur une sorte de tapis roulant et le récupérer de l'autre côté d'une vitre, mais sur le moment je n'ai rien compris à cette manœuvre. À cause de mon hésitation, je me
10 suis fait un peu rabrouer par un autre planton. Était-ce un gendarme ? Un policier ? Fallait-il aussi que je lui donne, comme à l'entrée d'une prison, mes lacets, ma ceinture, mon portefeuille ?

J'ai traversé une cour, je me suis engagé dans un couloir, j'ai débouché dans un hall très vaste où marchaient des hommes et des femmes qui tenaient à la main des ser-
15 viettes noires et dont quelques-uns portaient des robes d'avocat. Je n'osais pas leur demander par où l'on accédait à l'escalier 5.

Un gardien assis derrière une table m'a indiqué l'extrémité du hall. Et là j'ai pénétré dans une salle déserte dont les fenêtres en surplomb laissaient passer un jour grisâtre. J'avais beau arpenter cette salle, je ne trouvais pas l'escalier 5. J'étais pris de cette pa-
20 nique et de ce vertige que l'on ressent dans les mauvais rêves, lorsqu'on ne parvient pas à rejoindre une gare et que l'heure avance et que l'on va manquer le train.

Il m'était arrivé une aventure semblable, vingt ans auparavant. J'avais appris que mon père était hospitalisé à la Pitié-Salpêtrière. Je ne l'avais plus revu depuis la fin de mon adolescence. Alors, j'avais décidé de lui rendre visite à l'improviste.
25 Je me souviens d'avoir erré pendant des heures à travers l'immensité de cet hôpital, à sa recherche. J'entrais dans des bâtiments très anciens, dans des salles communes où étaient alignés des lits, je questionnais des infirmières qui me donnaient des renseignements contradictoires. Je finissais par douter de l'existence de mon père en passant et repassant devant cette église majestueuse et ces corps de bâtiments ir-
30 réels, intacts depuis le XVIIIe siècle et qui m'évoquaient Manon Lescaut et l'époque où ce lieu servait de prison aux filles, sous le nom sinistre d'Hôpital Général, avant qu'on les déporte en Louisiane. J'ai arpenté les cours pavées jusqu'à ce que le soir tombe. Impossible de trouver mon père. Je ne l'ai plus jamais revu.

Patrick Modiano, *Dora Bruder,* 1997.

Le cœur en déroute

L'été se poursuivit lentement, comme si la chaleur rendait le temps visqueux, son écoulement semblant freiné par le frottement de ses molécules élevées à haute température. La plupart des actifs se trouvant en vacances, Paris était plus souple et clairsemé mais guère plus respirable sous l'air immobile et riche en gaz toxiques comme
5 un bar enfumé avant la fermeture. Un peu partout en ville on profitait de la circulation moindre pour défoncer les rues et les remettre en état : roulements de marteaux-piqueurs, rotations de perceuses, girations de bétonnières, effluves de goudron frais dans le soleil voilé par les émanations. Tout cela, Ferrer n'y accordait guère d'attention – trop de choses auxquelles penser par ailleurs puisqu'il traversait Paris en taxi
10 d'une agence bancaire à l'autre, essayant sans beaucoup de succès de se faire prêter de l'argent, commençant à envisager d'hypothéquer la galerie. C'est ainsi qu'on le retrouverait à onze heures du matin, sous une chaleur à crever, dans la rue du 4-Septembre.

Cette rue du 4-Septembre est très large et très courte et c'est l'argent qui la fait
15 battre. Tous à peu près semblables, ses immeubles Napoléon-III contiennent des banques internationales ou pas, des sièges de compagnies d'assurances, des sociétés de courtage, des services de travail temporaire, des rédactions de revues financières, des bureaux d'agents de change et d'experts, des cabinets d'administrateurs de biens, des syndics de copropriétés, des officines de transactions immobilières, des cabinets
20 d'avocats, des boutiques de numismatique et les débris incendiés du Crédit lyonnais. La seule brasserie du coin s'appelle L'Agio. Mais on y trouve aussi le siège d'une compagnie aérienne polonaise, des services de photocopies, des agences de voyages et instituts de beauté, un champion du monde de coiffure et la plaque commémorative d'un F.F.I. mort pour la France à dix-neuf ans (Souvenez-vous).

25 Il y a d'ailleurs encore, rue du 4-Septembre, des milliers de mètres carrés de bureaux rénovés à louer et des chantiers de rénovation sous haute surveillance électronique : on vide les vieux immeubles dont on conserve les façades, colonnes et cariatides, têtes couronnées sculptées surplombant les portes cochères. On restructure les étages que l'on adapte aux lois de la bureautique pour obtenir des locaux
30 spacieux, paysagers et doublement vitrés, afin d'y accumuler encore et toujours plus de capital : comme partout dans Paris l'été, les ouvriers casqués s'affairent, déplient des plans, mordent dans des sandwiches et s'expriment dans des talkies-walkies.

C'était la sixième banque en deux jours où Ferrer venait de solliciter un prêt, il en sortait à nouveau sans résultat, ses mains moites laissant leurs empreintes sur les
35 documents dont il s'était muni pour ses démarches. Après que celles-ci eurent encore échoué, les portes de l'ascenseur s'ouvrirent au rez-de-chaussée sur un hall très vaste, vide de personne et meublé de nombreux canapés et tables basses. Comme il traversait cet espace, Ferrer n'eut pas envie, pas la force de rentrer chez lui tout de suite, il préféra s'asseoir un moment sur un des canapés. Qu'il fût las, pessimiste ou décou-
40 ragé, à quoi voit-on, physiquement, qu'il l'est ? Par exemple à ce qu'il garde sa veste alors qu'il fait beaucoup trop chaud, qu'il regarde fixement une poussière sur sa manche sans envisager de la balayer, qu'il ne redresse même pas une mèche qui lui tombe dans l'œil mais surtout, peut-être, qu'il reste sans réagir au passage d'une femme qui traverse le hall.

45 Vu l'apparence de cette femme, c'est ce qui surprend le plus. En toute logique, tel qu'on le connaît un peu, Ferrer aurait dû s'intéresser. C'était une grande et mince jeune femme aux reliefs de statue, aux lèvres dessinées, aux longs yeux vert clair et aux cheveux cuivrés et bouclés. Elle était chaussée de talons hauts et vêtue d'un ensemble noir flottant, très échancré dans le dos, orné de petits parements clairs
50 en forme de chevrons sur les épaules et sur les hanches.

Jean Echenoz
(1947)

Le roman géographique

Né dans une famille aisée, Jean Echenoz, dont le père est psychiatre, est en mesure de constater très jeune que la souffrance accompagne la maladie mentale, ce qui lui évite d'idéaliser la folie. La lecture d'Alfred Jarry lui donne la passion de la littérature. Publié aux Éditions de Minuit comme Samuel Beckett, autre écrivain qu'il admire pour la musicalité de sa prose, Echenoz aime jouer avec les figures de la répétition et de l'énumération, qui donnent un rythme incantatoire – et même jazzé – à ses textes, alors que le découpage de l'intrigue est influencé par le cinéma. La composition de ses œuvres, aux sujets variés souvent proches de la biographie, est toujours précédée d'un long travail de documentation. Ses héros sont des êtres en mouvement, qui semblent vouloir s'accaparer un territoire en le parcourant physiquement, en le transformant par l'imaginaire ou en se l'appropriant dans un esprit de conquête. Ceci porte Echenoz à classer ses récits dans cette catégorie inusitée du « roman géographique » et à se considérer lui-même comme le cartographe de son époque.

Après avoir remporté le prix Fémina (1983) pour son roman *Cherokee,* Echenoz est récompensé à nouveau en 1999 par le prix Goncourt pour *Je m'en vais,* récit dont est tiré cet extrait. Félix Ferrer, au centre du récit, poursuit ses habitudes de libertinage malgré sa santé devenue fragile avec l'âge. Il a 50 ans. Il rapporte d'un voyage dans le Grand Nord canadien des œuvres d'art inuit, qui disparaissent à son retour en France. Dépassé par les événements et stressé devant la perspective de voir sa galerie déclarer faillite, il fait un infarctus, ce que rapporte le passage retenu ici. Cet épisode marque le début d'une enquête menée avec une distance ironique par Echenoz, qui s'amuse en cours de route à déconstruire les règles du polar.

Comme elle passait près de lui, n'importe qui d'autre ou lui-même dans son état normal eussent jugé que ces vêtements n'étaient là que pour lui être enlevés, voire arrachés. Le dossier bleu, d'ailleurs, qu'elle tenait sous son bras, le stylo qui effleurait pensivement ses lèvres semblaient des accessoires de pure forme, elle-même ayant
55 l'air d'une actrice de film érotique dur pendant les scènes préliminaires au cours desquelles on dit n'importe quoi en attendant que ça commence à chauffer. Cela dit, elle n'était pas du tout maquillée. Et juste Ferrer eut-il le temps d'enregistrer ce détail, quoique sans y porter plus d'intérêt qu'à la décoration du hall, qu'une faiblesse générale l'envahit comme si toutes les parties de son corps manquaient subitement d'air.
60 Un poids de cinq cents kilos parut s'abattre alors sur ses épaules, son crâne et sa poitrine en même temps. Un goût de métal acide et de poussière sèche envahissait sa bouche, investissait son front, sa gorge, sa nuque, en provoquant un mélange asphyxiant : montée d'éternuement, violent hoquet, nausée profonde. Il était impossible de réagir en quoi que ce fût, ses poignets semblant enserrés par des menottes et
65 son esprit saturé par une sensation d'étouffement, d'extrême angoisse et de mort imminente.

Jean Echenoz, *Je m'en vais,* 1999.

Masque inuit, 1900.

Un désir comme du sang

Le Client : Vous êtes un bandit trop étrange, qui ne vole rien ou tarde trop à voler, un maraudeur excentrique qui s'introduit la nuit dans le verger pour secouer les arbres, et qui s'en va sans ramasser les fruits. C'est vous qui êtes le familier de ces lieux, et j'en suis l'étranger ; je suis celui qui a peur et qui a raison d'avoir peur ; je suis
5   celui qui ne vous connaît pas, qui ne peut vous connaître, qui ne fait que supposer votre silhouette dans l'obscurité. C'était à vous de deviner, de nommer quelque chose, et alors, peut-être, d'un mouvement de la tête, j'aurais approuvé, d'un signe, vous auriez su ; mais je ne veux pas que mon désir soit répandu pour rien comme du sang sur une terre étrangère. Vous, vous ne risquez rien ; vous connaissez de moi l'inquiétude
10 et l'hésitation et la méfiance ; vous savez d'où je viens et où je vais ; vous connaissez ces rues, vous connaissez cette heure, vous connaissez vos plans ; moi, je ne connais rien et moi, je risque tout. Devant vous, je suis comme devant ces hommes travestis en femmes qui se déguisent en hommes, à la fin, on ne sait plus où est le sexe.

Car votre main s'est posée sur moi comme celle du bandit sur sa victime ou
15 comme celle de la loi sur le bandit, et depuis lors je souffre, ignorant, ignorant de ma fatalité, ignorant si je suis jugé ou complice, de ne pas savoir ce dont je souffre, je souffre de ne pas savoir quelle blessure vous me faites et par où s'écoule mon sang. Peut-être en effet n'êtes-vous point étrange, mais retors ; peut-être n'êtes-vous qu'un serviteur déguisé de la loi comme la loi en sécrète à l'image du bandit pour traquer le
20 bandit ; peut-être êtes-vous, finalement, plus loyal que moi. Et alors pour rien, par accident, sans que j'aie rien dit ni rien voulu, parce que je ne savais pas qui vous êtes, parce que je suis l'étranger qui ne connaît pas la langue, ni les usages, ni ce qui ici est mal ou convenu, l'envers ou l'endroit, et qui agit comme ébloui, perdu, c'est comme si je vous avais demandé quelque chose, comme si je vous avais demandé la pire
25 chose qui soit et que je serai coupable d'avoir demandé. Un désir comme du sang à vos pieds a coulé hors de moi, un désir que je ne connais pas et ne reconnais pas, que vous êtes seul à connaître, et que vous jugez.

S'il en est ainsi, si vous tâchez, avec l'empressement suspect du traître, de m'acculer à agir avec ou contre vous pour que, dans tous les cas, je sois coupable, si c'est cela,
30 alors, reconnaissez du moins que je n'ai point encore agi ni pour ni contre vous, que l'on n'a rien encore à me reprocher, que je suis resté honnête jusqu'à cet instant. Témoignez pour moi que je ne me suis pas plu dans l'obscurité où vous m'avez arrêté, que je ne m'y suis arrêté que parce que vous avez mis la main sur moi ; témoignez que j'ai appelé la lumière, que je ne me suis pas glissé dans l'obscurité comme un voleur,
35 de mon plein gré et avec des intentions illicites, mais que j'y ai été surpris et que j'ai crié, comme un enfant dans son lit dont la veilleuse tout à coup s'éteint.

Bernard-Marie Koltès, *Dans la solitude des champs de coton*, 1987.

Bernard-Marie Koltès (1948-1989)

Un théâtre de l'anonymat

Formé au journalisme et grand voyageur devant l'éternel, Bernard-Marie Koltès rêve d'écrire des romans. Les mythes de l'Amérique et l'âpre modernité de la vie sur ce continent le fascinent tout autant que le théâtre grec, puisque c'est à la suite d'une représentation de la pièce *Médée* d'Euripide qu'il se met à l'écriture théâtrale tout en s'initiant à la mise en scène. On pourrait ainsi parler dans son cas d'un théâtre où circulent des figures anonymes attirées par un territoire déjà façonné par les mythes. Elles évoluent dans des lieux vagues à l'atmosphère plutôt inquiétante. Ces mêmes personnages sont également en quête de relations, celles-ci s'avérant toutefois plus décevantes que rassurantes.

Sa première pièce est présentée en 1977 à l'occasion du prestigieux Festival d'Avignon. Ses œuvres sont montées partout dans le monde par les plus grands metteurs en scène. Atteint du sida, il meurt précocement. Dans la pièce intitulée *Dans la solitude des champs de coton* (1987), il joue sur la métaphore mercantile qui régit l'offre et la demande par rapport au désir.

Jean-Paul Dubois (1950)

L'exclusion du monde

Né à Toulouse, Jean-Paul Dubois partage plusieurs caractéristiques avec le narrateur de son roman, *Une vie française,* ce qui fait croire à un récit à caractère autobiographique : comme Dubois, Paul Blick habite Toulouse ; il y pratique un certain temps le métier de reporter pour un journal sportif avant de devenir photographe.

Dans ce récit, tout coule : le couple, la famille et littéralement, aussi, le bateau, qui fait naufrage dans la tempête avec, à son gouvernail, un vieil homme qui se redresse pour affronter la mort. Et pourtant, l'histoire est comme éclairée de l'intérieur par des scènes d'intimité avec les enfants, avec la mère vieillissante (Paul Blick semble ne pouvoir aimer que les gens vulnérables ou défaillants) et même avec l'épouse progressivement devenue, semble-t-il, étrangère à l'amour. Des scènes de sexualité fantasques (en hommage à l'écrivain Philip Roth) et un rapport aux mots jouissif font que ce récit, plutôt sombre et pessimiste, tient le lecteur en haleine tout en donnant le goût de porter le regard ailleurs, comme le fait le héros lui-même, qui trouve l'extase en photographiant des arbres.

L'extrait choisi présente un couple distrait dans ses ébats par une scène télévisée.

L'exclu

Nous étions le lundi 21 juillet 1969 et tous les journaux ne parlaient que de cela : cette nuit, deux Américains du nom d'Armstrong et Aldrin allaient marcher sur la Lune. Plus modestement, Marie et moi nous promenions sur l'interminable plage d'Hendaye et, en cette fin d'après-midi, la fraîcheur de la brise nous faisait parfois
5 délicieusement frissonner. Au large on pouvait suivre la course des thoniers qui regagnaient le port. Loin des bouches grandes ouvertes, des caries disgracieuses, des pansements souillés, des daviers menaçants, avec ses cheveux en désordre, sa peau légèrement caramélisée, Marie semblait heureuse, détendue. On la sentait disponible, ouverte aux propositions de la vie. Parfois, face aux embruns, quand elle pre-
10 nait une profonde inspiration, on aurait dit qu'elle voulait emmagasiner toutes les forces de cette nature bouillonnante.

Le motel semblait s'accrocher à la colline. Les bungalows s'arc-boutaient sur son sommet même si les dernières unités donnaient, elles, l'impression de se décrocher de l'ensemble, de lâcher prise et de glisser imperceptiblement vers l'abîme de la fa-
15 laise. Avec la nuit, un vent de mer s'était levé, apportant des nuages, quelques averses et secouant les encolures des tamaris. Marie et moi avions passé la soirée au lit à regarder la télévision. Qu'espérions-nous de cette aventure lunaire qui ne nous concernait que de très loin ? Autant je me sentais étranger à tout ce suspense spatial, cette mise en orbite des émotions, autant Marie vivait intensément chaque nouveau bul-
20 letin comme si, là-haut, se jouaient son bonheur et une grande partie de notre avenir. Elle me parlait sans cesse du troisième astronaute, Collins, lequel, d'après ce qu'elle avait entendu, ne sortirait pas du LEM. Si tout se passait bien, Armstrong et Aldrin iraient marcher sur la Lune, pendant que Collins, lui, resterait à l'intérieur de l'engin. Endurer toutes ces années d'entraînement et de préparation, subir ce travail intensif,
25 prendre ces risques insensés, et, à l'instant de la récompense, demeurer assis dans l'engin, vulgaire taxi garé au parking, pendant que les autres, découvrant l'extrême légèreté de l'être, dansaient sans fin sur les trottoirs de la Lune. Marie ne pouvait admettre le sort fait à Collins, cet homme sacrifié et soumis à une inconcevable torture cosmique.
30 Allongé à côté de Marie, je me perdais dans les reflets bleutés de la télévision qui irisaient sur sa peau. Parfois une fine pellicule de sommeil voilait mon regard. L'espace d'une minute je sombrais dans une sorte de liquide amniotique où les sons ne me parvenaient plus que très faiblement et par bribes. Marie, en revanche, calée sur un petit stock d'oreillers vivait intensément chaque instant de cette expédition qui,
35 selon les prévisions, devait atteindre son but vers trois ou quatre heures du matin.

– Tu te rends compte que sur la Lune on est six fois plus léger que sur Terre ?

Je me rendais compte qu'il était tard, et que se multipliaient chez moi ces sensations fiévreuses qui précédaient ou accompagnaient toujours mes érections. Je me rendais compte que trois types en combinaison de scaphandrier, qu'on ne voyait ja-
40 mais, étaient en train de foutre en l'air la nuit que je m'apprêtais à passer avec une fille splendide. Faire l'amour sur la Lune, avec Marie, devait être un jeu d'enfant, même si là-haut, selon ces mêmes lois de la pesanteur, le bonheur ne devait pas peser bien lourd.

– Tu sais à quelle vitesse Apollo s'est dirigé vers la Lune ? Trente-neuf mille kilo-
45 mètres à l'heure ! Il paraît que ça équivaut à un Paris-New York en moins de dix minutes ! Tu peux imaginer ça ?

J'acquiesçais en émettant une sorte de grognement primitif qui pouvait signifier bien des choses.

Jean-Paul Dubois, *Une vie française*, 2005.

Le trou de la serrure

Une nuit, alors que tu étais au lit à côté d'Elizabeth endormie, tu as entendu les bruits étouffés effrayants d'une dispute venant de la cuisine et tu es descendu précautionneusement du lit – le lit était encore haut donc tu étais encore petit, tu avais encore besoin de te glisser sur le ventre jusqu'à ce que la pointe de tes pieds nus touche
5 le froid du plancher – tu as traversé la chambre à petits pas, non Paddon, es-tu sûr d'être vraiment sorti de ton lit, sûr qu'il ne s'agissait pas d'un rêve, l'as-tu vu, de tes yeux vu, oh Paddon non, était-ce par le trou de la serrure, avait-on laissé la porte entrebâillée, pouvais-tu distinguer les paroles, les entendais-tu plus clairement maintenant, était-elle en train de dire Mais je le veux, je veux le garder, et lui de répondre
10 Encore une bouche à nourrir dans cette maison et on pourra jeter l'éponge, j'aurai plus qu'à me faire clodo comme mon père, et elle Non – non – ne fais pas ça je t'en supplie, et tu n'avais jamais vu ta mère pleurer et tu n'en croyais pas tes yeux, mais ton père était ivre mort et fou furieux – avait-elle attendu qu'il ait quelques verres dans le nez pour lui annoncer la nouvelle, si oui elle s'était trompée de stratagème car
15 l'alcool dans ses veines s'était transformé en feu, ses yeux lançaient des éclairs et sa bouche sifflait et il s'est emparé de son épaule – non Paddon, il n'y avait rien à faire, rien du tout, tu n'étais qu'un tout petit garçon qui regardait, impuissant, tandis que son père empoignait sa mère et la poussait violemment, sa chaise a glissé sous elle et elle s'est retrouvée par terre – ah l'atroce bruit mat de cette chute et ensuite l'expres-
20 sion d'étonnement sur ses traits lorsqu'elle s'est retournée, et que la gerbe de mots sifflants l'a atteinte en pleine figure comme un crachat ou une vomissure, tous les mots sales que tu n'avais pas le droit d'employer et d'autres encore, dont plusieurs que tu ne connaissais même pas. Il l'attaque à nouveau mais cette fois c'est avec les pieds, et il porte encore ses bottes de cow-boy, oh mon Dieu Paddon est-ce que
25 c'est vrai, n'avait-elle pas l'habitude de lui ôter les bottes en tirant dessus de toutes ses forces dès qu'il franchissait la porte de la cuisine, pour qu'il ne laisse pas de traces de boue sur le plancher qu'elle venait tout juste de balayer, mais non, il n'y a pas de doute, il vient près d'elle et, tout en éjaculant ses gerbes verbales, il pose une main sur le comptoir pour prendre son aplomb et lui décoche un coup de pied dans le ventre,
30 et elle se plie en deux en tenant la petite rondeur comme si elle venait d'attraper une passe et devait serrer le ballon tout contre elle et courir courir courir, sauf qu'elle ne court pas, elle s'efforce seulement de pivoter sur elle-même le plus vite possible en hurlant John! oh John, et tu n'as jamais entendu non plus des bruits comme ça dans la bouche de ta mère, des mots pleins de sang et de tripes qui lui dégoulinent de la
35 gorge comme s'ils venaient directement de son estomac, mais une fois qu'il a commencé à frapper le plaisir de frapper l'envahit et se met à vibrer dans ses flancs et il continue, la frappant encore et encore au ventre de la pointe de sa botte, l'as-tu réellement vu Paddon? et puis, d'un coup, le cri de ta mère se transforme et devient un cri tout autre, un cri aigu comme l'appel d'un canard sauvage à travers le lac, venant
40 après les gémissements rauques de tout à l'heure ça ressemblerait presque à un cri de bonheur, et en même temps que ce cri aigu arrive le sang, elle vient de remarquer la falque noir-rouge qui s'épand sous elle par terre, et d'abord tu te dis qu'elle crie parce qu'elle sera obligée de relaver le plancher, et puis tu ne te dis plus rien du tout, tes pensées se désagrègent dans ce même noir-rouge, c'est la seule chose que tu vois en
45 te retournant pour regagner ton lit, te servant du sommier pour te hisser sur le matelas et t'écrasant le visage dans l'oreiller à côté des ronflements tranquilles d'Elizabeth.

L'as-tu réellement vu Paddon? je veux dire peut-être l'as-tu seulement entendu et peut-être faisaient-ils tout simplement l'amour.

Nancy Huston, *Cantique des Plaines*, 1993.

Nancy Huston
(1953)

La mémoire défaillante

Née dans les grandes plaines de l'Ouest canadien, Nancy Huston fait des études aux États-Unis avant d'adopter Paris, où elle fait son doctorat sous la direction de Roland Barthes, grand critique français de littérature et adepte du structuralisme. À la fin des années 1970, elle participe à l'effervescence des milieux intellectuels de l'époque en collaborant notamment à des revues féministes. Son œuvre littéraire, qui déchiffre les liens et les conflits entre le corps et l'esprit, prend la forme tant de la fiction que de l'essai.

Son roman *Cantique des plaines* déclenche une vive controverse lorsqu'il remporte au Canada le Prix du Gouverneur général pour une œuvre française en 1993. En effet, Huston, qui revient pour la première fois sur ses racines albertaines, rédige son ouvrage d'abord en anglais, sa langue maternelle, puis le réécrit en français. Dans l'extrait ci-contre, la narratrice imagine son grand-père Paddon, alors enfant, témoin d'une violente altercation entre ses parents.

La créolité : une problématique identitaire

Patrick Chamoiseau est né en Martinique, territoire sous tutelle française situé dans les Antilles. Après des études dans la métropole, il retourne exercer chez lui sa profession de travailleur social. Redécouvrant sa langue maternelle, le créole – qu'il a dû abandonner pour le français, la langue de la scolarisation en Martinique –, Chamoiseau prend conscience de la nécessité de se réapproprier ce dialecte dans lequel s'exprime un imaginaire collectif, selon lui essentiel à la fondation de l'identité individuelle.

Comme défenseur de la créolité, Chamoiseau doit inventer une langue qui fait entendre les intonations du parler populaire tout en étant porteuse de l'histoire d'un peuple marqué par la traite des Noirs et le colonialisme. Dans cet extrait, tiré du roman *Texaco* (prix Goncourt 1992), une femme remonte la trame du temps et se souvient que, jeune orpheline à peine pubère, elle a été placée chez un contrebandier vaguement mafieux, nommé Lonyon, qu'elle déteste.

Les musiciens

Il tenait, je le sus, une espèce de dancing au bord de la rive droite. Un orchestre y jouait des biguines de Saint-Pierre, des tangos argentins, de longues valses viennoises. Là, samedi au soir, des touffailles de personnes venaient s'écorcher les bobos, flamber une monnaie, danser, se frictionner, respirer la musique, sucer de mauvaises bières et
5 du tafia. Il paraît même (selon ses blagues) que de grandes gens fréquentaient cet endroit. En tout cas, je n'en vis jamais parmi ses visiteurs à domicile, dont l'unique religion semblait la contrebande. Je leur servais des marinades ou de somptueux madères, tandis qu'ils récitaient des prières inaudibles à l'encontre des douaniers. Venaient le voir aussi des trâlées de maquerelles, lui soumettant le cas d'une jeune
10 fille de campagne désireuse d'être placée. Il invitait des marins de passage, des officiers du port, et il les recevait avec du chocolat ou des whiskys anciens. Venaient aussi des femmes-matadors, charroyées dans sa chambre, qui consacraient la nuit à panteler sans frein et à boire du porto.

Mais ceux dont j'appréciais la présence furent les musiciens. Beaucoup de musi-
15 ciens ; de ceux qu'il embauchait dans son casino. Lonyon était un amoureux de la musique. C'était sans doute une ferveur secrète car, certaine nuit d'insomnie (je calculais moyen d'empoisonner son sang puis de fuir dans les mornes), j'entendais perler de sa chambre une modulation de guitare. La première fois, je crus percevoir un prodige, tellement la musique était pure, tellement elle était triste, tellement elle me
20 semblait opposée à Lonyon, cet isalope menteur, voleur, chien-fer vraiment. Comment aurait-il pu extraire de sa pourriture une telle harmonie ? Les êtres sont étranges. Du plus mauvais, j'ai vu surgir de célestes trésors. Du plus exquis, j'ai vu bondir la boue. La musique brandillait en douceur, puis se consumait sans vraiment s'arrêter, comme s'évaporant, et le charme se brisait : le Lonyon magique s'effaçait au
25 profit de la bête que je voulais détruire. La guitare, je ne la vis jamais. Il devait la cacher dans l'armoire d'acajou qui emplissait sa chambre. Une armoire imposante, fleurant l'aromate prisonnier. Lonyon y serrait les mystères de sa vie, son argent, ses papiers, les comptes de ses attrapes. En essuyant l'armoire, je le sentais tout entier là-dedans ; souvent j'y défonçais mes poings dans des rages inutiles (mais apaisantes).
30 Les musiciens de Lonyon venaient parler d'argent. Lonyon lui, leur parlait de musique. Les conviant à dîner, il leur demandait d'amener des instruments, qui clarinette, qui banjo, qui guitare, qui trompette, qui violon. Ils jouaient à sa demande, des biguines sans âge, des odes religieuses, des mazurkas, des fandagos, des sons baroques, des sentiments, des ondes mélancoliques. Souvent, à demi-voix, ils bourdonnaient des
35 gémissements d'amour qui me magnétisaient. Ils étaient ou très sombres ou très gais, mais toujours à côté de la vie. Leur instrument portait leur âme, brillait comme elle. Jamais ils ne l'abandonnaient, c'était pour eux un morceau de l'En-ville. Loin des quartiers en bois-caisse, ils connaissaient grandes-gens, jouaient aux baptêmes békés, animaient des meetings politiques, sonnaient le madrigal aux demoiselles en fleurs,
40 sous les instances de francs-maçons puissants. Ces relations leur permettaient d'habiter mieux l'En-ville et compenser leur mal-de-vivre. Ils étaient coiffeurs, ébénistes, horlogers, des métiers délicats, exercés comme on soutient une note quand l'orchestre se recueille.

Ils avaient de longs doigts et longues paupières. Du fond de ma haine pour ce chien
45 de Lonyon, leurs lumières capturaient mes regards. Eux bientôt, se mirent à m'observer : je commençais à pousser des tétés, mes cils frissonnaient d'innocence, mes chairs bien nourries s'étaient trouvé des formes. Ils me prenaient pour la fille de Lonyon, ou pour quelqu'un de sa famille, alors ils n'osaient pas m'adresser la parole. Certains tentaient une plaisanterie. Mais Lonyon d'un coup d'œil leur appuyait un frein.

Patrick Chamoiseau, *Texaco*, 1992.

Albert Londres

Nous avons filmé ces scènes de torture et de meurtre afin d'en dénoncer le caractère intolérable et la barbarie. Vous ne pouvez pas reprocher à une chaîne d'information de montrer la réalité. S'il est bien évident que nous blâmons leur conduite, nous devons aussi rendre hommage à ces tortionnaires de nous avoir permis d'apprécier à
5 sa juste valeur le prix du bien-être et de la vie. Il est vrai que nous nous sommes rapprochés d'eux peu à peu.

   — Ils sont devenus pour ainsi dire des relations de travail.

Et en définitive nous avons noué avec certains des liens d'amitié. Ils nous ont aidés dans notre tâche, évitant par exemple de faire exploser les otages, ce qui se serait
10 traduit à l'image par une épaisse fumée monochrome peu propice à l'accroissement de l'audimat.

   — L'exécution des enfants apitoyait les classes supérieures comme les plus mal lotis.

Nous allions jusqu'à drainer plusieurs millions de téléspectateurs en plein milieu de la nuit. Mais ces pratiques déplaisaient aux annonceurs, qui redoutaient notam-
15 ment une atteinte à l'image de marque de leurs produits pour bébés.

   — Nous leur avons donc demandé de les épargner.

Nombre de gamins nous doivent la vie, même s'ils restent toujours détenus dans des caves et des carrières désaffectées, dont par déontologie nous refuserons toujours de révéler l'emplacement aux services de police.

20   — On nous reproche d'avoir filmé avec une complaisance particulière la torture des femmes.

Je vous rappelle malgré tout que plusieurs membres de notre équipe étaient de sexe féminin, et que notre directrice de rédaction est venue sur place pour se rendre compte de visu du sérieux de notre job. Elle a pu constater que même si on ne leur
25 infligeait pas un traitement plus rude, les femmes avaient un cri aigu, perçant, et pleuraient à la première décharge électrique.

   — Nous les avons filmées avec respect et affection.

Protégeant de surcroît leur pudeur en demandant qu'un filet soit tendu devant leur poitrine, afin que les téléspectateurs ne puissent rien voir de leurs mamelons dévastés.

30   — Mais nous ne pouvions tout de même pas exiger qu'on les torture sous anesthésie.

En bref, nous sommes fiers de cette série de reportages qui font honneur à notre profession. S'il était encore de ce monde, Albert Londres aurait été des nôtres. En participant à cette grande aventure journalistique.

   — Il nous aurait servi de caution morale.

Régis Jauffret, *Microfictions*, 2007.

Photo d'une des installations de l'exposition Marina Abramovic : *The Artist Is Present*, présentée au Musée d'art moderne de New York en 2010.

Régis Jauffret (1955)

Fait divers et fiction

Ayant la réputation de ne pas faire dans la dentelle quand il décrit des cas pathologiques de violeurs, de parents incestueux ou de criminels, Régis Jauffret trouve le moyen d'insuffler une part d'humanité à ces monstres, qui perdent tout sens de la morale, qui dérapent dans la morbidité. Adoptant un style à mi-chemin entre le documentaire et la fiction, il réussit par exemple à rendre vraisemblable l'horreur indicible de ce cas authentique d'un père qui a tenu sa fille captive pendant 24 ans dans une cave (*Claustria*). Il renoue ainsi avec un genre de récit appelé le « roman réalité », inventé aux États-Unis par Truman Capote (*In cold Blood*, 1966).

L'extrait retenu est un récit d'une longueur d'une page et demie faisant partie des 500 petits récits — tous de longueur équivalente (il y a de l'Oulipo là-dessous !) — qui composent le livre *Microfictions*, qui réussit l'exploit de faire se côtoyer le banal et l'outrancier. Le titre du récit, *Albert Londres*, fait référence à un journaliste français mythique qui sert encore aujourd'hui de modèle dans l'exercice du métier de journaliste en France. Le choix de ce titre participe, il va sans dire, à l'humour sarcastique qui se déploie dans cette courte scène.

Le roman biographique

Petit-fils d'immigrants russes, Emmanuel Carrère est un romancier fasciné par les êtres troubles ou délinquants. Également journaliste et réalisateur, Carrère a développé un style alerte qui entremêle le reportage, l'autoportrait et la biographie, genres auxquels s'ajoutent les chroniques sociale et littéraire dans son roman *Limonov*. Ce récit magnifiquement maîtrisé dérange par le choix d'un héros à la personnalité complexe, souvent plus proche du voyou décadent que de l'individu exemplaire. Or, le délinquant Limonov fascine inextricablement Carrère, le fils de bonne famille. L'extrait retenu, tiré du prologue, montre que Carrère est conscient de son dilemme intérieur, qui le pousse vers un aventurier comme Limonov qui a même fait de la prison, d'abord à Lefortovo puis au camp d'Engels. Il fait aussi référence dans l'extrait à Philippe Starck, une star du design. Un « bobo » est un bourgeois bohème ; l'île de Ré est un lieu de villégiature, et le Gard, une région de France.

L'aventurier et le fils de bonne famille

Ils sont des milliers, peut-être des dizaines de milliers comme eux, révoltés contre le cynisme qui est devenu la religion de la Russie et vouant un véritable culte à Limonov. Cet homme qui pourrait être leur père et même, pour les plus jeunes, leur grand-père, a mené la vie d'aventurier dont tout le monde rêve à vingt ans, c'est une
5 légende vivante, et le cœur de cette légende, ce qui leur donne à tous l'envie de l'imiter, c'est l'héroïsme *cool* dont il a fait preuve durant son incarcération. Il a été à Lefortovo, la forteresse du KGB qui dans la mythologie russe vaut largement Alcatraz, il a été en camp de travail, au régime le plus sévère, et jamais il ne s'est plaint, jamais il n'a plié. Il a trouvé moyen non seulement d'écrire sept ou huit livres
10 mais d'aider efficacement ses compagnons de cellule qui ont fini par le considérer à la fois comme un super-caïd et comme une sorte de saint. Le jour de sa levée d'écrou, détenus et gardiens se sont disputés pour porter sa valise.

Quand j'ai demandé à Limonov lui-même comment c'était, la prison, il s'est d'abord contenté de répondre : « *Normal'no* », qui en russe veut dire : O.K., pas de
15 problème, rien à signaler, et c'est seulement plus tard qu'il m'a raconté la petite histoire suivante.

De Lefortovo, on l'a transféré au camp d'Engels, sur la Volga. C'est un établissement modèle, flambant neuf, fruit des réflexions d'architectes ambitieux et qu'on montre volontiers aux visiteurs étrangers pour qu'ils en tirent des conclusions flat-
20 teuses sur les progrès de la condition pénitentiaire en Russie. En fait, les détenus d'Engels appellent leur camp « Eurogoulag », et Limonov assure que les raffinements de son architecture ne le rendent pas plus agréable à vivre que les baraquements classiques entourés de barbelés – plutôt moins. Toujours est-il que dans ce camp les lavabos, faits d'une plaque d'acier brossé surmontant un tuyau de fonte, d'une ligne
25 sobre et pure, sont exactement les mêmes que dans un hôtel, conçu par le designer Philippe Starck, où son éditeur américain a logé Limonov lors de son dernier séjour à New York, à la fin des années quatre-vingt.

Ça l'a laissé songeur. Aucun de ses camarades de détention n'était en mesure de faire le même rapprochement. Aucun, non plus, des élégants clients de l'élégant hô-
30 tel new-yorkais. Il s'est demandé s'il existait au monde beaucoup d'autres hommes qui lui, Édouard Limonov, dont l'expérience incluait des univers aussi variés que celui du prisonnier de droit commun dans un camp de travaux forcés sur la Volga et celui de l'écrivain branché évoluant dans un décor de Philippe Starck. Non, a-t-il conclu, sans doute pas, et il en a retiré une fierté que je comprends, qui est même ce
35 qui m'a donné l'envie d'écrire ce livre.

Je vis dans un pays tranquille et déclinant, où la mobilité sociale est réduite. Né dans une famille bourgeoise du XVIe arrondissement, je suis devenu un bobo du Xe. Fils d'un cadre supérieur et d'une historienne de renom, j'écris des livres, des scénarios, et ma femme est journaliste. Mes parents ont une maison de vacances dans
40 l'île de Ré, j'aimerais en acheter une dans le Gard. Je ne pense pas que ce soit mal, ni que cela préjuge de la richesse d'une expérience humaine, mais enfin du point de vue tant géographique que socioculturel on ne peut pas dire que la vie m'a entraîné très loin de mes bases, et ce constat vaut pour la plupart de mes amis.

Limonov, lui, a été voyou en Ukraine ; idole de l'*underground* soviétique ; clochard,
45 puis valet de chambre d'un milliardaire à Manhattan ; écrivain à la mode à Paris ; soldat perdu dans les Balkans ; et maintenant, dans l'immense bordel de l'après-communisme, vieux chef charismatique d'un parti de jeunes desperados. Lui-même se voit comme un héros, on peut le considérer comme un salaud : je suspends sur ce point mon jugement. Mais ce que j'ai pensé, après avoir simplement trouvé drôle
50 l'anecdote des lavabos à Saratov, c'est que sa vie romanesque et dangereuse racontait quelque chose. Pas seulement sur lui, Limonov, pas seulement sur la Russie, mais sur notre histoire à tous depuis la fin de la Seconde Guerre mondiale.

Quelque chose, oui, mais quoi ? Je commence ce livre pour l'apprendre.

Emmanuel Carrère, *Limonov*, 2011.

La beauté féminine

À partir de l'âge de treize ans, sous l'influence de la progestérone et de l'œstradiol sécrétés par les ovaires, des coussinets graisseux se déposent chez la jeune fille à la hauteur des seins et des fesses. Ces organes acquièrent dans le meilleur des cas un aspect plein, harmonieux et rond ; leur contemplation produit alors chez l'homme un violent
5 désir. Comme sa mère au même âge, Annabelle avait un très joli corps. Mais le visage de sa mère avait été avenant, agréable sans plus. Rien ne pouvait laisser présager le choc douloureux de la beauté d'Annabelle, et sa mère commença à prendre peur. C'est certainement de son père, de la branche hollandaise de la famille, qu'Annabelle tenait ses grands yeux bleus et la masse éblouissante de ses cheveux blond clair ; mais seul un
10 hasard morphogénétique inouï avait pu produire la déchirante pureté de son visage. Sans beauté la jeune fille est malheureuse, car elle perd toute chance d'être aimée. Personne à vrai dire ne s'en moque, ni ne la traite avec cruauté ; mais elle est comme transparente, aucun regard n'accompagne ses pas. Chacun se sent gêné en sa présence, et préfère l'ignorer. À l'inverse une extrême beauté, une beauté qui dépasse de trop loin
15 l'habituelle et séduisante fraîcheur des adolescentes, produit un effet surnaturel, et semble invariablement présager un destin tragique. À l'âge de quinze ans Annabelle faisait partie de ces très rares jeunes filles sur lesquelles tous les hommes s'arrêtent, sans distinction d'âge ni d'état ; de ces jeunes filles dont le simple passage, le long de la rue commerçante d'une ville d'importance moyenne, accélère le rythme cardiaque des
20 jeunes gens et des hommes d'âge mûr, fait pousser des grognements de regret aux vieillards. Elle prit rapidement conscience de ce silence qui accompagnait chacune de ses apparitions, dans un café ou dans une salle de cours ; mais il lui fallut des années pour en comprendre pleinement la raison. Au CEG de Crécy-en-Brie, il était communément admis qu'elle « était avec » Michel ; mais même sans cela, à vrai dire, aucun gar-
25 çon n'aurait osé tenter quoi que ce soit avec elle. Tel est l'un des principaux inconvénients de l'extrême beauté chez les jeunes filles : seuls les dragueurs expérimentés, cyniques et sans scrupule se sentent à la hauteur ; ce sont donc en général les êtres les plus vils qui obtiennent le trésor de leur virginité, et ceci constitue pour elles le premier stade d'une irrémédiable déchéance.

Michel Houellebecq, *Les particules élémentaires,* 1998.

Tamara de Lempicka,
The Brilliance, 1932.

Michel Houellebecq (1958)

Le nihilisme glacial

Délaissé par ses parents qui le confient à une grand-mère, Michel Houellebecq grandit et étudie dans les mêmes lieux que les personnages de son roman *Les particules élémentaires* et suit grosso modo le parcours de Bruno, son antihéros dépressif : un mariage, un enfant, puis un divorce, suivi d'un séjour en milieu psychiatrique. Remarié, il vit aujourd'hui à l'écart, refusant toute entrevue aux journalistes à la suite d'une virulente polémique suscitée par des propos jugés irrespectueux envers l'islam.

Les premières pages du roman, à caractère philosophique, développent la thèse de l'auteur. Dans une époque de néolibéralisme, la séduction répond aux lois du marché : l'être humain est, ni plus ni moins, une marchandise dont la valeur dépend de critères comme la beauté, l'âge, etc. Tout individu n'est qu'une particule élémentaire dans un monde qui évolue vers le chaos.

Peu de nuances dans le monde de Houellebecq : le nihilisme est systématique, la misanthropie est extrême, la tonalité est glaciale, le sarcasme est corrosif, voire outrancier. Dans cet extrait, qui porte l'empreinte de ce pessimisme, la beauté féminine d'Annabelle, petite amie de Michel, l'un des protagonistes du roman, n'échappe pas à la sombre fatalité qui pèse sur tout.

**Éric-Emmanuel Schmitt
(1960)**

L'écrivain optimiste

Schmitt est certainement l'écrivain le plus lu de la francophonie ; ses romans sont traduits dans plus de 40 langues, alors que ses pièces sont jouées partout dans le monde. Plusieurs de ses œuvres ont été adaptées au cinéma. Privilégiant une thématique de la double quête identitaire et spirituelle, il conçoit un *Cycle de l'invisible,* consacré aux grandes religions universelles. Plusieurs œuvres s'inspirent en outre de grandes figures historiques. Toujours porté par son optimisme, Schmitt se distingue finalement comme écrivain par la confiance qu'il exprime envers l'être humain, doué selon lui pour le bonheur.

L'extrait suivant constitue l'incipit du roman *Lorsque j'étais une œuvre d'art.* L'histoire s'ouvre sur la quatrième tentative de suicide d'un jeune homme qui ne trouve aucun sens à sa vie depuis son adolescence. Troisième de la famille, il a perdu l'estime de soi depuis que ses frères jumeaux sont devenus des mannequins célèbres. Le suicide lui semble la seule solution pour échapper à l'impitoyable indifférence qu'il croit percevoir dans le regard des autres. Tout cela jusqu'au jour où Zeus-Peter Lama, un artiste tapageur et réputé mondialement, lui fait miroiter une vie nouvelle en lui promettant de le transformer en œuvre d'art.

Le sentiment d'être raté

J'ai toujours raté mes suicides.

J'ai toujours tout raté, pour être exact : ma vie comme mes suicides.

Ce qui est cruel, dans mon cas, c'est que je m'en rends compte. Nous sommes des milliers sur Terre à manquer de force, d'esprit, de beauté ou de chance, or ce qui fait
5 ma malheureuse singularité, c'est que j'en suis conscient. Tous les dons m'auront été épargnés sauf la lucidité.

Rater ma vie, soit... mais rater mes suicides! J'ai honte de moi. Incapable d'entrer dans la vie et pas fichu d'en sortir, je me suis inutile, je ne me dois rien. Il est temps d'insuffler un peu de volonté à mon destin. La vie, j'en ai hérité ; la mort, je me la donnerai!

10 Voilà ce que je me disais, ce matin-là, en regardant le précipice qui s'ouvrait sous mes pieds. Si loin que portaient mes yeux, ce n'était que ravins, crevasses, pointes rocheuses poignardant les arbustes, et, plus bas, un moutonnement d'eaux immense, furieux, chaotique, comme un défi à l'immobile. J'allais pouvoir gagner un peu d'estime de moi-même en me tuant. Jusqu'à ce jour, mon existence ne m'avait rien dû :
15 j'avais été conçu par négligence, j'étais né par expulsion, j'avais grandi par programmation génétique, bref je m'étais subi. J'avais vingt ans et ces vingt ans aussi, je les avais subis. Par trois fois j'avais tenté de reprendre le contrôle et, par trois fois, les objets m'avaient trahi : la corde où je souhaitais me pendre avait rompu sous mon poids, les somnifères s'étaient révélés des pilules placebos et la bâche d'un camion
20 qui passait m'avait reçu douillettement malgré cinq étages de chute. Ici, j'allais pouvoir m'épanouir, la quatrième fois serait la bonne.

La falaise de Palomba Sol était réputée pour ses suicides. Pointue, excessive, surplombant les flots rageurs de cent quatre-vingt-dix-neuf mètres, elle offrait aux corps qui s'y jetaient au moins trois occasions très sûres de devenir des cadavres : soit les
25 excroissances pierreuses les embrochaient sur leurs pics, soit les récifs les éclataient en mille morceaux, soit le choc de la réception sur l'eau les assommait en leur garantissant une noyade sans douleur. Depuis des millénaires, on ne s'y ratait pas. J'y venais donc plein d'espoir.

Je humai l'air avant de m'élancer.

30 Le suicide, c'est comme le parachutisme, le premier saut reste le meilleur. La répétition émousse les émotions, la récidive blase. Ce matin-là, je n'avais même plus peur. Il faisait un temps parfait. Ciel pur, vent violent. Le vide m'attirait comme deux bras ouverts. Tapie en dessous de moi, la mer léchait ses babines d'écume en m'attendant.

J'allais sauter.

35 Je me blâmai d'être si calme. Pourquoi réagir en dégoûté alors que cette fois-ci serait la bonne? Du nerf! De l'entrain! De la violence! De l'effroi! Que mon dernier sentiment soit au moins un sentiment!

Rien à faire. Je demeurais indifférent et je continuais à me reprocher mon indifférence. Puis je me reprochai de me la reprocher. Ne mourrais-je pas pour mettre un
40 terme aux reproches, justement? Et pourquoi donnerais-je à la dernière minute une valeur à cette vie que je quitterais parce qu'elle ne valait rien?

J'allais sauter.

Je m'accordai quelques secondes pour tenter de savourer le bonheur de cette certitude : en finir.

45 Je songeai à la facilité de tout cela, à la simplicité gracieuse de mes derniers instants. De la danse. J'allais impulser un petit élan à mes talons et...

– Donnez-moi vingt-quatre heures!

Une voix d'homme puissante, bien timbrée, venait de sortir du vent. Je n'y crus pas d'abord.

50 – Oui, donnez-moi vingt-quatre heures. Pas une de plus. À mon avis, ça suffira.

Eric-Emmanuel Schmitt, *Lorsque j'étais une œuvre d'art,* 2002.

Le viol administratif

La porte de la section comptabilité céda comme un barrage vétuste sous la pression de la masse de chair du vice-président qui débroula parmi nous. Il s'arrêta au milieu de la pièce et cria, d'une voix d'ogre réclamant son déjeuner :

– Fubuki-san !

5 Et nous sûmes qui serait immolé en sacrifice à l'appétit d'idole carthaginoise de l'obèse. Aux quelques secondes du soulagement éprouvé par ceux qui étaient provisoirement épargnés succéda un frisson collectif de sincère empathie.

Aussitôt ma supérieure s'était levée et raidie. Elle regardait droit devant elle, dans ma direction donc, sans me voir cependant. Superbe de terreur contenue, elle attendait son sort.

10 Un instant, je crus qu'Omochi allait sortir un sabre caché entre deux bourrelets et lui trancher la tête. Si cette dernière tombait vers moi, je l'attraperais et la chérirais jusqu'à la fin de mes jours.

« Mais non, me raisonnai-je, ce sont des méthodes d'un autre âge. Il va procéder comme d'habitude : la convoquer dans son bureau et lui passer le savon du siècle. »

15 Il fit bien pire. Était-il d'humeur plus sadique que de coutume ? Ou était-ce parce que sa victime était une femme, a fortiori une très belle jeune femme ? Ce ne fut pas dans son bureau qu'il lui passa le savon du millénaire : ce fut sur place, devant la quarantaine de membres de la section comptabilité.

On ne pouvait imaginer sort plus humiliant pour n'importe quel être humain, à 20 plus forte raison pour n'importe quel Nippon, à plus forte raison pour l'orgueilleuse et sublime mademoiselle Mori, que cette destitution publique. Le monstre voulait qu'elle perdît la face, c'était clair.

Il se rapprocha lentement d'elle, comme pour savourer à l'avance l'emprise de son pouvoir destructeur. Fubuki ne remuait pas un cil. Elle était plus splendide que ja-25 mais. Puis les lèvres empâtées commencèrent à trembler et il en sortit une salve de hurlements qui ne connut pas de fin.

[...]

Sans doute étais-je naïve de me demander en quoi avait consisté la faute de ma supérieure. Le cas le plus probable était qu'elle n'avait rien à se reprocher. Monsieur 30 Omochi était le chef : il avait bien le droit, s'il le désirait, de trouver un prétexte anodin pour venir passer ses appétits sadiques sur cette fille aux allures de mannequin. Il n'avait pas à se justifier.

Je fus soudain frappée par l'idée que j'assistais à un épisode de la vie sexuelle du vice-président, qui méritait décidément son titre : avec un physique de son ampleur, 35 était-il encore capable de coucher avec une femme ? En compensation, son volume le rendait d'autant plus apte à gueuler, à faire trembler de ses cris la frêle silhouette de cette beauté. En vérité, il était en train de violer mademoiselle Mori, et s'il se livrait à ses plus bas instincts en présence de quarante personnes, c'était pour ajouter à sa jouissance la volupté de l'exhibitionnisme.

40 Cette explication était tellement juste que je vis ployer le corps de ma supérieure. Elle était pourtant une dure, un monument de fierté : si son physique cédait, c'était la preuve qu'elle subissait un assaut d'ordre sexuel. Ses jambes l'abandonnèrent comme celles d'une amante éreintée : elle tomba assise sur sa chaise.

Si j'avais dû être l'interprète simultanée du discours de monsieur Omochi, voici ce 45 que j'aurais traduit :

— Oui, je pèse cent cinquante kilos et toi cinquante, à nous deux nous pesons deux quintaux et ça m'excite. Ma graisse me gêne dans mes mouvements, j'aurais du mal à te faire jouir, mais grâce à ma masse je peux te renverser, t'écraser, et j'adore ça, surtout avec ces crétins qui nous regardent. J'adore que tu souffres dans ton orgueil, 50 j'adore que tu n'aies pas le droit de te défendre, j'adore ce genre de viol !

Je ne devais pas être la seule à avoir compris la nature de ce qui se passait : autour de moi, les collègues étaient en proie à un malaise profond. Autant que possible, ils détournaient les yeux et cachaient leur honte derrière leurs dossiers ou l'écran de leur ordinateur.

Amélie Nothomb, *Stupeur et tremblements,* 1999.

Amélie Nothomb (1967)

Une critique du système capitaliste

Fille d'un ambassadeur belge, Amélie Nothomb naît au Japon et suit son père en Chine, en Birmanie puis à New York. Imprégnée de culture nippone, parlant couramment le japonais, elle subit un choc quand elle entre finalement en contact avec les valeurs et le mode de vie occidentaux, choc qui l'amène à l'écriture. Elle connaît le succès dès la publication de son premier roman, *Hygiène de l'assassin,* alors qu'elle n'est âgée que de 25 ans. Elle maintient alors un rythme soutenu à raison d'un livre par année. Son roman *Stupeur et Tremblements,* pour lequel elle a obtenu le Prix de l'Académie française, dresse un portrait très sarcastique du capitalisme nippon. La narratrice, qui se prénomme Amélie comme l'auteure, constate que, dans l'entreprise où elle travaille, les relations entre cadres et employés sont non seulement très hiérarchisées, mais aussi empreintes d'humiliation. Dans l'extrait présenté ici, un président obèse humilie la supérieure immédiate d'Amélie, Fubuki Mori, une jeune femme très belle au corps de mannequin, qui, plus loin dans le roman, reportera sa vengeance non pas contre son patron mais contre sa subalterne.

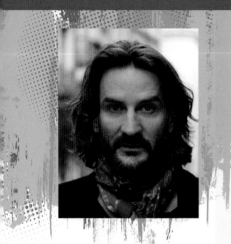

Frédéric Beigbeder (1965)

Le saut dans le vide

Frédéric Beigbeder suit le parcours du fils de bonne famille avant de travailler dans la publicité, où il se forge une personnalité de dandy mondain. Son écriture cherche d'ailleurs à étonner : on y trouve le goût de la formule qui dérange, le plaisir du jeu avec les mots et avec les structures narratives et, en fin de compte, un style qui a tous les caractères de la postmodernité. L'auteur confesse d'ailleurs son attirance pour le franglais qui est, selon lui, « la langue du futur ».

Le titre du roman est polysémique à souhait : c'est le nom du restaurant où se retrouvent Carthew Yorston et ses deux fils le jour de l'attaque des deux tours du World Trade Center (*Windows on the World*), mais c'est aussi le label publicitaire de ce roman qui s'ouvre sur l'Amérique au moment où s'y joue une tragédie qui aura des retombées mondiales. Le récit prend la forme d'un texte hybride, sorte de collage de poèmes et de chansons, avec en sus des photos.

Dans cet extrait, le père, au sommet de la tour, décide de se lancer dans le vide avec ses deux fils Jerry et David, ce dernier déjà mort par asphyxie. Le titre se charge ainsi d'une dernière signification, puisqu'il y a toujours une fenêtre sur la mort quelque part.

10 H 21

Depuis que David est mort, Jerry refuse de le lâcher, pleure sur son front froid, caresse ses paupières closes. Je me lève, le prends dans mes bras, petit prince aux cheveux doux inanimé. Jerry a lu dans mes pensées, il tremble de chagrin. Je suis épuisé de jouer les héros. Comme disait l'hôtesse d'accueil : pas formé pour. Jerry serre mon
5   bras plus fort, de l'autre il tient la main molle de David qui pend et se balance dans le vide. Je serre ma chair d'amour dans ma chemise couverte de suie. Son petit visage noirci comme quand il faisait brûler un bouchon de liège avec une allumette pour se maquiller en Indien, l'été 1997, au Parc national de Yosemite. Je voudrais ne plus me souvenir, mon cœur est trop encombré. Allez, venez les garçons, on va dégager d'ici,
10   faire ce qu'on aurait dû faire depuis longtemps : débarrasser le plancher tous les trois, on the road again, adios amigos, hasta la vista baby, la vitre est brisée, regarde par-delà les Fenêtres du Monde, regarde, Jerry, c'est la liberté ultime, let's go, non, Jerry mon héros, don't look down, garde tes yeux bleus fixés sur l'horizon, la baie de New York, le ballet des hélicoptères impuissants, tu n'as pas vu *Apocalypse Now*, vous étiez
15   si petits, comment les tueurs ont-ils pu, venez mes chéris, mes agneaux, vous allez voir, à côté le Space Mountain c'est du pipi de chat, tiens-moi fort Jerry, je t'aime, viens avec papa, on rentre à la maison, on emmène ton petit frère, venez surfer sur les nuages de feu, vous étiez mes anges et plus rien ne pourra nous séparer, le paradis c'était d'être avec vous, prends ta respiration et si tu as peur, tu n'as qu'à fermer les
20   yeux. Nous aussi on sait se sacrifier.

Juste avant de sauter, Jerry m'a regardé droit dans les yeux. Ce qui restait de son visage s'est tordu une dernière fois. Il ne saignait pas que du nez.

– Maman va être triste ?

– N'y pense pas. Il faut être fort. Je t'aime, mon cœur. T'es un sacré bonhomme.
25   – I love you daddy. Eh tu sais, papa, j'ai pas peur de tomber, regarde, je pleure pas et toi non plus.

– Je n'ai jamais connu personne de plus courageux que toi, Jerry. Jamais. Alors t'es prêt buddy ? à trois on y va ?

– Un, deux... trois !
30   Nos bouches étaient progressivement déformées par la vitesse. Le vent nous faisait faire des grimaces inédites. J'entends encore le rire de Jerry qui serrait ma main et celle de son petit frère en plongeant dans le ciel. Merci pour ce dernier rire, oh my Lord, merci pour le rire de Jerry. Pendant un court instant, j'ai vraiment cru qu'on s'envolait.

*Frédéric Beigbeder, *Windows on the World,* 2003.*

La parole de Nawal

Simon ouvre le cahier rouge.
Nawal (60 ans) témoigne devant les juges.

NAWAL. Madame la présidente, mesdames et messieurs le jury. Mon témoignage, je le ferai debout, les yeux ouverts, car souvent on m'a forcée à les tenir fermés. Mon
5 témoignage, je le ferai face à mon bourreau. Abou Tarek. Je prononce votre nom pour la dernière fois de ma vie. Je le prononce pour que vous sachiez que je vous reconnais. Que vous ne puissiez nourrir aucun doute là-dessus. Beaucoup de morts, s'ils se réveillaient de leur lit de douleurs, pourraient aussi vous reconnaître et reconnaître le sourire de votre horreur. Beaucoup de vos hommes vous craignaient, eux qui étaient
10 des cauchemars. Comment un cauchemar peut-il craindre un autre cauchemar ? Les hommes bons et justes qui viendront après nous peut-être sauront-ils résoudre l'équation. Je vous reconnais, mais peut-être ne me reconnaissez-vous pas, malgré ma conviction que vous me replacez parfaitement puisque votre fonction de bourreau exigeait de vous une parfaite mémoire des noms, des prénoms, des dates, des lieux,
15 des évènements. Je vais vous rappeler à moi, tout de même vous rappeler mon visage puisque mon visage était ce qui vous occupait le moins. Vous vous souvenez bien plus précisément de ma peau, de mon odeur, jusqu'au plus intime de mon corps qui n'était pour vous qu'un territoire qu'il fallait massacrer peu à peu. À travers moi, ce sont des fantômes qui vous parlent. Rappelez-vous. Mon nom peut-être ne vous dira
20 rien, car toutes les femmes étaient pour vous des putes. Vous disiez la pute 45, la pute 63. Ce mot vous donnait une allure, une élégance, un savoir-faire, un sérieux, une autorité. Et les femmes, une à une, éveillaient en elles leur haine et leur peur. Mon nom ne vous dira rien, mon numéro de pute non plus, peut-être, mais une chose que vous n'avez pas oubliée, malgré les efforts que vous pouvez faire pour l'empêcher de noyer
25 votre cœur, saura fissurer la digue de votre oubli. La femme qui chante. Vous vous souvenez, maintenant ? Vous savez les vérités de votre colère sur moi, lorsque vous m'avez suspendue par les pieds, lorsque l'eau, mélangée à l'électricité, lorsque les clous sous les ongles, lorsque le pistolet chargé à blanc dirigé vers moi. Le coup du pistolet et puis la mort qui participe à la torture, et l'urine sur mon corps, la vôtre,
30 dans ma bouche, sur mon sexe et votre sexe dans mon sexe, une fois, deux fois, trois fois, et si souvent que le temps s'est fracturé. Mon ventre qui gonfle de vous, votre infecte torture dans mon ventre et seule, vous avez voulu que je reste seule, toute seule pour accoucher. Deux enfants, jumeaux. Vous m'obligiez à ne plus aimer les enfants, à me battre, à les élever dans le chagrin et dans le silence. Comment leur
35 parler de vous, leur parler de leur père, leur parler de la vérité qui, dans ce cas, n'était qu'un fruit vert qui ne mûrirait jamais ? Amère, amère est la vérité dite. Le temps passera, mais vous n'échapperez pas à une justice qui nous échappe à tous : ces enfants que nous avons mis au monde, vous et moi, sont bien vivants, sont beaux, intelligents, sensibles, portent en eux les victoires et les défaites, cherchent déjà à donner
40 un sens à leur vie, à leur existence, je vous promets qu'un jour ou l'autre ils viendront se mettre debout devant vous, dans votre cellule, et vous serez seul avec eux comme j'ai été seule avec eux et, tout comme moi, vous ne saurez plus rien du sentiment de l'existence. Un rocher le ressentirait mieux que vous. Je vous parle d'expérience. Je vous promets aussi que lorsqu'ils se présenteront devant vous, tous deux sauront qui
45 vous êtes. Nous venons tous deux de la même terre, de la même langue, de la même histoire, et chaque terre, chaque langue, chaque histoire est responsable de son peuple, et chaque peuple est responsable de ses traîtres et de ses héros. Responsable de ses bourreaux et des victimes, responsable de ses victoires et de ses défaites. En ce sens, je suis, moi, responsable de vous et vous, responsable de moi. Nous n'aimions
50 pas la guerre ni la violence, nous avons fait la guerre et nous avons été violents. À

Wajdi Mouawad (1968)

Un théâtre de la quête identitaire

Récipiendaire de plusieurs prix tant au Canada qu'en France, Wajdi Mouawad, homme de théâtre d'origine libanaise, quitte son pays d'origine en guerre pour s'installer d'abord en France puis au Québec, où il devient directeur du Théâtre de Quat'Sous avant d'être nommé à un poste similaire au Centre national des arts à Ottawa. Il fait aussi de longs séjours en France, pays qui semble même redevenu ces dernières années son port d'attache.

La pièce *Incendies* s'inscrit dans une quadrilogie ayant pour titre général *Le sang des promesses* qui inclut en outre les pièces *Littoral, Forêts* et *Ciels*. L'auteur s'intéresse aux thèmes de la transmission des modèles et des valeurs et à l'idée d'héritage, ce qui implique souvent le retour au pays d'origine où règne une loi du secret qu'il faut briser. Mouawad est aussi un grand explorateur sur le plan formel, animé d'un souci perpétuel de renouveler la relation à l'espace scénique, à mêler les cartes du temps, tout cela en favorisant la création en interaction avec les comédiens.

L'extrait suivant est tiré de la pièce *Incendies,* qui a été magistralement adaptée au cinéma par

Denis Villeneuve. Quand elle était jeune, Nawal vivait dans un pays dévasté par une guerre civile. À la suite d'un massacre particulièrement sanglant, elle a tué Chad, le chef des milices, puis elle a été emprisonnée et torturée pendant des années. Longtemps après sa libération puis son déménagement au Québec, un tribunal visant à juger les criminels de guerre est formé. Dans cette scène, on retrouve Nawal, qui a maintenant 60 ans, témoignant devant ce tribunal.

présent, il nous reste encore notre possible dignité. Nous avons échoué en tout, nous pourrions peut-être sauver encore cela : la dignité. Vous parler comme je vous parle témoigne de ma promesse tenue envers une femme qui un jour me fit comprendre l'importance de s'arracher à la misère : « Apprends à lire, à parler, à écrire, à compter,
55 apprends à penser. »

SIMON *(lisant dans le cahier rouge)*. Mon témoignage est le fruit de cet effort. Me taire sur votre compte serait être complice de vos crimes.

Simon referme le cahier.

Wajdi Mouawad, *Incendies,* 2003, 2009.

Une scène du film *Incendies,* réalisé par Denis Villeneuve en 2010.

LA POÉSIE

M
p. 280

Comment la poésie reflète-t-elle les caractéristiques de la postmodernité ?

La poésie actuelle ressemble à l'art contemporain : elle est, en littérature, le lieu de toutes les expérimentations. Les deux poètes retenus ici pratiquent des écritures aux antipodes l'une de l'autre. Charles Dantzig est un poète de la profusion : il s'amuse à décrire le monde en multipliant les notes humoristiques, comme s'il cherchait à faire écran au drame, comme s'il cherchait la diversion dans le masque du croque-mort. Son univers est celui des gratte-ciel et celui du voyage, très loin de l'héritage pastoral ou bucolique de la littérature romantique.

Au contraire de Dantzig, Déborah Heissler pratique le laconisme, comme si un souffle glissait perpétuellement entre les mots répandus sur la page. Chez elle, les blancs semblent autant de lieux vides où vibrent les mots. D'autres poètes, comme Caroline Sagot Duvauroux, s'inscrivent comme elle dans cette tendance à la fragmentation, faisant des mots des éclats de sens dispersés au vent du large. D'autres encore continuent de vouloir aller à la rencontre des arts plastiques, comme c'est le cas notamment de Gérard Macé, ou de renouer avec la poésie spectacle, comme le fait Bernard Heidsiek. Enfin, Andrée Chedid, récemment décédée, a tenté de sauvegarder le sens du sacré, qui pour elle doit toujours être associé à la poésie, tout en évoquant les parfums de ses origines libanaises. Vénus Khoury Ghata marie aussi l'Orient à l'Occident dans ses poèmes pénétrés de mots arabes, sa langue maternelle. La poésie d'aujourd'hui, comme celle d'hier mais peut-être encore un peu plus, reflète en effet le caractère cosmopolite de la France actuelle.

Jean Tinguely et Niki de Saint Phalle, *La fontaine Stravinsky* (ou *Fontaine des automates*), Paris, 1983.

La poésie postmoderne

Poète, romancier, essayiste et éditeur, Charles Dantzig fait figure d'hyperactif littéraire en étant un peu partout à la fois, semant ici et là sur ses pas des œuvres provocantes. Il peut à la fois éditer des biographies incontournables, une anthologie de poèmes de Voltaire, des textes inédits de Samuel Beckett ou de Truman Capote, composer des romans qui se démarquent par leur originalité ou encore provoquer par un recueil de poèmes, *Les Nageurs*, qui célèbre l'érotisme au masculin.

Dantzig adopte généralement un ton d'ironie désinvolte pour aborder l'urbanité, son thème de prédilection. Sa poésie se rapproche de l'univers des bandes dessinées : les lieux sont dessinés avec aplomb, les couleurs sont tranchées. Et il y a aussi la mort qui rôde, et qui est traitée sur un mode parodique. Le poème suivant, qui illustre cette veine, doit se lire du bas vers le haut puisque la forme participe à la signification du poème.

Vers montant de la terre

et nous aurons enfin le repos.
moyen âge de l'art
dans la cage à l'Utile,
puisqu'ils le veulent nous entrerons
5   du fracas du désordre et des heurts
et finiront par se dire : assez
pour entourer leurs livres d'un beau ruban sanglant
se râpent le cœur à écrire
riaient ogrement des sots qui
10   tout à leur bonheur de se goinfrer d'argent
et ces illusoires brutes
« Le parcours d'un patron »
qui dans les autobus lisent des magazines
à devenir des jeunes filles sages
15   tout le monde n'est pas destiné
sarcasmes sur les distraits disant que
Sous le plexiglas de la Bourse sifflaient les

Charles Dantzig, *À quoi servent les avions,* 2001.

Atelier de comparaison

Exploration

1. Pour les poèmes de Dantzig et de Heissler :
   a. Dégagez les thèmes et expliquez vos choix en vous appuyant sur les textes.
   b. Répertoriez les figures de style et expliquez leur contribution à la sensorialité du poème.
   c. Observez l'aspect formel et expliquez en quoi il participe à la signification du poème.

Quelques figures simples

Retard
sur le présent, je suppose

accentué chaque fois
que l'on voit, assez vite
5 cette fraction de terre
sous les pas

que la parole debout
imprime,
comme l'être entier
10 reprend

On a touché à quelque
chose comme la foudre
frappe

Quelques figures simples

15 Oiseaux, neige et fruits
que l'œil conduit
lui-même, d'un temps à un autre
dehors, largement

On a touché à quelque chose

20 La terre comme un trou de mémoire
a touché quelque chose de
si froid

que toute l'année au cœur, en
est atteint

25 et cette sorte aussi de fleur ouverte
grande ouverte
à partir du cœur

comme si derrière ses premiers mots
une figure d'étrangère
30 d'exilée peut-être bien

insaisissable
ou encore seulement insaisie

parcourait l'horizon
pensive, touchait

35 aux objets oubliés
dans le tableau du peintre

– son geste d'épaule nue
et comme surprise
dense et ouvert
40 infiniment réel

et pourtant perméable à l'irréel

comme un regard qui erre
à la surface de l'eau

Déborah Heissler, *Près d'eux, la nuit sous la neige,* 2005.

Déborah Heissler (1976)

Des mots parsemés sur la page

De mère polonaise et de père français, Déborah Heissler est née en Alsace, région frontalière de l'Allemagne, dont elle a déjà fait partie. Docteure ès Lettres, Heissler choisit de pousser plus loin son expérience du cosmopolitisme en enseignant la langue française dans différentes universités asiatiques. Faisant fréquemment référence à la peinture et à la musique (elle a une formation en piano), Heissler compose une œuvre qui semble vouloir défier le vide et l'absence. Elle semble en effet jeter avec parcimonie des mots sur la page, où domine la blancheur des espaces qui disent le silence, le secret, l'implicite ou l'indicible. Si elle était peintre, on l'imaginerait fort bien faire des monochromes, peindre des carrés blancs sur fond blanc ou adhérer à quelque forme de minimalisme.

Comparaison

2. Dressez un bilan des différences et des similitudes en tenant compte du sens, de l'image et du rythme.

Rédaction

3. Montrez que ces deux poèmes illustrent une conception de la poésie et une relation au monde différente, mais qui comportent tout de même certains points de convergence.

PARTIE 1 : LA LECTURE DU TEXTE LITTÉRAIRE

Comment lire un texte littéraire ?

PLANIFIER LA LECTURE DU TEXTE	
Tenir compte des objectifs de lecture	• Décider de l'annotation à effectuer en tenant compte de l'intention de lecture ou des consignes de l'enseignant ou de l'enseignante. • Orienter la lecture en tenant compte de la tâche à réaliser (réponses à des questions de développement, analyse, dissertation, exposé, etc.).
Tenir compte : – de la nature du texte – du contexte d'énonciation – des intentions de l'auteur	• Classer le texte dans un genre (narratif, dramatique, etc.) et une forme littéraire (roman, chanson, poème, conte fantastique, tragédie, comédie, essai, etc.) et consulter la théorie s'y rapportant. • Situer l'auteur du texte dans le temps et l'espace à l'aide de sources documentaires diversifiées. • Se référer au courant littéraire dans lequel s'inscrit le texte (réalisme, symbolisme, etc.). • Tenir compte du contexte sociohistorique ou socioculturel.
Tenir compte de la structure du texte	• S'interroger sur le sens du titre et tenir compte des informations qui accompagnent le texte proprement dit pour anticiper son contenu. • Observer l'organisation du texte en chapitres, paragraphes, strophes, actes, scènes, etc., et son incidence sur le sens.

COMPRENDRE LE TEXTE	
Lire efficacement le texte	• Dans le cas d'un récit ou d'une pièce de théâtre, résumer l'intrigue en complétant, au fil de la lecture, le *schéma narratif* (voir page 276) ou le *schéma actantiel* (voir page 275). • Dans le cas d'un essai, dégager le point de vue adopté et les étapes de la réflexion ou les arguments importants. • Dans le cas d'un poème, résumer chacune des strophes et identifier les principaux champs lexicaux. • Définir les mots qui font obstacle à la compréhension.
Cerner l'organisation du récit	• Situer l'intrigue dans son contexte spatiotemporel. • Identifier le ou les types de narration utilisés dans le texte, les changements de narrateur et de focalisation, s'il y a lieu. • Suivre l'évolution des personnages et étudier la dynamique de leurs relations. • Cerner l'ordre de présentation des événements (enchaînement chronologique, alternance ou enchâssement d'histoires, ellipses, analepses ou prolepses) et ses conséquences sur l'intrigue principale.

Prêter attention au style et à la tonalité	• Dégager la tonalité (lyrique, fantastique, merveilleuse, etc.) qui domine dans les descriptions, et l'effet visé (effet de vraisemblance, de rêve, etc.). • Étudier le style en prêtant attention aux procédés d'écriture : le choix du niveau de langue, l'emploi des procédés stylistiques, les jeux de mots, les variations syntaxiques (ex. : la ponctuation), etc. • Tenir compte des effets que provoquent ces choix sur le lecteur.

INTERPRÉTER LE TEXTE

Dégager les thèmes et les valeurs du texte	• Cerner les thèmes : la condition humaine, l'amour, la solitude, la guerre, le racisme, l'enfance, la liberté, etc. • Dresser les champs lexicaux qui permettent de reconstituer les réseaux thématiques. • Se reporter aux connaissances relatives à l'auteur, au courant et à l'époque pour confirmer et compléter l'exploration thématique. • Relever les valeurs (croyances, jugements) véhiculées par les personnages et par le narrateur relativement aux thèmes abordés.
Exploiter divers moyens pour approfondir le texte	• Effectuer une relecture stratégique du texte en tenant compte de l'intention de lecture ou des consignes de travail. • Passer aux étapes de la planification et de la rédaction s'il y a lieu ; vérifier ou, sinon, corriger les observations accumulées en cours de lecture.

Comment analyser un récit ?

Tout récit comprend une histoire (ce qui est raconté) et une narration (la façon de raconter). L'histoire est faite d'un enchaînement d'événements qui modifient le parcours de personnages engagés dans la quête d'un objet particulier. La narration est l'ensemble des moyens utilisés pour régir le récit.

L'HISTOIRE

Les personnages

Qui sont-ils ? Quels rôles jouent-ils ? Comment sont-ils décrits en ce qui a trait à : - leur physique ? - leur caractère ? - leurs origines et leur milieu social ? - leurs valeurs et leurs croyances ? Où se situent-ils dans la dynamique des relations entre personnages ?	Il existe plusieurs types de personnage. Le personnage peut être héros, antihéros, personnage principal ou secondaire, ou figurant. Il assume plusieurs fonctions dans le récit : 1. Il est une **composante essentielle** du récit ; il contribue à sa signification. 2. Il est une **représentation de l'être humain**, qui se singularise par ses traits physiques, psychologiques, son statut social et les valeurs qu'il adopte. 3. Il a une **importance** qui se mesure par les liens qu'il entretient avec le héros, noyau du récit. Un des personnages du récit peut aussi être le narrateur. 4. Il peut être **stéréotypé** s'il a, par exemple, des traits codifiés, déjà connus du lecteur. La femme fatale dans le romantisme et le vampire dans le fantastique sont des exemples de personnages stéréotypés. 5. Il est un **actant**, c'est-à-dire qu'il exerce une fonction par rapport à l'action et qu'il peut être le héros en quête d'un objet (le but de la quête) ; adjuvant ou opposant (personnage qui aide ou nuit au héros) ; destinateur (il initie la quête) ou destinataire (il en tire profit ou non), etc. **Le schéma actanciel** ci-dessous illustre la dynamique habituelle des personnages dans tout récit. 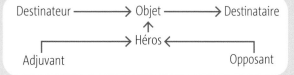

L'intrigue

Quel est le contexte ?	**Le schéma narratif** permet de dégager le plan du récit à partir de :
	a. La situation initiale **QUI ?** Quels sont les personnages centraux ? **OÙ ?** Quel est le lieu de l'intrigue (pays, ville, etc.) ? **QUAND ?** À quel moment, à quelle époque se déroule l'intrigue ? **POURQUOI ?** Quel semble être l'objet de la quête ? Que recherche le héros ?
Comment progresse l'intrigue ?	**b. L'événement déclencheur** **QUOI ?** Quel est l'élément déclencheur de l'action qui vient rompre l'équilibre initial ? **COMMENT ?** Comment le personnage cherche-t-il à échapper au danger ou à se soustraire à la menace ? Quelles sont les principales péripéties ? Comment les autres personnages se situent-ils par rapport à la quête du héros ?
	c. Le dénouement À quoi conduit la quête du héros ? Comment se situe le héros par rapport aux autres personnages ayant participé à sa quête ?
	d. La situation finale Le héros a-t-il atteint son but ou échoué dans sa démarche ?
Comment les événements sont-ils présentés ?	**Les modalités d'organisation de l'intrigue**
	a. L'enchaînement : succession d'événements d'une seule et unique intrigue, en ordre chronologique et logique, soit de la cause à la conséquence.
	b. L'alternance : entrelacement de deux intrigues.
	c. L'enchâssement : insertion d'une seconde intrigue dans l'histoire principale.

LA NARRATION

Le narrateur

Qui raconte l'histoire ?	**a. Le narrateur présent** ou représenté sous forme de personnage qui raconte l'histoire en usant du pronom « je ». **Deux possibilités :** • Un narrateur-héros qui raconte sa propre histoire. • Un narrateur-témoin : personnage secondaire qui rapporte l'histoire du héros. EFFET : Contribuer à la subjectivité du récit et favoriser l'identification du lecteur au personnage.
	b. Le narrateur non représenté, qui implique une narration à la troisième personne. EFFET : Augmenter l'illusion de vraisemblance, puisque la réalité semble observée avec neutralité.

La focalisation

De quel point de vue la scène est-elle observée ?	Technique narrative qui permet de raconter une histoire en variant l'angle de perception. En cours de récit, le lecteur peut être amené à regarder une scène par les yeux d'un ou de plusieurs personnages.
	a. La focalisation zéro ou point de vue omniscient (comme si le narrateur était Dieu) : la scène est racontée en variant de point de vue ; le narrateur rapporte les paroles tout autant que les pensées de plusieurs personnages.
	b. La focalisation interne (avec un personnage) : réduction du point de vue à la perspective d'un seul personnage.
	c. La focalisation externe : observation des actants de l'extérieur, sans pénétrer les consciences.

Le rythme narratif

Comment les événements sont-ils organisés ?	Les procédés utilisés pour organiser les événements qui peuvent contribuer à accélérer ou réduire le rythme du récit sont :

a. L'analepse (ou rétrospective) : évocation d'événements qui se sont passés antérieurement ; retour en arrière (ralentissement).

b. La description : inventaire de caractéristiques d'un personnage, d'un paysage ou d'un décor ; elle permet notamment de situer l'action dans l'espace et le temps ; elle constitue une pause dans le récit.

c. L'ellipse : omission d'événements dans le cours du récit ; elle contribue au suspense en créant des zones d'ombre ou en tenant secrets des événements ; elle permet une accélération du récit.

d. La prolepse (ou anticipation) : annonce des événements futurs ; projection dans le futur (accélération).

e. La scène : moment du récit qui fait coïncider le temps de la narration et celui de l'histoire.

f. Le sommaire : résumé de plusieurs événements en un court texte (accélération).

Les paroles des personnages

Comment les paroles des personnages sont-elles rapportées ? Quel est l'effet produit ?	Il existe trois manières de rapporter les paroles des personnages :

a. Le discours direct : Les paroles du personnage sont prises sur le vif, et le tiret ou les guillemets leur servent de marqueurs typographiques.
Exemple : L'enfant dit à sa mère :
– Maman, je ne veux plus jouer avec mon petit voisin.

b. Le discours indirect : Les paroles du personnage sont rapportées à l'aide d'un verbe déclaratif qui les précède ou qui se trouve en incise dans les paroles rapportées.
Exemple : L'enfant dit à sa mère qu'il ne voulait plus jouer avec son petit voisin.

c. Le discours indirect libre : Les réflexions et les paroles du personnage sont rapportées sans qu'aucun signe particulier indique la transition de la narration à l'énoncé des pensées et des paroles de ce personnage.
Exemple : L'enfant se plaignit à sa mère. Il ne voulait plus jouer avec son petit voisin.

LA THÉMATIQUE

Quels réseaux thématiques peut-on dégager du récit ?	Les thèmes sont illustrés par l'intermédiaire des personnages et de l'intrigue. L'analyse des *champs lexicaux* (voir page 287) et des autres procédés d'écriture ainsi qu'une bonne connaissance des courants littéraires permettent de dégager les thèmes d'un texte.

LE STYLE

Quels sont les procédés d'écriture utilisés par l'auteur ? Dans quel but ?	Au moment de l'analyse, il importe d'étudier le style en prêtant attention aux *procédés d'écriture* (voir page 284) et aux effets que provoquent ces choix sur le lecteur.

Comment analyser une pièce de théâtre ?

Le texte dramatique prend la forme d'une succession de répliques accompagnées de didascalies ; il se distingue aussi par le phénomène de la double énonciation liée à la représentation théâtrale.

Le genre dramatique a également des traits en commun avec le récit. Dans la pièce de théâtre comme dans le texte narratif se déroulent des événements fictifs (donc imaginaires, non réels) qui traduisent une certaine vision du monde, centrée sur des thèmes privilégiés. Le texte, qui peut être en prose ou en vers, implique, lui aussi, l'emploi de procédés d'écriture variés.

L'HISTOIRE

Les personnages

Qui sont-ils ? Quels rôles jouent-ils ?	Au théâtre, il existe plusieurs types de personnage. Ce sont les mêmes que dans le récit. Le personnage peut être héros, antihéros, personnage principal ou secondaire, ou figurant. Il assume plusieurs fonctions dans la pièce :

• Il est d'abord une **composante essentielle de la pièce** : il constitue une représentation de l'être humain appelé à être incarné par un acteur. Ses caractéristiques ne sont pas décrites, quoiqu'on puisse les découvrir par les répliques ou par le comportement qu'il adopte et par les réactions des autres personnages. C'est en fait surtout l'acteur qui donnera forme au personnage.

Comment sont-ils décrits en ce qui a trait à :
- leur physique ?
- leur caractère ?
- leurs origines et leur milieu ?
- leurs valeurs et leurs croyances ?

• Il est un **actant** et il est engagé dans une quête. Le metteur en scène verra à rendre perceptible sur scène la dynamique relationnelle par les gestes, les déplacements, etc. (voir *schéma actanciel*, page 275). Son importance est perceptible par la quantité de texte qui lui est octroyé et par sa place dans l'action.

• Il peut répondre à un **stéréotype**, soit celui du jeune premier, du valet, du confident, etc.

• Il peut être un personnage collectif – le **chœur**, dont les origines remontent à l'Antiquité grecque, mais encore utilisé aujourd'hui – qui crée une distance critique par rapport à la fiction ou représente les valeurs de la communauté.

Que nous révèle le dialogue sur les personnages ?

Le dialogue

• **La réplique :** Énoncé qui varie en longueur, dit par un comédien à l'adresse d'un autre. Synonyme de **répartie**.

• **Le monologue :** Énoncé d'un personnage qui se parle à lui-même à haute voix, pour être entendu du spectateur : en plus du comédien lui-même, le public est le destinataire de ces paroles. Le monologue met aussi en lumière le fait que le théâtre est formé de **conventions**.

• **La stichomythie :** Succession de répliques courtes, qui produit une accélération du dialogue et peut occasionner une intensification des émotions.

• **La tirade :** Réplique plus longue (de plus d'une quinzaine de lignes), qui signale souvent un état de crise dans la pièce et qui permet au comédien de se distinguer en attirant sur lui seul l'attention du public.

• **Le polylogue :** Échange à plusieurs voix, les personnages pouvant intervenir chacun à leur tour ou, au contraire, en désordre, dans la cacophonie totale.

• **L'aparté :** Court énoncé que semble s'adresser le personnage à lui-même, mais qui est dirigé vers le public.

Que nous révèlent les didascalies sur le comportement des personnages ?

Les didascalies

Les didascalies sont des indications scéniques, généralement en italique dans le texte. Elles s'adressent au lecteur, certes, mais surtout au metteur en scène et aux comédiens. Elles ne sont donc pas prononcées sur scène, mais fournissent plutôt des informations sur la façon de jouer et sur le décor. Au moment de la lecture, elles permettent d'imaginer la production finale.

L'intrigue

Comment progresse l'intrigue ?
Quelle est la nature de ce qui est raconté ?
Quel est le contexte (où et quand) ?
Comment les événements sont-ils organisés ?

L'action se situe dans un **espace** et un **temps** dramatiques qu'il faut distinguer de l'espace scénique (la scène) et du temps scénique, qui est celui de la représentation sur scène. En apportant quelques modifications au *schéma narratif* (voir page 276), il est possible de résumer l'intrigue d'une pièce de théâtre.

Les actes et les scènes

À l'époque classique (XVIIᵉ siècle), la pièce est divisée en tenant compte des étapes du déroulement de l'action, mais aussi d'autres phénomènes comme l'entrée en scène ou la sortie de personnages. Cette conception se transforme aux siècles suivants.

Les actes

Les actes constituent les divisions d'une pièce, qui correspondent aux étapes du déroulement de l'action dans le théâtre classique.

Exemple : Les actes dans la tragédie classique

Acte 1 : Il fait l'**exposition** de l'intrigue ; il situe le spectateur en général dans l'espace et le temps, et il met en place les principaux éléments de celle-ci. (Il est occasionnellement précédé d'un **prologue**, qui sert à introduire l'intrigue.)

Acte 2 : Il révèle le **nœud**, ou l'obstacle qui plonge le spectateur dans le tragique.

Acte 3 : Il expose la **péripétie**, soit l'événement imprévu, le retournement de situation ou l'obstacle qui déstabilise le héros.

Acte 4 : Il montre la **catastrophe**, qui entraîne un changement irréversible de la situation.

Acte 5 : Il présente le **dénouement**, qui, sauf exception, est malheureux. (Il peut à l'occasion être suivi d'un épilogue, commentaire final servant la plupart du temps à tirer la morale de l'histoire.)

Les scènes

Les scènes forment les subdivisions de chacun des actes ; elles sont souvent fondées sur l'entrée en scène ou la sortie d'un personnage. La scène, faut-il le préciser, est aussi le lieu où jouent les acteurs.

La division de la pièce de théâtre depuis le XVIIIᵉ siècle

Depuis le XVIIIᵉ siècle, on favorise d'autres façons de diviser la pièce, notamment en **tableaux** qui sont des instantanés de la vie des personnages.

À noter : Les théâtres grec, médiéval et de la Renaissance étaient régis par d'autres types de division. Le théâtre actuel est lui aussi très inventif en ce qui a trait à l'organisation de l'intrigue.

LA THÉMATIQUE

Quels réseaux thématiques peut-on dégager du texte ?

Les thèmes sont illustrés par l'intermédiaire des personnages et de l'intrigue. L'analyse des *champs lexicaux* (voir page 287) et des autres procédés d'écriture ainsi qu'une bonne connaissance des courants littéraires permettent de dégager les thèmes d'un texte.

LE STYLE

Quels sont les procédés d'écriture utilisés par l'auteur ? Dans quel but ?

La tragédie et le drame puisent dans les mêmes catégories de *procédés d'écriture* (voir page 284) que le récit.

La comédie utilise en plus une panoplie de moyens pour faire rire, qu'on peut trouver aussi à l'occasion dans le drame, soit :

• **Le comique de situation :** Tout ce qui tient du **quiproquo** (situation qui résulte d'un malentendu, d'une forme de confusion).

• **Le comique de langage :** Jeux de mots, calembours, lapsus (le fait de confondre des mots), mais aussi tout effet de syntaxe qui contribue à rythmer la pièce.

• **Le comique de gestes :** Souvent associé à l'ironie, à la caricature, au grotesque ou au burlesque dans la comédie. Les gestes sont quelquefois décrits en didascalie dans le texte.

Comment analyser un poème?

Avant que les poètes symbolistes ne fassent éclater les frontières entre prose et poésie par le poème en prose, il était facile de reconnaître un poème à ses vers réguliers et à ses rimes. La poésie était alors un art du langage dont on mesurait la réussite non seulement à l'originalité et à la profondeur de l'expression ou de la thématique, mais aussi à la capacité de se soumettre avec virtuosité aux règles de la métrique (ce qui est relatif à la versification et ses effets).

Les poètes continuent aujourd'hui leur incessante exploration du langage en s'accordant une très grande liberté par rapport aux règles établies au siècle classique (XVIIᵉ siècle). Toutefois, de façon générale, on peut définir le poème comme un texte où sont articulés, pour former un sens, un rythme et des images.

LE RYTHME ET LES SONORITÉS

La mesure du vers (la scansion)

Quel type de vers trouve-t-on dans le poème ?	Le vers est une unité rythmique disposée sur une ligne.

La scansion consiste à relever et à marquer le nombre de syllabes d'un vers par une barre oblique (ce qui est synonyme de « scander » le vers). La syllabe est l'unité de base du vers français. Elle est formée de consonnes et de voyelles et se prononce en une seule émission de voix.

Pour effectuer le décompte (la scansion) du vers, il importe de tenir compte de la **liaison** de la dernière consonne d'un mot avec le mot suivant. La syllabe finale de la rime féminine ne compte pas ; par ailleurs, à l'intérieur du mot, le « e » atone compte s'il est entre deux consonnes, mais il s'élide dans une liaison.

La scansion permet de déterminer le **type du vers**. Les vers les plus fréquemment employés jusqu'au XIXᵉ siècle sont les suivants :

- **L'alexandrin** (douze syllabes) Ex. : « Le / jour / de / la / rai / son / ne / le / sau / rait / per / cer » (Boileau, *L'art poétique*, 1674)

- **Le décasyllabe** (dix syllabes) Ex. : « Le / mur / flé / chit / sous / le / noir / ba / tail / lon » (Hugo, « Les Djinns », *Les Orientales*, 1827)

- **L'octosyllabe** (huit syllabes) Ex. : « La / mi / sère / aus / si / fai / sait / rage » (Verlaine, « Laeti et errabundi », *Parallèlement*, 1889)

À noter : Les vers libres sont de longueur variée et ils échappent aux règles de la versification classique.

La coupe du vers

Quelles divisions trouve-t-on dans les vers du poème ? En quoi ces procédés sonores contribuent-ils au sens du poème ?	Les divisions à l'intérieur d'un vers qui comptent plus de huit syllabes sont appelées « coupes ». Elles influencent le rythme du poème. Les principales divisions du vers classique sont les suivantes :

L'accent tonique
Plus grande intensité de la voix portant sur la dernière syllabe d'un groupe syntaxique, à l'exception, évidemment, des syllabes muettes. Les coupes se placent donc à la suite d'une syllabe accentuée.
Ex. : « Cessez de vous en plaindre. / À présent le théâtre
        Est en un point si haut / que chacun l'idolâtre » (Corneille, *L'illusion comique*, 1636)

L'hémistiche
Moitié d'un alexandrin qui compte six syllabes ; la césure sert à départager les deux hémistiches.
Voir l'exemple ci-dessus.

Le tétramètre
Coupe de l'alexandrin en quatre parties généralement égales.
Ex. : « Pour savoir, après tout, ce qu'on aime le mieux :
        Les bonbons, l'Océan, le jeu, l'azur des cieux,
        Les femmes, les chevaux, les lauriers et les roses. » (Musset, « Sonnet », *Poésies nouvelles*, 1850)

Le trimètre
Coupe de l'alexandrin en trois parties (généralement égales mais pas toujours) ; le trimètre est fréquent dans la poésie des romantiques.
Ex. : « Un amour, rien qu'un seul, tout fantasque soit-il ;
        Et moi qui le recherche ainsi, noble et subtil [...]. » (Nelligan, « Beauté cruelle », *Poésies complètes*, 1952)

La concordance et la discordance

Y a-t-il concordance ou discordance des vers ?

Quel est l'effet produit ?

Le poète peut créer un rythme régulier en faisant concorder la phrase et le vers, soit 1 phrase = 1 vers, ce qui était, du moins en théorie, une sorte de norme en poésie classique.

À partir du romantisme, les poètes font le choix de jouer avec la discordance du vers pour créer des effets rythmiques, notamment grâce aux procédés suivants :

- **L'enjambement :** toute phrase qui déborde d'un vers, dont l'excédent est déporté au vers suivant.
- **Le rejet :** forme spécifique d'enjambement, soit le fait de reporter dans le vers suivant un groupe syntaxique court, souvent même un seul mot.
- **Le contre-rejet :** le fait de placer la partie courte d'une phrase dans le premier vers et de reporter le groupe syntaxique le plus long dans le second.

La strophe

Les strophes confèrent-elles un rythme au poème ?

Quel sens peut-on dégager de ces regroupements de vers ?

La strophe est un regroupement de vers habituellement suivi d'un blanc typographique. Elle revêt généralement une unité de sens qui se rapproche de la phrase. Ces regroupements de vers donnent un rythme au poème.

Selon le nombre de vers qu'elle comprend, la strophe porte des noms différents : **sizain** (six vers), **quintil** (cinq vers), **quatrain** (quatre vers) et **tercet** (trois vers).

Les strophes sont **isométriques** quand les vers qui les composent sont tous de même longueur (par exemple tous des alexandrins) et **hétérométriques** (ou **anisométriques**) quand il y a variation (par exemple des alexandrins alternant avec des octosyllabes).

La rime

Comment le poème joue-t-il sur les sonorités ?

Quel est le patron de rimes ?

On appelle « rime » la reprise de sons (ou de phonèmes) identiques à la finale de deux vers. Si le mot à la fin du vers se termine par un e muet, on parlera de rimes **féminines** ; sinon, elles seront dites **masculines**.

La disposition des rimes

- **Rimes plates, suivies ou consonantes :** deux rimes féminines se suivent, et deux rimes masculines leur succèdent, ce qui donne le modèle de rimes *aabbcc*, etc.
- **Rimes croisées ou alternées :** les rimes féminines et masculines se succèdent en alternance selon le modèle *abab*.
- **Rimes embrassées :** les rimes féminines et masculines se succèdent en alternance selon le modèle *baab* ou *abba*.

Quelle appréciation peut-on faire des rimes ?

La qualité de la rime

La qualité de la rime dépend du nombre de phonèmes en reprise à l'exclusion du e caduc.

- **La rime riche :** trois homophonies (trois phonèmes répétés), comme dans riv**ière**s et f**ière**s.
- **La rime suffisante :** deux homophonies (deux phonèmes répétés), comme dans b**leu** et p**leu**t. À noter : Deux lettres servent à transcrire le son « eu », mais il ne s'agit en fait que d'un seul phonème.

En quoi ces procédés contribuent-ils à la thématique ?

- **La rime pauvre :** une seule homophonie (un phonème répété à la fin du vers), comme dans am**i** et fin**i**.

À noter : D'autres *procédés sonores* (voir page 290), par exemple **l'assonance** et **l'allitération**, sont fréquemment utilisés en poésie.

LE DORMEUR DU VAL

La forme du poème, ❶
le sonnet

C'est un trou de verdure // où chante une riv*ière*   a — ❺ La rime féminine
Accrochant follement // aux herbes des haill*ons*   b — ❻ La rime riche
D'argent ; où le soleil de la montagne f*ière*   a
Luit : c'est un petit val qui mousse de ray*ons*.   b — ❺ La rime masculine

La strophe, le quatrain ❷

Un/ sol/dat/ jeu/ne, // bou/che ou/ver/te/, tê/te/ nue,   c — ❺ La rime croisée
Et/ la/ nu/que/ bai/gnant/ // dans/ le/ frais/ cres/son/ b*leu*, d
Dort ; il est étendu dans l'herbe, sous la nue,   c
L'enjambement ❹   Pâle dans son lit vert // où la lumière p*leut*. d — ❻ La rime suffisante

Le vers, l'alexandrin ❸

Les pieds dans les glaïeuls, il dort. Souriant comme   e
Sourirait un enfant malade, il fait un somme :   e
Nature, berce-le chaudement : il a froid.   f

La strophe, le tercet ❷

Les parfums ne font pas frissonner sa narine ;   g
Il dort dans le soleil, la main sur sa poitrine   g
Tranquille. Il a deux trous rouges au côté droit.   f

Arthur Rimbaud, *Poésies*, 1870.

LES FORMES POÉTIQUES

De quelle forme de poème s'agit-il ?

Les poèmes peuvent adopter diverses formes, qui varient souvent en fonction des époques. Les plus fréquentes sont les suivantes :

- **Le calligramme :** poème dont les mots sont disposés de manière à représenter un objet en lien avec le thème.
- **L'ode :** long poème dans une métrique autre que l'alexandrin.
- **Le poème à vers libres :** poème en vers qui ne se plie pas aux règles de la poésie classique.
- **Le poème en prose :** poème complètement libéré des contraintes de la versification, composé en phrases généralement d'une grande musicalité et présentant, habituellement, une grande concentration de figures de style.
- **Le sonnet :** poème de quatorze vers, disposés en deux quatrains et deux tercets.

LA THÉMATIQUE

Quels réseaux thématiques peut-on dégager du poème ?

L'analyse du titre, du *contexte d'énonciation* (voir page 284), des *champs lexicaux* (voir page 287) et des autres procédés d'écriture utilisés ainsi qu'une bonne connaissance des courants littéraires permettent de dégager les thèmes d'un poème.

LE STYLE

Quels sont les procédés d'écriture utilisés par l'auteur ? Dans quel but ?

Au moment de l'analyse, il importe :

- d'identifier la *tonalité* (voir page 290) du poème (merveilleuse, lyrique, ironique, etc.) ;
- de dresser l'inventaire des *procédés d'écriture* (voir page 284) employés et d'établir des liens avec la thématique ;
- d'observer les sens sollicités par le poète : la vue, l'ouïe, l'odorat, le goût, le toucher ;
- d'être sensible aux connotations, c'est-à-dire à tout ce qui peut être suggéré à l'aide des mots ;
- de prêter attention à la disposition du poème et, dans le cas d'une disposition particulière, d'établir des liens avec le propos (ex. : un calligramme).

Comment analyser un essai ?

L'essai est un genre qui vient au monde à la Renaissance sous la plume de Montaigne, qui intitule son œuvre *Essais*. Amalgame de récit autobiographique et de discours argumentatif, l'essai est à la fois récit de l'expérience vécue et réflexion sur la vie privée et publique. Il se situe entre le personnel et l'universel, entre l'émoi et la raison. Genre aux délimitations fluctuantes, il peut aussi ouvrir ses frontières à tout texte qui porte sur un sujet lié à la réalité.

LE CONTENU

À quoi reconnaît-on le caractère référentiel du texte ?	L'essai littéraire est un texte en prose qui se présente comme une réflexion libre, et non comme un bilan définitif, sur un sujet donné. Il a quatre caractéristiques importantes :
	1. **Référentiel :** L'auteur exprime ses idées directement, sans l'intermédiaire d'une intrigue et de personnages fictifs. **Indices :** Les thèmes ou sujets de réflexion sont généralement directement indiqués dans le texte (le lecteur n'a pas à les déduire comme c'est le cas pour le récit).
Quelles sont les marques qui témoignent de la subjectivité de l'essai ?	2. **Subjectif :** L'auteur produit un texte personnel et partial, qui reflète fortement ses opinions et ses valeurs. **Indices :** Les marques du locuteur indiquent la présence de l'auteur dans l'essai et la tonalité émotive générale.
Quelles sont les marques qui témoignent de l'actualité et de l'authenticité des idées ?	3. **Ancré dans l'actualité (le moment d'écriture) :** L'auteur se positionne par rapport à des sujets qui préoccupent ses contemporains. **Indices :** Les noms cités se rapportent à des personnages ayant réellement existé ; les événements sont historiques, de l'ordre de la réalité.
	4. **Fidèle à la réalité :** L'auteur respecte le pacte de lecture qui est celui de tous les récits réels, en attestant l'authenticité de ce qu'il dit. **Indices :** observer les choix lexicaux et les phrases de modalisation.

LA FORME ET LA STRUCTURE

Qui s'exprime et dans quel but ?	**Le contexte d'énonciation** L'auteur est celui qui dit « je » et qui fait entendre sa propre voix (quoiqu'il existe aussi des essais impersonnels, moins susceptibles toutefois d'être littéraires).
	Les intentions de l'auteur L'essai est une forme littéraire composite, qui a pour fonction de permettre à un auteur : • d'exprimer sa sensibilité, ses émotions ; • d'informer les lecteurs en appuyant son point de vue sur des faits objectifs ; • d'argumenter et de convaincre le destinataire afin de l'engager à prendre position ou à changer le monde.
Comment les idées s'organisent-elles ?	**L'organisation des idées** Dans l'essai littéraire, l'organisation des idées est généralement libre et fluctuante : le lecteur peut même avoir l'impression d'assister à l'émergence d'une pensée, qui n'hésite pas à se contredire pour mieux s'affirmer.

LA THÉMATIQUE

	L'auteur de l'essai a une prédilection pour les sujets à caractère culturel, les problématiques sociales et politiques. L'essai peut aussi témoigner d'une crise d'identité individuelle, qui s'exprime souvent sur fond de crise de culture ou de civilisation. **Indices :** Mots qui expriment des concepts ; émotions par la présence de modalisateurs ; arguments entraînant la formulation d'exemples pour illustrer les idées.

LE STYLE

Quels sont les procédés d'écriture utilisés par l'auteur ? Dans quel but ?	L'auteur favorise souvent : • un lexique accessible et un ton informel ; • les marques du destinataire et les modalisateurs marquant l'émotion et le jugement ; • les *conjonctions* et les *prépositions* (voir page 286), les locutions prépositives, importantes pour saisir la logique argumentative ; • le recours aux anecdotes pour illustrer des arguments ; • l'usage de l'*humour*, de la *satire* et de l'*ironie* (voir page 291), par exemple avec les *antiphrases* (voir page 288).

PARTIE 2 : LES PROCÉDÉS D'ÉCRITURE

Le contexte d'énonciation

Dans un échange courant, le locuteur s'adresse à un destinataire qui, en lui répondant, devient à son tour locuteur. Pour bien comprendre un texte, il importe de clarifier les différents éléments du contexte d'énonciation et de pouvoir déterminer qui se trouve derrière chaque pronom personnel présent dans le texte.

LE LOCUTEUR

Dans tout échange ou communication, celui qui parle ou qui écrit.
Les marques qui signalent la présence du locuteur dans un texte sont les pronoms personnels « je », « me », « moi » (et « nous » dans certains cas) ; les pronoms possessifs « le mien », « le nôtre », etc. ; les déterminants possessifs « mon », « ma », « mes », « notre », etc.

LE DESTINATAIRE

Récepteur du message ou du texte ; c'est à lui que s'adresse l'énoncé oral ou écrit.
Les marques qui signalent la présence du destinataire dans un texte sont le pronom personnel de la deuxième personne, « tu » (qui signale en général la familiarité) ou « vous » (qui signale une attitude de respect ou de distance) ; les pronoms et déterminants possessifs associés à la deuxième personne ; l'emploi de l'apostrophe, etc.
L'emploi du mode impératif peut aussi servir d'indice pour déterminer la nature de la relation entre le locuteur et son destinataire (relation d'autorité ou de soumission).

LA SITUATION D'ÉNONCIATION

Tous les mots qui précisent le lieu et le moment de l'échange.
Les marques, ou indicateurs de temps, sont les adverbes de temps comme « aujourd'hui », « maintenant », « parfois », etc.
Les marques, ou indicateurs de lieu, sont les toponymes, les adverbes de lieu comme « ici », « là-bas », « à droite », « plus loin », etc.

LES MODALISATEURS

Tout mot ou signe de ponctuation qui traduit dans la phrase la subjectivité ou l'affectivité du locuteur.
Pour repérer des modalisateurs d'émotions, on doit observer l'usage de ponctuation et d'interjections, comme dans la phrase suivante : « Ah ! que je trouve insupportable qu'il pleuve tous les jours. »
Pour repérer des modalisateurs de jugement, on doit observer l'usage de certains mots ou expressions, comme dans la phrase suivante : « Je vous assure qu'il va pleuvoir demain. » On peut aussi surveiller certains suffixes péjoratifs ou mélioratifs, comme le suffixe « âtre » (qui a une connotation péjorative) dans le mot « bellâtre ». On peut en outre relever les adverbes ou les adjectifs qui traduisent la subjectivité ou l'émotion (ex. : « certainement », « extraordinaire », « horrible », etc.).

LES MODALITÉS DU DIALOGUE (DISCOURS DIRECT OU RAPPORTÉ)

Registres de langue utilisés, tonalités émotives employées et nature des relations entre le locuteur et son interlocuteur.

Les ressources de la langue : grammaire et stylistique

La langue constitue le matériau de l'écrivain. Les mots constituent sa première ressource. Ils sont des unités sonores (ou graphiques) porteuses de sens. Par ses choix linguistiques, et donc par l'usage de procédés grammaticaux et syntaxiques, l'écrivain appose sa marque personnelle sur son texte ; il lui donne une signification, une couleur, un rythme et une tonalité propres.

L'ADJECTIF

L'adjectif qualifiant sert à traduire une atmosphère, à décrire les lieux ou l'époque, à caractériser un personnage, à commenter une action, etc.

Les questions à poser

Des adjectifs sont-ils exploités pour créer l'atmosphère, caractériser les personnages ou décrire les lieux ou l'époque d'un récit ? L'adjectif a-t-il été détaché et placé en tête de phrase de manière à produire un effet ? Des adjectifs qualifiants ont-ils été mis en degré ?

LE NOM

Mot qui sert à désigner des êtres, des objets et des concepts.

Catégories de noms

Forme : simples/composés, masculins/féminins, singuliers/pluriels.

Sens : communs/propres, concrets/abstraits, animés/inanimés, individuels/collectifs, comptables/non comptables.

À noter : Le nom est accompagné d'une variété de déterminants qui peuvent contribuer aux effets stylistiques du groupe nominal.

Les questions à poser

Une catégorie de noms est-elle exploitée de manière à créer un effet particulier ? Une paire de catégories est-elle exploitée de manière à créer un effet d'opposition ? Les noms attribués aux personnages sont-ils significatifs ? Une catégorie de déterminants peut-elle renforcer l'effet créé par le nom qui lui est associé ?

LE PRONOM

Mot qui peut être soit un substitut, qui sert à remplacer un élément du texte, soit un pronom nominal, qui renvoie à une réalité hors texte (ex. : « je », « ceux », « la sienne », « nul », « quoi », « dont », etc.).

Les questions à poser

Quels liens faut-il établir entre le pronom et le personnage auquel il renvoie dans un récit ? Certains passages présentent-ils des effets d'opposition ou d'insistance reposant sur le choix de certains pronoms ?

LE VERBE

Mot au cœur de la phrase qui exprime l'état, les pensées, les actions ou l'évolution du sujet. Il exprime ce qui est dit à propos du sujet.

• Dans un récit, les verbes permettent de mieux connaître le personnage et de suivre l'intrigue.

• Dans un poème, le verbe exprime souvent la sensibilité du poète.

• Dans un essai, il sert à véhiculer les arguments.

Principales valeurs des modes

Indicatif : pour faire observer des faits réels.

Impératif : pour donner des ordres, exercer l'autorité.

Conditionnel : pour soumettre des faits à une condition ; pour exprimer le doute ; pour faire preuve de politesse.

Subjonctif : pour traduire l'éventualité.

Infinitif : valeurs variées.

Participe : valeur d'adjectif.

Les questions à poser

Une catégorie de verbes est-elle exploitée de manière à créer un effet ? L'idée exprimée par le verbe est-elle porteuse de sens ? La forme du verbe (ex. : mode des verbes, voix active ou passive, temps des verbes, etc.) est-elle exploitée pour créer un effet ?

L'ADVERBE

L'adverbe sert à modifier ou à nuancer le sens habituel d'un mot ou à compléter un verbe ou une phrase (ex. : « ici », « aujourd'hui », « non », « heureusement », « beaucoup », « ensemble », etc.).

Les questions à poser

Quels sont les rapports de sens privilégiés dans le texte ? La mise en degré à l'aide d'adverbes permet-elle de créer des effets stylistiques (ex. : effet d'intensité) ? Des adverbes de négation ont-ils été omis ? Des adverbes sont-ils employés comme marqueurs de modalité dans le but de créer certains effets ?

LA PRÉPOSITION ET LA CONJONCTION

La **préposition** sert à introduire une expansion qui peut être un mot, un groupe de mots ou une phrase (ex. : « sans », « contre », « à », « près », « loin », « pendant », etc.).

La **conjonction** sert à joindre des mots, des groupes de mots ou des phrases (ex. : « et », « car », « mais », « ou », etc.).

Les questions à poser

Plusieurs prépositions marquant l'opposition sont-elles employées pour créer un effet de contraste ? Une même préposition est-elle répétée pour créer un effet d'insistance et un rythme ? Des prépositions sont-elles employées à titre de marqueurs de modalité pour révéler le point de vue de l'énonciateur ? Une même conjonction est-elle répétée ou supprimée pour créer un effet particulier ?

LES PHRASES

Il est possible d'exploiter les types et les formes de phrase pour produire des effets stylistiques et des nuances de sens.

Les phrases simples peuvent être jointes pour former des phrases complexes. La coordination, la juxtaposition et la subordination sont des procédés de jonction de phrases. L'insertion de phrases peut prendre deux formes : l'incidente et l'incise. Il est possible d'exploiter la jonction et l'insertion de phrases pour produire divers effets stylistiques et pour créer des nuances sémantiques.

Types : déclaratif, interrogatif, exclamatif, impératif.

Formes : positive/négative, active/passive, neutre/emphatique, personnelle/impersonnelle.

Structure : coordination, juxtaposition, subordination, phrase incidente, phrase incise.

Lors de l'analyse d'un texte :

- Vérifiez si un **type** de phrase est particulièrement présent dans le texte et s'il est exploité de manière à créer un effet particulier. Pour le repérer, cherchez des marqueurs exclamatifs ou interrogatifs, et observez attentivement les marques de ponctuation ; observez également si un type de phrase est exploité de façon inhabituelle dans le but de produire un effet.
- Vérifiez si une **forme** de phrase est particulièrement présente dans le texte et si elle est employée de manière à créer un effet particulier ; observez également si différentes formes de phrase ont été agencées de façon à produire un effet spécial.
- Vérifiez si des phrases ont été jointes ou insérées de manière à créer un effet particulier. Observez, par exemple, si les phrases jointes ont été accumulées pour produire un effet d'insistance ou d'accumulation, ou si elles ont été mises en opposition pour créer un effet de contraste ou d'opposition.

Les procédés stylistiques

En plus d'assumer une fonction dans la phrase, les mots relèvent de catégories lexicales qui servent des fins sémantiques et stylistiques. L'écrivain vise des effets stylistiques différents selon qu'il emploie, par exemple, des archaïsmes plutôt que des néologismes. Les procédés stylistiques participent à la signification générale du texte et contribuent à son originalité.

Les notions et les procédés lexicaux

LA CONNOTATION

Variation dans la signification d'un mot compte tenu du contexte où il est utilisé. Le terme « connotation » s'oppose à celui de « dénotation », qui fait référence au sens premier d'un mot.

Exemple : Le mot « eau » (H_2O) dans un texte scientifique n'aura pas le même sens que dans les locutions suivantes, où il est utilisé au figuré : *Être comme l'eau et le feu* (en opposition perpétuelle) ; *Il en est passé, de l'eau sous les ponts* (beaucoup de temps s'est écoulé).

LE CHAMP LEXICAL

Réseau de mots de catégories grammaticales variées, unis par un lien de signification sans être nécessairement synonymes. L'analyse du champ lexical permet de dégager les thèmes d'un texte.

Exemple : Dans *Le dormeur du val,* de Rimbaud (p. 72), les termes « verdure », « rivière », « herbe », « montagne », « val », « rayons », « cresson » et « glaïeuls » appartiennent au champ lexical de la nature.

LE REGISTRE (OU NIVEAU DE LANGUE)

Variation dans l'utilisation de la langue en tenant compte du contexte d'énonciation. On distingue habituellement quatre niveaux de langue : populaire, familier, correct (standard) et soutenu (« recherché » et « littéraire » sont des synonymes). En général, tout écart par rapport à la norme constitue un choix stylistique significatif.

Exemples : **Populaire :** L'gars a tchêqué si on pouvait truster c'qu'a dit l'candidat.

Familier : Le bonhomme se demandait si on pouvait se fier à ce que le candidat disait.

Correct : L'individu évaluait s'il était possible de faire confiance aux paroles du candidat.

Soutenu : Le jeune homme vérifiait la crédibilité des propos tenus par le candidat.

Les figures de style

Les figures de style font partie des procédés littéraires qui modifient la signification d'un mot ou d'une phrase par association, substitution ou addition.

LES FIGURES D'ANALOGIE

Les figures d'analogie sont fondées sur un rapprochement de mots impliquant un lien comparatif explicite ou sous-entendu.

L'allégorie

Accumulation de mots à valeur de symboles, tous reliés par un même sens ; ces mots permettent au lecteur de visualiser un concept particulier.

Exemple : La mort (le concept au centre de l'allégorie) représentée sous la forme d'un [1]squelette de femme, [2]brandissant une faux, [3]portant des vêtements en lambeaux, [4]dans un paysage dévasté.

L'allégorie implique fréquemment au point de départ une personnalisation du thème.

La comparaison

Figure qui rapproche, à l'aide d'un mot de comparaison (« comme », « semblable à », « tel que », etc.), deux réalités différentes ayant un point commun.

Exemples : La [1]liberté, **comme** un [2]oiseau, vole dans le ciel.

La [1]liberté, **semblable à** un [2]oiseau, vole dans le ciel.

La [1]liberté paraît voler **tel** un [2]oiseau dans le ciel.

La métaphore

Figure qui rapproche des concepts ou des réalités, sans le support d'un mot de comparaison ou sans rendre explicite le lien de ressemblance. La métaphore est une comparaison sous-entendue, sans le terme comparant.

Exemples : La **soustraction** du comparant (ex. : La liberté ~~comme l'oiseau~~ vole dans le ciel.)

L'**apposition** (ex. : La liberté, colombe altière dans le ciel.)

L'**adjonction d'un complément** (ex. : La liberté, de ses ailes frêles, sillonne le ciel.)

La personnification

Figure qui consiste à attribuer un trait ou un caractère humain à ce qui ne l'est pas : la faune, la flore, les objets, les idées, etc.

Exemple : Monsieur le Chat imposait ses quatre volontés à la maisonnée.

LES FIGURES D'OPPOSITION

Les figures d'opposition sont fondées sur le rapprochement de termes aux significations contraires.

L'antithèse

Figure mettant en contact des mots qui s'opposent par leur sens, dans une construction syntaxique qui les place plus ou moins en symétrie. Figure de prédilection des écrivains romantiques.
Exemple : « On était vaincu par sa conquête. » (Victor Hugo, « L'expiation », *Les châtiments*, 1853)

L'oxymore

Variété d'antithèse qui repose sur le voisinage immédiat de mots aux sens opposés.
Exemple : Un soleil pluvieux

L'antiphrase

Phrase qui exprime l'inverse de ce que pense ou ressent le locuteur. Généralement mise au service de l'ironie.
Exemple : Que vous êtes ponctuel ! (En s'adressant à quelqu'un qui arrive en retard.)

LES FIGURES DE SUBSTITUTION

Les figures de substitution impliquent le remplacement de mots ou de phrases par d'autres, équivalentes.

L'euphémisme

Procédé qui consiste à formuler une vérité de façon à atténuer son aspect désagréable.
Exemple : Elle nous a quittés. (Au lieu de : Elle est morte.)

La litote

Procédé d'atténuation qui consiste à dire moins pour suggérer plus. La litote est souvent formulée en phrase négative. Figure de prédilection des dramaturges classiques.
Exemple : « Va, je ne te hais point. » (= Je t'aime.) (Corneille, *Le Cid*, 1636)

La métonymie

Remplacement d'un terme par un autre, par exemple le contenant par le contenu, la cause par l'effet, la partie par le tout. La métonymie s'unit souvent à d'autres figures et contribue au sens figuré d'un texte.
Exemple : Faire de la voile (voile prise pour l'embarcation).

La périphrase

Remplacement d'un mot par une expression plus longue dont le sens est équivalent. La périphrase est une figure de prédilection chez les écrivains classiques influencés par le courant de la préciosité.
Exemple : Le feu de l'amour pour « désir ».

LES FIGURES D'AMPLIFICATION OU D'INSISTANCE

Les figures d'amplification soulignent l'importance d'une réalité par des moyens variés.

L'anaphore

Répétition d'un ou de plusieurs mots en début de vers ou de phrase, dans le but de créer un effet d'envoûtement ou de persuasion.

L'énumération (ou accumulation)

Mots ou groupes grammaticaux qui s'additionnent dans une phrase. L'énumération a pour effet de préciser la pensée et de contribuer au rythme du texte (effet de précipitation ou de saccade, ou l'inverse selon le choix lexical).

La gradation

Succession de termes par ordre d'intensité croissante (c'est une sous-catégorie de l'énumération).
Exemple : « Je me meurs ; je suis mort ; je suis enterré. » (Molière, *L'avare*, 1668)

L'hyperbole

Figure qui met en relief une réalité au moyen de l'exagération.
Exemple : Il est mort de fatigue. (= Il est très fatigué.)

Le pléonasme

Formulation puis reformulation de la même idée en d'autres mots. L'utilisation du pléonasme crée généralement un effet comique.
Exemple : « Père Ubu — Je viens donc te *dire*, t'*ordonner* et te *signifier* que tu aies à produire et exhiber promptement ta finance, sinon tu seras massacré. » (Alfred Jarry, *Ubu roi*, 1896)

La répétition

Reprise d'un mot, d'un groupe de mots ou d'une phrase dans un but d'insistance, mais aussi à des fins rythmiques, comme dans un refrain. La répétition est étroitement associée au genre poétique, puisque le fait de reprendre des sons (ou phonèmes) crée en soi une musicalité.
Exemple :   « *Ah ! comme la neige a neigé !*   Qu'est-ce que le spasme de vivre
                   Ma vitre est un jardin de givre.   À la douleur *que j'ai, que j'ai !* »
                   Ah ! comme la neige a neigé !   (Émile Nelligan, *Soir d'hiver*, 1904)

LES FIGURES SYNTAXIQUES

Les figures syntaxiques se rapportent à l'organisation des mots à l'intérieur de la phrase et d'une phrase à l'autre. Les principales figures syntaxiques sont les suivantes.

Le chiasme

Figure de symétrie qui implique un croisement ou une permutation dans la disposition des termes de la phrase. Cette figure a pour effet de souligner des paradoxes logiques par un processus d'inversion symétrique.
Exemple : « On passe les trois quarts de sa vie à [1]faire sans [2]vouloir et à [2]vouloir [1]sans faire. » (André Malraux)

L'ellipse

Omission volontaire de mots dans une phrase. Par extension, on pourra aussi parler d'une écriture elliptique, qui a tendance à favoriser le minimal, à ne pas être explicite, à laisser des trous dans la trame narrative.
Exemple : « Les hommes ? Écume, faux dirigeants, faux prêtres, penseurs approximatifs, insectes... Gestionnaires abusés... [...] »
(Philippe Sollers, *Femmes*, 1983)

Le parallélisme

Phrases de sens différents construites sur des structures semblables. Superposées, elles adoptent la même structure. L'usage des parallélismes à des fins rythmiques est courant en poésie.
Exemple :   « *Qu'il soit dans ton repos, qu'il soit dans tes orages,*   *Et dans ces noirs sapins, et dans ces rocs sauvages*
                   Beau lac, et dans l'aspect de tes riants coteaux,   *Qui pendent sur tes eaux !* »
                                                                                                  (Lamartine, « Le lac », *Les méditations poétiques*, 1820)

LES PROCÉDÉS SONORES

Les procédés sonores permettent des jeux avec les sons de la langue, qui sont aussi appelés « phonèmes ».

L'allitération

Répétition de consonnes dans une phrase ou un vers. Il arrive aussi que l'allitération accumule des consonnes qui suggèrent la réalité nommée ; on parlera alors d'harmonie imitative.
Exemple : « Pour qui sont ces serpents qui sifflent sur vos têtes ? » (Racine)
Dans cet exemple, on croit entendre le sifflement du serpent grâce à la répétition du phonème « s ».

L'assonance

Reprise de voyelles (phonèmes vocaliques) dans un vers ou une phrase. Les phonèmes vocaliques peuvent se transcrire à l'écrit par une seule lettre ou plusieurs, comme c'est le cas pour le son « è » qui peut s'écrire en français « ê », « ais », « ait », « est ». Deux lettres sont nécessaires en français pour transcrire ce qui est considéré comme une voyelle unique du point de vue sonore, soit les voyelles « an », « in », « on » et « un » (appelées « voyelles nasales » en phonétique).
Exemple : « Je fais souvent ce rêve étrange et pénétrant [...] » (Verlaine, « Mon rêve familier », *Poèmes saturniens*, 1866)

Les tonalités

Les tonalités se définissent, selon le *Robert*, comme une manière de s'exprimer dans un écrit. Ce concept de « tonalité », relativement indéterminé, est lié aux intentions de l'auteur, à l'atmosphère qui imprègne le texte, mais aussi à l'impression qu'elle laisse chez le lecteur.

LA TONALITÉ COMIQUE

Tonalité marquée par une atmosphère de comédie ou par des propos humoristiques.
Caractéristiques : présence de **personnages** ridicules et contrastés, ou juvéniles et séduisants ; **intrigue** à rebondissements ; **thématique** du conflit de générations ou d'autorité (maître et valet), ou de jeux de séduction ; **style** où toutes les ressources du comique et de l'ironie, les jeux de mots et les antiphrases sont utilisés, de même qu'une syntaxe alerte et variée.

LA TONALITÉ DIDACTIQUE

Tonalité qui vise à instruire. On remarque cette tonalité au XVIIe siècle, dans les formes courtes comme les maximes, les fables et les contes, qui servent une finalité morale. On l'observe dans les romans réalistes qui, par leurs nombreuses descriptions, renseignent sur les conditions de vie en France au XIXe siècle.
Caractéristiques : prose véhiculant de l'information ; nombreuses phrases affirmatives ; langue à dominance dénotative ; figures de style généralement peu utilisées.

LA TONALITÉ FANTASTIQUE

Tonalité qui met le lecteur en présence d'événements insolites, surnaturels ou irrationnels. La tonalité fantastique concrétise l'angoisse, provoque l'inquiétude.
Caractéristiques : héros décrit comme un personnage à l'équilibre fragile, susceptible d'éprouver le doute, souvent entouré d'autres personnages maléfiques (vampires, morts-vivants, etc.) ; **narration** qui tend vers la subjectivité ; **intrigue** qui tourne autour d'événements de l'ordre du surnaturel, susceptibles de susciter l'angoisse ; **thématique** de l'amour inquiétant et de la mort, de la peur, de la folie ; **style** émotif, avec une forte variation dans la formulation des phrases et un grand emploi de figures d'analogie qui concrétisent la menace.

LES TONALITÉS HUMORISTIQUE, IRONIQUE, CYNIQUE ET SATIRIQUE

Tonalités qui permettent de créer une distance entre l'auteur et son lecteur, favorisant son regard critique. Elles sont d'usage fréquent dans les comédies et dans les essais. Dans la tonalité humoristique, le destinataire peut rire de bon cœur avec le locuteur. Toutefois, plus on se rapproche du cynisme et de la satire, plus l'écart s'élargit entre le locuteur et le destinataire ; le rire peut alors devenir grinçant.
Caractéristiques : Dans les récits et les pièces de théâtre, ce sont des **personnages** philosophes, intellectuels ou en position d'autorité (spécialement au théâtre) qui exercent leur humour, souvent au détriment de moins intelligents qu'eux. Dans les essais, l'auteur s'exprime souvent directement ; le **style** se fait ironique, avec emploi d'antiphrases, de jeux de mots et de formules paradoxales.

LA TONALITÉ LYRIQUE

Tonalité qui s'exprime, en premier lieu, dans la poésie courtoise, pour ensuite caractériser assez globalement la poésie. Elle renvoie, en second lieu, à une manière personnelle d'exprimer ses émotions.
Caractéristiques : écrivain, poète ou romancier qui inscrit sa présence dans le texte par l'usage du **je** ; **récits** à caractère autobiographique et introspectifs ; **thématique** centrée particulièrement sur l'amour, la nostalgie, la mort, la solitude, l'ennui de vivre ; sensibilité qui s'épanche dans la nature ; **style** qui renvoie aux figures d'analogie et d'amplification, notamment à tous les procédés créant du rythme – anaphore, répétition et énumération –, aux procédés sonores et à une syntaxe variée.

LA TONALITÉ MERVEILLEUSE

Tonalité associée aux contes, aux légendes ou aux poèmes qui propulsent le lecteur dans un monde irréel. Le récit merveilleux fait oublier l'angoisse ; il est divertissant.
Caractéristiques : personnages souvent issus de la mythologie médiévale (lutins, nains et géants, sorcières, dragons, licornes, etc.) ou religieuse (le diable) ; **intrigue** consistant en des actions inconcevables et fabuleuses ; **thématique** du bien et du mal, de la fusion du rêve avec la réalité ; **style** léger, souvent même fantaisiste, avec présence d'anaphores et de répétitions, de procédés sonores qui témoignent de l'origine orale du récit et qui devraient servir à sa mémorisation.

LA TONALITÉ PATHÉTIQUE

Tonalité qui privilégie l'émotion et vise à toucher le lecteur ou le spectateur. Cette forme d'expression est fréquente chez les romantiques ; elle est incontournable dans le mélodrame.
Caractéristiques : personnages handicapés, malades ou monstrueux, femmes victimes ou enfants orphelins, etc. ; **intrigue** illustrant souvent la relation de bourreau à victime ; scènes d'agonie, épisodes mettant en évidence l'injustice ; **thématiques** de l'enfance, de l'exploitation, de la jalousie, de la violence, de la séparation, de la misère, etc. ; **style** fait de phrases surchargées de synonymes ; champ lexical de la pitié et du larmoiement ; figures d'amplification, de personnification.

LA TONALITÉ POLÉMIQUE

Tonalité fréquemment exploitée dans les essais, employée dans l'intention de convaincre le lecteur. On la trouve également dans les contes philosophiques et les poèmes manifestes. Toutefois, on verra ailleurs en littérature des passages argumentatifs.
Caractéristiques : le texte polémique implique souvent la formulation d'une thèse, la révocation d'arguments opposés (l'antithèse) dans le but d'arriver à imposer un point de vue, une opinion, une synthèse. Bien que l'objectif soit d'ordre rationnel, la tonalité polémique recourt fréquemment aux anecdotes pour convaincre en faisant appel aux émotions.

LA TONALITÉ TRAGIQUE

Tonalité qui se définit par les caractéristiques relatives à la tragédie. Si le *drame* et la *tragédie* sont deux formes littéraires distinctes, les mots « dramatique » et « tragique » sont par contre de proches synonymes sur le plan des tonalités.
Caractéristiques : héros digne et grave, acculé à la catastrophe, faisant face à son destin ou ne pouvant vivre en harmonie avec les valeurs morales de son époque ; **intrigue** centrée sur la mort, qui est généralement l'issue du récit ; **thématique** de la condition humaine et de la fatalité ; **style** qui renvoie à une langue soutenue au service de l'expression de cette souffrance ; présence de l'introspection dans les récits plus récents.

Après avoir lu le texte et dressé l'inventaire de ses ressources, en tenant compte du sujet, et avoir révisé les connaissances nécessaires à l'analyse, il est temps de passer à l'action. Au point de départ, il faut tenir compte du sujet prescrit, des recommandations et des consignes.

Les types de dissertation

Il existe trois types de dissertation : l'analyse littéraire, la dissertation explicative et la dissertation critique.

Les points en commun

• La démarche d'analyse est semblable dans les trois cas.
• Les hypothèses d'analyse sont toujours nécessaires.
• La structure textuelle est la même dans les trois cas : introduction, développement, conclusion.

Les particularités

	L'ANALYSE LITTÉRAIRE	LA DISSERTATION EXPLICATIVE	LA DISSERTATION CRITIQUE
Définition	Analyse orientée vers les figures stylistiques et leurs effets sur le lecteur à partir des thèmes importants d'un extrait.	Démonstration et explication d'hypothèses de lecture, aussi appelées sujets d'analyse. L'étudiant doit **distinguer quels éléments sont appropriés pour faire sa démonstration.** Il s'agit, comme dans le premier cas, de faire l'inventaire des caractéristiques du texte sur les plans de la forme et du fond, mais cependant, une étape s'ajoute ici : elle consiste à **sélectionner,** dans ce matériel exploratoire, **les éléments qui sont susceptibles de démontrer le sujet.**	Prise de position qui entraîne un choix d'arguments afin de porter un jugement sur la question de départ. La dissertation critique implique souvent une comparaison entre deux ou plusieurs textes à l'étude. L'étape de l'exploration du texte est toujours nécessaire, mais elle doit être suivie de **la sélection d'éléments et de leur organisation en fonction de la prise de position.**
Sujet	Donner une orientation en formulant une hypothèse. (Le sujet peut être imposé.)	Comprendre et décortiquer l'énoncé du sujet. Respecter l'orientation proposée. **Consignes habituelles** • *Expliquez..., montrez...* ou *démontrez...* (et verbes synonymes) • *Illustrez...* • *Justifiez...*	Comprendre et décortiquer l'énoncé du sujet. Prendre position. **Consignes habituelles** • *Est-il juste d'affirmer telle chose* (et formulations similaires) ? • *Discutez...* (et verbes synonymes)
Rapport au lecteur	Guider le lecteur.	Guider le lecteur.	Convaincre le lecteur.
Rapport au texte	Rendre compte de l'ensemble du texte : les composantes du texte, les procédés stylistiques et leur contribution à la signification générale.	Rendre compte des aspects pertinents reliés au sujet.	Retenir les aspects utiles à l'argumentation. **Si le sujet implique une comparaison** entre deux textes, faire ressortir **les ressemblances et les différences.**

La dissertation explicative

Plan	Exemple
Sujet amené Situer le texte dans un contexte plus large (époque, courant, ou lien avec une problématique élargie liée au sujet). **Sujet posé** Reformuler le sujet et s'assurer de l'équivalence avec la formulation imposée (si c'est le cas). **Sujet divisé** Annoncer les articulations du développement.	Sujet d'analyse : L'amitié est le thème commun de ces deux extraits de Montaigne et de Musset (offerts sur *MaZoneCEC*). Expliquez. *À trois siècles d'intervalle, un essayiste et un poète réfléchissent au profond besoin d'affection présent chez tout être humain. À la Renaissance, Montaigne aborde ce thème de l'amitié avec sérénité dans son essai intitulé « Qu'est-ce que l'amitié ? », tiré de ses essais publiés en 1580. Dans « Le poète », extrait de son recueil Les nuits, publié en 1835, Musset exprime sur ce sujet un pessimisme craintif. En tenant compte des ressemblances et des différences pour chacun des aspects, nous verrons dans un premier temps comment l'alter ego est représenté dans chaque texte ; nous tiendrons ensuite compte du critère de réalité pour juger de cette représentation ; enfin, nous établirons des liens avec la vie de chaque auteur.*

Plan	Exemple
Phrase clé Exprimer l'idée principale du paragraphe en lien avec le sujet. Inclure la transition s'il y a lieu. **Première idée secondaire** Expliquer un premier aspect relatif à l'idée principale. Mettre l'accent sur la similitude ou la convergence. **Citation ou exemple** Illustrer en s'appuyant sur le texte. **Deuxième idée secondaire** Expliquer un deuxième aspect relatif à l'idée principale. Mettre l'accent sur la différence ou la divergence signalée par un mot de transition. **Citation ou exemple** Illustrer en s'appuyant sur le texte. **Deuxième idée secondaire – suite** **Citation ou exemple** **Phrase synthèse ou de transition** Clore le paragraphe par une mini-conclusion ou une phrase de transition.	*Montaigne comme Musset s'assurent en premier lieu de donner une représentation de ce compagnon présent dans leur vie. Chez l'essayiste, cet ami est bien réel et se nomme La Boétie, tandis que chez Musset, il se présente plutôt comme un double, anonyme et d'allure fantomatique. Dans les deux cas, les traits communs sont soulignés entre cet être d'élection et l'auteur lui-même : chez Montaigne, « les âmes se mêlent parfaitement », tandis que Musset précise que « ce double lui ressemble comme un frère ». Toutefois, le caractère de cette présence varie d'un écrivain à l'autre. Chez Montaigne, elle est bienfaisante et voulue par le destin, comme l'illustre le passage suivant : « quelle force inextricable et marquée par le destin [...] a servi d'intermédiaire à cette union ». Chez Musset, la relation évolue dans une relative obscurité qui suggère une profonde appréhension sur l'avenir de cette relation. Cette figure énigmatique deviendra effectivement un « étranger » qui « s'évanouit comme un rêve ». Ces deux textes traduisent ainsi la complexité tout autant que la fragilité des relations humaines.*

Plan	Exemple
Synthèse Prévoir en synthèse une phrase qui condense le contenu de chaque paragraphe du développement. **Ouverture** Proposer une piste de réflexion inexplorée susceptible d'intéresser le lecteur et en lien avec le sujet.	*Montaigne approche le thème de l'amitié en essayiste qui cherche à définir ce sentiment, à l'illustrer par l'expérience personnelle. De son côté, Musset aborde le thème en poète, car le choix des mots participe à la musicalité du texte, mais aussi en écrivain romantique, puisqu'il prête un caractère onirique à ce personnage qui le suit comme un double de lui-même. Les deux textes se rejoignent par leur caractère autobiographique et pose un regard subjectif sur le rapport à l'autre, une personne de sexe masculin dans les deux cas. Il serait intéressant de comparer dans les deux œuvres le traitement d'une autre forme d'altérité, soit celle de la relation à la femme.*

Recommandations pour réussir une rédaction

L'INTRODUCTION

Recommandations	Exemples d'erreurs à éviter et suggestions de remplacement
Ne pas amener le sujet par des généralités.	~~Il y a toujours eu des guerres.~~ **Plus efficace :** *La Seconde Guerre mondiale contribue à la crise des valeurs qui ébranle l'Europe...*
S'adresser à un lecteur anonyme à qui on fournit toute l'information nécessaire pour situer le texte.	Ne pas faire explicitement référence au professeur ni aux consignes du travail. ~~Dans le cadre de mon premier cours de français, le professeur a proposé deux extraits et l'analyse porte sur le premier.~~ **Plus efficace :** *Deux extraits seront étudiés...*
Situer l'extrait par rapport aux divisions du livre (acte, chapitre, partie) et à l'intrigue, ce qui permet de faire un court résumé.	~~L'extrait se trouve aux pages 13 et 14.~~ **Plus efficace :** *L'extrait est tiré de l'acte II, scène IV, alors que le héros s'apprête à enlever sa dulcinée.*
Dans le sujet divisé, il est inutile de spécifier des évidences.	~~Le thème de la révolte sera démontré par deux idées secondaires en s'appuyant sur des citations et des exemples.~~
Progresser logiquement, du plus général (sujet amené) au plus précis (sujet divisé), et enchaîner les phrases logiquement. Ne pas inverser l'ordre. Éviter la simple juxtaposition des éléments d'information.	~~Mérimée est un grand voyageur. Le romantisme est un mouvement artistique du XIXᵉ siècle. Mérimée compose Carmen, une histoire d'amour passionné. Les personnages, la thématique et le style sont dignes d'intérêt.~~ **Plus efficace :** *Le romantisme est un mouvement artistique du XIXᵉ siècle. Mérimée, qui est l'un des représentants de ce courant, compose* Carmen, *une histoire d'amour passionné qui s'inscrit, par ses caractéristiques, dans ce mouvement littéraire. Le récit illustre la domination des émotions sur la raison ; la thématique est toute sentimentale et le point de vue narratif est empreint de subjectivité.*

LE DÉVELOPPEMENT

Recommandations	Exemples d'erreurs à éviter et suggestions de remplacement
Susciter l'intérêt du lecteur : varier le lexique et la syntaxe.	• Les formulations identiques, comme des débuts de paragraphe avec un marqueur et une phrase clé de même nature : ~~Premièrement, nous allons démontrer l'importance de la religion...~~ ~~Deuxièmement, nous allons démontrer l'importance de la langue...~~ • Les paragraphes construits toujours sur le même modèle.

Recommandations	Exemples d'erreurs à éviter et suggestions de remplacement
Adopter le style neutre propre à la dissertation. L'auteur étudié peut utiliser le registre populaire ou les expressions de la langue orale, mais pas le rédacteur d'une dissertation. Les familiarités ne sont pas de mise ni les exclamations qui expriment l'émotion. Préférer les termes « illustrer » et « représenter » aux termes « démontrer » et « prouver ». Un poème ne démontre pas une idée, il l'illustre.	• Les références à l'auteur par son prénom : *ce cher Émile, ce sublime Victor* (pour parler de Nelligan ou de Hugo). • Les formulations exagérées : *Ah ! combien inoubliable est ce poème de Lamartine.*
Progresser logiquement en s'assurant de fournir au lecteur les éléments suivants : • une idée principale (phrase clé) ; • des transitions pour enchaîner les idées ; • des exemples ou des citations à l'appui de la démonstration. **Note** : Une citation ne constitue pas une preuve en elle-même ; elle doit être introduite, explicitée ou commentée afin d'appuyer un argument.	• Les coq-à-l'âne : *Le thème du mal de vivre est important chez les romantiques. Musset crée des personnages ayant une double personnalité. L'amour est vécu de façon malheureuse dans son œuvre.* **Plus efficace :** *Le thème du mal de vivre est important chez les romantiques. Pour l'exprimer, Musset illustre l'isolement du poète...*
Choisir la citation pertinente. Mettre la citation en contexte. Ne pas introduire la citation en paraphrasant son contenu. Placer en retrait et à simple interligne les citations de plus de quatre lignes ; intégrer les autres dans le texte.	• L'accumulation de citations. **Plus efficace :** Ne retenir que la plus pertinente. • Le mot « citation » pour introduire ou commenter une citation : *L'auteur croit que la langue protège notre identité, comme le démontre la citation suivante : « ... ».* **Plus efficace :** *L'auteur croit que la langue protège l'identité des francophones comme l'illustre la réplique du père s'adressant à sa fille : « ... ».*
Les transitions peuvent se faire à l'aide de marqueurs de relation, mais aussi à l'aide de phrases qui éclairent la logique de l'argumentation.	• L'utilisation exagérée de marqueurs de relation vides comme « premièrement », « deuxièmement », « pour continuer », « pour conclure », etc.

LA CONCLUSION

Recommandations	Exemples d'erreurs à éviter et suggestions de remplacement
Travailler à maintenir l'intérêt du lecteur avant de le quitter définitivement.	• La reprise textuelle de la formulation du sujet posé ou du sujet divisé. • Les synthèses sous forme de CQFD (Ce Qu'il Fallait Démontrer) : *Nous avons prouvé par de bons arguments et des exemples appropriés que Musset est un poète romantique.* **Plus efficace :** *On comprend que Musset, qui a vécu des amours tumultueuses et qui a ressenti profondément le mal du siècle, soit en mesure d'exprimer avec lyrisme la solitude du poète romantique.*
L'ouverture conserve un lien avec le sujet ; elle doit être significative.	• Les extrapolations, les prédictions, les questions vides de sens : *Nul doute qu'un jour les Québécois se réveilleront.* **Plus efficace :** Privilégier les ouvertures qui demeurent dans le champ du littéraire.

La révision

L'objectif de la révision consiste à revoir le texte en adoptant le point de vue d'un lecteur externe. Il s'agit de vérifier la cohérence du texte, d'en améliorer le style et de corriger l'orthographe d'usage, l'orthographe grammaticale ainsi que la syntaxe.

ASPECTS À VÉRIFIER	INTERVENTIONS
La cohérence textuelle	**La pertinence et la non-contradiction de l'information** • Vérifier si le développement correspond au sujet tel qu'il est annoncé dans l'introduction et s'il est présenté clairement. • S'assurer que l'argumentation n'entre pas en contradiction avec l'extrait analysé. • S'assurer que l'argumentation n'entre pas en contradiction avec les connaissances acquises sur l'œuvre. • Vérifier si toutes les consignes ont été respectées. • Veiller à ce qu'aucun élément du texte n'entre en contradiction avec un autre ou justifier la contradiction s'il y a lieu. **La progression et la continuité de l'information** • Relire les phrases clés et les phrases de synthèse (habituellement, première et dernière phrases de chaque paragraphe) pour s'assurer que des informations nouvelles contribuent à faire progresser le propos. • Vérifier les transitions logiques (respect du plan, division en paragraphes, utilisation d'organisateurs textuels, etc.). • S'assurer d'avoir utilisé adéquatement diverses méthodes de reprise de l'information pour favoriser la compréhension des lecteurs.
Le lexique	• Vérifier le sens des mots peu courants afin de s'assurer qu'ils sont utilisés correctement. • Éliminer les mots appartenant à la langue familière, les anglicismes, le vocabulaire imprécis et les répétitions inutiles. • S'assurer d'avoir employé un vocabulaire varié et précis ; consulter un dictionnaire des synonymes au besoin.
L'orthographe d'usage, l'orthographe grammaticale et la syntaxe	• Consulter, au besoin, une grammaire, un dictionnaire des difficultés, un guide de conjugaison ou un logiciel correcteur. • Vérifier si les phrases sont bien structurées. • S'assurer que les règles de la ponctuation ont été respectées.

L'autocorrection

Afin de vérifier plus précisément les aspects mentionnés dans le tableau précédent, utiliser la démarche d'autocorrection et les stratégies proposées ci-dessous.

STRATÉGIES
• S'assurer que les traces de la correction soient visibles afin d'éviter de refaire des erreurs en réécrivant la version finale du texte. • Au fur et à mesure de la rédaction, signaler les éléments à vérifier à l'aide de symboles (ex. : « ? » pour « aspect à vérifier », « * » pour « mot du dictionnaire », « L » pour « lexique », « O » pour « orthographe », etc.). • Utiliser des symboles pour certaines difficultés (homophones, participes passés, ponctuation, etc.) ; relier les mots de même accord ; surligner les verbes, encercler les finales dont l'accord doit être vérifié. • Utiliser plusieurs outils de référence : un dictionnaire, une grammaire, des notes de cours, etc.

- Lire le texte dans son ensemble plusieurs fois, avec l'intention de corriger un aspect différent à chaque lecture (ex. : lire pour corriger la syntaxe, le lexique, l'accord du verbe, etc.).
- Corriger un paragraphe à la fois et en vérifier tous les aspects.
- Procéder par questions / réponses pour repérer les éléments de la phrase.
- Porter une attention particulière aux difficultés relevées lors des rédactions précédentes.
- À l'ordinateur, mettre en doute les propositions du correcteur orthographique informatisé : elles ne sont pas toutes adéquates et peuvent induire en erreur.
- Effectuer une dernière révision en partant de la fin du texte, ce qui permet de se concentrer sur la grammaire et non sur le sens.

ASPECTS À VÉRIFIER	INTERVENTIONS
Le lexique	**Douter du choix des mots** • Les mots peu courants sont-ils utilisés selon le sens indiqué dans le dictionnaire ? • Certains mots, trop familiers, imprécis ou répétés, doivent-ils être remplacés ? Trouve-t-on des synonymes appropriés dans le dictionnaire ? • Y a-t-il des mots de langue étrangère que l'on pourrait remplacer par un mot français ? Sinon, sont-ils indiqués adéquatement ?
L'orthographe d'usage	**Douter de l'orthographe des mots** • Quels sont les mots à vérifier dans le dictionnaire ? • Quels sont les verbes à vérifier dans la grammaire ? • Les homonymes sont-ils orthographiés selon le contexte de la phrase et leur classe grammaticale ? • Y a-t-il des mots qui doivent prendre la majuscule (noms propres, titres, etc.) ?
L'orthographe grammaticale	**Identifier les donneurs d'accord et leurs receveurs, puis vérifier les accords** • Les receveurs d'accord sont-ils bien orthographiés en fonction du genre, du nombre ou de la personne des donneurs d'accord ? • Dans les GN, les déterminants et les adjectifs sont-ils accordés correctement ? • Les verbes, les participes passés employés avec l'auxiliaire *être* et les attributs du sujet sont-ils accordés avec leur sujet ? • Les participes passés employés avec l'auxiliaire *avoir* ou les verbes pronominaux sont-ils bien accordés ? • Les attributs du complément direct sont-ils accordés avec ce complément ?
La syntaxe et la ponctuation	**Vérifier la construction des groupes** • Les groupes de mots sont-ils bien construits et complets ? • Les verbes sont-ils employés avec les bons types de compléments ? **Vérifier la construction des phrases** • Les phrases sont-elles bien structurées selon leur type et leur forme ? • Y a-t-il des liens à établir à l'intérieur des phrases ou entre les phrases par la coordination, la juxtaposition ou la subordination ? • Le choix des marqueurs de relation ou des organisateurs textuels est-il adéquat ? • Les temps des verbes sont-ils appropriés selon le temps du texte, les discours rapportés et la subordination ? **Vérifier la ponctuation dans et entre les phrases** • La ponctuation finale des phrases est-elle appropriée et toujours suivie d'une majuscule ? • La virgule est-elle employée correctement avec les compléments de phrases déplacés, les organisateurs textuels, les phrases incises, les coordonnants, les subordonnants, etc. ? • La ponctuation est-elle complète et adéquate dans le cas d'insertion d'un dialogue ? D'un discours direct rapporté ? D'un discours indirect rapporté ? D'une citation ? • Dans le cas de phrases juxtaposées, l'emploi du deux-points ou du point-virgule est-il approprié au contexte de la phrase ?

Index sommaire des noms propres

Index des œuvres étudiées

Index sommaire des notions littéraires

Bibliographie sommaire

ARIÈS, Philippe et Georges DUBY, dir. *Histoire de la vie privée : De la révolution à la Grande Guerre*, tome 4, Paris, Seuil, 1987.

ARIÈS, Philippe et Georges DUBY, dir. *Histoire de la vie privée : De la révolution à la Grande Guerre*, tome 5, Paris, Seuil, 1987.

BACKÈS, Jean-Louis. *Le vers et les formes poétiques dans la poésie française*, Paris, Hachette, 1997.

BAKHTINE, Mikhaïl. *Esthétique et théorie du roman*, Paris, Gallimard, 1978.

BÉHAR, Henri et Michel CARRASOU. *Le surréalisme : Textes et débats*, Paris, Le Livre de Poche, 1984.

BÉNAC, Henri et Brigitte RÉAUTÉ. *Vocabulaire des études littéraires*, Paris, Hachette Éducation, 1993.

BERTON, Jean-Claude. *Histoire de la littérature et des idées en France au xxᵉ siècle*, Paris, Hatier, 1997.

BERRANGER, Marie-Paule. *Panorama de la littérature française : Le surréalisme*, Paris, Hachette, 1997.

BONNEVILLE, Georges. *Les fleurs du mal : Baudelaire*, Paris, Hatier, 1987.

BORGOMANO, Madeleine et Élizabeth RAVOUX-RALLO. *La littérature française du xxᵉ siècle : Le roman et la nouvelle*, Paris, Armand Colin, 1995.

CHARTIER, Pierre. *Introduction aux grandes théories du roman*, Paris, Bordas, 1990.

CHASSANG, Arsène et Charles SENNIGER. *Les textes littéraires généraux*, tome 1, Paris, Hachette, 1991.

CHEVRIER, Jacques. *Littérature nègre*, Paris, Armand Colin, 1984.

COHEN-SOLAL, Annie. *Sartre, un penseur pour le xxiᵉ siècle*, coll. Découvertes, Paris, Gallimard, 2005.

CONTAT, Michel. *Sartre, l'invention de la liberté*, Coll. Passion, Paris, Les éditions Textuel, 2005.

COUTURIER, Élizabeth. *L'art contemporain, mode d'emploi*, Paris, Filipacchi, 2004.

COUTY, Daniel. *Histoire de la littérature française*, Paris, Larousse, 2002.

DARCOS, Xavier. *Histoire de la littérature française*, Paris, Hachette Éducation, 1992.

DÉJEUX, Jean. *Littérature maghrébine de langue française*, Paris, Naaman, 1973.

DELCROIX, Maurice et Fernand HALLYN, dir. *Introduction aux études littéraires : Méthodes de textes*, Paris, Duculot, 1987.

DUMONTIER, J.-L. *Pour lire le récit : L'analyse structurale au service de la pédagogie de la lecture*, Paris, De Boeck/Duculot, 1980.

DUROZOI, Gérard. *Le surréalisme*, Paris, Hazan, 2002.

ÉCHELARD, Michel. *Histoire de la littérature en France au xixᵉ siècle*, Paris, Hatier, 2002.

FALLAIZE, Elizabeth. *French Women's Wrtiting : Recent Fiction*, Hampshire, Macmillan, 1993.

GOETSCHEL, Pascale et Emmanuelle LOYER. *Histoire culturelle et intellectuelle de la France au xxᵉ siècle*, 3ᵉ éd., Paris, Armand Colin, 2005.

GOFFETTE, Guy *et al. 20 poètes pour l'an 2000*, Paris, Gallimard, 1999.

HUBERT, Marie-Claude. *Le théâtre*, Paris, Armand Colin, 2003.

JACQUART, Emmanuel. *Le théâtre de dérision*, Paris, Gallimard, 1998.

JEAN, Georges. *La poésie*, Paris, Seuil, 1966.

JOUBERT, Jean-Louis. *La poésie*, 3ᵉ éd., Paris, Armand Colin, 2003.

KLINGSÖHR-LEROY, Cathrin. *Surréalisme*, Paris, Taschen, 2004.

KUNDERA, Milan. *L'art du roman*, Paris, Gallimard, 1995.

LAFFONT-BOMPIANI. *Dictionnaire encyclopédique de la littérature française*, Paris, Bouquins, 1997.

LE TELLIER, Hervé. *Esthétique de l'Oulipo*, Paris, Le Castor astral, 2006.

LÉVY, Bernard-Henri. *Le siècle de Sartre*, Paris, Grasset, 2000.

LYOTARD, Jean-François. *La condition post-moderne*, Paris, Éditions de Minuit, 1979.

MAGNY, Claude-Edmonde. *Histoire du roman français depuis 1918*, Paris, Seuil, 1950.

MITTERAND, Henri. *La littérature française du xxᵉ siècle*, Paris, Nathan, 1996.

PIERRE, Michel. *Une autre histoire du xxᵉ siècle, 1950-1060 : deux blocs, trois mondes*, Coll. Découvertes, Paris, Gallimard, 1999.

PIERRE, Michel. *Une autre histoire du xxᵉ siècle, 1960-1970*, Coll. Découvertes, Paris, Gallimard, 1999.

PREISS, Axel. *xixᵉ siècle, tome 2 : 1851-1891*, Paris, Bordas, 1988.

REY, Pierre-Louis. *La littérature française du xixᵉ siècle*, Paris, Nathan, 1996.

RICARDOU, Jean. *Le nouveau roman*, Paris, Seuil, 1973.

RIVIÈRE, Daniel. *Histoire de la France*, Paris, Hachette éducation, 1995.

ROBBE-GRILLET, Alain. *Le voyageur*, Paris, Christian Bourgeois éditeur, 2001.

RODRIGUES, Jean-Marc. *xxᵉ siècle, tome 1 : 1892-1944*, Paris, Bordas, 1988.

SEVREAU, Didier. *La poésie au xixᵉ et au xxᵉ siècle, problématiques essentielles*, Paris, Hatier, 2000.

THÉRENTY, Marie-Ève. *Les mouvements littéraires du xixᵉ siècle et du xxᵉ siècle*, Paris, Hatier, 2001.

TOUMSON, Roger. *La transgression des couleurs : Littérature et langage des Antilles*, Paris, Éditions Caribéennes, 1999.

TRÉPANIER, Michel et Claude VAILLANCOURT. *La méthodologie de la dissertation explicative*, Laval, Études vivantes, 2000.

VALETTE, B. *Esthétique du roman moderne*, Paris, Nathan, 1985.

VANNIER Gilles. *xxᵉ siècle, tome 2 : 1945-1988*, Paris, Bordas, 1988.

WINOCK, Michel. *Le siècle des intellectuels*, Paris, Seuil, 1997.

ZERAFFA, M. *Personne et personnage : Le romanesque des années 1920 aux années 1950*, Paris, Klinckseick, 1969.